APPIAN'S ROMAN HISTORY

III

4

APPIAN'S ROMAN HISTORY

WITH AN ENGLISH TRANSLATION BY
HORACE WHITE, M.A., LL.D.

IN FOUR VOLUMES

III

CAMBRIDGE, MASSACHUSETTS
HARVARD UNIVERSITY PRESS

LONDON
WILLIAM HEINEMANN LTD

MCMLXXIX

American ISBN 0–674–99005–6
British ISBN 0 434 99004 3

First printed 1913
Reprinted 1933, 1958, 1964, 1972, 1979

Printed in Great Britain

CONTENTS

THE CIVIL WARS

NOTE

The last two volumes of the present edition have been revised and prepared for the press by E. Iliff Robson, of Christ's College, Cambridge. The text is Viereck's recension of Mendelssohn, being the Teubner edition, Leipzig, 1905, with a few unimportant changes of punctuation.

APPIAN'S ROMAN HISTORY

THE CIVIL WARS

ΑΠΠΙΑΝΟΥ ΡΩΜΑΙΚΑ

ΡΩΜΑΙΚΩΝ ΕΜΦΥΛΙΩΝ

Α΄

ΠΡΟΟΙΜΙΟΝ

1. Ῥωμαίοις ὁ δῆμος καὶ ἡ βουλὴ πολλάκις ἐς ἀλλήλους περί τε νόμων θέσεως καὶ χρεῶν ἀποκοπῆς ἢ γῆς διαδατουμένης ἢ ἐν ἀρχαιρεσίαις ἐστασίασαν· οὐ μήν τι χειρῶν ἔργον ἔμφυλον ἦν, ἀλλὰ διαφοραὶ μόναι καὶ ἔριδες ἔννομοι, καὶ τάδε μετὰ πολλῆς αἰδοῦς εἴκοντες ἀλλήλοις διετίθεντο. ὁ δὲ δῆμός ποτε καὶ στρατευόμενος ἐς τοιάνδε ἔριν ἐμπεσὼν οὐκ ἐχρήσατο τοῖς ὅπλοις παροῦσιν, ἀλλ᾽ ἐς τὸ ὄρος ἐκδραμών, τὸ ἀπὸ τοῦδε κληζόμενον ἱερόν, οὐδὲν οὐδὲ τότε χειρῶν ἔργον, ἀλλ᾽ ἀρχὴν ἑαυτοῦ προστάτιν ἀπέφηνε καὶ ἐκάλεσε δημαρχίαν ἐς κώλυσιν μάλιστα τῶν ὑπάτων ἀπὸ τῆς βουλῆς αἱρουμένων μὴ ἐντελὲς αὐτοῖς ἐπὶ τῇ πολιτείᾳ τὸ κράτος εἶναι. ὅθεν δὴ καὶ μάλιστα

APPIAN'S ROMAN HISTORY

THE CIVIL WARS

BOOK I

INTRODUCTION

1. THE plebeians and Senate of Rome were often at strife with each other concerning the enactment of laws, the cancelling of debts, the division of lands, or the election of magistrates. Internal discord did not, however, bring them to blows; there were dissensions merely and contests within the limits of the law, which they composed by making mutual concessions, and with much respect for each other. Once when the plebeians were entering on a campaign they _{B.C.} fell into a controversy of this sort, but they did not ₄₉₄ use the weapons in their hands, but withdrew to the hill, which from that time on was called the Sacred Mount. Even then no violence was done, but they created a magistrate for their protection and called him the Tribune of the Plebs, to serve especially as a check upon the consuls, who were chosen by the Senate,[1] so that political power should not be exclusively in their hands. From this arose still

[1] The Consuls were not chosen by the Senate during the republican era, but by the whole people.

δυσμενέστερον ἔτι καὶ φιλονικότερον ἐς ἀλλήλας
αἱ ἀρχαὶ διετίθεντο ἀπὸ τοῦδε, καὶ ἡ βουλὴ καὶ ὁ
δῆμος ἐς αὐτὰς ἐμερίζετο ὡς ἐν ταῖς τῶνδε πλεο-
νεξίαις ἑκάτεροι τῶν ἑτέρων ἐπικρατοῦντες. Μάρ-
κιός τε ὁ Κοριολανὸς ἐν ταῖσδε ταῖς ἔρισιν
ἐξελαθεὶς παρὰ δίκην ἐς Οὐολούσκους ἔφυγέ τε
καὶ πόλεμον ἐπήγαγε τῇ πατρίδι.

2. Καὶ τοῦτο μόνον ἄν τις εὕροι τῶν πάλαι
στάσεων ἔργον ἔνοπλον, καὶ τοῦθ' ὑπ' αὐτομόλου
γενόμενον, ξίφος δὲ οὐδέν πω παρενεχθὲν ἐς
ἐκκλησίαν οὐδὲ φόνον ἔμφυλον, πρίν γε Τιβέριος
Γράκχος δημαρχῶν καὶ νόμους ἐσφέρων πρῶτος
ὅδε ἐν στάσει ἀπώλετο καὶ ἐπ' αὐτῷ πολλοὶ
κατὰ τὸ Καπιτώλιον εἱλούμενοι περὶ τὸν νεὼν
ἀνῃρέθησαν. καὶ οὐκ ἀνέσχον ἔτι αἱ στάσεις ἐπὶ
τῷδε τῷ μύσει, διαιρουμένων ἑκάστοτε σαφῶς ἐπ'
ἀλλήλοις καὶ ἐγχειρίδια πολλάκις φερόντων
κτιννυμένης τέ τινος ἀρχῆς ἐκ διαστήματος ἐν
ἱεροῖς ἢ ἐκκλησίαις ἢ ἀγοραῖς, δημάρχων ἢ
στρατηγῶν ἢ ὑπάτων ἢ τῶν ἐς ταῦτα παραγ-
γελλόντων ἢ τῶν ἄλλως ἐπιφανῶν. ὕβρις τε
ἄκοσμος ἐπεῖχεν αἰεὶ δι' ὀλίγου καὶ νόμων καὶ
δίκης αἰσχρὰ καταφρόνησις. προϊόντος δ' ἐς
μέγα τοῦ κακοῦ, ἐπαναστάσεις ἐπὶ τὴν πολιτείαν
φανεραὶ καὶ στρατεῖαι μεγάλαι καὶ βίαιοι κατὰ τῆς
πατρίδος ἐγίγνοντο φυγάδων ἀνδρῶν ἢ καταδίκων
ἢ περὶ ἀρχῆς τινος ἢ στρατοπέδου φιλονικούντων
ἐς ἀλλήλους. δυναστεῖαί τε ἦσαν ἤδη κατὰ
πολλὰ καὶ στασίαρχοι μοναρχικοί, οἱ μὲν οὐ
μεθιέντες ἔτι τὰ πιστευθέντα σφίσιν ὑπὸ τοῦ

4

greater bitterness, and the magistrates were arrayed ^{B.C.} in stronger animosity to each other from this time on, and the Senate and plebeians took sides with them, each believing that it would prevail over the other by augmenting the power of its own magistrates. It was in the midst of contests of this kind that Marcius Coriolanus, having been banished contrary to justice, took refuge with the Volsci and levied war against his country.

2. This is the only case of armed strife that can be found in the ancient seditions, and this was caused by an exile. The sword was never carried into the assembly, and there was no civil butchery until Tiberius Gracchus, while serving as tribune and bringing forward new laws, was the first to fall a victim to internal commotion; and with him many others, who were crowded together at the Capitol round the temple, were also slain. Sedition did not end with this abominable deed. Repeatedly the parties came into open conflict, often carrying daggers; and from time to time in the temples, or the assemblies, or the forum, some tribune, or praetor, or consul, or candidate for those offices, or some person otherwise distinguished, would be slain. Unseemly violence prevailed almost constantly, together with shameful contempt for law and justice. As the evil gained in magnitude open insurrections against the government and large warlike expeditions against their country were undertaken by exiles, or criminals, or persons contending against each other for some office or military command. There arose chiefs of factions quite frequently, aspiring to supreme power, some of them refusing to disband the troops entrusted to them by the people, others even hiring

5

δήμου στρατόπεδα, οἱ δὲ καὶ κατὰ σφᾶς ἄνευ τοῦ
κοινοῦ κατ' ἀλλήλων ξενολογοῦντες. ὁπότεροι δ'
αὐτῶν τὴν πόλιν προλάβοιεν, τοῖς ἑτέροις ἦν ὁ
ἀγὼν λόγῳ μὲν ἐπὶ τοὺς ἀντιστασιώτας, ἔργῳ δ'
ἐπὶ τὴν πατρίδα· ἐσέβαλλον γὰρ ὡς ἐς πολεμίαν,
καὶ σφαγαὶ τῶν ἐν ποσὶν ἐγίγνοντο νηλεεῖς
καὶ ἄλλων ἐπὶ θανάτῳ προγραφαὶ καὶ φυγαὶ
καὶ δημεύσεις, ἐνίων δὲ καὶ βάσανοι πάμπαν
ἐπαχθεῖς.

3. Ἔργον τε οὐδὲν ἀηδὲς ἀπῆν, μέχρι τῶνδε
τῶν στασιάρχων εἷς ἔτει πεντηκοστῷ μάλιστα
ἀπὸ Γράκχου, Κορνήλιος Σύλλας, κακῷ τὸ κακὸν
ἰώμενος μόναρχον αὑτὸν ἀπέφηνεν ἐπὶ πλεῖστον·
οὓς δικτάτορας ἐκάλουν τε καὶ ἐπὶ ταῖς φοβερω-
τάταις χρείαις ἑξαμήνους τιθέμενοι ἐκ πολλοῦ
διελελοίπεσαν. ὁ δὲ Σύλλας βίᾳ μὲν καὶ ἀνάγκῃ,
λόγῳ δ' αἱρετός, ἐς αἰεὶ δικτάτωρ γενόμενος ὅμως,
ἐπεί τε ἐκορέσθη τῆς δυναστείας, πρῶτος ἀνδρῶν
ὅδε μοι δοκεῖ θαρρῆσαι τυραννικὴν ἀρχὴν ἑκὼν
ἀποθέσθαι καὶ ἐπειπεῖν, ὅτι καὶ τοῖς μεμφομένοις
εὐθύνας ὑφέξει, ἰδιώτης τε ὁρώντων ἁπάντων ἐς
πολὺ βαδίσαι κατ' ἀγορὰν καὶ ἐπανελθεῖν ἀπαθὴς
οἴκαδε. τοσοῦτον ἦν ἄρα τοῖς ὁρῶσιν ἔτι τῆς
ἀρχῆς αὐτοῦ δέος ἢ τῆς ἀποθέσεως κατάπληξις ἢ
τῶν εὐθυνῶν τῆς ἐπαγγελίας αἰδὼς ἢ ἄλλη
φιλανθρωπία καὶ λογισμὸς ἐπὶ συμφέροντι τὴν
τυραννίδα γενέσθαι.

Ὧδε μὲν ἐπὶ βραχὺ ἔληξαν αἱ στάσεις ἐπὶ

forces against each other on their own account, ^{B.C.} without public authority. Whenever either side first got possession of the city, the opposition party made war nominally against their own adversaries, but actually against their country. They assailed it like an enemy's capital, and ruthless and indiscriminate massacres of citizens were perpetrated. Some were proscribed, others banished, property was confiscated, and prisoners were even subjected to excruciating tortures.

3. No unseemly deed was left undone until, about fifty years after the death of Gracchus, Cornelius Sulla, one of these chiefs of factions, doctoring one evil with another, made himself the sole master of the state for a very long time. Such officials were formerly called dictators—an office created in the most perilous emergencies for six months only, and long since fallen into disuse. But Sulla, although nominally elected, became dictator for life by force and compulsion. Nevertheless he became satiated with power and was the first man, so far as I know, holding supreme power, who had the courage to lay it down voluntarily and to declare that he would render an account of his stewardship to any who were dissatisfied with it. And so, for a considerable period, he walked to the forum as a private citizen in the sight of all and returned home unmolested, so great was the awe of his government still remaining in the minds of the onlookers, or their amazement at his laying it down. Perhaps they were ashamed to call him to account, or entertained other good feeling toward him, or a belief that his despotism had been beneficial to the state.

Thus there was a cessation of factions for a short

7

Σύλλα, καὶ κακῶν ἀντίδοσις ἦν ὧν ὁ Σύλλας
εἰργάζετο· 4. μετὰ δὲ Σύλλαν αὖθις ὅμοια ἀνερ-
ριπίζετο, μέχρι Γάιος Καῖσαρ, αἱρετὴν ἀρχὴν ἐπὶ
πολὺ δυναστεύων ἐν Γαλατίᾳ, τῆς βουλῆς αὐτὸν
ἀποθέσθαι κελευούσης αἰτιώμενος οὐ τὴν βουλήν,
ἀλλὰ Πομπήιον, ἐχθρὸν ὄντα οἱ καὶ στρατοῦ
περὶ τὴν Ἰταλίαν ἡγούμενον, ὡς τῆς ἀρχῆς αὐτὸν
ἐπιβουλεύοντα παραλύειν, προυτίθει προκλήσεις
ἢ ἄμφω τὰ στρατεύματα ἔχειν ἐς τῆς ἔχθρας τὴν
ἀφοβίαν ἢ καὶ Πομπήιον οὓς ἔχοι μεθέντα ἰδιω-
τεύειν ὁμοίως ὑπὸ νόμοις. οὐ πείθων δ' ἐς οὐδέ-
τερα ἐκ Γαλατίας ἤλαυνεν ἐπὶ τὸν Πομπήιον ἐς
τὴν πατρίδα, ἐσβαλών τε ἐς αὐτὴν καὶ διώκων
ἐκφυγόντα περὶ Θεσσαλίαν ἐνίκησε μεγάλῃ μάχῃ
λαμπρῶς καὶ ἐδίωκεν ἐς Αἴγυπτον ὑποφεύγοντα.
ἀναιρεθέντος δὲ Πομπηίου πρὸς ἀνδρῶν Αἰγυπτίων
ἐπανῆλθεν ἐς Ῥώμην, ἔστιν ἃ καὶ περὶ Αἴγυπτον
ἐργασάμενός τε καὶ ἐπιμείνας, μέχρι καταστή-
σαιτο αὐτῇ τοὺς βασιλέας. στασιώτην τε μέγισ-
τον, ᾧ διὰ μεγαλουργίαν πολεμικὴν Μέγας ἐπώ-
νυμον ἦν, οὗτος δὴ μάλιστα πολέμου κράτει
σαφῶς καθελών, οὐδενὸς αὐτῷ θαρροῦντος εἰς
οὐδὲν ἔτι ἀντειπεῖν, δεύτερος ἐπὶ Σύλλᾳ δικτάτωρ
ἐς τὸ διηνεκὲς ᾑρέθη· καὶ στάσεις αὖθις κατε-
παύοντο πᾶσαι, ἔστε καὶ τόνδε Βροῦτος καὶ
Κάσσιος ζήλῳ τε τῆς ἀρχῆς τοῦ μεγέθους καὶ
πόθῳ τῆς πατρίου πολιτείας ἐν τῷ βουλευτηρίῳ
κατέκανον, δημοτικώτατον καὶ ἐμπειρότατον ἀρχῆς
γενόμενον. ὅ γέ τοι δῆμος αὐτὸν μάλιστα πάντων

time while Sulla lived, and a compensation for the ^{B.C} evils which he had wrought, 4. but after his death ⁷⁹ similar troubles broke out and continued until Gaius Caesar, who had held the command in Gaul ⁴⁹ by election for some years, when ordered by the Senate to lay down his command, excused himself on the ground that this was not the wish of the Senate, but of Pompey, his enemy, who had command of an army in Italy, and was scheming to depose him. So he sent proposals that either both should retain their armies, so that neither need fear the other's enmity, or that Pompey also should dismiss his forces and live as a private citizen under the laws in like manner with himself. Both suggestions being refused, he marched from Gaul against Pompey into Roman territory, entered Rome, and finding Pompey fled, pursued him into Thessaly, won a brilliant victory over him in a great battle,[1] and followed him to Egypt. After ⁴⁸ Pompey had been slain by certain Egyptians Caesar set to work on Egyptian affairs and remained there until he could settle the dynasty of that country. Then he returned to Rome. Having overpowered by war his principal rival, who had been surnamed the Great on account of his brilliant military exploits, he now ruled without disguise, nobody daring any longer to dispute with him about anything, and was chosen, next after Sulla, dictator for life. Again all civil dissensions ceased until Brutus and Cassius, envious of his great power and desiring to restore ⁴⁴ the government of their fathers, slew in the Senate-house one who had proved himself truly popular, and most experienced in the art of government. The people certainly mourned for him greatly. They

[1] At Pharsalus.

9

ἐπεπόθησε, καὶ τοὺς σφαγέας ἐζήτουν περιιόντες καὶ τὸ σῶμα ἔθαψαν ἐν ἀγορᾷ μέσῃ καὶ νεὼν ἐπῳκοδόμησαν τῇ πυρᾷ καὶ θύουσιν ὡς θεῷ.

5. Αἱ δὲ στάσεις ἐπὶ τῷδε μάλιστα αὖθις ἐπανελθοῦσαί τε καὶ αὐξηθεῖσαι δυνατώτατα ἐς μέγα προῆλθον, καὶ φόνοι καὶ φυγαὶ καὶ ἐπὶ θανάτῳ προγραφαὶ βουλευτῶν τε καὶ τῶν καλουμένων ἱππέων, κατὰ πλῆθος ἀθρόως ἑκατέρων, ἐγίγνοντο, τοὺς ἐχθροὺς ἀλλήλοις τῶν στασιωτῶν ἀντιπαρεχόντων καὶ ἐς τοῦτο ἀμελούντων καὶ φίλων καὶ ἀδελφῶν· τοσοῦτον ἐκράτει τῆς ἐς τὰ οἰκεῖα εὐνοίας ἡ ἐς τὰ ἀντίπαλα φιλονικία. προιόντες τε τὴν Ῥωμαίων ἀρχὴν ὡς ἰδιωτικὸν σφῶν κτῆμα διενείμαντο ἐφ' ἑαυτῶν τρεῖς οἵδε ἄνδρες, Ἀντώνιός τε καὶ Λέπιδος καὶ ὅτῳ πρότερον μὲν Ὀκτάουιος ὄνομα ἦν, Καίσαρι δὲ πρὸς γένους ὢν καὶ θετὸς ἐν διαθήκαις ὑπ' αὐτοῦ γενόμενος Καῖσαρ ἐκ τοῦδε μετωνομάζετο. ἐπὶ δὲ τῇ διαιρέσει τῇδε μετὰ βραχὺ συμπεσόντες, ὡς εἰκὸς ἦν, ἐς ἀλλήλους ὁ Καῖσαρ αὐτῶν συνέσει τε καὶ ἐμπειρίᾳ προύχων Λέπιδον μὲν πρότερον αὐτῶν ἦν ἐκεκλήρωτο Λιβύην, ἐπὶ δὲ τῷ Λεπίδῳ καὶ Ἀντώνιον πολέμῳ περὶ Ἄκτιον ἀφείλετο τὴν ἀπὸ Συρίας ἐπὶ κόλπον τὸν Ἰόνιον ἀρχήν. ἐπί τε τούτοις, μεγίστοις δὴ φανεῖσι καὶ ἐς ἔκπληξιν ἅπαντας ἐμβαλοῦσιν, εἷλε καὶ Αἴγυπτον ἐπιπλεύσας, ἣ χρονιωτάτη τε ἦν ἐς τότε καὶ δυνατωτάτη μετὰ Ἀλέξανδρον ἀρχὴ καὶ μόνη Ῥωμαίοις ἔλειπεν ἐς τὰ νῦν ὄντα, ὥστε Σεβαστὸς εὐθὺς ἐπὶ τοῖς ἔργοις, ἔτι περιών,

scoured the city in pursuit of his murderers, buried ^{B.C.}₄₄ him in the middle of the forum, built a temple on the site of his funeral pyre, and offer sacrifice to him as a god.

5. And now civil discord broke out again worse than ever and increased enormously. Massacres, 43 banishments, and proscriptions of both senators and knights took place straightway, including great numbers of both classes, the chiefs of factions surrendering their enemies to each other, and for this purpose not sparing even their friends and brothers ; so much did animosity toward rivals over-power the love of kindred. So in the course of events the Roman empire was partitioned, as though it had been their private property, by these three men : Antony, Lepidus, and the one who was first called Octavius, but afterward Caesar from his relationship to the other Caesar and adoption in his will. Shortly after this division they fell to quarrelling among themselves, as was natural, and Octavius, who was the superior in understanding and skill, first deprived Lepidus of Africa, which had 36 fallen to his lot, and afterward, as the result of the battle of Actium, took from Antony all the provinces 31 lying between Syria and the Adriatic gulf. There-upon, while all the world was filled with astonish-ment at these wonderful displays of power, he sailed to Egypt and took that country, which was the oldest and at that time the strongest possession of the successors of Alexander, and the only one wanting to complete the Roman empire as it now stands. In immediate consequence of these exploits 27 he was, while still living, the first to be regarded by

ὅδε πρῶτος ὀφθῆναί τε Ῥωμαίοις καὶ κληθῆναι
πρὸς αὐτῶν, αὐτός τε ἑαυτόν, ὥσπερ Γάιος καὶ ἐς
τὸ δυνατώτερον ἔτι Γαΐου, ἄρχοντα ἀποφῆναι τῇ
τε πατρίδι καὶ τοῖς ὑπ' αὐτὴν ἔθνεσιν ἅπασιν,
οὐδὲν αἱρέσεως ἢ χειροτονίας ἢ προσποιήματος
ἔτι δεηθείς. χρονίου δ' αὐτῷ καὶ ἐγκρατοῦς τῆς
ἀρχῆς γενομένης, ἐπιτυχὴς ἐς πάντα καὶ φοβερὸς
ὢν γένος ἀφ' ἑαυτοῦ καὶ διαδοχὴν τὴν ἐπικρατοῦ-
σαν ὁμοίως ἐπ' ἐκείνῳ κατέλιπεν.

6. Ὧδε μὲν ἐκ στάσεων ποικίλων ἡ πολιτεία
Ῥωμαίοις ἐς ὁμόνοιαν καὶ μοναρχίαν περιέστη·
ταῦτα δ' ὅπως ἐγένετο, συνέγραψα καὶ συνήγαγον,
ἀξιοθαύμαστα ὄντα τοῖς ἐθέλουσιν ἰδεῖν φιλοτιμίαν
ἀνδρῶν ἄμετρον καὶ φιλαρχίαν δεινὴν καρτερίαν
τε ἄτρυτον καὶ κακῶν ἰδέας μυρίων, μάλιστα δ',
ὅτι μοι τῆς Αἰγυπτίας συγγραφῆς τάδε προηγού-
μενα καὶ τελευτήσοντα εἰς ἐκείνην ἀναγκαῖον ἦν
προαναγράψασθαι· ὧδε γὰρ Αἴγυπτος ἐλήφθη,
διὰ τήνδε τὴν στάσιν, Ἀντωνίῳ Κλεοπάτρας
συμμαχούσης. διῄρηται δ' αὐτῶν διὰ τὸ πλῆθος
ἐνθάδε μέν, ὅσα ἐπὶ Κορνήλιον Σύλλαν ἀπὸ
Σεμπρωνίου Γράκχου, ἑξῆς δ', ὅσα μέχρι Γαΐου
Καίσαρος τῆς τελευτῆς. αἱ δὲ λοιπαὶ τῶν ἐμφυλ-
ίων βίβλοι δεικνύουσιν, ὅσα οἱ τρεῖς ἐς ἀλλήλους
τε καὶ Ῥωμαίους ἔδρασαν, μέχρι τὸ τελευταῖον
δὴ τῶν στάσεων καὶ μέγιστον ἔργον, τὸ περὶ
Ἄκτιον Καίσαρι πρὸς Ἀντώνιον ὁμοῦ καὶ Κλεο-
πάτραν γενόμενον, ἀρχὴ καὶ τῆς Αἰγυπτιακῆς
συγγραφῆς ἔσται.

the Romans as 'august,' [1] and to be called by them B.C. 27
"Augustus." He assumed to himself an authority
like Caesar's over the country and the subject nations,
and even greater than Caesar's, no longer needing
any form of election, or authorization, or even the pre-
tence of it. His government proved both lasting and
masterful, and being himself successful in all things
and dreaded by all, he left a lineage and succession
that held the supreme power in like manner after him.

6. Thus, out of multifarious civil commotions, the
Roman state passed into harmony and monarchy. To
show how these things came about I have written
and compiled this narrative, which is well worth the
study of those who wish to know the measureless
ambition of men, their dreadful lust of power, their
unwearying perseverance, and the countless forms of
evil. And it is especially necessary for me to describe
these things beforehand since they are the prelim-
inaries of my Egyptian history, and will end where
that begins, for Egypt was seized in consequence
of this last civil commotion, Cleopatra having joined
forces with Antony. On account of its magnitude
I have divided the work, first taking up the events
that occurred from the time of Sempronius Gracchus
to that of Cornelius Sulla; next, those that followed
to the death of Caesar. The remaining books of the
civil wars treat of those waged by the triumvirs
against each other and the Roman people, up to the
grand climax of these conflicts, the battle of Actium
fought by Octavius Caesar against Antony and
Cleopatra together, which will be the beginning of
the Egyptian history.

---

[1] The title "Augustus" definitely connoted monarchical
power. We might paraphrase "as His Majesty."

I

7. Ῥωμαῖοι τὴν Ἰταλίαν πολέμῳ κατὰ μέρη
χειρούμενοι γῆς μέρος ἐλάμβανον καὶ πόλεις
ἐνῴκιζον ἢ ἐς τὰς πρότερον οὔσας κληρούχους ἀπὸ
σφῶν κατέλεγον. καὶ τάδε μὲν ἀντὶ φρουρίων
ἐπενόουν, τῆς δὲ γῆς τῆς δορικτήτου σφίσιν
ἑκάστοτε γιγνομένης τὴν μὲν ἐξειργασμένην αὐτίκα
τοῖς οἰκιζομένοις ἐπιδιῄρουν ἢ ἐπίπρασκον ἢ
ἐξεμίσθουν, τὴν δ' ἀργὸν ἐκ τοῦ πολέμου τότε
οὖσαν, ἣ δὴ καὶ μάλιστα ἐπλήθυεν, οὐκ ἄγοντές
πω σχολὴν διαλαχεῖν ἐπεκήρυττον ἐν τοσῷδε τοῖς
ἐθέλουσιν ἐκπονεῖν ἐπὶ τέλει τῶν ἐτησίων καρπῶν,
δεκάτῃ μὲν τῶν σπειρομένων, πέμπτῃ δὲ τῶν
φυτευομένων. ὥριστο δὲ καὶ τοῖς προβατεύουσι
τέλη μειζόνων τε καὶ ἐλαττόνων ζῴων. καὶ τάδε
ἔπραττον ἐς πολυανδρίαν τοῦ Ἰταλικοῦ γένους,
φερεπονωτάτου σφίσιν ὀφθέντος, ἵνα συμμάχους
οἰκείους ἔχοιεν. ἐς δὲ τοὐναντίον αὐτοῖς περιῄει.
οἱ γὰρ πλούσιοι τῆσδε τῆς ἀνεμήτου γῆς τὴν
πολλὴν καταλαβόντες καὶ χρόνῳ θαρροῦντες οὔ
τινα σφᾶς ἔτι ἀφαιρήσεσθαι τά τε ἀγχοῦ σφίσιν
ὅσα τε ἦν ἄλλα βραχέα πενήτων, τὰ μὲν ὠνούμενοι
πειθοῖ, τὰ δὲ βίᾳ λαμβάνοντες, πεδία μακρὰ ἀντὶ
χωρίων ἐγεώργουν, ὠνητοῖς ἐς αὐτὰ γεωργοῖς καὶ
ποιμέσι χρώμενοι τοῦ μὴ τοὺς ἐλευθέρους ἐς τὰς
στρατείας ἀπὸ τῆς γεωργίας περισπᾶν, φερούσης
ἅμα καὶ τῆσδε τῆς κτήσεως αὐτοῖς πολὺ κέρδος ἐκ

THE CIVIL WARS, BOOK I

I

7. THE Romans, as they subdued the Italian
peoples successively in war, used to seize a part of
their lands and build towns there, or enrol colonists
of their own to occupy those already existing, and
their idea was to use these as outposts;[1] but of the
land acquired by war they assigned the cultivated part
forthwith to the colonists, or sold or leased it. Since
they had no leisure as yet to allot the part which then
lay desolated by war (this was generally the greater
part), they made proclamation that in the meantime
those who were willing to work it might do so for
a toll of the yearly crops, a tenth of the grain and
a fifth of the fruit. From those who kept flocks
was required a toll of the animals, both oxen and
small cattle. They did these things in order to
multiply the Italian race, which they considered the
most laborious of peoples, so that they might have
plenty of allies at home. But the very opposite
thing happened; for the rich, getting possession of
the greater part of the undistributed lands, and
being emboldened by the lapse of time to believe
that they would never be dispossessed, absorbing
any adjacent strips and their poor neighbours'
allotments, partly by purchase under persuasion and
partly by force, came to cultivate vast tracts instead
of single estates, using slaves as labourers and
herdsmen, lest free labourers should be drawn from
agriculture into the army. At the same time the
ownership of slaves brought them great gain from
the multitude of their progeny, who increased because

[1] Appian is neither clear nor convincing here. He seems to
confuse war-colonies and peace-colonies, those founded as '*pro-
pugnacula*' and those which grew up on conquered territory.

πολυπαιδίας θεραπόντων ἀκινδύνως αὐξομένων διὰ τὰς ἀστρατείας. ἀπὸ δὲ τούτων οἱ μὲν δυνατοὶ πάμπαν ἐπλούτουν, καὶ τὸ τῶν θεραπόντων γένος ἀνὰ τὴν χώραν ἐπλήθυε, τοὺς δ' Ἰταλιώτας ὀλιγότης καὶ δυσανδρία κατελάμβανε, τρυχομένους πενίᾳ τε καὶ ἐσφοραῖς καὶ στρατείαις. εἰ δὲ καὶ σχολάσειαν ἀπὸ τούτων, ἐπὶ ἀργίας διετίθεντο, τῆς γῆς ὑπὸ τῶν πλουσίων ἐχομένης καὶ γεωργοῖς χρωμένων θεράπουσιν ἀντὶ ἐλευθέρων.

8. Ἐφ' οἷς ὁ δῆμος ἐδυσφόρει μὲν ὡς οὔτε συμμάχων ἐξ Ἰταλίας ἔτι εὐπορήσων οὔτε τῆς ἡγεμονίας οἱ γενησομένης ἀκινδύνου διὰ πλῆθος τοσόνδε θεραπόντων· διόρθωσιν δ' οὐκ ἐπινοοῦντες, ὡς οὐδὲ ῥᾴδιον ὂν οὐδὲ πάντῃ δίκαιον ἄνδρας τοσούσδε ἐκ τοσοῦδε χρόνου κτῆσιν τοσήνδε ἀφελέσθαι φυτῶν τε ἰδίων καὶ οἰκοδομημάτων καὶ κατασκευῆς, μόλις ποτὲ τῶν δημάρχων εἰσηγουμένων ἔκριναν μηδένα ἔχειν τῆσδε τῆς γῆς πλέθρα πεντακοσίων πλείονα μηδὲ προβατεύειν ἑκατὸν πλείω τὰ μείζονα καὶ πεντακοσίων τὰ ἐλάσσονα. καὶ ἐς ταῦτα δ' αὐτοῖς ἀριθμὸν ἐλευθέρων ἔχειν ἐπέταξαν, οἳ τὰ γιγνόμενα φυλάξειν τε καὶ μηνύσειν ἔμελλον.

Οἱ μὲν δὴ τάδε νόμῳ περιλαβόντες ἐπώμοσαν ἐπὶ τῷ νόμῳ καὶ ζημίαν ὥρισαν, ἡγούμενοι τὴν λοιπὴν γῆν αὐτίκα τοῖς πένησι κατ' ὀλίγον διαπεπράσεσθαι· φροντὶς δ' οὐδεμία ἦν οὔτε τῶν νόμων οὔτε τῶν ὅρκων, ἀλλ' οἵτινες καὶ ἐδόκουν φροντίσαι, τὴν γῆν ἐς τοὺς οἰκείους ἐπὶ ὑποκρίσει

they were exempt from military service. Thus CHAP.
certain powerful men became extremely rich and I
the race of slaves multiplied throughout the country,
while the Italian people dwindled in numbers and
strength, being oppressed by penury, taxes, and
military service. If they had any respite from these
evils they passed their time in idleness, because the
land was held by the rich, who employed slaves
instead of freemen as cultivators.

8. For these reasons the people became troubled
lest they should no longer have sufficient allies of
the Italian stock, and lest the government itself
should be endangered by such a vast number of
slaves. As they did not perceive any remedy, for
it was not easy, nor in any way just, to deprive men
of so many possessions they had held so long,
including their own trees, buildings, and fixtures, a B.C. 367
law was at last passed with difficulty at the instance The Licin-
of the tribunes, that nobody should hold more than ian Law
500 jugera[1] of this land,[2] or pasture on it more than
100 cattle or 500 sheep. To ensure the observance
of this law it was provided also that there should be
a certain number of freemen employed on the
farms, whose business it should be to watch and
report what was going on.

Having thus comprehended all this in a law, they
took an oath over and above the law, and fixed penalties
for violating it, and it was supposed that the remaining
land would soon be divided among the poor in small
parcels. But there was not the smallest considera-
tion shown for the law or the oaths. The few who
seemed to pay some respect to them conveyed their
lands to their relations fraudulently, but the greater

[1] About 330 acres
[2] "Of this land" (*ager publicus*), not land in general.

17

CAP. διένεμον, οἱ δὲ πολλοὶ τέλεον κατεφρόνουν,
I
9. μέχρι Τιβέριος Σεμπρώνιος Γράκχος, ἀνὴρ
ἐπιφανὴς καὶ λαμπρὸς ἐς φιλοτιμίαν εἰπεῖν τε
δυνατώτατος καὶ ἐκ τῶνδε ὁμοῦ πάντων γνωριμώ-
τατος ἅπασι, δημαρχῶν ἐσεμνολόγησε περὶ τοῦ
Ἰταλικοῦ γένους ὡς εὐπολεμωτάτου τε καὶ συγ-
γενοῦς, φθειρομένου δὲ κατ' ὀλίγον εἰς ἀπορίαν
καὶ ὀλιγανδρίαν καὶ οὐδὲ ἐλπίδα ἔχοντος ἐς
διόρθωσιν. ἐπὶ δὲ τῷ δουλικῷ δυσχεράνας ὡς
ἀστρατεύτῳ καὶ οὔποτε ἐς δεσπότας πιστῷ, τὸ
ἔναγχος ἐπήνεγκεν ἐν Σικελίᾳ δεσποτῶν πάθος
ὑπὸ θεραπόντων γενόμενον, ηὐξημένων κἀκείνων
ἀπὸ γεωργίας, καὶ τὸν ἐπ' αὐτοὺς Ῥωμαίων
πόλεμον οὐ ῥᾴδιον οὐδὲ βραχύν, ἀλλὰ ἔς τε μῆκος
χρόνου καὶ τροπὰς κινδύνων ποικίλας ἐκτραπέντα.
ταῦτα δὲ εἰπὼν ἀνεκαίνιζε τὸν νόμον μηδένα τῶν
πεντακοσίων πλέθρων πλέον ἔχειν. παισὶ δ'
αὐτῶν ὑπὲρ τὸν παλαιὸν νόμον προσετίθει τὰ
ἡμίσεα τούτων· καὶ τὴν λοιπὴν τρεῖς αἱρετοὺς
ἄνδρας, ἐναλλασσομένους κατ' ἔτος, διανέμειν τοῖς
πένησι.
10. Τοῦτο δ' ἦν, ὃ μάλιστα ἠνώχλει τοὺς
πλουσίους, οὐ δυναμένους ἔτι ὡς πρότερον τοῦ
νόμου καταφρονεῖν διὰ τοὺς διαιροῦντας οὐδὲ
ὠνεῖσθαι παρὰ τῶν κληρουμένων· ὁ γάρ τοι
Γράκχος καὶ τόδε προϊδόμενος ἀπηγόρευε μὴ
πωλεῖν. συνιστάμενοι δὴ κατὰ μέρος ὠλοφύροντο
καὶ προύφερον τοῖς πένησιν ἀρχαῖά τε ἔργα

part disregarded it altogether, 9. till at length Tiberius Sempronius Gracchus, an illustrious man, eager for glory, a most powerful speaker, and for these reasons well known to all, delivered an eloquent discourse, while serving as tribune, concerning the Italian race, lamenting that a people so valiant in war, and related in blood to the Romans, were declining little by little into pauperism and paucity of numbers without any hope of remedy. He inveighed against the multitude of slaves as useless in war and never faithful to their masters, and adduced the recent calamity brought upon the masters by their slaves in Sicily,[1] where the demands of agriculture had greatly increased the number of the latter; recalling also the war waged against them by the Romans, which was neither easy nor short, but long-protracted and full of vicissitudes and dangers. After speaking thus he again brought forward the law, providing that nobody should hold more than the 500 jugera of the public domain. But he added a provision to the former law, that the sons of the occupiers might each hold one-half of that amount, and that the remainder should be divided among the poor by three elected commissioners,[2] who should be changed annually.

10. This was extremely disturbing to the rich because, on account of the triumvirs, they could no longer disregard the law as they had done before; nor could they buy the allotments of others, because Gracchus had provided against this by forbidding sales. They collected together in groups, and made lamentation, and accused the poor of appropriating

---

[1] The reference is to the slave rebellion in 135.
[2] *Triumviri agris dividendis.*

CAP. ἑαυτῶν καὶ φυτὰ καὶ οἰκοδομίας, καὶ τιμὴν ἔνιοι
I δεδομένην γείτοσιν, εἰ καὶ τήνδε μετὰ τῆς γῆς
ἀπολέσουσι, τάφους τε ἔνιοι πατέρων ἐν τῇ γῇ καὶ
διαιρέσεις ἐπὶ τοῖς κλήροις ὡς πατρῴοις, οἱ δὲ καὶ
προῖκας γυναικῶν ἐς ταῦτα ἀνηλωμένας ἢ τὴν γῆν
παισὶν ἐμπροίκιον δεδομένην, δανεισταί τε χρέα
καὶ ταύτης ἐπεδείκνυον, καὶ ἄκοσμος ἦν ὅλως
οἰμωγὴ καὶ ἀγανάκτησις. οἱ δ᾽ αὖ πένητες ἀντω-
δύροντο ἐξ εὐπορίας ἐς πενίαν ἐσχάτην καὶ ἀπ᾽
αὐτῆς ἐς ἀγονίαν, οὐ δυνάμενοι παιδοτροφεῖν,
περιφέρεσθαι. στρατείας τε ὅσας στρατεύσαιντο
τὴν γῆν τήνδε περιποιούμενοι, κατέλεγον καὶ
ἠγανάκτουν, εἰ τῶν κοινῶν ἀποστερήσονται,
ὠνείδιζόν τε ἅμα αὐτοῖς αἱρουμένοις ἀντὶ ἐλευθέρων
καὶ πολιτῶν καὶ στρατιωτῶν θεράποντας, ἄπισ-
τον ἔθνος καὶ δυσμενὲς αἰεὶ διὰ τοῦτο ἀστράτευτον.
τοιαῦθ᾽ ἑκατέρων ὀδυρομένων τε καὶ ἀλλήλοις ἐπι-
καλούντων, πλῆθος ἄλλο, ὅσον ἐν ταῖς ἀποίκοις
πόλεσιν ἢ ταῖς ἰσοπολίτισιν ἢ ἄλλως ἐκοινώνει
τῆσδε τῆς γῆς, δεδιότες ὁμοίως ἐπῄεσαν καὶ ἐς
ἑκατέρους αὐτῶν διεμερίζοντο. πλήθει τε θαρ-
ροῦντες ἐξετραχύνοντο καὶ στάσεις ἐξάπτοντες
ἀμέτρους τὴν δοκιμασίαν τοῦ νόμου περιέμενον, οἱ
μὲν ὡς οὐδενὶ τρόπῳ συγχωρήσοντες αὐτὸν
γενέσθαι κύριον, οἱ δ᾽ ὡς κυρώσοντες ἐξ ἅπαντος.

20

the results of their tillage, their vineyards, and their dwellings. Some said that they had paid the price of the land to their neighbours. Were they to lose the money with the land? Others said that the graves of their ancestors were in the ground, which had been allotted to them in the division of their fathers' estates. Others said that their wives' dowries had been expended on the estates, or that the land had been given to their own daughters as dowry. Money-lenders could show loans made on this security. All kinds of wailing and expressions of indignation were heard at once. On the other side were heard the lamentations of the poor—that they were being reduced from competence to extreme penury, and from that to childlessness, because they were unable to rear their offspring. They recounted the military services they had rendered, by which this very land had been acquired, and were angry that they should be robbed of their share of the common property. They reproached the rich for employing slaves, who were always faithless and ill-disposed and for that reason unserviceable in war, instead of freemen, citizens, and soldiers. While these classes were thus lamenting and indulging in mutual accusations, a great number of others, composed of colonists, or inhabitants of the free towns, or persons otherwise interested in the lands and who were under like apprehensions, flocked in and took sides with their respective factions. Emboldened by numbers and exasperated against each other they kindled considerable disturbances, and waited eagerly for the voting on the new law, some intending to prevent its enactment by all means, and others to enact it at all costs. In addition to personal interest the spirit of

CAP. φιλονικία δὲ ἑκατέροις προσέπιπτεν ἐπὶ τῇ χρείᾳ
I καὶ ἐς τὴν κυρίαν ἡμέραν παρασκευὴ κατ'
ἀλλήλων.

11. Γράκχῳ δ' ὁ μὲν νοῦς τοῦ βουλεύματος ἦν
οὐκ ἐς εὐπορίαν, ἀλλ' ἐς εὐανδρίαν, τοῦ δὲ ἔργου
τῇ ὠφελείᾳ μάλιστα αἰωρούμενος, ὡς οὔ τι μεῖζον
οὐδὲ λαμπρότερον δυναμένης ποτὲ παθεῖν τῆς
Ἰταλίας, τοῦ περὶ αὐτὸ δυσχεροῦς οὐδὲν ἐνεθυμεῖτο.
ἐνστάσης δὲ τῆς χειροτονίας πολλὰ μὲν ἄλλα
προεῖπεν ἐπαγωγὰ καὶ μακρά, διηρώτα δ' ἐπ'
ἐκείνοις, εἰ δίκαιον τὰ κοινὰ κοινῇ διανέμεσθαι
καὶ εἰ γνησιώτερος αἰεὶ θεράποντος ὁ πολίτης καὶ
χρησιμώτερος ὁ στρατιώτης ἀπολέμου καὶ τοῖς
δημοσίοις εὐνούστερος ὁ κοινωνός. οὐκ ἐς πολὺ δὲ
τὴν σύγκρισιν ὡς ἄδοξον ἐπενεγκὼν αὖθις ἐπῄει
τὰς τῆς πατρίδος ἐλπίδας καὶ φόβους διεξιών, ὅτι
πλείστης γῆς ἐκ πολέμου βίᾳ κατέχοντες καὶ τὴν
λοιπὴν τῆς οἰκουμένης χώραν ἐν ἐλπίδι ἔχοντες
κινδυνεύουσιν ἐν τῷδε περὶ ἁπάντων, ἢ κτήσασθαι
καὶ τὰ λοιπὰ δι' εὐανδρίαν ἢ καὶ τάδε δι' ἀσθένειαν
καὶ φθόνον ὑπ' ἐχθρῶν ἀφαιρεθῆναι. ὧν τοῦ μὲν
τὴν δόξαν καὶ εὐπορίαν, τοῦ δὲ τὸν κίνδυνον καὶ
φόβον ὑπερεπαίρων ἐκέλευε τοὺς πλουσίους ἐν-
θυμουμένους ταῦτα ἐπιδόσιμον, εἰ δέοι, παρὰ
σφῶν αὐτῶν τήνδε τὴν γῆν εἰς τὰς μελλούσας
ἐλπίδας τοῖς παιδοτροφοῦσι χαρίσασθαι καὶ μή,

rivalry spurred both sides in the preparations they were making against each other for the appointed day.

11. What Gracchus had in his mind in proposing the measure was not money, but men. Inspired greatly by the usefulness of the work, and believing that nothing more advantageous or admirable could ever happen to Italy, he took no account of the difficulties surrounding it. When the time for voting came he advanced many other arguments at considerable length and also asked them whether it was not just to let the commons divide the common property; whether a citizen was not worthy of more consideration at all times than a slave; whether a man who served in the army was not more useful than one who did not; and whether one who had a share in the country was not more likely to be devoted to the public interests. He did not dwell long on this comparison between freemen and slaves, which he considered degrading, but proceeded at once to a review of their hopes and fears for the country, saying that the Romans possessed most of their territory by conquest, and that they had hopes of occupying the rest of the habitable world; but now the question of greatest hazard was, whether they should gain the rest by having plenty of brave men, or whether, through their weakness and mutual jealousy, their enemies should take away what they already possessed. After exaggerating the glory and riches on the one side and the danger and fear on the other, he admonished the rich to take heed, and said that for the realization of these hopes they ought to bestow this very land as a free gift, if necessary, on men who would rear children, and not,

CAP.
I

ἐν ᾧ περὶ μικρῶν διαφέρονται, τῶν πλεόνων
ὑπεριδεῖν, μισθὸν ἅμα τῆς πεπονημένης ἐξερ-
γασίας αὐτάρκη φερομένους τὴν ἐξαίρετον ἄνευ
τιμῆς κτῆσιν ἐς αἰεὶ βέβαιον ἑκάστῳ πεντακοσ-
ίων πλέθρων, καὶ παισίν, οἷς εἰσὶ παῖδες, ἑκάστῳ
καὶ τούτων τὰ ἡμίσεα. τοιαῦτα πολλὰ ὁ Γράκχος
εἰπὼν τούς τε πένητας καὶ ὅσοι ἄλλοι λογισμῷ
μᾶλλον ἢ πόθῳ κτήσεως ἐχρῶντο, ἐρεθίσας ἐκέλευε
τῷ γραμματεῖ τὸν νόμον ἀναγνῶναι.

12. Μᾶρκος δ' Ὀκτάουιος δήμαρχος ἕτερος, ὑπὸ
τῶν κτηματικῶν διακωλύειν παρεσκευασμένος,
καὶ ὢν ἀεὶ παρὰ Ῥωμαίοις ὁ κωλύων δυνατώτερος.
ἐκέλευε τὸν γραμματέα σιγᾶν. καὶ τότε μὲν αὐτῷ
πολλὰ μεμψάμενος ὁ Γράκχος ἐς τὴν ἐπιοῦσαν
ἀγορὰν ἀνέθετο ... φυλακήν τε παραστησάμενος
ἱκανὴν ὡς καὶ ἄκοντα βιασόμενος Ὀκτάουιον
ἐκέλευε σὺν ἀπειλῇ τῷ γραμματεῖ τὸν νόμον εἰς τὸ
πλῆθος ἀναγινώσκειν. καὶ ἀνεγίνωσκε καὶ Ὀκ-
ταουίου κωλύοντος ἐσιώπα. λοιδοριῶν δὲ τοῖς
δημάρχοις ἐς ἀλλήλους γενομένων καὶ τοῦ δήμου
θορυβοῦντος ἱκανῶς, οἱ δυνατοὶ τοὺς δημάρχους
ἠξίουν ἐπιτρέψαι τῇ βουλῇ, περὶ ὧν διαφέρονται,
καὶ ὁ Γράκχος ἁρπάσας τὸ λεχθέν, ὡς δὴ πᾶσι
τοῖς εὖ φρονοῦσιν ἀρέσοντος τοῦ νόμου, διέτρεχεν
ἐς τὸ βουλευτήριον. ἐκεῖ δ' ὡς ἐν ὀλίγοις ὑβριζό-
μενος ὑπὸ τῶν πλουσίων, αὖθις ἐκδραμὼν εἰς τὴν
ἀγορὰν ἔφη διαψήφισιν προθήσειν ἐς τὴν ἐπιοῦσαν
ἀγορὰν περί τε τοῦ νόμου καὶ τῆς ἀρχῆς τῆς
Ὀκταουίου, εἰ χρὴ δήμαρχον ἀντιπράττοντα τῷ

by contending about small things, overlook larger ones; especially since for any labour they had spent they were receiving ample compensation in the undisputed title to 500 jugera each of free land, in a high state of cultivation, without cost, and half as much more for each son in the case of those who had sons. After saying much more to the same purport and exciting the poor, as well as others who were moved by reason rather than by the desire for gain, he ordered the clerk to read the proposed law.

12. Marcus Octavius, however, another tribune, who had been induced by those in possession of the lands to interpose his veto (for among the Romans the negative veto always defeats an affirmative proposal), ordered the clerk to keep silence. Thereupon Gracchus reproached him severely and adjourned the comitia to the following day.[1] Then he stationed near himself a sufficient guard, as if to force Octavius against his will, and ordered the clerk with threats to read the proposed law to the multitude. He began to read, but when Octavius again forbade he stopped. Then the tribunes fell to wrangling with each other, and a considerable tumult arose among the people. The leading citizens besought the tribunes to submit their controversy to the Senate for decision. Gracchus seized on the suggestion, believing that the law was acceptable to all well-disposed persons, and hastened to the senate-house. But, as he had only a few followers there and was upbraided by the rich, he ran back to the forum and said that he would take the vote at the comitia of the following day, both on the law and on the official rights of Octavius, to deter-

[1] There is probably a gap in the text here.

CAP. δήμῳ τὴν ἀρχὴν ἐπέχειν. καὶ ἔπραξεν οὕτως·
I ἐπείτε γὰρ Ὀκτάουιος οὐδὲν καταπλαγεὶς αὖθις
ἐνίστατο, ὁ δὲ προτέραν τὴν περὶ αὐτοῦ ψῆφον
ἀνεδίδου.

Καὶ τῆς πρώτης φυλῆς καταψηφισαμένης τὴν
ἀρχὴν τὸν Ὀκτάουιον ἀποθέσθαι, ἐπιστραφεὶς
πρὸς αὐτὸν ὁ Γράκχος ἐδεῖτο μεταθέσθαι. οὐ
πειθομένου δὲ τὰς ἄλλας ψήφους ἐπῆγεν. οὐσῶν
δὲ τότε φυλῶν πέντε καὶ τριάκοντα καὶ συνδρα-
μουσῶν ἐς τὸ αὐτὸ σὺν ὀργῇ τῶν προτέρων
ἑπτακαίδεκα, ἡ μὲν ὀκτωκαιδεκάτη τὸ κῦρος
ἔμελλεν ἐπιθήσειν, ὁ δὲ Γράκχος αὖθις, ἐν ὄψει
τοῦ δήμου, τότε μάλιστα κινδυνεύοντι τῷ Ὀκ-
ταουίῳ λιπαρῶς ἐνέκειτο μὴ ἔργον ὁσιώτατον καὶ
χρησιμώτατον Ἰταλίᾳ πάσῃ συγχέαι μηδὲ σπουδὴν
τοῦ δήμου τοσήνδε ἀνατρέψαι, ᾧ τι καὶ παρεν-
δοῦναι προθυμουμένῳ δήμαρχον ὄντα ἥρμοζε, καὶ
μὴ αὐτοῦ τὴν ἀρχὴν ἀφαιρουμένην περιιδεῖν ἐπὶ
καταγνώσει. καὶ τάδε λέγων καὶ θεοὺς μαρτυρό-
μενος ἄκων ἄνδρα σύναρχον ἀτιμοῦν, ὡς οὐκ
ἔπειθεν, ἐπῆγε τὴν ψῆφον. καὶ ὁ μὲν Ὀκτάουιος
αὐτίκα ἰδιώτης γενόμενος διαλαθὼν ἀπεδίδρασκε,
Κόιντος δὲ Μούμμιος ἀντ' αὐτοῦ δήμαρχος ᾑρεῖτο,
καὶ ὁ νόμος ὁ περὶ τῆς γῆς ἐκυροῦτο.

13. Διανέμειν τε αὐτὴν ἐκεχειροτόνηντο πρῶτοι
Γράκχος αὐτός, ὁ νομοθέτης, καὶ ἀδελφὸς ὁμώνυ-
μος ἐκείνου καὶ ὃς ἐκήδευε τῷ νομοθέτῃ Κλαύδιος
Ἄππιος, πάνυ τοῦ δήμου καὶ ὡς δεδιότος, μὴ
τὸ ἔργον ἐκλειφθείη τοῦ νόμου, εἰ μὴ Γράκχος
αὐτοῦ σὺν ὅλῃ τῇ οἰκίᾳ κατάρχοιτο. Γράκχος δὲ

mine whether a tribune who was acting contrary to CHAP.
the people's interest could continue to hold office. I
And this Gracchus did; for when Octavius, nothing
daunted, again interposed, Gracchus proposed to take
the vote on him first.

When the first tribe voted to abrogate the magis-
tracy of Octavius, Gracchus turned to him and begged
him to desist from his veto. As he would not yield,
he took the votes of the other tribes. There were
thirty-five tribes at that time. The seventeen that
voted first passionately supported the motion. If
the eighteenth should do the same it would make
a majority. Again did Gracchus, in the sight of the
people, urgently importune Octavius in his present
extreme danger not to prevent a work which was most
righteous and useful to all Italy, and not to frustrate
the wishes so earnestly entertained by the people,
whose desires he ought rather to share in his character
of tribune, and not to risk the loss of his office by public
condemnation. After speaking thus he called the gods Gracchus
to witness that he did not willingly do any despite to deposes him
his colleague. As Octavius was still unyielding he
went on taking the vote. Octavius was forthwith
reduced to the rank of a private citizen and slunk
away unobserved. Quintus Mummius was chosen
tribune in his place, and the agrarian law was
enacted.

13. The first triumvirs appointed to divide the The bill
land were Gracchus himself, the proposer of the law, passed
his brother of the same name,[1] and his father-in-law,
Appius Claudius, since the people still feared that
the law might fail of execution unless Gracchus
should take the lead with his whole family. Gracchus

[1] Gaius Gracchus, at this time 20 years of age.

CAP.
I
μεγαλαυχούμενος ἐπὶ τῷ νόμῳ ὑπὸ τοῦ πλήθους
οἷα δὴ κτίστης οὐ μιᾶς πόλεως οὐδὲ ἑνὸς γένους,
ἀλλὰ πάντων, ὅσα ἐν Ἰταλίᾳ ἔθνη, ἐς τὴν οἰκίαν
παρεπέμπετο. καὶ μετὰ ταῦθ' οἱ μὲν κεκρατη-
κότες ἐς τοὺς ἀγροὺς ἀνεχώρουν, ὅθεν ἐπὶ ταῦτ'
ἐληλύθεσαν, οἱ δ' ἡσσημένοι δυσφοροῦντες ἔτι
παρέμενον καὶ ἐλογοποίουν οὐ χαιρήσειν Γράκχον,
αὐτίκα ὅτε γένοιτο ἰδιώτης, ἀρχήν τε ὑβρίσαντα
ἱερὰν καὶ ἄσυλον καὶ στάσεως τοσήνδε ἀφορμὴν
ἐς τὴν Ἰταλίαν ἐμβαλόντα.

II

CAP.
II
14. Θέρος δ' ἦν ἤδη καὶ προγραφαὶ δημάρχων
ἐς τὸ μέλλον· καὶ οἱ πλούσιοι τῆς χειροτονίας
πλησιαζούσης ἔνδηλοι σαφῶς ἦσαν ἐσπουδακότες
ἐς τὴν ἀρχὴν τοῖς μάλιστα Γράκχῳ πολεμίοις. ὁ
δ' ἐγγὺς τοῦ κακοῦ γιγνομένου δείσας, εἰ μὴ καὶ ἐς
τὸ μέλλον ἔσοιτο δήμαρχος, συνεκάλει τοὺς ἐκ
τῶν ἀγρῶν ἐπὶ τὴν χειροτονίαν. ἀσχολουμένων
δ' ἐκείνων ὡς ἐν θέρει, συνελαυνόμενος ὑπὸ τῆς
προθεσμίας ὀλίγης ἐς τὴν χειροτονίαν ἔτι οὔσης
ἐπὶ τὸν ἐν τῷ ἄστει δῆμον κατέφευγε, καὶ περιιὼν
κατὰ μέρος ἑκάστων ἐδεῖτο δήμαρχον αὐτὸν ἐς τὸ
μέλλον ἑλέσθαι, κινδυνεύοντα δι' ἐκείνους. γιγνο-
μένης δὲ τῆς χειροτονίας δύο μὲν ἔφθασαν αἱ
πρῶται φυλαὶ Γράκχον ἀποφῆναι, τῶν δὲ πλου-
σίων ἐνισταμένων οὐκ ἔννομον εἶναι δὶς ἐφεξῆς
τὸν αὐτὸν ἄρχειν καὶ Ῥουβρίου δημάρχου τοῦ

became immensely popular by reason of the law and CHAP. was escorted home by the multitude as though he I were the founder, not of a single city or race, but of all the nations of Italy. After this the victorious party returned to the fields from which they had come to attend to this business. The defeated ones remained in the city and talked the matter over, feeling aggrieved, and saying that as soon as Gracchus should become a private citizen he would be sorry that he had done despite to the sacred and inviolable office of tribune, and had sown in Italy so many seeds of future strife.

II

14. IT was now summer, and the election of CHAP. tribunes was imminent. As the day for voting II approached it was very evident that the rich had B.C. 133 earnestly promoted the election of those most New inimical to Gracchus. The latter, fearing that evil tribunes would befall if he should not be re-elected for the following year, summoned his friends from the fields to attend the election, but as they were occupied with harvest he was obliged, when the day fixed for the voting drew near, to have recourse to the plebeians of the city. So he went around asking each one separately to elect him tribune for the ensuing year, on account of the danger he was incurring for them. When the voting took place the first two tribes pronounced for Gracchus. The rich objected that it was not lawful for the same man to hold the office twice in succession. The tribune Rubrius, who had been chosen by lot to

CAP.
II
προεστάναι τῆς ἐκκλησίας ἐκείνης διειληχότος ἐνδοιάζοντος ἐπὶ τῷδε, Μούμμιος αὐτόν, ὁ ἐπὶ τῷ Ὀκταουίῳ δημαρχεῖν ᾑρημένος, ἐκέλευεν ἑαυτῷ τὴν ἐκκλησίαν ἐπιτρέψαι. καὶ ὁ μὲν ἐπέτρεψεν, οἱ δὲ λοιποὶ δήμαρχοι περὶ τῆς ἐπιστασίας ἠξίουν ἀνακληροῦσθαι· Ῥουβρίου γὰρ τοῦ λαχόντος ἐκστάντος αὖθις ἐς ἅπαντας τὴν διακλήρωσιν περιιέναι. ἔριδος δὲ καὶ ἐπὶ τῷδε πολλῆς γενομένης ὁ Γράκχος ἐλαττούμενος τὴν μὲν χειροτονίαν ἐς τὴν ἐπιοῦσαν ἡμέραν ἀνέθετο, πάντα δ' ἀπογνοὺς ἐμελανειμόνει τε ἔτι ὢν ἔναρχος καὶ τὸ λοιπὸν τῆς ἡμέρας ἐν ἀγορᾷ τὸν υἱὸν ἐπάγων ἑκάστοις συνίστη καὶ παρετίθετο ὡς αὐτὸς ὑπὸ τῶν ἐχθρῶν αὐτίκα ἀπολούμενος.

15. Οἴκτου δὲ πολλοῦ σὺν λογισμῷ τοὺς πένητας ἐπιλαμβάνοντος ὑπέρ τε σφῶν αὐτῶν, ὡς οὐκ ἐν ἰσονόμῳ πολιτευσόντων ἔτι, ἀλλὰ δουλευσόντων κατὰ κράτος τοῖς πλουσίοις, καὶ ὑπὲρ αὐτοῦ Γράκχου, τοιαῦτα δεδιότος τε καὶ πάσχοντος ὑπὲρ αὐτῶν, σύν τε οἰμωγῇ προπεμπόντων αὐτὸν ἁπάντων ἐπὶ τὴν οἰκίαν ἑσπέρας καὶ θαρρεῖν ἐς τὴν ἐπιοῦσαν ἡμέραν ἐπικελευόντων, ἀναθαρρήσας ὁ Γράκχος ἔτι νυκτὸς τοὺς στασιώτας συναγαγὼν καὶ σημεῖον, εἰ καὶ μάχης δεήσειεν, ὑποδείξας κατέλαβε τοῦ Καπιτωλίου τὸν νεών, ἔνθα χειροτονήσειν ἔμελλον, καὶ τὰ μέσα τῆς ἐκκλησίας. ἐνοχλούμενος δ' ὑπὸ τῶν δημάρχων καὶ τῶν πλουσίων, οὐκ ἐώντων ἀναδοθῆναι περὶ αὐτοῦ χειροτονίαν, ἀνέσχε τὸ σημεῖον. καὶ βοῆς ἄφνω παρὰ τῶν συνειδότων γενομένης χεῖρές τε ἦσαν ἤδη τὸ ἀπὸ τοῦδε, καὶ τῶν Γρακχείων οἱ

preside over the comitia, was in doubt about it, and Mummius, who had been chosen in place of Octavius, urged him to hand over the comitia to his charge. This he did, but the remaining tribunes contended that the presidency should be decided by lot, saying that when Rubrius, who had been chosen in that way, resigned, the casting of lots ought to be done over again by all. As there was much strife over this question, Gracchus, who was getting the worst of it, adjourned the voting to the following day. In utter despair he went about in black, though still in office, and led his son around the forum and introduced him to each man and committed him to their charge, as if he himself felt that death, at the hands of his enemies, were at hand.

15. The poor when they had time to think were moved with deep sorrow, both on their own account (for they believed that they were no longer to live in a free estate under equal laws, but would be reduced to servitude by the rich), and on account of Gracchus himself, who was in such fear and torment in their behalf. So they all accompanied him with tears to his house in the evening, and bade him be of good courage for the morrow. Gracchus cheered up, assembled his partisans before daybreak, and communicated to them a signal to be displayed if there were need for fighting. He then took possession of the temple on the Capitoline hill, where the voting was to take place, and occupied the middle of the assembly. As he was obstructed by the other tribunes and by the rich, who would not allow the votes to be taken on this question, he gave the signal. There was a sudden shout from those who knew of it, and violence followed. Some of the

CAP. μὲν αὐτὸν ἐφύλαττον οἷά τινες δορυφόροι, οἱ δὲ τὰ
11 ἱμάτια διαζωσάμενοι, ῥάβδους καὶ ξύλα τὰ ἐν
χερσὶ τῶν ὑπηρετῶν ἁρπάσαντές τε καὶ διακλά-
σαντες ἐς πολλά, τοὺς πλουσίους ἐξήλαυνον ἀπὸ
τῆς ἐκκλησίας, σὺν τοσῷδε ταράχῳ καὶ τραύ-
μασιν, ὡς τούς τε δημάρχους δείσαντας διαφυγεῖν
ἐκ μέσου, καὶ τὸν νεὼν τοὺς ἱερέας ἐπικλεῖσαι,
δρόμον τε πολλῶν ἄκοσμον εἶναι καὶ φυγὴν καὶ
λόγον οὐκ ἀκριβῆ, τῶν μὲν ὅτι καὶ τοὺς ἄλλους
δημάρχους ὁ Γράκχος παραλύσειε τῆς ἀρχῆς (οὐ
γὰρ ὁρωμένων αὐτῶν εἴκαζον οὕτως), τῶν δ᾽ ὅτι
αὐτὸς ἑαυτὸν ἐς τὸ μέλλον δήμαρχον ἄνευ χειρο-
τονίας ἀποφαίνοι.

16. Γιγνομένων δὲ τούτων ἡ βουλὴ συνῆλθεν
εἰς τὸ τῆς Πίστεως ἱερόν. καί μοι θαῦμα κατα-
φαίνεται τὸ πολλάκις ἐν τοιοῖσδε φόβοις διὰ τῆς
αὐτοκράτορος ἀρχῆς διασεσωσμένους τότε μηδ᾽
ἐπὶ νοῦν τὸν δικτάτορα λαβεῖν, ἀλλὰ χρησιμώ-
τατον τοῖς προτέροις τόδε τὸ ἔργον εὑρεθὲν μηδ᾽
ἐν μνήμῃ τοῖς πολλοῖς ἄρα γενέσθαι μήτε τότε
μήθ᾽ ὕστερον. κρίναντες δ᾽ ὅσα ἔκριναν ἐς τὸ
Καπιτώλιον ἀνῄεσαν. καὶ πρῶτος αὐτοῖς ὁ
μέγιστος ἀρχιερεὺς λεγόμενος ἐξῆρχε τῆς ὁδοῦ,
Κορνήλιος Σκιπίων ὁ Νασικᾶς· ἐβόα τε μέγιστον
ἕπεσθαί οἱ τοὺς ἐθέλοντας σῴζεσθαι τὴν πατρίδα
καὶ τὸ κράσπεδον τοῦ ἱματίου ἐς τὴν κεφαλὴν
περιεσύρατο, εἴτε τῷ παρασήμῳ τοῦ σχήματος
πλέονάς οἱ συντρέχειν ἐπισπώμενος, εἴτε πολέμου
τι σύμβολον τοῖς ὁρῶσιν ὡς κόρυθα ποιούμενος,
εἴτε θεοὺς ἐγκαλυπτόμενος ὧν ἔμελλε δράσειν.
ἀνελθόντι δὲ ἐς τὸ ἱερὸν καὶ τοῖς Γρακχείοις ἐπι-
δραμόντι εἶξαν μὲν ὡς κατ᾽ ἀξίωσιν ἀνδρὶ ἀρίστῳ,

32

partisans of Gracchus took position around him like
body-guards. Others, having girded up their cloaks,
seized the fasces and staves in the hands of the
lictors and broke them in pieces. They drove the
rich out of the assembly with such disorder and
wounds that the tribunes fled from their places in
terror, and the priests closed the doors of the temple.
Many ran away pell-mell and scattered wild rumours.
Some said that Gracchus had deposed all the other
tribunes, and this was believed because none of them
could be seen. Others said that he had declared
himself tribune for the ensuing year without an
election.

16. In these circumstances the Senate assem-
bled at the temple of Fides. It is astonishing to
me that they never thought of appointing a dictator
in this emergency, although they had often been
protected by the government of a single ruler in such
times of peril; but a resource which had been found
most useful in former times was never even recollected
by the people, either then or later. After reaching
such decision as they did reach, they marched up to
the Capitol, Cornelius Scipio Nasica, the pontifex
maximus, leading the way and calling out with a loud
voice, "Let those who would save our country follow
me." He wound the border of his toga about his
head either to induce a greater number to go with
him by the singularity of his appearance, or to make
for himself, as it were, a helmet as a sign of battle for
those who saw it, or in order to conceal himself from
the gods on account of what he was about to do.
When he arrived at the temple and advanced against
the partisans of Gracchus they yielded out of regard for
so excellent a citizen, and because they observed the

33

^{CAP.} καὶ τὴν βουλὴν ἅμα οἱ θεωροῦντες ἐπιοῦσαν· οἱ
^{II} δὲ τὰ ξύλα τῶν Γρακχείων αὐτῶν περισπάσαντες,
ὅσα τε βάθρα καὶ ἄλλη παρασκευὴ ὡς ἐς ἐκκλη-
σίαν συνενήνεκτο διελόντες, ἔπαιον αὐτοὺς καὶ
ἐδίωκον καὶ ἐς τὰ ἀπόκρημνα κατερρίπτουν. κἀν
τῷδε τῷ κυδοιμῷ πολλοί τε τῶν Γρακχείων καὶ
Γράκχος αὐτός, εἰλούμενος περὶ τὸ ἱερόν, ἀνῃρέθη
κατὰ τὰς θύρας παρὰ τοὺς τῶν βασιλέων ἀνδρι-
άντας. καὶ πάντας αὐτοὺς νυκτὸς ἐξέρριψαν εἰς
τὸ ῥεῦμα τοῦ ποταμοῦ.

17. Οὕτω μὲν δὴ Γράκχος, ὁ Γράκχου τοῦ δὶς
ὑπατεύσαντος καὶ Κορνηλίας τῆς Σκιπίωνος τοῦ
Καρχηδονίους τὴν ἡγεμονίαν ἀφελομένου παῖς,
ἀρίστου βουλεύματος ἕνεκα, βιαίως αὐτῷ προσιών,
ἀνῃρέθη ἔτι δημαρχῶν ἐν τῷ Καπιτωλίῳ. καὶ
πρῶτον ἐν ἐκκλησίᾳ τόδε μύσος γενόμενον οὐ
διέλιπεν, αἰεί τινος ὁμοίου γιγνομένου παρὰ μέρος.
ἡ δὲ πόλις ἐπὶ τῷ Γράκχου φόνῳ διῄρητο ἐς
λύπην καὶ ἡδονήν, οἱ μὲν οἰκτείροντες αὐτούς τε
κἀκεῖνον καὶ τὰ παρόντα ὡς οὐκέτι πολιτείαν,
ἀλλὰ χειροκρατίαν καὶ βίαν, οἱ δ' ἐξειργάσθαι
σφίσιν ἡγούμενοι πᾶν, ὅσον ἐβούλοντο.

III

^{CAP.} 18. Καὶ τάδε μὲν ἦν, ὅτε Ἀριστόνικος Ῥωμαίοις
^{III} περὶ τῆς ἀρχῆς ἐπολέμει τῆς ἐν Ἀσίᾳ· ἀναιρε-
θέντος δὲ Γράκχου καὶ τελευτήσαντος Ἀππίου
Κλαυδίου, ἀντικαθίστανται μὲν ἐς τὸ τὴν γῆν ἅμα

Senators following with him. The latter wresting
their clubs out of the hands of the Gracchans them-
selves, or breaking up benches and other furniture
that had been brought for the use of the assembly,
began beating them, and pursued them, and drove
them over the precipice.[1] In the tumult many of
the Gracchans perished, and Gracchus himself, vainly
circling round the temple,[2] was slain at the door
close by the statues of the kings. All the bodies
were thrown by night into the Tiber.

17. So perished on the Capitol, and while still
tribune, Gracchus, the son of that Gracchus who was
twice consul, and of Cornelia, daughter of that Scipio
who robbed Carthage of her supremacy. He lost his
life in consequence of a most excellent design too
violently pursued ; and this abominable crime, the
first that was perpetrated in the public assembly, was
seldom without parallels thereafter from time to time.
On the subject of the murder of Gracchus the city
was divided between sorrow and joy. Some mourned
for themselves and for him, and deplored the present
condition of things, believing that the common-
wealth no longer existed, but had been supplanted
by force and violence. Others considered that their
dearest wishes were accomplished.

III

18. These things took place at the time when
Aristonicus was contending with the Romans for the
government of Asia ; but after Gracchus was slain
and Appius Claudius died, Fulvius Flaccus and

[1] Appian seems to mean not the slopes of the Capitoline
Hill but the Tarpeian rock. He evidently exaggerates.
[2] Or "huddled up near the temple" of Jupiter Capitolinus.

^{CAP.} τῷ νεωτέρῳ Γράκχῳ διανέμειν Φούλβιος Φλάκκος
^{III}
καὶ Παπίριος Κάρβων, ἀμελούντων δὲ τῶν κεκτη-
μένων αὐτὴν ἀπογράφεσθαι κατηγόρους ἐκήρυττον
ἐνδεικνύναι. καὶ ταχὺ πλῆθος ἦν δικῶν χαλεπῶν·
ὅση γὰρ ἄλλη πλησιάζουσα τῇδε ἐπέπρατο ἢ
τοῖς συμμάχοις ἐπιδιῄρητο, διὰ τὸ τῆσδε μέτρον
ἐξητάζετο ἅπασα, ὅπως τε ἐπέπρατο καὶ ὅπως
ἐπιδιῄρητο, οὔτε τὰ συμβόλαια οὔτε τὰς κληρου-
χίας ἔτι ἐχόντων ἁπάντων· ἃ δὲ καὶ εὑρίσκετο,
ἀμφίλογα ἦν. ἀναμετρουμένης τε αὐτῆς οἱ μὲν
ἐκ πεφυτευμένης καὶ ἐπαύλεων ἐς ψιλὴν μετετί-
θεντο, οἱ δ᾽ ἐξ ἐνεργῶν ἐς ἀργὸν ἢ λίμνας ἢ
τέλματα, οὐδὲ τὴν ἀρχὴν ὡς ἐπὶ δορικτήτοις
ἀκριβῆ πεποιημένοι. καὶ τὸ κήρυγμα, τὴν ἀνέμη-
τον ἐξεργάζεσθαι τὸν ἐθέλοντα προλέγον, ἐπῆρε
πολλοὺς τὰ πλησίον ἐκπονοῦντας τὴν ἑκατέρας
ὄψιν συγχέαι· χρόνος τε ἐπελθὼν ἐνεόχμωσε
πάντα. καὶ τὸ τῶν πλουσίων ἀδίκημα καίπερ ὂν
μέγα δυσεπίγνωστον ἦν. καὶ οὐδὲν ἀλλ᾽ ἢ πάντων
ἀνάστασις ἐγίγνετο μεταφερομένων τε καὶ μετοικι-
ζομένων ἐς ἀλλότρια.

19. Ταῦτά τε δὴ καὶ τὰς ἐπὶ τούτοις τῶν
δικαζόντων ἐπείξεις οὐ φέροντες οἱ Ἰταλιῶται
Κορνήλιον Σκιπίωνα, ὃς Καγχηδόνα ἐπόρθησεν,

36

Papirius Carbo were appointed, in conjunction with the younger Gracchus, to divide the land. As the persons in possession neglected to hand in lists of their holdings, a proclamation was issued that informers should furnish testimony against them. Immediately a great number of embarrassing lawsuits sprang up. Wherever a new field adjoining an old one had been bought, or divided among the allies, the whole district had to be carefully inquired into on account of the measurement of this one field, to discover how it had been sold and how divided. Not all owners had preserved their contracts, or their allotment titles, and even those that were found were often ambiguous. When the land was resurveyed some owners were obliged to give up their fruit-trees and farm-buildings in exchange for naked ground. Others were transferred from cultivated to uncultivated lands, or to swamps, or pools. In fact, the land having originally been so much loot, the survey had never been carefully done. As the original proclamation authorized anybody to work the undistributed land who wished to do so, many had been prompted to cultivate the parts immediately adjoining their own, till the line of démarcation between public and private had faded from view. The progress of time also made many changes. Thus the injustice done by the rich, although great, was not easy to ascertain. So there was nothing but a general turn-about, all parties being moved out of their own places and settling down in other people's.

19. The Italian allies who complained of these disturbances, and especially of the lawsuits hastily brought against them, chose Cornelius Scipio, the

CAP.
III

ἠξίουν προστάτην σφῶν ἀδικουμένων γενέσθαι.
ὁ δ᾽ ἐς τοὺς πολέμους αὐτοῖς κεχρημένος προθυμο-
τάτοις ὑπεριδεῖν τε ὤκνησε καὶ παρελθὼν εἰς τὸ
βουλευτήριον τὸν μὲν Γράκχου νόμον οὐκ ἔψεγε
διὰ τὸν δῆμον σαφῶς, τὴν δὲ τοῦδε δυσχέρειαν
ἐπεξιὼν ἠξίου τὰς δίκας οὐκ ἐπὶ τῶν διαιρούντων
ὡς ὑπόπτων τοῖς δικαζομένοις, ἀλλ᾽ ἐφ᾽ ἑτέρων
λέγεσθαι. ᾧ δὴ καὶ μάλιστα ἔπεισεν, εἶναι
δοκοῦντι δικαίῳ· καὶ Τουδιτανὸς αὐτοῖς ὑπατεύων
ἐδόθη δικάζειν. ἀλλ᾽ ὅδε μὲν ἁψάμενος τοῦ ἔργου
καὶ τὴν δυσχέρειαν ἰδὼν ἐπ᾽ Ἰλλυριοὺς ἐστράτευε,
πρόφασιν τήνδε ποιούμενος τοῦ μὴ δικάζειν· οἱ δὲ
τὴν γῆν διανέμοντες, οὐκ ἀπαντῶντος ἐς αὐτοὺς
οὐδενὸς ἐς δίκην, ἐπὶ ἀργίας ἦσαν. καὶ μῖσος
ἐντεῦθεν ἤρξατο εἰς τὸν Σκιπίωνα τοῦ δήμου καὶ
ἀγανάκτησις, ὅτι αὐτὸν ἀγαπήσαντες ἐπιφθόνως
καὶ πολλὰ τοῖς δυνατοῖς ἐναντιωθέντες ὑπὲρ
αὐτοῦ ὕπατόν τε δὶς ἑλόμενοι παρανόμως, ὑπὲρ
τῶν Ἰταλιωτῶν ἀντιπεπραχότα σφίσιν ἑώρων.
ταῦτα δ᾽, ὅσοι τοῦ Σκιπίωνος ἦσαν ἐχθροί, κατι-
δόντες ἐβόων, ὡς λῦσαι τὸν Γράκχου νόμον ὅλως
διεγνωκὼς μέλλοι πολὺν ἐπὶ τῷδε ἔνοπλον φόνον
ἐργάσασθαι.

20. Ὧν ὁ δῆμος ἀκροώμενος ἐδεδίει, μέχρις ὁ
Σκιπίων, ἑσπέρας παραθέμενος ἑαυτῷ δέλτον,
εἰς ἣν νυκτὸς ἔμελλε γράψειν τὰ λεχθησόμενα ἐν
τῷ δήμῳ, νεκρὸς ἄνευ τραύματος εὑρέθη, εἴτε
Κορνηλίας αὐτῷ, τῆς Γράκχου μητρός, ἐπιθεμένης,
ἵνα μὴ ὁ νόμος ὁ Γράκχου λυθείη, καὶ συλλα-
βούσης ἐς τοῦτο Σεμπρωνίας τῆς θυγατρός, ἢ τῷ

38

destroyer of Carthage, to defend them against these
grievances. As he had availed himself of their very
zealous support in war he was reluctant to disregard
their request. So he came into the Senate, and
although, out of regard for the plebeians, he did not
openly find fault with the law of Gracchus, he ex-
patiated on its difficulties and urged that these causes
should not to be decided by the triumvirs, because
they did not possess the confidence of the litigants,
but should be assigned to other courts. As his view
seemed reasonable, they yielded to his persuasion,
and the consul Tuditanus was appointed to give
judgment in these cases. But when he took up
the work he saw the difficulties of it, and marched
against the Illyrians as a pretext for not acting as
judge, and since nobody brought cases for trial
before the triumvirs they remained idle. From this
cause hatred and indignation arose among the people
against Scipio because they saw a man, in whose favour
they had often opposed the aristocracy and incurred
their enmity, electing him consul twice contrary to
law, now taking the side of the Italian allies against
themselves. When Scipio's enemies observed this, they
cried out that he was determined to abolish the law
of Gracchus utterly and for that end was about to
inaugurate armed strife and bloodshed.

20. When the people heard these charges they
were in a state of alarm until Scipio, after placing
near his couch at home one evening a tablet on
which to write during the night the speech he
intended to deliver before the people, was found
dead in his bed without a wound. Whether this
was done by Cornelia, the mother of the Gracchi
(aided by her daughter, Sempronia, who though

CAP.
III

Σκιπίωνι γαμουμένη διὰ δυσμορφίαν καὶ ἀπαιδίαν
οὔτ' ἐστέργετο οὔτ' ἔστεργεν, εἶθ', ὡς ἔνιοι δοκοῦ-
σιν, ἑκὼν ἀπέθανε συνιδών, ὅτι οὐκ ἔσοιτο δυνατὸς
κατασχεῖν ὧν ὑπόσχοιτο. εἰσὶ δ' οἳ βασανιζομέ-
νους φασὶ θεράποντας εἰπεῖν, ὅτι αὐτὸν ξένοι δι'
ὀπισθοδόμου νυκτὸς ἐπεισαχθέντες ἀποπνίξαιεν
καὶ οἱ πυθόμενοι ὀκνήσαιεν ἐξενεγκεῖν διὰ τὸν
δῆμον ὀργιζόμενον ἔτι καὶ τῷ θανάτῳ συνηδόμενον.

Σκιπίων μὲν δὴ τεθνήκει καὶ οὐδὲ δημοσίας
ταφῆς ἠξιοῦτο, μέγιστα δὴ τὴν ἡγεμονίαν ὠφελή-
σας· οὕτως ἡ παραυτίκα ὀργὴ τῆς ποτὲ χάριτος
ἐπικρατεῖ. καὶ τόδε ὂν τηλικοῦτον οἷα πάρεργον
ἐπὶ τῇ Γράκχου στάσει συνέπεσε.

21. Τὴν δὲ διαίρεσιν τῆς γῆς οἱ κεκτημένοι καὶ
ὡς ἐπὶ προφάσεσι ποικίλαις διέφερον ἐπὶ πλεῖστον.
καί τινες εἰσηγοῦντο τοὺς συμμάχους ἅπαντας, οἳ
δὴ περὶ τῆς γῆς μάλιστα ἀντέλεγον, εἰς τὴν
Ῥωμαίων πολιτείαν ἀναγράψαι, ὡς μείζονι χάριτι
περὶ τῆς γῆς οὐ διοισομένους. καὶ ἐδέχοντο
ἄσμενοι τοῦθ' οἱ Ἰταλιῶται, προτιθέντες τῶν
χωρίων τὴν πολιτείαν. συνέπρασσέ τε αὐτοῖς
ἐς τοῦτο μάλιστα πάντων Φούλβιος Φλάκκος,
ὑπατεύων ἅμα καὶ τὴν γῆν διανέμων. ἡ βουλὴ
δ' ἐχαλέπαινε, τοὺς ὑπηκόους σφῶν ἰσοπολίτας εἰ
ποιήσονται.

Καὶ τόδε μὲν τὸ ἐγχείρημα οὕτω διελύθη, καὶ ὁ
δῆμος ἐν ἐλπίδι τέως τῆς γῆς γενόμενος ἠθύμει·

married to Scipio was both unloved and unloving CHAP.
because she was deformed and childless), lest the III
law of Gracchus should be abolished, or whether, as
some think, he committed suicide because he saw
plainly that he could not accomplish what he had
promised, is not known. Some say that slaves
under torture testified that unknown persons were
introduced through the rear of the house by night
who suffocated him, and that those who knew about
it hesitated to tell because the people were angry
with him still and rejoiced at his death.

So died Scipio, and although he had been of B.C. 129
extreme service to the Roman power he was not even
honoured with a public funeral; so much does the
anger of the present moment outweigh gratitude for
the past. And this event, sufficiently important in
itself, took place as a mere incident of the sedition
of Gracchus.

21. Even after these events those who were in
possession of the lands postponed the division on
various pretexts for a very long time. Some proposed
that all the Italian allies, who made the greatest resist-
ance to it, should be admitted to Roman citizen-
ship so that, out of gratitude for the greater favour,
they might no longer quarrel about the land. The
Italians were ready to accept this, because they
preferred Roman citizenship to possession of the
fields. Fulvius Flaccus, who was then both consul B.C. 125
and triumvir, exerted himself to the utmost to bring
it about, but the senators were angry at the thought
of making their subjects equal citizens with them-
selves.

For this reason the attempt was abandoned, and B.C. 124
the populace, who had been so long in the hope of

ὧδε δὲ αὐτοῖς ἔχουσιν ἀσπάσιος ἐκ τῶν τὴν
γῆν διαιρούντων ἐς δημαρχίαν ἐπιφαίνεται Γάιος
Γράκχος, ὁ Γράκχου τοῦ νομοθέτου νεώτερος
ἀδελφός, ἐς πολὺ μὲν ἡσυχάσας ἐπὶ τῇ τοῦ
ἀδελφοῦ συμφορᾷ· πολλῶν δ᾽ αὐτοῦ καταφρονούν-
των ἐν τῷ βουλευτηρίῳ, παρήγγειλεν ἐς δημαρχίαν.
καὶ περιφανέστατα αἱρεθεὶς εὐθὺς ἐπεβούλευε τῇ
βουλῇ, σιτηρέσιον ἔμμηνον ὁρίσας ἑκάστῳ τῶν
δημοτῶν ἀπὸ τῶν κοινῶν χρημάτων, οὐ πρότερον
εἰωθὸς διαδίδοσθαι. καὶ ὁ μὲν ὀξέως οὕτως ἑνὶ
πολιτεύματι τὸν δῆμον ὑπηγάγετο, συμπράξαντος
αὐτῷ Φουλβίου Φλάκκου. καὶ εὐθὺς ἐπὶ τῷδε
καὶ ἐς τὸ μέλλον ᾕρητο δημαρχεῖν· καὶ γάρ τις
ἤδη νόμος κεκύρωτο, εἰ δήμαρχος ἐνδέοι ταῖς
παραγγελίαις, τὸν δῆμον ἐκ πάντων ἐπιλέγεσθαι.

22. Ὁ μὲν δὴ Γάιος Γράκχος οὕτως ἐδημάρχει
τὸ δεύτερον· οἷα δ᾽ ἔχων τὸν δῆμον ἔμμισθον,
ὑπήγετο καὶ τοὺς καλουμένους ἱππέας, οἳ τὴν
ἀξίωσίν εἰσι τῆς βουλῆς καὶ τῶν δημοτῶν ἐν
μέσῳ, δι᾽ ἑτέρου τοιοῦδε πολιτεύματος. τὰ δικα-
στήρια, ἀδοξοῦντα ἐπὶ δωροδοκίαις, ἐς τοὺς
ἱππέας ἀπὸ τῶν βουλευτῶν μετέφερε, τὰ ὑπόγυα
μάλιστα αὐτοῖς ὀνειδίζων, ὅτι Αὐρήλιος Κόττας
καὶ Σαλινάτωρ καὶ τρίτος ἐπὶ τούτοις Μάνιος
Ἀκύλιος, ὁ τὴν Ἀσίαν ἑλών, σαφῶς δεδωρο-
δοκηκότες ἀφεῖντο ὑπὸ τῶν δικασάντων, οἵ τε
πρέσβεις οἱ κατ᾽ αὐτῶν ἔτι παρόντες σὺν φθόνῳ
ταῦτα περιιόντες ἐκεκράγεσαν. ἅπερ ἡ βουλὴ

acquiring land, became disheartened. While they
were in this mood Gaius Gracchus, who had made
himself agreeable to them as a triumvir, offered
himself for the tribuneship. He was the younger
brother of Tiberius Gracchus, the promoter of the
law, and had been quiet for some time after his
brother's death, but since many of the senators
treated him scornfully he announced himself as a
candidate for the office of tribune. Being elected
with flying colours he began to lay plots against the
Senate, and made the unprecedented suggestion that
a monthly distribution of corn should be made to
each citizen at the public expense. Thus he quickly
got the leadership of the people by one political
measure, in which he had the cooperation of Fulvius
Flaccus. Directly after that he was chosen tribune
for the following year, for in cases where there was
not a sufficient number of candidates the law
authorized the people to choose further tribunes
from the whole body of citizens.

22. Thus Gaius Gracchus was tribune a second
time. Having bought the plebeians, as it were, he
began, by another like political manœuvre, to court
the equestrian order, who hold the middle place
between the Senate and the plebeians. He trans-
ferred the courts of justice, which had become
discredited by reason of bribery, from the senators to
the knights, reproaching the former especially with
the recent examples of Aurelius Cotta, Salinator, and,
third in the list, Manius Aquilius (the subduer of
Asia), all notorious bribe-takers, who had been
acquitted by the judges, although ambassadors sent
to complain of their conduct were still present, going
around uttering bitter accusations against them.

CHAP.
III

Gaius
Gracchus
elected
tribune

CAP. μάλιστα αἰδουμένη ἐς τὸν νόμον ἐνεδίδου· καὶ ὁ
III
δῆμος αὐτὸν ἐκύρου. καὶ μετηνέχθη μὲν ὧδε ἐς
τοὺς ἱππέας ἀπὸ τῆς βουλῆς τὰ δικαστήρια· φασὶ
δὲ κυρωθέντος μὲν ἄρτι τοῦ νόμου τὸν Γράκχον
εἰπεῖν, ὅτι ἀθρόως τὴν βουλὴν καθῃρήκοι, τοῦ δ'
ἔργου προϊόντος ἐς πεῖραν μειζόνως ἔτι ἐκφανῆναι
τὸ ἔπος τὸ Γράκχου. τό τε γὰρ δικάζειν αὐτοὺς
Ῥωμαίοις καὶ Ἰταλιώταις ἅπασι καὶ αὐτοῖς
βουλευταῖς, ἐπὶ παντὶ μέτρῳ, χρημάτων τε πέρι
καὶ ἀτιμίας καὶ φυγῆς, τοὺς μὲν ἱππέας οἷά τινας
ἄρχοντας αὐτῶν ὑπερεπῆρε, τοὺς δὲ βουλευτὰς
ἴσα καὶ ὑπηκόους ἐποίει. συνιστάμενοί τε τοῖς
δημάρχοις οἱ ἱππεῖς ἐς τὰς χειροτονίας καὶ ἀντι-
λαμβάνοντες παρ' αὐτῶν, ὅ τι θέλοιεν, ἐπὶ μέγα
φόβου τοῖς βουλευταῖς ἐχώρουν· ταχύ τε περιῆν
ἀνεστράφθαι τὸ κράτος τῆς πολιτείας, τὴν μὲν
ἀξίωσιν μόνην ἔτι τῆς βουλῆς ἐχούσης, τὴν δὲ
δύναμιν τῶν ἱππέων. προϊόντες γὰρ οὐκ ἐδυνά-
στευον μόνον· ἀλλὰ καὶ σαφῶς ἐνύβριζον τοῖς
βουλευταῖς παρὰ τὰς δίκας. τήν τε δωροδοκίαν
μεταλαβόντες καὶ γευσάμενοι καὶ οἵδε κερδῶν
ἀθρόων αἰσχρότερον ἔτι καὶ ἀμετρότερον αὐτοῖς
ἐχρῶντο. κατηγόρους τε ἐνετοὺς ἐπὶ τοῖς πλου-
σίοις ἐπῆγοντο καὶ τὰς τῶν δωροδοκιῶν δίκας,
συνιστάμενοι σφίσιν αὐτοῖς καὶ βιαζόμενοι, πάμ-
παν ἀνῄρουν, ὡς καὶ τὸ ἔθος ὅλως τῆς τοιᾶσδε
εὐθύνης ἐπιλιπεῖν καὶ στάσιν ἄλλην τὸν δικα-
στικὸν νόμον οὐκ ἐλάσσω τῶν προτέρων ἐς πολὺ
παρασχεῖν.

23. Ὁ δὲ Γράκχος καὶ ὁδοὺς ἔτεμνεν ἀνὰ τὴν

The Senate was extremely ashamed of these things
and yielded to the law, and the people ratified it.
In this way were the courts of justice transferred from
the Senate to the knights. It is said that soon after
the passage of this law Gracchus remarked that he
had broken the power of the Senate once for all, and
the saying of Gracchus received a deeper and deeper
significance by the course of events. For this power
of sitting in judgment on all Romans and Italians,
including the senators themselves, in all matters as
to property, civil rights, and banishment, exalted the
knights to be rulers over them, and put senators on
the level of subjects. Moreover, as the knights voted
in the election to sustain the power of the tribunes,
and obtained from them whatever they wanted in
return, they became more and more formidable to the
senators. So it shortly came about that the political
mastery was turned upside down, the power being
in the hands of the knights, and the honour only
remaining with the Senate. The knights indeed went
so far that they not only held power over the senators,
but they openly flouted them beyond their right.
They also became addicted to bribe-taking, and when
they too had tasted these enormous gains, they
indulged in them even more basely and immoderately
than the senators had done. They suborned accusers
against the rich and did away with prosecutions for
bribe-taking altogether, partly by agreement among
themselves and partly by open violence, so that the
practice of this kind of investigation became entirely
obsolete. Thus the judiciary law gave rise to another
struggle of factions, which lasted a long time and
was not less baneful than the former ones.

23. Gracchus also made long roads throughout Italy

Ἰταλίαν μακράς, πλῆθος ἐργολάβων καὶ χειρο-
τεχνῶν ὑφ' ἑαυτῷ ποιούμενος, ἑτοίμων ἐς ὅ τι
κελεύοι, καὶ ἀποικίας ἐσηγεῖτο πολλάς. καὶ τοὺς
Λατίνους ἐπὶ πάντα ἐκάλει τὰ Ῥωμαίων, ὡς οὐκ
εὐπρεπῶς συγγενέσι τῆς βουλῆς ἀντιστῆναι δυνα-
μένης· τῶν τε ἑτέρων συμμάχων, οἷς οὐκ ἐξῆν
ψῆφον ἐν ταῖς Ῥωμαίων χειροτονίαις φέρειν,
ἐδίδου φέρειν ἀπὸ τοῦδε ἐπὶ τῷ ἔχειν καὶ τούσδε
ἐν ταῖς χειροτονίαις τῶν νόμων αὐτῷ συντελοῦν-
τας. ἐφ' ᾧ δὴ μάλιστα ἡ βουλὴ διαταραχθεῖσα
τοὺς ὑπάτους ἐκέλευσε προγράψαι μηδένα τῶν οὐ
φερόντων ψῆφον ἐπιδημεῖν τῇ πόλει μηδὲ προσ-
πελάζειν ἀπὸ τεσσαράκοντα σταδίων παρὰ τὴν
ἐσομένην περὶ τῶνδε τῶν νόμων χειροτονίαν.
Λίβιόν τε Δροῦσον, ἕτερον δήμαρχον, ἔπεισε
κωλῦσαι τοὺς Γράκχου νόμους, οὐκ ἐπιλέγοντα
τῷ δήμῳ τὰς αἰτίας· δέδοται δὲ τῷ κωλύοντι μηδ'
ἐπιλέγειν. ἔδωκαν δ' αὐτῷ καὶ φιλανθρωπεύ-
σασθαι τὸν δῆμον δώδεκα ἀποικίαις· ᾧ δὴ καὶ
μάλιστα ὁ δῆμος ἡσθεὶς τῶν Γράκχου νόμων
κατεφρόνησεν.

24. Ὁ δὲ τοῦ δημοκοπήματος ἐκπεσὼν ἐς
Λιβύην ἅμα Φουλβίῳ Φλάκκῳ, κἀκείνῳ μεθ'
ὑπατείαν διὰ τάδε δημαρχεῖν ἑλομένῳ, διέπλευσεν,
ἐψηφισμένης κατὰ δόξαν εὐκαρπίας ἐς Λιβύην
ἀποικίας καὶ τῶνδε αὐτῶν οἰκιστῶν ἐπίτηδες
ᾑρημένων, ἵνα μικρὸν ἀποδημούντων ἀναπαύσαιτο
ἡ βουλὴ τῆς δημοκοπίας. οἱ δὲ τῇ ἀποικίᾳ τὴν

and thus put a multitude of contractors and artisans CHAP.
under obligations to him and made them ready to do III
whatever he wished. He proposed the founding of
numerous colonies. He also called on the Latin He demands
allies to demand the full rights of Roman citizenship, Roman
since the Senate could not with decency refuse this citizenship
privilege to men of the same race. To the other allies
allies, who were not allowed to vote in Roman
elections, he sought to give the right of suffrage, in
order to have their help in the enactment of laws
which he had in contemplation. The Senate was
very much alarmed at this, and it ordered the
consuls to give the following public notice, " Nobody
who does not possess the right of suffrage shall stay
in the city or approach within forty stades[1] of it while
voting is going on concerning these laws." The
Senate also persuaded Livius Drusus, another tribune,
to interpose his veto against the laws proposed by
Gracchus, but not to tell the people his reasons for
doing so ; for a tribune was not required to give
reasons for his veto. In order to conciliate the
people they gave Drusus the privilege of founding
twelve colonies, and the plebeians were so much
pleased with this that they scoffed at the laws
proposed by Gracchus.

24. Having lost the favour of the rabble, Gracchus B.C. 122
sailed for Africa in company with Fulvius Flaccus, He sails for
who, after his consulship, had been chosen tribune Africa with
for the same reasons as Gracchus himself. It had been Flaccus
decided to send a colony to Africa on account of its
reputed fertility, and these men had been expressly
chosen the founders of it in order to get them out of
the way for a while, so that the Senate might have a

---

[1] A short five miles.

πόλιν διέγραφον, ἔνθα ποτὲ ἦν ἡ Καρχηδονίων, οὐδὲν φροντίσαντες, ὅτι Σκιπίων αὐτήν, ὅτε κατέσκαπτεν, ἐπηράσατο ἐς ἀεὶ μηλόβοτον εἶναι. διέγραφον δ᾽ ἐς ἑξακισχιλίους ἀντὶ ἐλαττόνων τῶν ὄντων ἐν τῷ νόμῳ, ὡς καὶ τῷδε τὸν δῆμον ὑπαξόμενοι. ἐπανελθόντες τε ἐς Ῥώμην συνεκάλουν ἐξ ὅλης Ἰταλίας τοὺς ἑξακισχιλίους. ἐπιστειλάντων δὲ τῶν ἐν Λιβύῃ τὴν πόλιν ἔτι διαγραφόντων, ὅτι λύκοι τοὺς ὅρους Γράκχου τε καὶ Φουλβίου διέρριψαν ἀνασπάσαντες, καὶ τῶν μάντεων τὴν ἀποικίαν ἡγουμένων ἀπαίσιον, ἡ μὲν βουλὴ προέγραφεν ἐκκλησίαν, ἐν ᾗ τὸν νόμον ἔμελλε τὸν περὶ τῆσδε τῆς ἀποικίας λύσειν· ὁ δὲ Γράκχος καὶ ὁ Φούλβιος, ἐπεὶ καὶ τοῦδε ἐξέπιπτον, μεμηνόσιν ἐοικότες ἐψεῦσθαι τὴν βουλὴν ἔφασκον περὶ τῶν λύκων. οἵ τε θρασύτατοι τῶν δημοτῶν αὐτοῖς συνελάμβανον, ἐγχειρίδια φέροντες ἐς τὸ Καπιτώλιον, οὗ περὶ τῆς ἀποικίας ἐκκλησιάσειν ἔμελλον.

25. Ἤδη δὲ τοῦ δήμου συνειλεγμένου καὶ Φουλβίου τι περὶ τούτων ἀρχομένου λέγειν, ὁ Γράκχος ἀνέβαινεν ἐς τὸ Καπιτώλιον ὑπὸ τῶν συνθεμένων δορυφορούμενος. ἐνοχλούμενος δ᾽ ὑπὸ τοῦ συνειδότος ὡς ἐπὶ ἀλλοκότοις βουλεύμασι τὴν μὲν σύνοδον τῆς ἐκκλησίας ἀπέκλινεν, ἐς δὲ τὴν στοὰν παρελθὼν διεβάδιζεν, ἐφεδρεύων τοῖς ἐσομένοις. καὶ αὐτὸν οὕτως ἔχοντα θορύβου κατιδὼν δημότης ἀνὴρ Ἀντύλλος ἐν τῇ στοᾷ θύων, ἐμβαλὼν τὴν χεῖρα, εἴτε τι πυθόμενος ἢ ὑποπτεύων ἢ ἄλλως ἐς τὸν λόγον ὑπαχθείς, ἠξίου

48

respite from demagogism. They marked out the city for the colony on the place where Carthage had formerly stood, disregarding the fact that Scipio, when he destroyed it, had devoted it with solemn imprecations to sheep-pasturage for ever. They assigned 6000 colonists to this place, instead of the smaller number fixed by law, in order further to curry favour with the people thereby. When they returned to Rome they invited the 6000 from the whole of Italy. The functionaries who were still in Africa laying out the city wrote home that wolves had pulled up and scattered the boundary marks made by Gracchus and Fulvius, and the soothsayers considered this an ill omen for the colony. So the Senate summoned the comitia, in which it was proposed to repeal the law concerning this colony. When Gracchus and Fulvius saw their failure in this matter they were furious, and declared that the Senate had lied about the wolves. The boldest of the plebeians joined them, carrying daggers, and proceeded to the Capitol, where the assembly was to be held in reference to the colony.

25. Now the people had come together already, and Fulvius had begun speaking about the business in hand, when Gracchus arrived at the Capitol attended by a body-guard of his partisans. Conscience-stricken by what he knew about the extraordinary plans on foot he turned aside from the meeting-place of the assembly, passed into the portico, and walked about waiting to see what would happen. Just then a plebeian named Antyllus, who was sacrificing in the portico, saw him in this disturbed state, laid his hand upon him, either because he had heard or suspected something, or was moved to

CAP.
III

φείσασθαι τῆς πατρίδος. ὁ δὲ μᾶλλόν τε θορυ-
βηθεὶς καὶ δείσας ὡς κατάφωρος ἐνέβλεψεν αὐτῷ
δριμύ· καί τις τῶν παρόντων, οὔτε σημείου τινὸς
ἐπαρθέντος οὔτε προστάγματός πω γεγονότος, ἐκ
μόνης τῆς ἐς τὸν Ἀντύλλον Γράκχου δριμύτητος
εἰκάσας ἤδη τὸν καιρὸν ἥκειν καὶ χαριεῖσθαί τι
τῷ Γράκχῳ δόξας πρῶτος ἀρξάμενος ἔργου, τὸ
ἐγχειρίδιον ἐπισπάσας διαχρῆται τὸν Ἀντύλλον.
βοῆς δὲ γενομένης καὶ σώματος ὀφθέντος ἐν μέσῳ
νεκροῦ πάντες ἐκ τοῦ ἱεροῦ κατεπήδων σὺν ὁμοίου
κακοῦ φόβῳ.

Γράκχος δ' ἐς τὴν ἀγορὰν παρελθὼν ἐβούλετο
μὲν αὐτοῖς ἐκλογίσασθαι περὶ τοῦ γεγονότος·
οὐδενὸς δ' αὐτὸν οὐδ' ὑφισταμένου, ἀλλ' ὡς ἐναγῆ
πάντων ἐκτρεπομένων, ὁ μὲν Γράκχος καὶ ὁ
Φλάκκος ἀπορούμενοι καὶ τὸν καιρὸν ὧν ἐβου-
λεύοντο διὰ τὸ φθάσαι τὴν ἐγχείρησιν ἀπολω-
λεκότες ἐς τὰς οἰκίας διέτρεχον, καὶ οἱ συνθέμενοι
αὐτοῖς συνήεσαν ἐς αὐτάς, τὸ δ' ἄλλο πλῆθος ἐκ
μέσων νυκτῶν ὡς ἐπὶ δή τινι κακῷ τὴν ἀγορὰν
προκατελάμβανον. καὶ ὃς ἐπεδήμει τῶν ὑπάτων,
Ὀπίμιος, διέτασσε μέν τινας ἐνόπλους ἐς τὸ
Καπιτώλιον ἅμα ἔῳ συνιέναι καὶ τὴν βουλὴν διὰ
κηρύκων συνεκάλει, αὐτὸς δ' ἐν μέσῳ πάντων ἐν
τῷ νεῷ τῶν Διοσκούρων ἐφήδρευε τοῖς ἐσομένοις.

26. Τάδε ἦν τοιάδε. ἡ μὲν βουλὴ Γράκχον
καὶ Φλάκκον ἐκ τῶν οἰκιῶν ἐς ἀπολογίαν ἐς τὸ
βουλευτήριον ἐκάλουν, οἱ δὲ σὺν ὅπλοις ἐξέθεον
ἐπὶ τὸν Ἀβεντῖνον λόφον, ἐλπίσαντες, εἰ τόνδε
προλάβοιεν, ἐνδώσειν πρὸς τὰς συνθήκας αὐτοῖς
τι τὴν βουλήν. διαθέοντές τε τοὺς θεράποντας

speak to him for some other reason, and begged him
to spare his country. Gracchus, still more disturbed, and startled like one detected in a crime, gave the man a sharp look. Then one of his party, although no signal had been displayed or order given, inferred merely from the angry glance that Gracchus cast upon Antyllus that the time for action had come, and thought that he should do a favour to Gracchus by striking the first blow. So he drew his dagger and slew Antyllus. A cry was raised, the dead body was seen in the midst of the crowd, and all who were outside fled from the temple in fear of a like fate.

Gracchus went into the assembly desiring to exculpate himself of the deed, but nobody would so much as listen to him. All turned away from him as from one stained with blood. So both he and Flaccus were at their wits' end and, having lost through this hasty act the chance of accomplishing what they wished, they hastened to their homes, and their partisans with them. The rest of the crowd occupied the forum after midnight as though some calamity were impending, and Opimius the consul who was staying in the city, ordered an armed force to gather in the Capitol at daybreak, and sent heralds to convoke the Senate. He took his own station in the temple of Castor and Pollux in the centre of the city and there awaited events.

26. When these arrangements had been made the Senate summoned Gracchus and Flaccus from their homes to the senate-house to defend themselves. But they ran out armed toward the Aventine hill, hoping that if they could seize it first the Senate would agree to some terms with them. As they

CAP. συνεκάλουν ἐπ' ἐλευθερία. καὶ τῶνδε μὲν οὐδεὶς
III ὑπήκουεν, αὐτοὶ δέ, σὺν ὅσοις εἶχον ἀμφ' αὐτούς,
τὸ Ἀρτεμίσιον καταλαβόντες ἐκρατύνοντο καὶ
Κόιντον Φλάκκου παῖδα ἐς τὴν βουλὴν ἔπεμπον,
δεόμενοι διαλλαγῶν τυχεῖν καὶ βιοῦν μεθ' ὁμο-
νοίας. οἱ δ' ἐκέλευον αὐτοὺς ἀποθεμένους τὰ
ὅπλα ἥκειν εἰς τὸ βουλευτήριον καὶ λέγειν, ὅ τι
θέλοιεν, ἢ μηκέτι πέμπειν μηδένα. τῶν δ' αὖθις
τὸν Κόιντον ἐπιπεμψάντων, τόνδε μὲν Ὀπίμιος ὁ
ὕπατος διὰ τὴν προαγόρευσιν, ὡς οὐκέτι πρεσ-
βευτὴν ὄντα, συνελάμβανε, τοῖς δὲ περὶ τὸν
Γράκχον τοὺς ὡπλισμένους ἐπέπεμπεν.

Καὶ Γράκχος μὲν διὰ τῆς ξυλίνης γεφύρας ἐς τὸ
πέραν τοῦ ποταμοῦ καταφυγὼν ἐς ἄλσος τι μεθ'
ἑνὸς θεράποντος ὑπέσχε τῷ θεράποντι τὴν σφα-
γὴν καταλαμβανόμενος· Φλάκκου δ' ἐς ἐργαστή-
ριον ἀνδρὸς γνωρίμου καταφυγόντος, οἱ μὲν διώ-
κοντες, τὴν οἰκίαν οὐκ εἰδότες, ὅλον ἐμπρήσειν τὸν
στενωπὸν ἠπείλουν, ὁ δ' ὑποδεξάμενος αὐτὸς μὲν
ὤκνησε μηνῦσαι τὸν ἱκέτην, ἑτέρῳ δὲ προσέταξε
μηνῦσαι. καὶ συλληφθεὶς ὁ Φλάκκος ἀνῃρέθη.
Γράκχου μὲν δὴ καὶ Φλάκκου τὰς κεφαλὰς
ἔφερόν τινες Ὀπιμίῳ, καὶ αὐτοῖς ὁ Ὀπίμιος
ἰσοβαρὲς χρυσίον ἀντέδωκεν· ὁ δὲ δῆμος αὐτῶν
τὰς οἰκίας διήρπαζε, καὶ τοὺς συμφρονήσαντας
ὁ Ὀπίμιος συλλαβὼν ἐς τὴν φυλακὴν ἐνέβαλέ
τε καὶ ἀποπνιγῆναι προσέταξε. Κοΐντῳ δὲ τῷ
Φλάκκου παιδὶ συνεχώρησεν ἀποθανεῖν, ὡς θέλοι,
καὶ τὴν πόλιν ἐπὶ τοῖς φόνοις ἐκάθαιρεν. ἡ δὲ
βουλὴ καὶ νεὼν Ὁμονοίας αὐτὸν ἐν ἀγορᾷ προσέ-
ταξεν ἐγεῖραι.

ran through the city they offered freedom to the CHAP.
III slaves, but none listened to them. With such forces as they had, however, they occupied and fortified the temple of Diana, and sent Quintus, the son of Flaccus, to the Senate seeking to come to an arrangement and to live in harmony. The Senate replied that they should lay down their arms, come to the senate-house, and tell them what they wanted, or else send no more messengers. When they sent Quintus a second time the consul Opimius arrested him, as being no longer an ambassador after he had been warned, and at the same time sent his armed men against the Gracchans.

Gracchus fled across the river by the wooden B.C. 121 bridge[1] with one slave to a grove, and there, being on Death of
Gracchus
and Flaccus the point of arrest, he presented his throat to the slave. Flaccus took refuge in the workshop of an acquaintance. As his pursuers did not know which house he was in they threatened to burn the whole row. The man who had given shelter to the suppliant hesitated to point him out, but directed another man to do so. Flaccus was seized and put to death. The heads of Gracchus and Flaccus were carried to Opimius, and he gave their weight in gold to those who brought them, but the people plundered their houses. Opimius then arrested their fellow-conspirators, cast them into prison, and ordered that they should be strangled ; but he allowed Quintus, the son of Flaccus, to choose his own mode of death. After this a lustration of the city was performed for the bloodshed, and the Senate ordered the building of a temple to Concord in the forum.

[1] The *Pons Sublicius,* which rested on wooden piles.

IV

CAP.
IV

27. Καὶ ἡ στάσις ἡ τοῦ δευτέρου Γράκχου ἐς
τάδε ἔληγε· νόμος τε οὐ πολὺ ὕστερον ἐκυρώθη
τὴν γῆν, ὑπὲρ ἧς διεφέροντο, ἐξεῖναι πιπράσκειν
τοῖς ἔχουσιν· ἀπείρητο γὰρ ἐκ Γράκχου τοῦ προτέ-
ρου καὶ τόδε. καὶ εὐθὺς οἱ πλούσιοι παρὰ τῶν
πενήτων ἐωνοῦντο, ἢ ταῖσδε ταῖς προφάσεσιν
ἐβιάζοντο. καὶ περιῆν ἐς χεῖρον ἔτι τοῖς πένησι,
μέχρι Σπούριος Θόριος δημαρχῶν εἰσηγήσατο
νόμον, τὴν μὲν γῆν μηκέτι διανέμειν, ἀλλ' εἶναι
τῶν ἐχόντων, καὶ φόρους ὑπὲρ αὐτῆς τῷ δήμῳ
κατατίθεσθαι καὶ τάδε τὰ χρήματα χωρεῖν ἐς
διανομάς. ὅπερ ἦν μέν τις τοῖς πένησι παρη-
γορία διὰ τὰς διανομάς, ὄφελος δ' οὐδὲν ἐς πολυ-
πληθίαν. ἅπαξ δὲ τοῖς σοφίσμασι τοῖσδε τοῦ
Γρακχείου νόμου παραλυθέντος, ἀρίστου καὶ
ὠφελιμωτάτου, εἰ ἐδύνατο πραχθῆναι, γενομένου,
καὶ τοὺς φόρους οὐ πολὺ ὕστερον διέλυσε δήμαρ-
χος ἕτερος, καὶ ὁ δῆμος ἀθρόως ἁπάντων ἐξεπε-
πτώκει. ὅθεν ἐσπάνιζον ἔτι μᾶλλον ὁμοῦ πολιτῶν
τε καὶ στρατιωτῶν καὶ γῆς προσόδου καὶ διανομῶν
καὶ νομῶν, πεντεκαίδεκα μάλιστα ἔτεσιν ἀπὸ
τῆς Γράκχου νομοθεσίας, ἐπὶ δίκαις ἐν ἀργίᾳ
γεγονότες.

IV

27. Thus the sedition of the younger Gracchus came to an end. Not long afterward a law was enacted to permit the holders to sell the land about which they had quarrelled; for even this had been forbidden by the law of the elder Gracchus. At once the rich began to buy the allotments of the poor, or found pretexts[1] for seizing them by force. So the condition of the poor became even worse than it was before, until Spurius Thorius, a tribune of the people, brought in a law providing that the work of distributing the public domain should no longer be continued, but that the land should belong to those in possession of it, who should pay rent for it to the people, and that the money so received should be distributed; and this distribution was a kind of solace to the poor, but it did not help to increase the population. By these devices the law of Gracchus —a most excellent and useful one, if it could have been carried out—was once for all frustrated, and a little later the rent itself was abolished at the instance of another tribune. So the plebeians lost everything, and hence resulted a still further decline in the numbers both of citizens and soldiers, and in the revenue from the land and the distribution thereof and in the allotments themselves; and about fifteen years after the enactment of the law of Gracchus, by reason of a series of lawsuits, the people were reduced to unemployment.[2]

[1] The Greek seems corrupt here. Read, perhaps, ταῖς καὶ ταῖς : "found various pretexts."

[2] The reading is not certain. Perhaps we should understand "[the Commissioners for distributing the land] were reduced to idleness by a series of lawsuits."

CAP.
IV

28. Τῷ δ' αὐτῷ χρόνῳ Σκιπίων ὕπατος καθεῖλε τὸ θέατρον, οὗ Λεύκιος Κάσσιος ἦρκτο (καὶ ἤδη που τέλος ἐλάμβανεν), ὡς καὶ τόδε στάσεων ἄρξον ἑτέρων ἢ οὐ χρήσιμον ὅλως Ἑλληνικαῖς ἡδυπαθείαις Ῥωμαίους ἐθίζεσθαι. τιμητὴς δὲ Κόιντος Καικίλιος Μέτελλος Γλαυκίαν τε βουλεύοντα καὶ Ἀπουλήιον Σατορνῖνον δεδημαρχηκότα ἤδη τῆς ἀξιώσεως παρέλυεν, αἰσχρῶς βιοῦντας, οὐ μὴν ἐδυνήθη· ὁ γάρ οἱ συνάρχων οὐ συνέθετο. μικρὸν οὖν ὕστερον ὁ Ἀπουλήιος ὡς ἀμυνούμενος τὸν Μέτελλον ἐς ἑτέραν παρήγγελλε δημαρχίαν, φυλάξας στρατηγοῦντα τὸν Γλαυκίαν καὶ τῆσδε τῶν δημάρχων τῆς χειροτονίας προεστῶτα. Νόνιος μὲν οὖν, ἐπιφανὴς ἀνήρ, ἔς τε τὸν Ἀπουλήιον παρρησίᾳ χρώμενος καὶ Γλαυκίαν ἐξονειδίζων δήμαρχος ἀπεδείχθη. δείσαντες δ' ὁ Γλαυκίας καὶ ὁ Ἀπουλήιος, μὴ δημαρχῶν αὐτοὺς ἀμύναιτο, ὄχλον ἀνδρῶν εὐθὺς ἀπὸ τῆς ἐκκλησίας ἀπιόντι ἐπιπέμπουσι σὺν θορύβῳ καὶ ἔς τι πανδοχεῖον συμφυγόντα κατεκέντησαν. τοῦ δὲ πάθους οἰκτροῦ καὶ δεινοῦ φανέντος οἱ περὶ τὸν Γλαυκίαν, οὔπω τοῦ δήμου συνελθόντος, ἅμ' ἔῳ χειροτονοῦσι δήμαρχον τὸν Ἀπουλήιον.

Καὶ τὸ μὲν Νωνίου πάθος ὧδε ἐσιγήθη διὰ τὴν δημαρχίαν Ἀπουλήιου, δεδιότων αὐτὸν ἔτι ἐξελέγχειν· 29. ἐξηλάθη δὲ καὶ Μέτελλος ὑπ' αὐτῶν, προσλαβόντων Γάιον Μάριον ἕκτην ἄρχοντα ὑπατείαν, ἐχθρὸν ἀφανῆ τοῦ Μετέλλου. καὶ συνέπραξαν ὧδε ἅπαντες ἀλλήλοις. ὁ μὲν Ἀπουλήιος νόμον ἐσέφερε διαδάσασθαι γῆν, ὅσην ἐν τῇ νῦν ὑπὸ Ῥωμαίων καλουμένῃ Γαλατίᾳ Κίμβροι γένος

28. About this time the consul Scipio [Nasica] demolished the theatre begun by Lucius Cassius, and now nearly finished, because he considered this also a likely source of new seditions, or because he thought it far from desirable that the Romans should become accustomed to Grecian pleasures. The censor, Quintus Caecilius Metellus, attempted to degrade Glaucia, a senator, and Apuleius Saturninus, who had already been a tribune, on account of their disgraceful mode of life, but was not able to do so because his colleague would not agree to it. Accordingly Apuleius, a little later, in order to have revenge on Metellus, became again a candidate for the tribuneship, seizing the occasion when Glaucia held the office of praetor, and presided over the election of the tribunes; but Nonius, a man of noble birth, who used much plainness of speech in reference to Apuleius and reproached Glaucia bitterly, was chosen for the office. They, fearing lest he should punish them as tribune, made a rush upon him with a crowd of ruffians just as he was going away from the comitia, pursued him into an inn, and stabbed him. As this murder bore a pitiful and shocking aspect, the adherents of Glaucia came together early the next morning, before the people had assembled, and elected Apuleius tribune.

In this way the killing of Nonius was hushed up, since everybody was afraid to call Apuleius to account because he was a tribune; 29. and Metellus also was banished by his enemies with the help of Gaius Marius, who was then in his sixth consulship, and was his secret enemy. Thus they all worked with each other. Then Apuleius brought forward a law to divide the land which the Cimbri (a Celtic tribe

Κελτῶν κατειλήφεσαν, καὶ αὐτοὺς ὁ Μάριος
ἔναγχος ἐξελάσας τὴν γῆν ὡς οὐκέτι Γαλατῶν
ἐς Ῥωμαίους περιεσπάκει. προσέκειτο δέ, εἰ
κυρώσειε τὸν νόμον ὁ δῆμος, τὴν βουλὴν πένθ᾽
ἡμέραις ἐπομόσαι πεισθήσεσθαι τῷ νόμῳ, ἢ τὸν
οὐκ ὀμόσαντα μήτε βουλεύειν καὶ ὀφλεῖν τῷ δήμῳ
τάλαντα εἴκοσι, ὑπονοοῦντες οὕτως ἄλλους τε
τῶν δυσχεραινόντων ἀμυνεῖσθαι καὶ Μέτελλον
ὑπὸ φρονήματος οὐκ ἐνδώσοντα ἐς τὸν ὅρκον.
ὁ μὲν δὴ νόμος ὧδε εἶχεν, καὶ ὁ Ἀπουλήιος ἡμέ-
ραν αὐτοῦ τῇ δοκιμασίᾳ προυτίθει καὶ περιέπεμπε
τοὺς ἐξαγγέλλοντας τοῖς οὖσιν ἀνὰ τοὺς ἀγρούς,
οἷς δὴ καὶ μάλιστ᾽ ἐθάρρουν ὑπεστρατευμένοις
Μαρίῳ. πλεονεκτούντων δ᾽, ἐν τῷ νόμῳ τῶν
Ἰταλιωτῶν ὁ δῆμος ἐδυσχέραινε.

30. Καὶ στάσεως ἐν τῇ κυρίᾳ γενομένης, ὅσοι
μὲν ἐκώλυον τῶν δημάρχων τοὺς νόμους, ὑβρι-
ζόμενοι πρὸς τοῦ Ἀπουλήιου κατεπήδων ἀπὸ τοῦ
βήματος, ὁ δὲ πολιτικὸς ὄχλος ἐβόα ὡς γενομένης
ἐν ἐκκλησίᾳ βροντῆς, ὅθεν οὐ θέμις ἐστὶ Ῥωμαίοις
οὐδὲν ἔτι κυροῦν. βιαζομένων δὲ καὶ ὡς τῶν περὶ
τὸν Ἀπουλήιον οἱ πολιτικοὶ τά τε ἱμάτια διαζω-
σάμενοι καὶ τὰ προστυχόντα ξύλα ἁρπάσαντες
τοὺς ἀγροίκους διέστησαν. οἱ δ᾽ αὖθις ὑπὸ τοῦ
Ἀπουλήιου συγκαλούμενοι μετὰ ξύλων καὶ οἵδε
τοῖς ἀστικοῖς ἐπῄεσαν καὶ βιασάμενοι τὸν νόμον
ἐκύρωσαν. κυρωθέντος δ᾽ αὐτίκα Μάριος οἷα
ὕπατος τῇ βουλῇ προυτίθει σκοπεῖν περὶ τοῦ
ὅρκου· καὶ τὸν Μέτελλον εἰδὼς στερρόν τε τῇ

lately driven out by Marius) had seized in the country
now called Gaul by the Romans, and which was
considered as now no longer Gallic but Roman
territory. It was provided also in this law that, if
the people should enact it, the senators should take
an oath within five days to obey it, and that any one
who should refuse to do so should be expelled from
the Senate and should pay a fine of twenty talents
for the benefit of the people. Thus they intended
to punish those who should take it with a bad grace,
and especially Metellus, who was too high-spirited
to submit to the oath. Such was the proposed law.
Apuleius appointed the day for holding the comitia
and sent messengers to inform those in country
districts, in whom he had most confidence, because
they had served in the army under Marius. As the
law gave the larger share to the Italian allies the
city people were not pleased with it.

30. A disturbance broke out in the comitia.
Those who attempted to prevent the passage of the
laws proposed by the tribunes were assaulted by
Apuleius and driven away from the rostra. The
city crowd exclaimed that thunder was heard in the
assembly, in which case it is not permitted by Roman
custom to finish the business that day. As the
adherents of Apuleius nevertheless persisted, the
city people girded themselves, seized whatever clubs
they could lay their hands on, and dispersed the
rustics. The latter were rallied by Apuleius; they
attacked the city folks with clubs, overcame them,
and passed the law. As soon as this was done
Marius, as consul, proposed to the Senate that they
should consider the question of the oath. Knowing
that Metellus was a man of stiff opinions and resolute

CAP.
IV
γνώμῃ καὶ βέβαιον ἐφ' ὅ τι φρονήσειεν ἢ εἰπεῖν
φθάσειεν, ἐτίθει πρῶτος ἐς μέσον τὴν γνώμην τὴν
ἑαυτοῦ μετ' ἐνέδρας καὶ ἔλεγεν, ὡς οὔποτε τὸν
ὅρκον ἑκὼν τόνδε αὐτὸς ὀμόσει. συναποφηναμένου
δὲ ταῦτα καὶ τοῦ Μετέλλου καὶ τῶν ἄλλων
αὐτοὺς ἐπαινεσάντων, ὁ Μάριος διέλυσε τὴν
βουλήν. εἶτα τῆς πέμπτης ἡμέρας, ᾗ τῷ ὅρκῳ
τελευταία κατὰ τὸν νόμον ἦν, ἀμφὶ δεκάτην ὥραν
αὐτοὺς κατὰ σπουδὴν συναγαγὼν ἔφη τὸν δῆμον
ἐσπουδακότα περὶ τὸν νόμον δεδιέναι, μηχανὴν δ'
ὁρᾶν καὶ σόφισμα τοιόνδε· ὀμόσειν γάρ, ᾗ νόμος
ἐστί, τῷδε πεισθήσεσθαι τῷ νόμῳ, καὶ νῦν μὲν
οὕτω διασκεδᾶν τοὺς ἀπὸ τῶν ἀγρῶν ἐνηδρευ-
μένους, ὕστερον δ' οὐ δυσχερῶς ἐπιδείξειν, ὅτι οὐκ
ἔστι νόμος ὁ πρὸς βίαν τε καὶ βροντῆς ὠνο-
μασμένης κεκυρωμένος παρὰ τὰ πάτρια.

31. Ταῦτα δ' εἰπὼν καὶ τέλος οὐδὲν ἀναμείνας,
πάντων ἔτι σιωπώντων ὑπ' ἐκπλήξεως ἐπὶ τῇ
ἐνέδρᾳ καὶ τῷ χρόνῳ δεδαπανημένῳ, οὐδ' ἐνθυμη-
θῆναί τι παρασχὼν αὐτοῖς ἐξανίστατο ἐς τὸν τοῦ
Κρόνου νεών, οὗ τοῖς ταμίαις ἐχρῆν ὀμνύναι, καὶ
ὤμνυε σὺν τοῖς φίλοις πρῶτος. ὤμνυον δὲ καὶ οἱ
λοιποί, τὸ ἑαυτοῦ δεδιὼς ἕκαστος· Μέτελλος δ'
οὐκ ὤμοσε μόνος, ἀλλ' ἐπὶ τῆς ἑαυτοῦ προαιρέ-
σεως διέμεινεν ἀφόβως. καὶ αὐτὸν εὐθὺς τῆς
ἐπιούσης ὁ Ἀπουλήιος ἐπιπέμψας τὸν ὑπηρέτην
ἐξεῖλκεν ἀπὸ τοῦ βουλευτηρίου. ῥυομένων δὲ
τῶν ἑτέρων δημάρχων, ὁ Γλαυκίας καὶ ὁ Ἀπου-
λήιος ἐς τοὺς ἀγροίκους ἐκδραμόντες οὐκ ἔφασκον
αὐτοῖς ἔσεσθαι τὴν γῆν οὐδὲ τὸν νόμον κύριον, εἰ
μὴ Μέτελλος ἐξελαθείη. ψήφισμά τε φυγῆς

about anything he either felt or had committed himself to by word of mouth, he himself first gave his own opinion publicly, but hypocritically, saying that he would never willingly take this oath himself. When Metellus had agreed with him in this, and the others had approved them both, Marius adjourned the Senate. On the fifth day thereafter (the last day prescribed in the law for taking the oath) he called them together in haste about the tenth hour, saying that he was afraid of the people because they were so zealous for the law. He saw a way, however, to avoid it, and he proposed the following trick—to swear that they would obey this law as far as it was a law, and thus at once disperse the country people by stratagem. Afterward it could be easily shown that this law, which had been enacted by violence and after thunder had been reported, contrary to the custom of their ancestors, was not really a law.

31. After speaking thus he did not wait for the result, but while all were in silent amazement at the plot, and confused because there was no time to be lost, giving them no opportunity for thinking, he rose and went to the temple of Saturn, where the quaestors were accustomed to administer oaths, and took the oath first with his friends. The rest followed his example, as each one feared for his own safety. Metellus alone refused to swear, but stood fearlessly by his first determination. Apuleius at once on the next day sent his officer for him and tried to drag him out of the senate-house. But when the other tribunes defended him Glaucia and Apuleius hastened to the country people and told them that they would never get the land, and that the law would not be executed, unless Metellus were banished. They

CAP.
IV

ἐπέγραφον αὐτῷ καὶ τοὺς ὑπάτους ἐπικηρῦξαι προσετίθεσαν μηδένα Μετέλλῳ κοινωνεῖν πυρὸς ἢ ὕδατος ἢ στέγης· ἔς τε τὴν δοκιμασίαν τοῦδε τοῦ ψηφίσματος ἡμέραν προύγραφον. δεινῆς δὲ τῶν ἀστικῶν ἀγανακτήσεως οὔσης καὶ παραπεμπόντων Μέτελλον αἰεὶ σὺν ξιφιδίοις, ὁ Μέτελλος αὐτοὺς ἀσπασάμενος καὶ ἐπαινέσας τῆς προαιρέσεως οὐκ ἔφη δι' ἑαυτὸν ἐάσειν οὐδένα κίνδυνον ἐπιγενέσθαι τῇ πατρίδι. καὶ τόδε εἰπὼν ὑπεξῆλθε τῆς πόλεως. καὶ τὸ ψήφισμα ὁ Ἀπουλήιος ἐκύρου, καὶ τὰ ἐν τῷ ψηφίσματι Μάριος ἐπεκήρυττεν.

32. Οὕτω μὲν δὴ καὶ Μέτελλος, ἀνὴρ εὐδοκιμώτατος, ἔφευγε, καὶ ὁ Ἀπουλήιος ἐπ' αὐτῷ τρίτον ἐδημάρχει. καί τις αὐτῷ συνῆρχε δραπέτης εἶναι νομιζόμενος, Γράκχον ἑαυτῷ τὸν πρεσβύτερον πατέρα ἐπιγράφων. καὶ τὸ πλῆθος αὐτῷ συνεπεπράχει περὶ τὴν χειροτονίαν πόθῳ Γράκχου. προτεθείσης δὲ ὑπάτων χειροτονίας, Μᾶρκος μὲν Ἀντώνιος ἐπὶ τὴν ἑτέραν ἀναμφιλόγως ᾑρέθη, τὴν δὲ ὑπόλοιπον Γλαυκίας ὅδε καὶ Μέμμιος μετῇσαν. Μεμμίου δ' ὄντος ἐπιδοξοτέρου παρὰ πολύ, δείσας ὁ Γλαυκίας καὶ ὁ Ἀπουλήιος ἐπιπέμπουσί τινας αὐτῷ σὺν ξύλοις ἐν αὐτῇ τῇ χειροτονίᾳ, οἳ τὸν Μέμμιον παίοντες ἐν μέσῳ πάντων ὁρώντων συνέκοψαν.

Καὶ ἡ μὲν ἐκκλησία θορυβηθεῖσα διελύετο οὔτε νόμων οὔτε δικαστηρίων οὔτε τινὸς αἰδοῦς ἔτι ὑπούσης· ὁ δὲ δῆμος ἀγανακτῶν ἐς τὴν ἐπιοῦσαν ἡμέραν μετ' ὀργῆς συνέτρεχεν ὡς κτενοῦντες τὸν Ἀπουλήιον. ὁ δ' ἄλλο πλῆθος ἁλίσας ἀπὸ τῶν ἀγρῶν μετὰ Γλαυκίου καὶ Γαΐου Σαυφηίου ταμίου

then proposed a decree of banishment against him
and directed the consuls to interdict him from fire,
water, and shelter, and appointed a day for the rati-
fication of this decree. Great was the indignation of
the city people, who constantly escorted Metellus,
carrying daggers. He thanked them and praised
them for their good intentions, but said that he
could not allow any danger to befall the country on
his account. After saying this he withdrew from
the city. Apuleius got the decree ratified, and
Marius made proclamation of the contents of the
decree.

32. In this way was Metellus, a most admirable
man, sent into banishment. Thereupon Apuleius
was tribune a third time and had for a colleague
one who was thought to be a fugitive slave, but who
claimed to be a son of the elder Gracchus, and who
the multitude supported him in the election because
they regretted Gracchus. When the election for
consuls came on Marcus Antonius was chosen as one
of them by common consent, while the aforesaid
Glaucia and Memmius contended for the other place.
Memmius was the more illustrous man by far, and
Glaucia and Apuleius were anxious about the
result. So they sent a gang of ruffians to attack
him with clubs while the election was going on, who
fell upon him in the midst of the comitia and beat
him to death in the sight of all.

The assembly was broken up in terror. Neither
laws nor courts nor sense of shame remained. The
people ran together in anger the following day
intending to kill Apuleius, but he had collected
another mob from the country and, with Glaucia
and Gaius Saufeius, the quaestor, seized the Capitol.

CAP. τὸ Καπιτώλιον κατέλαβε. καὶ αὐτοὺς τῆς βουλῆς
IV ἀναιρεθῆναι ψηφισαμένης ὁ Μάριος ἀχθόμενος
ὅμως ὥπλιζέ τινας σὺν ὄκνῳ· καὶ βραδύνοντος
ἕτεροι τὸ ὕδωρ τὸ ἐπιρρέον ἐς τὸ ἱερὸν διέτεμον.
καὶ Σαυφήιος μὲν ἐμπρῆσαι τὸν νεών, ὑπὸ δίψης
ἀπολλύμενος, ἠξίου, Γλαυκίας δὲ καὶ Ἀπουλήιος
ἐλπίσαντες αὐτοῖς ἐπικουρήσειν Μάριον παρέδω-
καν ἑαυτούς, οἵδε πρῶτοι, καὶ ἐπ' ἐκείνοις ὁ
Σαυφήιος. Μάριος δ', αὐτίκα πάντων αὐτοὺς
ἀναιρεῖν κελευόντων, ἐς τὸ βουλευτήριον συνέ-
κλεισεν ὡς ἐννομώτερον ἐργασόμενος. οἱ δὲ
πρόφασιν τοῦτ' εἶναι νομίσαντες τὸν κέραμον
ἐξέλυον τοῦ βουλευτηρίου καὶ τοὺς ἀμφὶ τὸν
Ἀπουλήιον ἔβαλλον, ἕως ἀπέκτειναν, ταμίαν
τε καὶ δήμαρχον καὶ στρατηγόν, ἔτι περικει-
μένους τὰ σύμβολα τῆς ἀρχῆς.

33. Πολὺς δὲ καὶ ἄλλος ὅμιλος ἐν τῇ στάσει
διέφθαρτο καὶ δήμαρχος ἕτερος, ὁ τοῦ Γράκχου
παῖς εἶναι νομιζόμενος, πρώτην δημαρχῶν ἐκείνην
ἡμέραν, οὐδένα ἔτι ὠφελούσης οὔτε ἐλευθερίας
οὔτε δημοκρατίας οὔτε νόμων οὔτε ἀξιώσεως οὔτε
ἀρχῆς, ὅπου καὶ ἡ τῶν δημάρχων ἔς τε κώλυσιν
ἁμαρτημάτων καὶ ἐς ἐπικούρησιν τῶν δημο-
τῶν γενομένη, ἱερὰ καὶ ἄσυλος οὖσα, τοιάδε
ὕβριζε καὶ τοιάδε ἔπασχεν. ἀναιρεθέντων δὲ
τῶν ἀμφὶ τὸν Ἀπουλήιον ἡ μὲν βουλὴ καὶ ὁ
δῆμος ἐκεκράγεσαν κατακαλεῖν Μέτελλον, Πού-
πλιος δὲ Φούριος δήμαρχος, οὐδ' ἐλευθέρου
πατρός, ἀλλ' ἐξελευθέρου, θρασέως ἐνίστατο αὐ-
τοῖς καὶ οὐδὲ Μετέλλου τοῦ Μετέλλου παιδὸς
ἱκετεύοντος αὐτὸν ἐν ὄψει τοῦ δήμου καὶ δα-
κρύοντος καὶ τοῖς ποσὶ προσπίπτοντος ἐνεκλάσθη.

The Senate voted them public enemies. Marius was
vexed; nevertheless he armed some of his forces
reluctantly, and, while he was delaying, some other
persons cut off the water-supply from the Capitoline
temple. Saufeius was near perishing with thirst
and proposed to set the temple on fire, but Glaucia
and Apuleius, who hoped that Marius would assist
them, surrendered first, and after them Saufeius.
As everybody demanded that they should be put to
death at once, Marius shut them up in the senate-
house as though he intended to deal with them in a
more legal manner. The crowd considered this a
mere pretext, tore the tiles off the roof, and stoned
them to death, including a quaestor, a tribune, and
a praetor, who were still wearing their insignia of
office.

33. Very many others were swept out of existence
in this sedition. Among them was that other
tribune who was supposed to be the son of Gracchus,
and who perished on the first day of his magistracy.
Freedom, democracy, laws, reputation, official posi-
tion, were no longer of any use to anybody, since
even the office of tribune, which had been devised
for the restraint of wrong-doers and the protection of
the plebeians, and was sacred and inviolable, now was
guilty of such outrages and suffered such indignities.
When the party of Apuleius was destroyed the
Senate and people clamoured for the recall of
Metellus, but Publius Furius, a tribune who was not
the son of a free citizen but of a freedman, boldly
resisted them. Not even Metellus, the son of Metel-
lus, who besought him in the presence of the people
with tears in his eyes, and threw himself at his feet,
could move him. From this dramatic appearance the

CAP.
IV
ἀλλ' ὁ μὲν παῖς ἐκ τῆσδε τῆς ὄψεως Εὐσεβὴς ἐς
τὸ ἔπειτα ἐκλήθη, τοῦ δ' ἐπιόντος ἔτους Φούριον
μὲν ἐπὶ τῷδε ἐς δίκην Γάιος Κανουλήιος δήμαρχος
ὑπῆγε, καὶ ὁ δῆμος οὐδὲ τοὺς λόγους ὑπομείνας
διέσπασε τὸν Φούριον· οὕτως αἰεί τι μύσος
ἑκάστου ἔτους ἐπὶ τῆς ἀγορᾶς ἐγίγνετο· Μετέλλῳ
δ' ἡ κάθοδος ἐδόθη, καί φασιν αὐτῷ τὴν ἡμέραν
οὐκ ἀρκέσαι περὶ τὰς πύλας δεξιουμένῳ τοὺς
ἀπαντῶντας.

V

CAP.
V
Τρίτον μὲν δὴ τόδε ἔργον ἐμφύλιον ἦν τὸ Ἀπου-
ληίου, μετὰ δύο τὰ Γράκχεια, καὶ τοσάδε εἴργαστο
Ῥωμαίους· 34. οὕτω δ' ἔχουσιν αὐτοῖς ὁ συμ-
μαχικὸς καλούμενος πόλεμος ἐπιγίγνεται ἐθνῶν
ἀνὰ τὴν Ἰταλίαν πολλῶν, ἀρξάμενός τε παραδό-
ξως, καὶ ἀθρόως ἐπὶ μέγα προελθών, καὶ τὰς
στάσεις ἐν Ῥώμῃ σβέσας ὑπὸ δέους ἐπὶ πολύ.
λήγων δὲ καὶ ὅδε στάσεις τε ἄλλας καὶ στασι-
άρχους δυνατωτέρους ἀνέθρεψεν οὐ νόμων εἰση-
γήσεσιν ἔτι οὐδὲ δημοκοπίαις, ἀλλὰ ἀθρόοις
στρατεύμασι κατ' ἀλλήλων χρωμένους. καὶ αὐτὸν
διὰ τάδε συνήγαγον ἐς τήνδε τὴν συγγραφήν, ἔκ
τε τῆς ἐν Ῥώμῃ στάσεως ἀρξάμενον καὶ ἐς πολὺ
χείρονα στάσιν ἑτέραν ἐκπεσόντα. ἤρξατο δὲ ὧδε.
Φούλβιος Φλάκκος ὑπατεύων μάλιστα δὴ
πρῶτος ὅδε ἐς τὸ φανερώτατον ἠρέθιζε τοὺς
Ἰταλιώτας ἐπιθυμεῖν τῆς Ῥωμαίων πολιτείας ὡς
κοινωνοὺς τῆς ἡγεμονίας ἀντὶ ὑπηκόων ἐσομένους.
εἰσηγούμενος δὲ τὴν γνώμην καὶ ἐπιμένων αὐτῇ
καρτερῶς, ὑπὸ τῆς βουλῆς ἐπί τινα στρατείαν

son ever afterward bore the name of Metellus Pius. CHAP.
The following year Furius was called to account for IV
his obstinacy by the new tribune, Gaius Canuleius. B.C. 99
The people did not wait for his excuses, but tore
Furius in pieces. Thus every year some new
abomination was committed in the forum. Metellus,
however, was allowed to return, and it is said that
a whole day was not sufficient for the greetings of
those who went to meet him at the city gates.

V

Such was the third civil strife (that of Apuleius) CHAP.
which succeeded those of the two Gracchi, and such V
the results it brought to the Romans. 34. While Origin of
they were thus occupied the so-called Social War, the Social
in which many Italian peoples were engaged, War
broke out. It began unexpectedly, grew rapidly
to great proportions and extinguished the Roman
seditions for a long time by a new terror. When it
was ended it also gave rise to new seditions under
more powerful leaders, who did not work by intro-
ducing new laws, or by the tricks of the demagogue,
but by matching whole armies against each other.
I have treated it in this history because it had its
origin in the sedition in Rome and resulted in
another much worse. It began in this way.

Fulvius Flaccus in his consulship first and foremost B.C. 125
openly excited among the Italians the desire for Roman
citizenship, so as to be partners in the empire in-
stead of subjects. When he introduced this idea
and strenuously persisted in it, the Senate, for that
reason, sent him away to take command in a war, in

CAP.
V

ἐξεπέμφθη διὰ τόδε. ἐν ᾗ τῆς ὑπατείας αὐτῷ δεδαπανημένης, ὁ δὲ καὶ δημαρχεῖν εἵλετο μετ' αὐτὴν καὶ ἔπραξε γενέσθαι σὺν Γράκχῳ τῷ νεωτέρῳ, τοιάδε ἄλλα ὑπὲρ τῆς Ἰταλίας ἐσφέροντι κἀκείνῳ. ἀναιρεθέντοιν δὲ ἀμφοῖν, ὥς μοι προείρηται, πολὺ μᾶλλον ἠρέθιστο ἡ Ἰταλία· οὔτε γὰρ ἠξίουν ἐν ὑπηκόων ἀντὶ κοινωνῶν εἶναι μέρει οὔτε Φλάκκον καὶ Γράκχον ὑπὲρ αὐτῶν πολιτεύοντας τοιάδε παθεῖν.

35. Ἐπὶ δὲ ἐκείνοις καὶ Λίβιος Δροῦσος δημαρχῶν, ἀνὴρ ἐπιφανέστατος ἐκ γένους, δεηθεῖσι τοῖς Ἰταλιώταις νόμον αὖθις ἐσενεγκεῖν περὶ τῆς πολιτείας ὑπέσχετο· τούτου γὰρ δὴ μάλιστα ἐπεθύμουν ὡς ἑνὶ τῷδε αὐτίκα ἡγεμόνες ἀντὶ ὑπηκόων ἐσόμενοι. ὁ δὲ τὸν δῆμον ἐς τοῦτο προθεραπεύων ὑπήγετο ἀποικίαις πολλαῖς ἔς τε τὴν Ἰταλίαν καὶ Σικελίαν ἐψηφισμέναις μὲν ἐκ πολλοῦ, γεγονυίαις δὲ οὔπω. τήν τε βουλὴν καὶ τοὺς ἱππέας, οἳ μάλιστα δὴ τότε ἀλλήλοις διὰ τὰ δικαστήρια διεφέροντο, ἐπὶ κοινῷ νόμῳ συναγαγεῖν ἐπειρᾶτο, σαφῶς μὲν οὐ δυνάμενος ἐς τὴν βουλὴν ἐπανενεγκεῖν τὰ δικαστήρια, τεχνάζων δ' ἐς ἑκατέρους ὧδε. τῶν βουλευτῶν διὰ τὰς στάσεις τότε ὄντων μόλις ἀμφὶ τοὺς τριακοσίους, ἑτέρους τοσούσδε αὐτοῖς ἀπὸ τῶν ἱππέων εἰσηγεῖτο ἀριστίνδην προσκαταλεγῆναι καὶ ἐκ τῶνδε πάντων ἐς τὸ μέλλον εἶναι τὰ δικαστήρια· εὐθύνας τε ἐπ' αὐτῶν γίγνεσθαι δωροδοκίας προσέγραφεν, ἐγκλήματος ἴσα δὴ καὶ ἀγνοουμένου διὰ τὸ ἔθος τῆς δωροδοκίας ἀνέδην ἐπιπολαζούσης.

the course of which his consulship expired; but he obtained the tribuneship after that and contrived to have the younger Gracchus for a colleague, with whose co-operation he brought forward other measures in favour of the Italians. When they were both killed, as I have previously related, the Italians were still more excited. They could not bear to be considered subjects instead of equals, or to think that Flaccus and Gracchus should have suffered such calamities while working for their political advantage.

CHAP.
V
B.C. 123

B.C. 121

35. After them the tribune Livius Drusus, a man of most illustrious birth, promised the Italians, at their urgent request, that he would bring forward a new law to give them citizenship. They especially desired this because by that one step they would become rulers instead of subjects. In order to conciliate the plebeians to this measure he led out to Italy and Sicily several colonies which had been voted some time before, but not yet planted. He endeavoured to bring together by an agreement the Senate and the equestrian order, who were then in sharp antagonism to each other, in reference to the law courts. As he was not able to restore the courts to the Senate openly, he tried the following artifice to reconcile them. As the senators had been reduced by the seditions to scarcely 300 in number, he brought forward a law that an equal number, chosen according to merit, should be added to their enrolment from the knights, and that the courts of justice should be made up thereafter from the whole number. He added a clause in the law that they should make investigations about bribery, as accusations of that kind were almost unknown, since the custom of bribe-taking prevailed without restraint.

B.C. 91
Measures of
Livius
Drusus

69

CAP.
V

Ὁ μὲν δὴ τάδε πρὸς ἑκατέρους ἐπενόει, περιῆλθε δὲ ἐς τὸ ἐναντίον αὐτῷ. ἥ τε γὰρ βουλὴ χαλεπῶς ἔφερεν ἀθρόως αὐτῇ τοσούσδε προσκαταλεγῆναι καὶ ἐξ ἱππέων ἐς τὸ μέγιστον ἀξίωμα μεταβῆναι, οὐκ ἀδόκητον ἡγουμένη καὶ βουλευτὰς γενομένους κατὰ σφᾶς ἔτι δυνατώτερον τοῖς προτέροις βουλευταῖς στασιάσειν· οἵ τε ἱππεῖς ὑπώπτευον, ὅτι τῇδε τῇ θεραπείᾳ πρὸς τὸ μέλλον ἐς τὴν βουλὴν μόνην τὰ δικαστήρια ἀπὸ τῶν ἱππέων περιφέροιτο, γευσάμενοί τε κερδῶν μεγάλων καὶ ἐξουσίας οὐκ ἀλύπως τὴν ὑπόνοιαν ἔφερον. τό τε πλῆθος αὐτῶν ἐν ἀπορίᾳ σφᾶς ἐποίει καὶ ὑποψίᾳ πρὸς ἀλλήλους, τίνες ἀξιώτεροι δοκοῦσιν ἐς τοὺς τριακοσίους καταλεγῆναι· καὶ τοῖς λοιποῖς φθόνος ἐς τοὺς κρείττονας ἐσῄει· ὑπὲρ ἅπαντα δ' ἠγανάκτουν ἀναφυομένου τοῦ τῆς δωροδοκίας ἐγκλήματος, ὃ τέως ἡγοῦντο καρτερῶς ὑπὲρ αὐτῶν πρόρριζον ἐσβέσθαι.

36. Οὕτω μὲν δὴ καὶ οἱ ἱππεῖς καὶ ἡ βουλή, καίπερ ἔχοντες ἀλλήλοις διαφόρως, ἐς τὸ Δρούσου μῖσος συνεφρόνουν, καὶ μόνος ὁ δῆμος ἔχαιρε ταῖς ἀποικίαις. οἱ Ἰταλιῶται δ', ὑπὲρ ὧν δὴ καὶ μάλιστα ὁ Δροῦσος ταῦτα ἐτέχναζε, καὶ οἵδε περὶ τῷ νόμῳ τῆς ἀποικίας ἐδεδοίκεσαν, ὡς τῆς δημοσίας Ῥωμαίων γῆς, ἣν ἀνέμητον οὖσαν ἔτι οἱ μὲν ἐκ βίας, οἱ δὲ λανθάνοντες ἐγεώργουν, αὐτίκα σφῶν ἀφαιρεθησομένης, καὶ πολλὰ καὶ περὶ τῆς ἰδίας ἐνοχλησόμενοι. Τυρρηνοί τε καὶ

70

This was the plan that he contrived for both of CHAP. them, but it turned out contrary to his expectations, V for the senators were indignant that so large a number should be added to their enrolment at one time and be transferred from knighthood to the highest rank. They thought it not unlikely that they would form a faction in the Senate by themselves and contend against the old senators more powerfully than ever. The knights, on the other hand, suspected that, by this doctoring, the courts of justice would be transferred from their order to the Senate exclusively. Having acquired a relish for the great gains and power of the judicial office, this suspicion disturbed them. Most of them, too, fell into doubt and distrust toward each other, discussing which of them seemed more worthy than others to be enrolled among the 300 ; and envy against their betters filled the breasts of the remainder. Above all the knights were angry at the revival of the charge of bribery, which they thought had been ere this entirely suppressed, so far as they were concerned.

36. Thus it came to pass that both the Senate and B.C. 91 the knights, although opposed to each other, were united in hating Drusus. Only the plebeians were gratified with the colonies. Even the Italians, in whose especial interest Drusus was devising these plans, were apprehensive about the law providing for the colonies, because they thought that the Roman public domain (which was still undivided and which they were cultivating, some by force and others clandestinely) would at once be taken away from them, and that in many cases they might even be disturbed in their private holdings. The Etruscans

CAP.
V

Ὀμβρικοὶ ταῦτα δειμαίνοντες τοῖς Ἰταλιώταις καί, ὡς ἐδόκει, πρὸς τῶν ὑπάτων ἐς τὴν πόλιν ἐπαχθέντες ἔργῳ μὲν ἐς ἀναίρεσιν Δρούσου, λόγῳ δ᾽ ἐς κατηγορίαν, τοῦ νόμου φανερῶς κατεβόων καὶ τὴν τῆς δοκιμασίας ἡμέραν ἀνέμενον. ὧν ὁ Δροῦσος αἰσθανόμενός τε καὶ οὐ θαμινὰ προϊών, ἀλλ᾽ ἔνδον ἐν περιπάτῳ βραχὺ φῶς ἔχοντι χρηματίζων ἀεὶ καὶ περὶ ἑσπέραν τὸ πλῆθος ἀποπέμπων ἐξεβόησεν ἄφνω πεπλῆχθαι καὶ λέγων ἔτι κατέπεσεν. εὑρέθη δὲ ἐς τὸν μηρὸν αὐτῷ σκυτοτόμου μαχαίριον ἐμπεπηγμένον.

37. Οὕτω μὲν δὴ καὶ Δροῦσος ἀνῄρητο δημαρχῶν. καὶ οἱ ἱππεῖς ἐπίβασιν ἐς συκοφαντίαν τῶν ἐχθρῶν τὸ πολίτευμα αὐτοῦ τιθέμενοι, Κόιντον Οὐράιον δήμαρχον ἔπεισαν εἰσηγήσασθαι κρίσεις εἶναι κατὰ τῶν τοῖς Ἰταλιώταις ἐπὶ τὰ κοινὰ φανερῶς ἢ κρύφα βοηθούντων, ἐλπίσαντες τοὺς δυνατοὺς ἅπαντας αὐτίκα εἰς ἔγκλημα ἐπίφθονον ὑπάξεσθαι καὶ δικάσειν μὲν αὐτοί, γενομένων δ᾽ ἐκείνων ἐκποδὼν δυνατώτερον ἔτι τῆς πόλεως ἐπάρξειν. τὸν μὲν δὴ νόμον ἀπαγορευόντων τῶν ἑτέρων δημάρχων μὴ τίθεσθαι, περιστάντες οἱ ἱππεῖς σὺν ξιφιδίοις γυμνοῖς ἐκύρωσαν· ὡς δ᾽ ἐκεκύρωτο, αὐτίκα τοῖς ἐπιφανεστάτοις τῶν βουλευτῶν ἐπεγράφοντο κατήγοροι. καὶ Βηστίας μὲν οὐδ᾽ ὑπακούσας ἑκὼν ἔφευγεν ὡς οὐκ ἐκδώσων ἑαυτὸν εἰς χεῖρας ἐχθρῶν, καὶ Κόττας ἐπ᾽ ἐκείνῳ

and the Umbrians had the same fears as the Italians,[1] CHAP.
and when they were summoned to the city, as was V
thought, by the consuls, for the ostensible purpose
of complaining against the law of Drusus, but
actually to kill him, they cried down the law pub-
licly and waited for the day of the comitia. Drusus
learned of the plot against him and did not go out
frequently, but transacted business from day to day
in the atrium of his house, which was poorly lighted. Murder of
One evening as he was sending the crowd away he Drusus
exclaimed suddenly that he was wounded, and fell
down while uttering the words. A shoemaker's
knife was found thrust into his hip.

37. Thus was Drusus also slain while serving as
tribune. The knights, in order to make his policy a
ground of vexatious accusation against their enemies,
persuaded the tribune Quintus Varius to bring
forward a law to prosecute those who should, either
openly or secretly, aid the Italians to acquire citizen-
ship, hoping thus to bring all the senators under an
odious indictment, and themselves to sit in judg-
ment on them, and that when they were out of the
way they themselves would be more powerful than
ever in the government of Rome. When the other
tribunes interposed their veto the knights surrounded
them with drawn daggers and enacted the measure,
whereupon accusers at once brought actions against B.C. 90
the most illustrious of the senators. Of these Bestia
did not respond, but went into exile voluntarily
rather than surrender himself into the hands of his
enemies. After him Cotta went before the court,

[1] Until the end of the third century B.C. the word "Italy"
applied only to that part of the peninsula south of Etruria
and Umbria.

CAP. παρῆλθε μὲν ἐς τὸ δικαστήριον, σεμνολογήσας δὲ
V ὑπὲρ ὧν ἐπεπολίτευτο, καὶ λοιδορησάμενος τοῖς
ἱππεῦσι φανερῶς, ἐξῄει τῆς πόλεως καὶ ὅδε πρὸ
τῆς ψήφου· Μούμμιος δ', ὁ τὴν Ἑλλάδα ἑλών,
αἰσχρῶς ἐνεδρευθεὶς ὑπὸ τῶν ἱππέων ὑποσχομένων
αὐτὸν ἀπολύσειν κατεκρίθη φεύγειν καὶ ἐν Δήλῳ
διεβίωσεν.

38. Ἐπιπολάζοντος δ' ἐς πολὺ τοῦ κακοῦ κατὰ
τῶν ἀρίστων, ὅ τε δῆμος ἤχθετο τοιῶνδε καὶ τοσάδε
εἰργασμένων ἀνδρῶν ἀθρόως ἀφαιρούμενος, καὶ
οἱ Ἰταλοὶ τοῦ τε Δρούσου πάθους πυνθανόμενοι
καὶ τῆς ἐς τὴν φυγὴν τούτων προφάσεως, οὐκ
ἀνασχετὸν σφίσιν ἔτι ἡγούμενοι τοὺς ὑπὲρ σφῶν
πολιτεύοντας τοιάδε πάσχειν οὐδ' ἄλλην τινὰ
μηχανὴν ἐλπίδος ἐς τὴν πολιτείαν ἔτι ὁρῶντες,
ἔγνωσαν ἀποστῆναι Ῥωμαίων ἄντικρυς καὶ πολε-
μεῖν αὐτοῖς κατὰ κράτος. κρύφα τε διεπρεσ-
βεύοντο συντιθέμενοι περὶ τῶνδε καὶ ὅμηρα
διέπεμπον ἐς πίστιν ἀλλήλοις.

Ὧν ἐς πολὺ μὲν οὐκ ἐπήσθοντο Ῥωμαῖοι διὰ
τὰς ἐν ἄστει κρίσεις τε καὶ στάσεις· ὡς δ'
ἐπύθοντο, περιέπεμπον ἐς τὰς πόλεις ἀπὸ σφῶν
τοὺς ἑκάστοις μάλιστα ἐπιτηδείους, ἀφανῶς τὰ
γιγνόμενα ἐξετάζειν. καί τις ἐκ τούτων μειράκιον
ὅμηρον ἰδὼν ἐξ Ἄσκλου πόλεως ἐς ἑτέραν ἀγόμενον
ἐμήνυσε τῷ περὶ τὰ χωρία ἀνθυπάτῳ Σερουιλίῳ.
ἦσαν γάρ, ὡς ἔοικε, τότε καὶ τῆς Ἰταλίας ἄρχοντες
ἀνθύπατοι κατὰ μέρη· ὃ καὶ Ἀδριανὸς ἄρα
μιμούμενος ὕστερον χρόνῳ πολλῷ, τὴν αὐτο-
κράτορα ἀρχὴν Ῥωμαίοις ἡγούμενος, ἀνεκαίνισε,

made an impressive defence of his administration of public affairs, and openly reviled the knights. He, too, departed from the city before the vote of the judges was taken. Mummius, the conqueror of Greece, was basely ensnared by the knights, who promised to acquit him, but condemned him to banishment. He passed the remainder of his life at Delos.

38. As this malice against the aristocracy grew Continued
sedition more and more, the people were grieved because they were deprived all at once of so many distinguished men who had rendered such great services. When the Italians learned of the murder of Drusus and of the reasons alleged for banishing the others, they considered it no longer tolerable that those who were labouring for their political advancement should suffer such outrages, and as they saw no other means of acquiring citizenship they decided to revolt from the Romans altogether, and to make war against them with might and main. They sent envoys secretly to each other, formed a league, and exchanged hostages as a pledge of good faith.

The Romans were in ignorance of these facts for a long time, being busy with the trials and the seditions in the city. When they heard what was going on they sent men round to the towns, choosing those who were best acquainted with each, to collect information quietly. One of these agents saw a young man who was being taken as a hostage from the town of Asculum to another town, and informed Servilius, the praetor, who was in those parts. (It appears that there were praetors with consular power at that time governing the various parts of Italy; the emperor Hadrian revived the custom a long time afterward, but

CAP. καὶ μετ' αὐτὸν ἐπέμεινεν ἐς βραχύ. ὁ δὲ Σερουίλιος
V
θερμότερον ἐσδραμὼν ἐς τὸ Ἄσκλον καὶ πανη-
γυρίζουσι τοῖς Ἀσκλαίοις χαλεπῶν ἀπειλῶν
ἀνῃρέθη ὡς ὑπὸ ἤδη πεφωραμένων. ἐπανῃρέθη δ'
αὐτῷ καὶ Φοντήιος, ὃς ἐπρέσβευεν αὐτῷ· καλοῦσι
δ' οὕτω τοὺς τοῖς ἡγεμόσι τῶν ἐθνῶν ἐκ τῆς βουλῆς
ἑπομένους ἐς βοήθειαν. πεσόντων δὲ τῶνδε, οὐδὲ
τῶν ἄλλων Ῥωμαίων τις ἦν φειδώ, ἀλλὰ τοὺς
παρὰ σφίσι πάντας οἱ Ἀσκλαῖοι συνεκέντουν
ἐπιτρέχοντες καὶ τὰ ὄντα αὐτοῖς διήρπαζον.

39. Ἐκραγείσης δὲ τῆς ἀποστάσεως ἅπαντα,
ὅσα τοῖς Ἀσκλαίοις ἔθνη γείτονα ἦν, συνεξέφαινε
τὴν παρασκευήν, Μάρσοι τε καὶ Παιλιγνοὶ καὶ
Οὐηστῖνοι καὶ Μαρρουκῖνοι καὶ ἐπὶ τούτοις Πικεν-
τῖνοι καὶ Φρεντανοὶ καὶ Ἰρπῖνοι καὶ Πομπηιανοὶ
καὶ Οὐενούσιοι καὶ Ἰάπυγες, Λευκανοί τε καὶ
Σαυνῖται, χαλεπὰ Ῥωμαίοις καὶ πρὶν ἔθνη γενό-
μενα, ὅσα τε ἄλλα ἀπὸ Λίριος ποταμοῦ, ὃν νῦν
μοι δοκοῦσι Λίτερνον ἡγεῖσθαι, ἐπὶ τὸν μυχόν ἐστι
τοῦ Ἰονίου κόλπου πεζεύοντι καὶ περιπλέοντι.
πέμψασι δ' αὐτοῖς ἐς Ῥώμην πρέσβεις αἰτιω-
μένους, ὅτι πάντα Ῥωμαίοις ἐς τὴν ἀρχὴν συνερ-
γασάμενοι οὐκ ἀξιοῦνται τῆς τῶν βεβοηθημένων
πολιτείας, ἡ βουλὴ μάλα καρτερῶς ἀπεκρίνατο, εἰ
μεταγινώσκουσι τῶν γεγονότων, πρεσβεύειν ἐς
αὐτήν, ἄλλως δὲ μή. οἱ μὲν δὴ πάντα ἀπογνόντες
ἐς παρασκευὴν καθίσταντο· καὶ αὐτοῖς ἐπὶ τῷ
κατὰ πόλιν στρατῷ κοινὸς ἦν ἱππέων τε καὶ
πεζῶν ἕτερος ἐς δέκα μυριάδας. καὶ Ῥωμαῖοι τὸν
ἴσον αὐτοῖς ἀντεξέπεμπον ἀπό τε σφῶν αὐτῶν καὶ
τῶν ἔτι συμμαχούντων σφίσιν ἐθνῶν τῆς Ἰταλίας.

it did not long survive him.) Servilius hastened to CHAP.
Asculum and indulged in very menacing language to the   V
people, who were celebrating a festival, and they, sup-
posing that the plot was discovered, put him to death.
They also killed Fonteius, his legate (for so they call
those of the senatorial order who accompany the
governors of provinces as assistants). After these
were slain none of the other Romans in Asculum
were spared. The inhabitants fell upon them,
slaughtered them all, and plundered their goods.

39. When the revolt broke out all the neighbour- B.C. 90
ing peoples declared war at the same time, the Revolt of
Marsi, the Peligni, the Vestini, the Marrucini ; and the Italians
after them the Picentines, the Frentani, the Hirpini,
the Pompeiians, the Venusini, the Apulians, the
Lucanians, and the Samnites, all of whom had been
hostile to the Romans before ; also all the rest
extending from the river Liris (which is now, I think,
the Liternus) to the extremity of the Adriatic gulf, both
inland and on the sea coast.[1] They sent ambassadors
to Rome to complain that although they had co-
operated in all ways with the Romans in building up
the empire, the latter had not been willing to admit
their helpers to citizenship. The Senate answered
sternly that if they repented of what they had done they
could send ambassadors, otherwise not. The Italians,
in despair of any other remedy, went on with their
mobilization. Besides the soldiers which were kept
for guards at each town, they had forces in common
amounting to about 100,000 foot and horse. The
Romans sent an equal force against them, made up of
their own citizens and of the Italian peoples who
were still in alliance with them.

[1] Appian's geography is here inexact.

77

CAP.
V

40. Ἡγοῦντο δὲ Ῥωμαίων μὲν ὕπατοι Σέξστος τε Ἰούλιος Καῖσαρ καὶ Πόπλιος Ῥουτίλιος Λοῦπος· ἄμφω γὰρ ὡς ἐς μέγαν τε καὶ ἐμφύλιον πόλεμον ἐξῄεσαν, ἐπεὶ καὶ τὰς πύλας οἱ ὑπόλοιποι καὶ τὰ τείχη διὰ χειρὸς εἶχον ὡς ἐπ' οἰκείῳ καὶ γείτονι μάλιστα ἔργῳ. τό τε ποικίλον τοῦ πολέμου καὶ πολυμερὲς ἐνθυμούμενοι ὑποστρατήγους τοῖς ὑπάτοις συνέπεμψαν τοὺς τότε ἀρίστους, ὑπὸ μὲν Ῥουτιλίῳ Γναῖόν τε Πομπήιον, τὸν πατέρα Πομπηίου τοῦ Μάγνου παρονομασθέντος, καὶ Κόιντον Καιπίωνα καὶ Γάιον Περπένναν καὶ Γάιον Μάριον καὶ Οὐαλέριον Μεσσάλαν, ὑπὸ δὲ Σέξστῳ Καίσαρι Πούπλιον Λέντλον, ἀδελφὸν αὐτοῦ Καίσαρος, καὶ Τίτον Δίδιον καὶ Λικίνιον Κράσσον καὶ Κορνήλιον Σύλλαν καὶ Μάρκελλον ἐπὶ τοῖσδε. τοσοίδε μὲν δὴ τοῖς ὑπάτοις διελόμενοι τὴν χώραν ὑπεστρατήγουν. καὶ πάντας ἐπεπορεύοντο οἱ ὕπατοι· καὶ αὐτοῖς οἱ Ῥωμαῖοι καὶ ἑτέρους ὡς ἐς μέγαν ἀγῶνα ἔπεμπον ἑκάστοτε. Ἰταλοῖς δ' ἦσαν μὲν στρατηγοὶ καὶ κατὰ πόλεις ἕτεροι, κοινοὶ δ' ἐπὶ τῷ κοινῷ στρατῷ καὶ τοῦ παντὸς αὐτοκράτορες Τίτος Λαφρήνιος καὶ Γάιος Ποντίλιος καὶ Μάριος Ἐγνάτιος καὶ Κόιντος Ποπαίδιος καὶ Γάιος Πάπιος καὶ Μᾶρκος Λαμπώνιος καὶ Γάιος Οὐιδακίλιος καὶ Ἔριος Ἀσίνιος καὶ Οὐέττιος Σκάτων, οἳ τὸν στρατὸν ὁμοίως μερισάμενοι τοῖς Ῥωμαίων στρατηγοῖς ἀντεκαθέζοντο καὶ πολλὰ μὲν ἔδρασαν, πολλὰ δ' ἔπαθον. ὧν ἑκατέρων, ἐν κεφαλαίῳ φράσαι, τὰ ἀξιολογώτατα ἦν τοιάδε.

41. Οὐέττιος μὲν Σκάτων Σέξστον Ἰούλιον τρεψάμενός τε καὶ δισχιλίους κτείνας ἐπὶ Αἰσερνίαν ἤλασε ῥωμαΐζουσαν· καὶ αὐτὴν οἱ μὲν

78

40. The Romans were led by the consuls Sextus
Julius Caesar and Publius Rutilius Lupus, for in this
great civil war both consuls marched forth at once,
leaving the gates and walls in charge of others, as
was customary in cases of danger arising at home and
very near by. When the war was found to be com-
plex and many-sided, they sent their most renowned
men as lieutenant-generals to aid the consuls: to
Rutilius, Gnaeus Pompeius, the father of Pompey
the Great, Quintus Caepio, Gaius Perpenna, Gaius
Marius, and Valerius Messala; to Sextus Caesar,
Publius Lentulus, a brother of Caesar himself, as well
as Titus Didius, Licinius Crassus, Cornelius Sulla, and
Marcellus. All these served under the consuls and
the country was divided among them. The consuls
visited all parts of the field of operations, and the
Romans sent them additional forces continually,
realizing that it was a serious conflict. The Italians had
generals for their united forces besides those of the
separate towns. The chief commanders were Titus
Lafrenius, Gaius Pontilius, Marius Egnatius, Quintus
Pompaedius, Gaius Papius, Marcus Lamponius, Gaius
Vidacilius, Herius Asinius, and Vettius Scaton. They
divided their army in equal parts, took their positions
against the Roman generals, performed many notable
exploits, and suffered many disasters. The most
memorable events of either kind I shall here
summarize.

41. Vettius Scaton defeated Sextus Julius, killed
2000 of his men, and marched against Aesernia, which
adhered to Rome. L. Scipio and L. Acilius, who

CAP. συντάττοντες, Λεύκιός τε Σκιπίων καὶ Λεύκιος
V Ἀκίλιος θεραπόντων ἐσθῆτας ὑποδύντες ἀπέ-
δρασαν, χρόνῳ δὲ καὶ λιμῷ παρεστήσαντο οἱ
πολέμιοι. Μάριος δὲ Ἐγνάτιος Οὐέναφρον ἑλὼν
ἐκ προδοσίας ἔκτεινε δύο Ῥωμαίων σπείρας ἐν
αὐτῇ. Πρησενταῖος δὲ Πόπλιος Περπένναν μυρίων
ἀνδρῶν ἡγούμενον ἐτρέψατο καὶ ἔκτεινεν ἐς τετρα-
κισχιλίους καὶ τῶν λοιπῶν τοῦ πλέονος μέρους
τὰ ὅπλα ἔλαβε· ἐφ' ὅτῳ Περπένναν Ῥουτίλιος
ὕπατος παρέλυσε τῆς στρατηγίας καὶ τὸ μέρος
τοῦ στρατοῦ Γαΐῳ Μαρίῳ προσέθηκεν. Μᾶρκος
δὲ Λαμπώνιος τῶν ἀμφὶ Λικίνιον Κράσσον ἀνεῖλεν
ἐς ὀκτακοσίους καὶ τοὺς λοιποὺς ἐς Γρούμεντον
πόλιν συνεδίωξε.

42. Γάιος δὲ Πάπιος Νῶλάν τε εἷλεν ἐκ προ-
δοσίας καὶ τοῖς ἐν αὐτῇ Ῥωμαίοις, δισχιλίοις οὖσιν,
ἐκήρυξεν, εἰ μεταθοῖντο, στρατεύσειν ἑαυτῷ. καὶ
τούσδε μὲν ὁ Πάπιος μεταθεμένους ἐστράτευεν· οἱ δ'
ἡγεμόνες αὐτῶν οὐχ ὑπακούσαντες τῷ κηρύγματι
ἐλήφθησαν αἰχμάλωτοι καὶ λιμῷ πρὸς τοῦ Παπίου
διεφθάρησαν. Πάπιος δὲ καὶ Σταβίας εἷλε καὶ
Μινέρουιον καὶ Σάλερνον, ἣ Ῥωμαίων ἄποικος ἦν·
καὶ τοὺς ἐξ αὐτῶν αἰχμαλώτους τε καὶ δούλους
ἐστράτευεν. ὡς δὲ καὶ Νουκερίας τὰ ἐν κύκλῳ
πάντα κατέπρησεν, αἱ πλησίον αὐτῷ πόλεις
καταπλαγεῖσαι προσετίθεντο στρατιάν τε αἰτοῦντι
παρέσχον ἐς μυρίους πεζοὺς καὶ ἱππέας χιλίους·
μεθ' ὧν ὁ Πάπιος Ἀχέρραις παρεκάθητο. Σέξστου
δὲ Καίσαρος Γαλατῶν πεζοὺς μυρίους καὶ Νομάδας
Μαυρουσίους ἱππέας καὶ πεζοὺς προσλαβόντος
τε καὶ χωροῦντος ἐπὶ τὰς Ἀχέρρας, ὁ Πάπιος

were in command here, escaped in the disguise of
slaves. The enemy, after a considerable time,
reduced it by famine. Marius Egnatius captured
Venafrum by treachery and slew two Roman cohorts
there. Publius Presentaeus defeated Perpenna,
who had 10,000 men under his command, killed
4000 and captured the arms of the greater part of
the others, for which reason the consul Rutilius
deprived Perpenna of his command and gave his
division of the army to Gaius Marius. Marcus
Lamponius destroyed some 800 of the forces under
Licinius Crassus and drove the remainder into the
town of Grumentum.

42. Gaius Papius captured Nola by treachery
and offered to the 2000 Roman soldiers in it
the privilege of serving under him if they would
change their allegiance. They did so, but their
officers refusing the proposal were taken prisoners
and starved to death by Papius. He also captured
Slabiae, Minervium [1] and Salernum, which was a
Roman colony. The prisoners and the slaves from
these places were taken into the military service.
But when he also plundered the entire country
around Nuceria, the towns in the vicinity were
struck with terror and submitted to him, and when
he demanded military assistance they furnished him
about 10,000 foot and 1000 horse. With these
Papius laid siege to Acerrae. When Sextus Caesar,
with 10,000 Gallic foot and Numidian and Maure-
tanian horse and foot, advanced towards Acerrae,
Papius took a son of Jugurtha, formerly king of

[1] Surrentum.

CAP. V 'Οξύνταν, υἱὸν 'Ιογόρθου τοῦ Νομάδων ποτὲ
βασιλέως, ὑπὸ 'Ρωμαίων ἐν Οὐενουσίᾳ φυλαττό-
μενον, ἤγαγεν ἐκ τῆς Οὐενουσίας καὶ περιθεὶς
αὐτῷ πορφύραν βασιλικὴν ἐπεδείκνυ θαμινὰ τοῖς
Νομάσι τοῖς σὺν Καίσαρι. πολλῶν δ' ὡς πρὸς
ἴδιον βασιλέα αὐτομολούντων ἀθρόως, τοὺς μὲν
λοιποὺς τῶν Νομάδων ὡς ὑπόπτους ὁ Καῖσαρ ἐς
Λιβύην ἀπέπεμψε, Πασίου δὲ πελάσαντος αὐτῷ
σὺν καταφρονήσει καὶ μέρος ἤδη τοῦ χάρακος
διασπῶντος, τοὺς ἱππέας ἐκπέμψας κατ' ἄλλας
πύλας ἔκτεινε τοῦ Παπίου περὶ ἑξακισχιλίους.
καὶ ἐπὶ τῷδε Καῖσαρ μὲν ἐξ 'Αχερρῶν ἀνεζεύγνυεν,
Οὐιδακιλίῳ δ' ἐν 'Ιαπυγίᾳ προσετίθεντο Κανύσιοι
καὶ Οὐενούσιοι καὶ ἕτεραι πόλεις πολλαί. τινὰς
δὲ καὶ ἀπειθούσας ἐξεπολιόρκει, καὶ τῶν ἐν αὐταῖς
'Ρωμαίων τοὺς μὲν ἐπιφανεῖς ἔκτεινε, τοὺς δὲ
δημότας καὶ δούλους ἐστράτευε.

43. 'Ρουτίλιος δὲ ὁ ὕπατος καὶ Γάιος Μάριος
ἐπὶ τοῦ Λίριος ποταμοῦ γεφύρας ἐς διάβασιν ἐξ
οὐ πολλοῦ διαστήματος ἀπ' ἀλλήλων ἐπήγνυντο·
καὶ Οὐέττιος Σκάτων αὐτοῖς ἀντεστρατοπέδευε
παρὰ τὴν Μαρίου μάλιστα γέφυραν ἔλαθέ τε
νυκτὸς περὶ τὴν 'Ρουτιλίου γέφυραν λόχους ἐν
φάραγξιν ἐνεδρεύσας. ἅμα δ' ἕῳ τὸν 'Ρουτίλιον
διελθεῖν ὑπεριδὼν ἀνέστησε τὰς ἐνέδρας καὶ
πολλοὺς μὲν ἔκτεινεν ἐπὶ τοῦ ξηροῦ, πολλοὺς δ' ἐς
τὸν ποταμὸν κατῶσεν· ὅ τε 'Ρουτίλιος αὐτὸς ἐν
τῷδε τῷ πόνῳ βέλει τρωθεὶς ἐς τὴν κεφαλὴν μετ'
ὀλίγον ἀπέθανε. καὶ Μάριος, ἐπὶ τῆς ἑτέρας ὢν
γεφύρας τὸ συμβὰν ἐκ τῶν φερομένων κατὰ τὸ
ῥεῦμα σωμάτων εἰκάσας τοὺς ἐν ποσὶν ὤσατο

Numidia, named Oxynta, who was under charge of CHAP.
a Roman guard at Venusia, led him out of that V
place, clothed him in royal purple, and showed him
frequently to the Numidians who were in Caesar's
army. Many of them deserted, as if to their own
king, so that Caesar was obliged to send the rest
back to Africa, as they were not trustworthy. But
when Papius attacked him contemptuously, and had
already made a breach in his palisaded camp, Caesar
debouched with his horse through the other gates
and slew about 6000 of his men, after which Caesar
withdrew from Acerrae. Canusia and Venusia and B.C. 90
many other towns in Apulia sided with Vidacilius.
Some that did not submit he besieged, and he put
to death the principal Roman citizens in them, but
the common people and the slaves he enrolled in his
army.

43. The consul Rutilius and Gaius Marius built The Consul
bridges over the river Liris[1] at no great distance Rutilius
from each other. Vettius Scaton pitched his camp killed
opposite them, but nearer to the bridge of Marius,
and placed an ambush by night in some ravines
near the bridge of Rutilius. Early in the morning,
after he had allowed Rutilius to cross the bridge,
he started up from ambush and killed a large
number of the enemy on the dry land and drove
many into the river. In this fight Rutilius himself
was wounded in the head by a missile and died soon
afterward. Marius was on the other bridge and
when he guessed, from the bodies floating down
stream, what had happened, he drove back those in
his front, crossed the river, and captured the camp

[1] Really the Tolenus.

CAP.
V

καὶ τὸ ῥεῦμα περάσας τὸν χάρακα τοῦ Σκάτωνος ὑπ᾽ ὀλίγων φυλαττόμενον εἷλεν, ὥστε τὸν Σκάτωνα νυκτερεῦσαί τε, ἔνθαπερ ἐνίκησε, καὶ ἀποροῦντα ἀγορᾶς ἀναζεῦξαι περὶ τὴν ἕω. Ῥουτιλίου δὲ τοῦ σώματος καὶ πολλῶν ἄλλων ἐπιφανῶν ἐπὶ ταφὴν ἐς Ῥώμην ἐνεχθέντων ἥ τε ὄψις ἀηδὴς ἦν ὑπάτου καὶ τοσῶνδε ἄλλων ἀνῃρημένων καὶ πολυήμερον ἐπὶ τῷδε πένθος ἠγέρθη. καὶ ἀπὸ τοῦδε ἡ βουλὴ τοὺς ἀποθνήσκοντας ἐν τοῖς πολέμοις ἔκρινεν, ἔνθαπερ ἂν θάνωσι, θάπτεσθαι, τοῦ μὴ τοὺς λοιποὺς ἐκ τῆς ὄψεως ἀποτρέπεσθαι τῶν στρατειῶν. τὸ δ᾽ αὐτὸ καὶ οἱ πολέμιοι πυθόμενοι περὶ σφῶν ἐψηφίσαντο.

VI

CAP.
VI

44. Ῥουτιλίῳ μὲν δὴ διάδοχος ἐπὶ τὸ λοιπὸν τοῦ ἔτους οὐκ ἐγένετο, Σέξτου Καίσαρος οὐκ ἀγαγόντος σχολὴν διαδραμεῖν ἐπὶ ἀρχαιρέσια ἐς Ῥώμην· τῆς δ᾽ ὑπ᾽ αὐτῷ στρατιᾶς ἡ βουλὴ προσέταξεν ἄρχειν Γάιόν τε Μάριον καὶ Κόιντον Καιπίωνα. τούτῳ τῷ Καιπίωνι Κόιντος Ποπαίδιος ὁ ἀντιστράτηγος οἷά τις αὐτόμολος προσέφυγεν, ἄγων καὶ διδοὺς ἐνέχυρον δύο βρέφη δοῦλα, καθάπερ υἱεῖς, ἐσκευασμένα ἐσθῆσι περιπορφύροις· ἐς δὲ πίστιν ἔφερε καὶ μάζας ἐκ μολύβδου, χρυσῷ καὶ ἀργύρῳ περιβεβλημένας· καὶ ἐδεῖτο κατὰ σπουδὴν αὐτῷ τὸν Καιπίωνα ἕπεσθαι μετὰ τῆς στρατιᾶς ὡς καταληψόμενον αὐτοῦ τὸ στρατόπεδον ἔρημον ἔτι ἄρχοντος. Καιπίων μὲν δὴ πειθόμενος εἵπετο, Ποπαίδιος δὲ πλησίον τῆς ἐσκευασμένης ἐνέδρας γενόμενος

of Scaton, which was guarded by only a small force,
so that Scaton was obliged to spend the night where he had won his victory, and to retreat in the morning for want of provisions. The body of Rutilius and those of many other patricians were brought to Rome for burial. The corpses of the consul and his numerous comrades made a piteous spectacle and the mourning lasted many days. The Senate decreed from this time on that those who were killed in war should be buried where they fell, lest others should be deterred by the spectacle from entering the army. When the enemy heard of this they made a similar decree for themselves.

VI

44. THERE was no successor to Rutilius in the
consulship for the remainder of the year, as Sextus Caesar did not have leisure to go to the city and hold the comitia. The Senate appointed C. Marius and Q. Caepio to command the forces of Rutilius in the field. The opposing general, Q. Popaedius, fled as a pretended deserter to this Caepio. He brought with him and gave as a pledge two slave babies, clad with the purple-bordered garments of free-born children, pretending that they were his own sons. As further confirmation of his good faith he brought masses of lead plated with gold and silver. He urged Caepio to follow him in all haste with his army and capture the hostile army while destitute of a leader, and Caepio was deceived and followed him. When they had arrived at a place where the ambush had been laid, Popaedius ran up to the top of a hill

CAP.
VI

ἀνέδραμεν ἔς τινα λόφον ὡς κατοψόμενος τοὺς πολεμίους καὶ σημεῖον αὐτοῖς ἐπῆρεν. οἱ δὲ ἐκφανέντες αὐτόν τε Καιπίωνα καὶ πολλοὺς σὺν αὐτῷ κατέκοψαν· καὶ τὸ λοιπὸν τῆς στρατιᾶς Καιπίωνος ἡ σύγκλητος Μαρίῳ προσέζευξεν.

45. Σέξτος δὲ Καῖσαρ μετὰ τρισμυρίων πεζῶν καὶ ἱππέων πεντακισχιλίων διεξιών τινα φάραγγα καὶ κρημνούς, ἄφνω προσπεσόντος αὐτῷ Μαρίου Ἐγνατίου, ἐς τὴν φάραγγα περιωσθεὶς ἔφυγεν ἐπὶ κλίνης διὰ νόσον ἐπί τινα ποταμόν, οὗ μία γέφυρα ἦν· καὶ ἐνταῦθα τὸ πλέον τῆς στρατιᾶς ἀπολέσας καὶ τῶν ὑπολοίπων τὰ ὅπλα, μόλις ἐς Τεανὸν καταφυγὼν ὥπλιζεν, οὓς ἔτι εἶχεν, ὡς ἐδύνατο. ἑτέρου δὲ πλήθους αὐτῷ κατὰ σπουδὴν ἐπελθόντος, ἐπὶ Ἀχέρρας ἔτι πολιορκουμένας ὑπὸ τοῦ Παπίου μετήει.

Καὶ οἵδε μὲν ἀλλήλαις ἀντιστρατοπεδεύοντες οὐκ ἐπεχείρουν οὐδέτερος οὐδετέρῳ διὰ φόβον· 46. Μάρσους δὲ Κορνήλιος Σύλλας καὶ Γάιος Μάριος ἐπιθεμένους σφίσι συντόνως ἐδίωκον, μέχρι θριγκοῖς ἀμπέλων ἐμπεσεῖν αὐτούς· καὶ Μάρσοι μὲν τοὺς θριγκοὺς κακοπαθῶς ὑπερέβαινον, Μαρίῳ δὲ καὶ Σύλλᾳ διώκειν ὑπὲρ τούτους οὐκ ἔδοξεν. Κορνήλιος δὲ Σύλλας ἐπὶ θάτερα τῶνδε τῶν ἀμπέλων στρατοπεδεύων, αἰσθόμενος τοῦ γεγονότος ὑπήντα τοῖς ἐκφεύγουσι τῶν Μάρσων καὶ πολλοὺς καὶ ὅδε ἀπέκτεινεν, ὡς τὸν φόνον ἐκείνης τῆς ἡμέρας γενέσθαι περὶ πλείους ἑξακισχιλίων, ὅπλα δ᾿ ὑπὸ Ῥωμαίων ληφθῆναι πολὺ πλείονα.

Μάρσοι μὲν δὴ δίκην θηρίων, τῷ πταίσματι προσαγανακτοῦντες, αὖθις ὡπλίζοντο καὶ παρεσκευάζοντο αὐτοῖς ἐπιέναι, προεπιχειρεῖν μὴ

as though he were searching for the enemy, and gave
his own men a signal. The latter sprang out of their concealment and cut Caepio and most of his force in pieces ; so the Senate joined the rest of Caepio's army to that of Marius.

45. While Sextus Caesar was passing through a rocky defile with 30,000 foot and 5000 horse Marius Egnatius suddenly fell upon him and drove him back into it. He retired, borne on a litter, as he was ill, to a certain stream where there was only one bridge, and there he lost the greater part of his force and the arms of the survivors, only escaping to Teanum with difficulty, where he armed the remainder of his men as best he could. Reinforcements were sent to him speedily and he marched to the relief of Acerrae, which was still besieged by Papius.

There, though their camps were pitched opposite each other, neither dared to attack the other, 46. but Cornelius Sulla and Gaius Marius defeated the Marsians, who had attacked them. They pursued the enemy vigorously as far as the walls enclosing their vineyards. The Marsians scaled these walls with heavy loss, but Marius and Sulla did not deem it wise to follow them farther. Cornelius Sulla was encamped on the other side of these enclosures, and when he knew what had happened he came out to meet the Marsians, as they tried to escape, and he also killed a great number. More than 6000 Marsians were slain that day, and the arms of a still greater number were captured by the Romans.

The Marsians were rendered as furious as wild beasts by this disaster. They armed their forces again and prepared to march against the enemy, but

θαρροῦσι μηδὲ ἄρχειν μάχης· ἔστι γὰρ τὸ ἔθνος
πολεμικώτατον, καί φασι κατ' αὐτοῦ θρίαμβον
ἐπὶ τῷδε τῷ πταίσματι γενέσθαι μόνῳ, λεγόμενον
πρότερον οὔτε κατὰ Μάρσων οὔτε ἄνευ Μάρσων
γενέσθαι θρίαμβον.

47. Περὶ δὲ τὸ Φάλερνον ὄρος Γναῖον Πομπήιον
Οὐιδακίλιος καὶ Τίτος Λαφρήνιος καὶ Πόπλιος
Οὐέττιος, ἐς ταὐτὸν ἀλλήλοις συνελθόντες, ἐτρέ-
ποντο καὶ κατεδίωκον ἐς πόλιν Φίρμον. καὶ οἱ
μὲν αὐτῶν ἐφ' ἕτερα ᾤχοντο, Λαφρήνιος δὲ παρε-
κάθητο Πομπηίῳ ἐς τὸ Φίρμον κατακεκλεισμένῳ.
ὁ δ' αὐτίκα μὲν ὁπλίζων τοὺς ὑπολοίπους ἐς
χεῖρας οὐκ ᾔει, προσελθόντος δὲ ἑτέρου στρατοῦ
Σουλπίκιον περιέπεμπεν ὀπίσω τοῦ Λαφρηνίου
γενέσθαι καὶ αὐτὸς κατὰ μέτωπον ἐπῄει. γενο-
μένης δ' ἐν χερσὶ τῆς μάχης καὶ πονουμένοιν
ἀμφοῖν, ὁ Σουλπίκιος ἐνεπίμπρη τὸ τῶν πολεμίων
στρατόπεδον, καὶ τοῦθ' οἱ πολέμιοι κατιδόντες ἐς
Ἄσκλον ἔφευγον, ἀκόσμως ἅμα καὶ ἀστρα-
τηγήτως· Λαφρήνιος γὰρ ἐπεπτώκει μαχόμενος.
Πομπήιος δὲ καὶ τὸ Ἄσκλον ἐπελθὼν ἐπολιόρκει.

48. Πατρὶς δ' ἦν Οὐιδακιλίου τὸ Ἄσκλον,
καὶ δεδιὼς ὑπὲρ αὐτῆς ἠπείγετο, σπείρας ἄγων
ὀκτώ. προπέμψας τε τοῖς Ἀσκλαίοις ἐκέλευεν,
ὅταν αὐτὸν ἴδωσι πόρρωθεν ἐπιόντα, ἐκδραμεῖν
ἐπὶ τοὺς περικαθημένους, ὡς τὸν ἀγῶνα τοῖς
ἐχθροῖς ἑκατέρωθεν γενέσθαι· ἀλλὰ Ἀσκλαῖοι
μὲν ἀπώκνησαν, ὁ δὲ Οὐιδακίλιος καὶ ὡς ἐς
τὴν πόλιν διὰ μέσων τῶν πολεμίων ἐσδραμὼν
μεθ' ὅσων ἐδυνήθη, ὠνείδισε μὲν αὐτοῖς τὴν
ἀτολμίαν καὶ δυσπείθειαν, οὐκ ἐλπίζων δ' ἔτι
τὴν πόλιν περιέσεσθαι, τοὺς μὲν ἐχθρούς, οἳ τέως

did not dare to take the offensive or to begin a battle. CHAP.
They are a very warlike race, and it is said that no ^{VI}
triumph was ever awarded for a victory over them
except for this single disaster. There had been up
to this time a saying, " No triumph over Marsians or
without Marsians."

47. Near Mount Falernus, Vidacilius, T. Lafrenius
and P. Vettius united their forces and defeated
Gnaeus Pompeius, pursuing him to the city of Fir-
mum. Then they went their several ways, and
Lafrenius besieged Pompeius, who had shut himself
up in Firmum. The latter at once armed his remain-
ing forces, but did not come to an engagement;
when, however, he learned that another army was
approaching, he sent Sulpicius round to take Lafre-
nius in the rear while he made a sally in front.
Battle was joined and both sides were in much
distress, when Sulpicius set fire to the enemy's camp.
When the latter saw this they fled to Asculum in
disorder and without a general, for Lafrenius had
fallen in the battle. Pompeius then advanced and
laid siege to Asculum.

48. Asculum was the native town of Vidacilius, and Death of
as he feared for its safety he hastened to its relief Vidacilius
with eight cohorts. He sent word beforehand to
the inhabitants that when they should see him
advancing at a distance they should make a sally
against the besiegers, so that the enemy should be
attacked on both sides at once. The inhabitants
were afraid to do so ; nevertheless Vidacilius forced
his way into the city through the midst of the enemy
with what followers he could get, and upbraided the
citizens for their cowardice and disobedience. As he
despaired of saving the city he first put to death all

CAP.
VI

αὐτῷ διεφέροντο καὶ τότε διὰ φθόνον τὸ πλῆθος
ἐς ἃ παρήγγελλεν ἀπέτρεψαν, ἔκτεινε πάντας· ἐν
δὲ ἱερῷ πυρὰν νήσας καὶ κλίνην ἐπιθεὶς ἐπὶ τῇ
πυρᾷ, παρευωχήθη σὺν τοῖς φίλοις καὶ προϊόντος
τοῦ πότου φάρμακόν τε προσηνέγκατο καὶ κατα-
κλίνας αὑτὸν ἐπὶ τῆς πυρᾶς ἐκέλευσε τοῖς φίλοις
ἅψαι τὸ πῦρ· καὶ Οὐιδακίλιος μὲν ὧδε φιλοτι-
μηθεὶς πρὸ τῆς πατρίδος ἀποθανεῖν κατελύθη,
Σέξστος δὲ Καῖσαρ ἑξήκοντος αὐτῷ τοῦ χρόνου
τῆς ἀρχῆς ἀνθύπατος ὑπὸ τῆς βουλῆς αἱρεθεὶς
ἐπέδραμεν ἀνδράσι δισμυρίοις μεταστρατοπεδεύ-
ουσί ποι καὶ ἔκτεινεν αὐτῶν ἐς ὀκτακισχιλίους
ὅπλα τε πολὺ πλειόνων ἔλαβε. χρονίου δ' αὐτῷ
τῆς περὶ τὸ Ἄσκλον οὔσης πολιορκίας, ἀπο-
θνῄσκων ἐκ νόσου ἀντιστράτηγον ἀπέφηνε Γάιον
Βαίβιον.

49. Καὶ τάδε μὲν ἀμφὶ τὴν Ἰταλίαν ἦν τὴν
περὶ τὸν Ἰόνιον· αἰσθόμενοι δ' αὐτῶν οἱ ἐπὶ
θάτερα τῆς Ῥώμης Τυρρηνοὶ καὶ Ὀμβρικοὶ καὶ
ἄλλα τινὰ αὐτοῖς ἔθνη γειτονεύοντα, πάντες ἐς
ἀπόστασιν ἠρεθίζοντο. δείσασα οὖν ἡ βουλή, μὴ
ἐν κύκλῳ γενόμενος αὐτοῖς ὁ πόλεμος ἀφύλακτος
ᾖ, τὴν μὲν θάλασσαν ἐφρούρει τὴν ἀπὸ Κύμης
ἐπὶ τὸ ἄστυ δι' ἀπελευθέρων, τότε πρῶτον ἐς
στρατείαν δι' ἀπορίαν ἀνδρῶν καταλεγέντων,
Ἰταλιωτῶν δὲ τοὺς ἔτι ἐν τῇ συμμαχίᾳ παρα-
μένοντας ἐψηφίσατο εἶναι πολίτας, οὗ δὴ μάλιστα
μόνον οὐ πάντες ἐπεθύμουν. καὶ τάδε ἐς Τυρ-
ρηνοὺς περιέπεμπεν, οἱ δὲ ἄσμενοι τῆς πολιτείας
μετελάμβανον. καὶ τῇδε τῇ χάριτι ἡ βουλὴ τοὺς
μὲν εὔνους εὐνουστέρους ἐποίησε, τοὺς δὲ ἐνδοι-
άζοντας ἐβεβαιώσατο, τοὺς δὲ πολεμοῦντας ἐλπίδι
τινὶ τῶν ὁμοίων πραοτέρους ἐποίησεν. Ῥωμαῖοι

of his enemies who had been at variance with him before and who, out of jealousy, had prevented the people from obeying his recent orders. Then he erected a funeral pile in the temple and placed a couch upon it, and held a feast with his friends, and while the drinking-bout was at its height he swallowed poison, threw himself on the pile, and ordered his friends to set fire to it. Thus perished Vidacilius, a man who considered it glorious to die for his country. Sextus Caesar was invested with the consular power by the Senate after his term of office had expired. He attacked 20,000 of the enemy while they were changing camping-places, killed about 8000 of them, and captured the arms of a much larger number. He died of disease while pushing the long siege of Asculum; the Senate appointed Gaius Baebius his successor.

49. While these events were transpiring on the Etruscans and Umbrians admitted to citizenship Adriatic side of Italy, the inhabitants of Etruria and Umbria and other neighbouring peoples on the other side of Rome heard of them and all were excited to revolt. The Senate, fearing lest they should be surrounded by war, and unable to protect themselves, garrisoned the sea-coast from Cumae to the city with freedmen, who were then for the first time enrolled in the army on account of the scarcity of soldiers. The Senate also voted that those Italians who had adhered to their alliance should be admitted to citizenship, which was the one thing they all desired most. They sent this decree around among the Etruscans, who gladly accepted the citizenship. By this favour the Senate made the faithful more faithful, confirmed the wavering, and mollified their enemies by the hope of similar treatment. The Romans did not enroll the new citizens in the

μὲν δὴ τούσδε τοὺς νεοπολίτας οὐκ ἐς τὰς
πέντε καὶ τριάκοντα φυλάς, αἳ τότε ἦσαν αὐτοῖς,
κατέλεξαν, ἵνα μὴ τῶν ἀρχαίων πλέονες ὄντες ἐν
ταῖς χειροτονίαις ἐπικρατοῖεν, ἀλλὰ δεκατεύοντες
ἀπέφηναν ἑτέρας, ἐν αἷς ἐχειροτόνουν ἔσχατοι.
καὶ πολλάκις αὐτῶν ἡ ψῆφος ἀχρεῖος ἦν, ἅτε τῶν
πέντε καὶ τριάκοντα προτέρων τε καλουμένων
καὶ οὐσῶν ὑπὲρ ἥμισυ. ὅπερ ἢ λαθὸν αὐτίκα ἢ
καὶ ὡς αὐτὸ ἀγαπησάντων τῶν Ἰταλιωτῶν
ὕστερον ἐπιγνωσθὲν ἑτέρας στάσεως ἦρξεν.

50. Οἱ δὲ περὶ τὸν Ἰόνιον οὔπω τὴν Τυρρηνῶν
μετάνοιαν ἐγνωκότες μυρίους καὶ πεντακισχιλίους
ὁδὸν ἀτριβῆ καὶ μακρὰν ἐς τὴν Τυρρηνίαν ἐπὶ
συμμαχίᾳ περιέπεμπον. καὶ αὐτοῖς ἐπιπεσὼν
Γναῖος Πομπήιος, ὕπατος ὢν ἤδη, διέφθειρεν ἐς
πεντακισχιλίους· καὶ τῶν λοιπῶν ἐς τὰ σφέτερα
διὰ ἀπόρου χώρας καὶ χειμῶνος ἐπιπόνου διατρε-
χόντων οἱ ἡμίσεις βαλανηφαγοῦντες διεφθάρησαν.
τοῦ δ' αὐτοῦ χειμῶνος Πόρκιος μὲν Κάτων, ὁ
σύναρχος τοῦ Πομπηίου, Μάρσοις πολεμῶν
ἀνῃρέθη. Λεύκιος δὲ Κλοέντιος Σύλλᾳ περὶ τὰ
Πομπαῖα ὄρη στρατοπεδεύοντι μάλα καταφρονη-
τικῶς ἀπὸ σταδίων τριῶν παρεστρατοπέδευσε. καὶ
ὁ Σύλλας τὴν ὕβριν οὐκ ἐνεγκὼν οὐδὲ τῶν ἰδίων
τοὺς χορτολογοῦντας ἀναμείνας ἐπέδραμε τῷ
Κλοεντίῳ. καὶ τότε μὲν ἡττώμενος ἔφευγε,
προσλαβὼν δὲ τοὺς χορτολογοῦντας τρέπεται τὸν
Κλοέντιον. ὁ δ' αὐτίκα μὲν πορρωτέρω μετε-
στρατοπέδευεν, ἀφικομένων δ' αὐτῷ Γαλατῶν
αὖθις ἐπλησίαζε τῷ Σύλλᾳ. καὶ συνιόντων τῶν
στρατῶν Γαλάτης ἀνὴρ μεγέθει μέγας προδραμὼν

thirty-five existing tribes, lest they should outvote
the old ones in the elections, but incorporated them in ten new tribes, which voted last. So it often happened that their vote was useless, since a majority was obtained from the thirty-five tribes that voted first. This fact was either not noticed by the Italians at the time or they were satisfied with what they had gained, but it was observed later and became the source of a new conflict.

50. The insurgents along the Adriatic coast, before
they learned of the change of sentiment among the Etruscans, sent 15,000 men to their assistance by a long and difficult road. Gnaeus Pompeius, who was now consul, fell upon them and killed 5000 of them. The rest made their way homeward through a trackless region, in a severe winter; and half of them after subsisting on acorns perished.[1] The same winter Porcius Cato, the colleague of Pompeius, was killed while fighting with the Marsians. While Sulla was encamped near the Pompaean hills Lucius Cluentius pitched his camp in a contemptuous manner at a distance of only three stades from him. Sulla did not tolerate this insolence, but attacked Cluentius without waiting for his own foragers to come in. He was worsted and put to flight, but when he was reinforced by his foragers he turned and defeated Cluentius. The latter then moved his camp to a greater distance. Having received certain Gallic reinforcements he again drew near to Sulla and just as the two armies were coming to an engagement a Gaul of enormous size advanced and

[1] There is probably a gap in the text: "half, living on acorns, survived, but half perished."

CAP.
VI
προυκαλεῖτό τινα Ῥωμαίων ἐς μάχην. ὡς δ'
αὐτὸν ὑποστὰς Μαυρούσιος ἀνὴρ βραχὺς ἔκτεινεν,
ἐκπλαγέντες οἱ Γαλάται αὐτίκα ἔφευγον. παραλυ-
θείσης δὲ τῆς τάξεως οὐδ' ὁ ἄλλος ὅμιλος ἔτι τοῦ
Κλοεντίου παρέμενεν, ἀλλ' ἔφευγεν ἐς Νῶλαν
ἀκόσμως. καὶ ὁ Σύλλας αὐτοῖς ἑπόμενος ἔκτεινεν
ἐς τρισμυρίους ἐν τῷ δρόμῳ καὶ τῶν Νωλαίων
αὐτοὺς μιᾷ πύλῃ δεχομένων, ἵνα μὴ οἱ πολέμιοι
σφίσι συνεσπέσοιεν, ἑτέρους ἔκτεινεν ἀμφὶ τοῖς
τείχεσιν ἐς δισμυρίους· καὶ σὺν τοῖσδε Κλοέντιος
ἀγωνιζόμενος ἔπεσε.

51. Σύλλας δ' ἐς ἔθνος ἕτερον, Ἱρπίνους, μετε-
στρατοπέδευε καὶ προσέβαλεν Αἰκουλάνῳ. οἱ δὲ
Λευκανοὺς προσδοκῶντες αὐτῆς ἡμέρας σφίσιν
ἐπὶ συμμαχίαν ἀφίξεσθαι, τὸν Σύλλαν καιρὸν ἐς
σκέψιν ᾔτουν. ὁ δ' αἰσθανόμενος τοῦ τεχνά-
σματος ὥραν αὐτοῖς ἔδωκε κἂν τῇδε ξυλίνῳ ὄντι
τῷ τείχει κληματίδας περιτιθεὶς μετὰ τὴν ὥραν
ὑφῆπτεν. οἱ δὲ δείσαντες τὴν πόλιν παρεδίδουν.
καὶ τήνδε μὲν ὁ Σύλλας διήρπαζεν ὡς οὐκ εὐνοίᾳ
προσελθοῦσαν, ἀλλ' ὑπ' ἀνάγκης, τῶν δ' ἄλλων
ἐφείδετο προστιθεμένων, μέχρι τὸ Ἱρπίνων ἔθνος
ἅπαν ὑπηγάγετο, καὶ μετῆλθεν ἐπὶ Σαυνίτας, οὐχ
ᾗ Μοτίλος, ὁ τῶν Σαυνιτῶν στρατηγός, τὰς παρ-
όδους ἐφύλαττεν, ἀλλ' ἑτέραν ἀδόκητον ἐκ περιό-
δου. προσπεσὼν δ' ἄφνω πολλούς τε ἔκτεινε, καὶ
τῶν ὑπολοίπων σποράδην διαφυγόντων ὁ μὲν
Μοτίλος τραυματίας ἐς Αἰσερνίαν σὺν ὀλίγοις
κατέφυγεν, ὁ δὲ Σύλλας αὐτοῦ τὸ στρατόπεδον
ἐξελὼν ἐς Βουιανὸν παρῆλθεν, ᾗ τὸ κοινοβούλιον
ἦν τῶν ἀποστάντων. τρεῖς δ' ἄκρας τῆς πόλεως

challenged any Roman to single combat. A Maurusian soldier of short stature accepted the challenge and killed him, whereupon the Gauls became panic-stricken and fled. Cluentius' line of battle was thus broken and the remainder of his troops did not stand their ground, but fled in disorder to Nola. Sulla followed them and killed 3000 in the pursuit, and as the inhabitants of Nola received them by only one gate, lest the enemy should rush in with them, he killed about 20,000 more outside the walls and among them Cluentius himself, who fell fighting bravely.

51. Then Sulla moved against another tribe, the Hirpini, and attacked the town of Aeculanum. The inhabitants, who expected aid from the Lucanians that very day, asked Sulla to give them time for consideration. He understood the trick and gave them one hour, and meanwhile piled fagots around their walls, which were made of wood, and at the expiration of the hour set them on fire. They were terrified and surrendered the town. Sulla plundered it because it had not been delivered up voluntarily but under necessity. He spared the other towns that gave themselves up, and in this way the entire population of the Hirpini was brought under subjection. Then Sulla moved against the Samnites, not where Mutilus, the Samnite general, guarded the roads, but by another circuitous route where his coming was not expected. He fell upon them suddenly, killed many, and scattered the rest in disorderly flight. Mutilus was wounded and took refuge with a few followers in Aesernia. Sulla destroyed his camp and moved against Bovanum, where the common council of the rebels was held. The city had three citadels.

CAP.
VI
ἐχούσης καὶ τῶν Βουάνων ἐς τὸν Σύλλαν ἐπε-
στραμμένων, περιπέμψας τινὰς ὁ Σύλλας ἐκέλευε
καταλαβεῖν, ἤν τινα τῶν ἄλλων δυνηθεῖεν ἄκραν,
καὶ καπνῷ τοῦτο σημῆναι. γενομένου δὲ τοῦ
καπνοῦ συμβαλὼν τοῖς ἐκ μετώπου καὶ μαχόμενος
ὥραις τρισὶ καρτερῶς εἷλε τὴν πόλιν.

Καὶ τάδε μὲν ἦν τοῦδε τοῦ θέρους εὐπραγήματα
Σύλλα· χειμῶνος δ' ἐπιόντος ὁ μὲν ἐς Ῥώμην
ἀνέστρεφεν, ἐς ὑπατείαν παραγγέλλων, 52. Γναῖος
δὲ Πομπήιος ὑπηγάγετο Μάρσους καὶ Μαρρου-
κίνους καὶ Οὐηστίνους, καὶ Γάιος Κοσκώνιος,
ἕτερος Ῥωμαίων στρατηγός, ἐπελθὼν Σαλαπίαν
τε ἐνέπρησε καὶ Κάννας παρέλαβε, καὶ Κανύσιον
περικαθήμενος Σαυνίταις ἐπελθοῦσιν ἀντεμάχετο
ἐγκρατῶς, μέχρι φόνος πολὺς ἑκατέρων ἐγένετο καὶ
ὁ Κοσκώνιος ἐλαττούμενος ἐς Κάννας ὑπεχώρει.
Τρεβάτιος δ' αὐτόν, ὁ τῶν Σαυνιτῶν στρατηγός,
ποταμοῦ διείργοντος, ἐκέλευεν ἢ περᾶν ἐπ' αὐτὸν
ἐς μάχην ἢ ἀναχωρεῖν, ἵνα περάσειεν. ὁ δ'
ἀναχωρεῖ καὶ διαβάντι τῷ Τρεβατίῳ προσπεσὼν
μάχῃ τε κρείττων ἐγένετο καὶ φεύγοντος ἐπὶ τὸ
ῥεῦμα αὐτοῦ μυρίους καὶ πεντακισχιλίους διέ-
φθειρεν· οἱ δὲ λοιποὶ μετὰ τοῦ Τρεβατίου διέφυγον
ἐς Κανύσιον. καὶ ὁ Κοσκώνιος τὴν Λαριναίων
καὶ Οὐενουσίων καὶ Ἀσκλαίων γῆν ἐπιδραμὼν
ἐς Ποιδίκλους ἐσέβαλε καὶ δυσὶν ἡμέραις τὸ ἔθνος
παρέλαβε.

53. Καικίλιος δ' αὐτῷ Μέτελλος ἐπελθὼν ἐπὶ
τὴν στρατηγίαν διάδοχος, ἐς Ἰάπυγας ἐμβαλὼν
ἐκράτει καὶ ὅδε μάχῃ τῶν Ἰαπύγων. καὶ Ποπαί-
διος, ἄλλος τῶν ἀφεστώτων στρατηγός, ἐνταῦθα
ἔπεσεν· οἱ δὲ λοιποὶ σποράδην ἐς τὸν Καικίλιον

While the inhabitants were intently watching Sulla from one of these citadels, he ordered a detachment to capture whichever of the other two they could, and then to make a signal by means of smoke. When the smoke was seen he made an attack in front and, after a severe fight of three hours, took the city.

52. These were the successes of Sulla during that summer. When winter came he returned to Rome to stand for the consulship, but Gnaeus Pompeius brought the Marsians, the Marrucini, and the Vestini under subjection. Gaius Cosconius, another Roman praetor, advanced against Salapia and burned it. He received the surrender of Cannae and laid siege to Canusium; then he had a severe fight with the Samnites, who came to its relief, and after great slaughter on both sides Cosconius was beaten and retreated to Cannae. A river separated the two armies, and Trebatius sent word to Cosconius either to come over to his side and fight him, or to withdraw and let him cross. Cosconius withdrew, and while Trebatius was crossing attacked him and got the better of him, and, while he was escaping toward the stream, killed 15,000 of his men. The remainder took refuge with Trebatius in Canusium. Cosconius overran the territory of Larinum, Venusia, and Asculum, and invaded that of the Poediculi, and within two days received their surrender.

53. Caecilius Metellus, his successor in the praetor- ship, attacked the Apulians and overcame them in battle. Popaedius, one of the rebel generals, here lost his life, and the survivors joined Metellus in detachments. Such was the course of events through-

97

CAP
VI
διέφυγον. καὶ τάδε μὲν ἦν περὶ τὴν Ἰταλίαν
ἀμφὶ τὸν συμμαχικὸν πόλεμον, ἀκμάσαντα δὴ
μάλιστα μέχρι τῶνδε, ἕως Ἰταλία πᾶσα προσεχώ-
ρησεν ἐς τὴν Ῥωμαίων πολιτείαν, χωρίς γε
Λευκανῶν καὶ Σαυνιτῶν τότε· δοκοῦσι γάρ μοι
καὶ οἵδε τυχεῖν, ὧν ἔχρῃζον, ὕστερον. ἐς δὲ τὰς
φυλὰς ὅμοια τοῖς προτυχοῦσιν ἕκαστοι κατελέ-
γοντο, τοῦ μὴ τοῖς ἀρχαίοις ἀναμεμιγμένοι ἐπικρα-
τεῖν ἐν ταῖς χειροτονίαις, πλέονες ὄντες.

54. Τοῦ δ' αὐτοῦ χρόνου κατὰ τὸ ἄστυ οἱ
χρῆσται πρὸς ἀλλήλους ἐστασίασαν, οἱ μὲν πράτ-
τοντες τὰ χρέα σὺν τόκοις, νόμου τινὸς παλαιοῦ
διαγορεύοντος μὴ δανείζειν ἐπὶ τόκοις ἢ ζημίαν τὸν
οὕτω δανείσαντα προσοφλεῖν. ἀποστραφῆναι γάρ
μοι δοκοῦσιν οἱ πάλαι Ῥωμαῖοι, καθάπερ Ἕλλη-
νες, τὸ δανείζειν ὡς καπηλικὸν καὶ βαρὺ τοῖς
πένησι καὶ δύσερι καὶ ἐχθροποιόν, ᾧ λόγῳ καὶ
Πέρσαι τὸ κίχρασθαι ὡς ἀπατηλόν τε καὶ φιλο-
ψευδές. ἔθους δὲ χρονίου τοὺς τόκους βεβαιοῦντος,
οἱ μὲν κατὰ τὸ ἔθος ᾔτουν, οἱ δὲ οἷον ἐκ πολέμων
τε καὶ στάσεων ἀνεβάλλοντο τὰς ἀποδόσεις· εἰσὶ
δ' οἳ καὶ τὴν ζημίαν τοὺς δανείσαντας ἐκτίσειν
ἐπηπείλουν.

Ὅ τε στρατηγὸς Ἀσελλίων, ᾧ ταῦτα προσέ-
κειτο, ἐπεὶ διαλύων αὐτοὺς οὐκ ἔπειθεν, ἐδίδου κατ'
ἀλλήλων αὐτοῖς δικαστήρια, τὴν ἐκ τοῦ νόμου καὶ
ἔθους ἀπορίαν ἐς τοὺς δικαστὰς περιφέρων. οἱ

out Italy as regards the Social War, which had raged
with violence thus far, until the whole of Italy came
into the Roman state except, for the present, the
Lucanians and the Samnites, who also seem to have
obtained what they desired somewhat later. Each
body of allies was enrolled in tribes of its own, like
those who had been admitted to citizenship before,
so that they might not, by being mingled with the
old citizens, vote them down in the elections by
force of numbers.

54. About the same time dissensions arose in the
city between debtors and creditors,[1] since the latter
exacted the money due to them with interest, although
an old law distinctly forbade lending on interest and
imposed a penalty upon any one doing so. It seems
that the ancient Romans, like the Greeks, abhorred
the taking of interest on loans as something knavish,
and hard on the poor, and leading to contention and
enmity; and by the same kind of reasoning the
Persians considered lending as having itself a ten-
dency to deceit and lying. But, since time had
sanctioned the practice of taking interest, the
creditors demanded it according to custom. The
debtors, on the other hand, put off their payments
on the plea of war and civil commotion. Some
indeed threatened to exact the legal penalty from
the interest-takers.

The praetor Asellio, who had charge of these
matters, as he was not able to compose their differ-
ences by persuasion, allowed them to proceed against
each other in the courts, thus bringing the deadlock
due to the conflict of law and custom before the judges.

---

[1] χρῆσται in the Greek apparently includes both, unless καὶ
δανεισταί is to be inserted.

CAP.
VI
δανεισταὶ δὲ χαλεπήναντες, ὅτι τὸν νόμον παλαιὸν
ὄντα ἀνεκαίνιζε, κτείνουσιν αὐτὸν ὧδε· ὁ μὲν ἔθυε
τοῖς Διοσκούροις ἐν ἀγορᾷ, τοῦ πλήθους ὡς ἐπὶ
θυσίᾳ περιστάντος· ἑνὸς δὲ λίθου τὸ πρῶτον ἐπ'
αὐτὸν ἀφεθέντος, ἔρριψε τὴν φιάλην καὶ ἐς τὸ τῆς
Ἑστίας ἱερὸν ἵετο δρόμῳ. οἱ δὲ αὐτὸν προλα-
βόντες τε ἀπέκλεισαν ἀπὸ τοῦ ἱεροῦ καὶ κατα-
φυγόντα ἔς τι πανδοχεῖον ἔσφαξαν. πολλοί τε
τῶν διωκόντων ἐς τὰς παρθένους αὐτὸν ἡγούμενοι
καταφυγεῖν ἐσέδραμον, ἔνθα μὴ θέμις ἦν ἀνδράσιν.
οὕτω μὲν καὶ Ἀσελλίων στρατηγῶν τε καὶ σπέν-
δων καὶ ἱερὰν καὶ ἐπίχρυσον ἐσθῆτα ὡς ἐν θυσίᾳ
περικείμενος ἀμφὶ δευτέραν ὥραν ἐσφάζετο ἐν
ἀγορᾷ μέσῃ παρὰ ἱεροῖς. καὶ ἡ σύγκλητος
ἐκήρυσσεν, εἴ τίς τι περὶ τὸν Ἀσελλίωνος φόνον
ἐλέγξειεν, ἐλευθέρῳ μὲν ἀργύριον, δούλῳ δὲ
ἐλευθερίαν, συνεγνωκότι δὲ ἄδειαν· οὐ μὴν ἐμή-
νυσεν οὐδείς, τῶν δανειστῶν περικαλυψάντων.

VII

CAP.
VII
55. Τάδε μὲν δὴ φόνοι καὶ στάσεις ἔτι ἦσαν
ἐμφύλιοι κατὰ μέρη· μετὰ δὲ τοῦτο στρατοῖς
μεγάλοις οἱ στασίαρχοι πολέμου νόμῳ συνεπλέ-
κοντο ἀλλήλοις, καὶ ἡ πατρὶς ἆθλον ἔκειτο ἐν
μέσῳ. ἀρχὴ δ' ἐς ταῦτα καὶ πάροδος, εὐθὺς ἐπὶ
τῷ συμμαχικῷ πολέμῳ, ἥδε ἐγίγνετο.

Ἐπειδὴ Μιθριδάτης ὁ τοῦ Πόντου καὶ ἄλλων

100

The lenders, exasperated that the now obsolete law CHAP
VI was being revived, killed the praetor in the following manner. He was offering sacrifice to Castor and A praetor
murdered Pollux in the forum, with a crowd standing around as was usual at such a ceremony. In the first place somebody threw a stone at him, on which he dropped the libation-bowl and ran toward the temple of Vesta. They then got ahead of him and prevented him from reaching the temple, and after he had fled into a tavern they cut his throat. Many of his pursuers, thinking that he had taken refuge with the Vestal virgins, ran in there, where it was not lawful for men to go. Thus was Asellio, while serving as praetor, and pouring out the libation, and wearing the sacred gilded vestments customary in such ceremonies, slain at the second hour of the day in the centre of the forum, in the midst of the sacrifice. The Senate offered a reward of money to any free citizen, freedom to any slave, impunity to any accomplice, who should give testimony leading to the conviction of the murderers of Asellio, but nobody gave any information. The money-lenders covered up everything.

VII

55. HITHERTO the murders and seditions had been CHAP.
VII internal and fragmentary. Afterward the chiefs of Civil Wars factions assailed each other with great armies, accord- of Marius ing to the usage of war, and their country lay as a and Sulla prize between them. The beginning and origin of these contentions came about directly after the Social War, in this wise.

When Mithridates, king of Pontus and of other

ἐθνῶν βασιλεὺς ἐς Βιθυνίαν καὶ Φρυγίαν καὶ τὴν
ὅμορον αὐταῖς Ἀσίαν ἐνέβαλεν, ὥς μοι κατὰ τὴν
βίβλον εἴρηται τὴν πρὸ τῆσδε, Σύλλας μὲν
ὑπατεύων ἔλαχε στρατηγεῖν τῆς Ἀσίας καὶ τοῦδε
τοῦ Μιθριδατείου πολέμου (καὶ ἦν ἔτι ἐν Ῥώμῃ),
Μάριος δὲ τὸν πόλεμον εὐχερῆ τε καὶ πολύχρυσον
ἡγούμενος εἶναι καὶ ἐπιθυμῶν τῆς στρατηγίας
ὑπηγάγετό οἱ συμπράσσειν ἐς τοῦτο Πούπλιον
Σουλπίκιον δήμαρχον ὑποσχέσεσι πολλαῖς καὶ
τοὺς ἐκ τῆς Ἰταλίας νεοπολίτας, μειονεκτοῦντας
ἐπὶ ταῖς χειροτονίαις, ἐπήλπιζεν ἐς τὰς φυλὰς
ἁπάσας διαιρήσειν, οὐ προλέγων μέν τι περὶ τῆς
ἑαυτοῦ χρείας, ὡς δὲ ὑπηρέταις ἐς πάντα χρησό-
μενος εὔνοις. καὶ νόμον αὐτίκα ὁ Σουλπίκιος
ἐσέφερε περὶ τοῦδε· οὗ κυρωθέντος ἔμελλε πᾶν ὅ
τι βούλοιτο Μάριος ἢ Σουλπίκιος ἔσεσθαι, τῶν
νεοπολιτῶν πολὺ παρὰ τοὺς ἀρχαίους πλειόνων
ὄντων. οἱ δ᾽ ἀρχαιότεροι συνορῶντες ταῦτα ἐγ-
κρατῶς τοῖς νεοπολίταις διεφέροντο. ξύλοις δὲ καὶ
λίθοις χρωμένων αὐτῶν ἐς ἀλλήλους καὶ μείζονος
αἰεὶ γιγνομένου τοῦ κακοῦ, δείσαντες οἱ ὕπατοι
περὶ τῇ δοκιμασίᾳ τοῦ νόμου πλησιαζούσῃ πρού-
γραψαν ἡμερῶν ἀργίας πολλῶν, ὁποῖον ἐν ταῖς
ἑορταῖς εἴωθε γίγνεσθαι, ἵνα τις ἀναβολὴ γένοιτο
τῆς χειροτονίας καὶ τοῦ κακοῦ.

56. Σουλπίκιος δὲ τὴν ἀργίαν οὐκ ἀναμένων
ἐκέλευε τοῖς στασιώταις ἐς τὴν ἀγορὰν ἥκειν μετὰ
κεκρυμμένων ξιφιδίων καὶ δρᾶν, ὅ τι ἐπείγοι, μηδ᾽
αὐτῶν φειδομένους τῶν ὑπάτων, εἰ δέοι. ὡς δὲ
αὐτῷ πάντα ἕτοιμα ἦν, κατηγόρει τῶν ἀργιῶν ὡς
παρανόμων καὶ τοὺς ὑπάτους Κορνήλιον Σύλλαν

nations, invaded Bithynia and Phrygia and that part
of Asia adjacent to those countries, as I have related
in the preceding book, the consul Sulla was chosen by
lot to the command of Asia and the Mithridatic war,
but was still in Rome.   Marius, for his part, thought
that this would be an easy and lucrative war and
desiring the command of it prevailed upon the tribune,
Publius Sulpicius, by many promises, to help him
to obtain it.   He also encouraged the new Italian
citizens, who had very little power in the elections,
to hope that they should be distributed among all
the tribes—not in any way openly suggesting his own
advantage, but with the expectation of employing
them as loyal servants for all his ends.   Sulpicius
straightway brought forward a law for this purpose.
If it were enacted Marius and Sulpicius would have
everything they wanted, because the new citizens
far outnumbered the old ones.   The old citizens saw
this and opposed the new ones with all their might.
They fought each other with sticks and stones, and
the evil increased continually, till the consuls, becom-
ing apprehensive, as the day for voting on the law
drew near, proclaimed a vacation [1] of several days,
such as was customary on festal occasions, in order to
postpone the voting and the danger.

56. Sulpicius would not wait for the end of the
vacation, but ordered his faction to come to the
forum with concealed daggers and to do whatever
the exigency might require, sparing not even the
consuls if need be.   When everything was in readi-
ness he denounced the vacations as illegal and
ordered the consuls, Cornelius Sulla and Quintus

[1] A cessation from all public business.

CAP.
VII

καὶ Κόιντον Πομπήιον ἐκέλευεν αὐτὰς αὐτίκα
ἀναιρεῖν, ἵνα προθείη τὴν δοκιμασίαν τῶν νόμων.
θορύβου δ' ἀναστάντος οἱ παρεσκευασμένοι τὰ
ξιφίδια ἐπεσπάσαντο καὶ τοὺς ὑπάτους ἀντιλέ-
γοντας ἠπείλουν κτενεῖν, μέχρι Πομπήιος μὲν
λαθὼν διέφυγε, Σύλλας δ' ὡς βουλευσόμενος
ὑπεχώρει. κἀν τῷδε Πομπηίου τὸν υἱόν, κηδεύοντα
τῷ Σύλλᾳ, παρρησιαζόμενόν τι καὶ λέγοντα
κτείνουσιν οἱ τοῦ Σουλπικίου στασιῶται. καὶ ὁ
Σύλλας ἐπελθὼν ἐβάστασε τὴν ἀργίαν ἔς τε
Καπύην ἐπὶ τὸν ἐκεῖ στρατόν, ὡς ἐκ Καπύης ἐς
τὴν Ἀσίαν ἐπὶ τὸν Μιθριδάτου πόλεμον διαβαλῶν,
ἠπείγετο· οὐ γάρ πώ τινος τῶν ἐπ' αὐτῷ πραττο-
μένων ᾔσθετο. ὁ δὲ Σουλπίκιος, ἀναιρεθείσης τῆς
ἀργίας καὶ Σύλλα τῆς πόλεως ἀποστάντος, ἐκύρου
τὸν νόμον καί, οὗ χάριν ἅπαντα ταῦτα ἐγίγνετο,
Μάριον εὐθὺς ἐχειροτόνει τοῦ πρὸς Μιθριδάτην
πολέμου στρατηγεῖν ἀντὶ Σύλλα.

57. Πυθόμενος δ' ὁ Σύλλας καὶ πολέμῳ κρίνας
διακριθῆναι συνήγαγε τὸν στρατὸν εἰς ἐκκλησίαν,
καὶ τόνδε τῆς ἐπὶ τὸν Μιθριδάτην στρατείας
ὀρεγόμενόν τε ὡς ἐπικερδοῦς καὶ νομίζοντα Μάριον
ἐς αὐτὴν ἑτέρους καταλέξειν ἀνθ' ἑαυτῶν. τὴν δ'
ὕβριν ὁ Σύλλας τὴν ἐς αὑτὸν εἰπὼν Σουλπικίου
τε καὶ Μαρίου καὶ σαφὲς οὐδὲν ἄλλο ἐπενεγκὼν
(οὐ γὰρ ἐτόλμα πω λέγειν περὶ τοιοῦδε πολέμου),
παρῄνεσεν ἑτοίμοις ἐς τὸ παραγγελλόμενον
εἶναι. οἱ δὲ συνιέντες τε ὧν ἐπενόει καὶ περὶ
σφῶν δεδιότες, μὴ τῆς στρατείας ἀποτύχοιεν,
ἀπεγύμνουν αὐτοὶ τὸ ἐνθύμημα τοῦ Σύλλα καὶ ἐς
Ῥώμην σφᾶς ἄγειν θαρροῦντα ἐκέλευον. ὁ δὲ
ἡσθεὶς ἦγεν ἐξ τέλη στρατιωτῶν αὐτίκα. καὶ

Pompeius, to put an end to them at once, in order to CHAP.
proceed to the enactment of the laws. A tumult VII
arose, and those who had been armed drew their
daggers and threatened to kill the consuls, who
refused to obey. Finally Pompeius escaped secretly
and Sulla withdrew on the pretext of taking advice.
In the meantime the son of Pompeius, who was the
son-in-law of Sulla, and who was speaking his mind
rather freely, was killed by the Sulpicians. Presently
Sulla came on the scene and, having annulled the
vacation, hurried away to Capua, where his army was
stationed, as if to cross over to Asia to take command
of the war against Mithridates, for he knew nothing
as yet of the designs against himself. As the vacation
was annulled and Sulla had left the city, Sulpicius
enacted his law, and Marius, for whose sake it was
done, was forthwith chosen commander of the war
against Mithridates in place of Sulla.

57. When Sulla heard of this he resolved to
decide the question by war, and called the army
together to a conference. They were eager for the
war against Mithridates because it promised much
plunder, and they feared that Marius would enlist
other soldiers instead of themselves. Sulla spoke
of the indignity put upon him by Sulpicius and
Marius, and while he did not openly allude to
anything else (for he did not dare as yet to mention
this sort of war), he urged them to be ready to obey
his orders. They understood what he meant, and
as they feared lest they should miss the campaign
they uttered boldly what Sulla had in mind, and Sulla
told him to be of good courage, and to lead them to marches
Rome. Sulla was overjoyed and led six legions against the city
thither forthwith; but all his superior officers, except

αὐτὸν οἱ μὲν ἄρχοντες τοῦ στρατοῦ χωρὶς ἑνὸς
ταμίου διέδρασαν ἐς Ῥώμην, οὐχ ὑφιστάμενοι
στρατὸν ἄγειν ἐπὶ τὴν πατρίδα· πρέσβεις δ' ἐν
ὁδῷ καταλαβόντες ἠρώτων, τί μεθ' ὅπλων ἐπὶ τὴν
πατρίδα ἐλαύνοι. ὁ δ' εἶπεν, ἐλευθερώσων αὐτὴν
ἀπὸ τῶν τυραννούντων.

Καὶ τοῦτο δὶς τρὶς ἑτέροις καὶ ἑτέροις πρέσ-
βεσιν ἐλθοῦσιν εἰπὼν ἐπήγγελλεν ὅμως, εἰ θέλοιεν
τήν τε σύγκλητον αὐτῷ καὶ Μάριον καὶ Σουλπί-
κιον ἐς τὸ Ἄρειον πεδίον συναγαγεῖν, καὶ πράξειν,
ὅ τι ἂν βουλευομένοις δοκῇ. πλησιάζοντι δὲ
Πομπήιος μὲν ὁ σύναρχος ἐπαινῶν καὶ ἀρεσκό-
μενος τοῖς γιγνομένοις ἀφίκετο συμπράξων ἐς
ἅπαντα, Μάριος δὲ καὶ Σουλπίκιος ἐς παρασκευὴν
ὀλίγου διαστήματος δεόμενοι πρέσβεις ἑτέρους
ἔπεμπον ὡς δὴ καὶ τούσδε ὑπὸ τῆς βουλῆς ἀπε-
σταλμένους, δεόμενοι μὴ ἀγχοτέρω τεσσαράκοντα
σταδίων τῇ Ῥώμῃ παραστρατοπεδεύειν, μέχρι
ἐπισκέψαιντο περὶ τῶν παρόντων. Σύλλας δὲ καὶ
Πομπήιος τὸ ἐνθύμημα σαφῶς εἰδότες ὑπέσχοντο
μὲν ὧδε πράξειν, εὐθὺς δὲ τοῖς πρέσβεσιν
ἀπιοῦσιν εἵποντο.

58. Καὶ Σύλλας μὲν τὰς Αἰσκυλείας πύλας καὶ
τὸ παρ' αὐτὰς τεῖχος ἑνὶ τέλει στρατιωτῶν
κατελάμβανε, Πομπήιος δὲ τὰς Κολλίνας ἑτέρῳ
τέλει· καὶ τρίτον ἐπὶ τὴν ξυλίνην γέφυραν ἐχώρει,
καὶ τέταρτον πρὸ τῶν τειχῶν ἐς διαδοχὴν ὑπέ-
μενε. τοῖς δ' ὑπολοίποις ὁ Σύλλας ἐς τὴν πόλιν
ἐχώρει δόξῃ καὶ ἔργῳ πολεμίου· ὅθεν αὐτὸν οἱ
περιοικοῦντες ἄνωθεν ἠμύνοντο βάλλοντες, μέχρι
τὰς οἰκίας ἠπείλησεν ἐμπρήσειν· τότε δ' οἱ μὲν
ἀνέσχον, Μάριος δὲ καὶ Σουλπίκιος ἀπήντων περὶ

one quaestor, left him and fled to the city, because CHAP.
they would not submit to the idea of leading an VII
army against their country. Envoys met him on
the road and asked him why he was marching with
armed forces against his country. "To deliver her
from her tyrants," he replied.

He gave the same answer to a second and a third
embassy that came to him, one after another, but he
announced to them finally that the Senate and
Marius and Sulpicius might meet him in the Campus
Martius if they liked, and that he would do whatever
might be agreed upon after consultation. As he was
approaching, his colleague, Pompeius, came to meet
and congratulate him, and to offer his whole-hearted
help, for he was delighted with the steps he was
taking. As Marius and Sulpicius needed some short
interval for preparation, they sent other messengers,
also in the guise of envoys from the Senate, directing
him not to move his camp nearer than forty stades
from the city until they could review the state of
affairs. Sulla and Pompeius understood their motive
perfectly and promised to comply, but as soon as the
envoys withdrew they followed them.

58. Sulla took possession of the Esquiline gate He
and of the adjoining wall with one legion of soldiers, captures it
and Pompeius occupied the Colline gate with another.
A third advanced to the Wooden bridge, and a fourth
remained on guard in front of the walls. With the
remainder Sulla entered the city, in appearance and
in fact an enemy. Those in the neighbouring houses
tried to keep him off by hurling missiles from the
roofs until he threatened to burn the houses; then
they desisted. Marius and Sulpicius went, with some
forces they had hastily armed, to meet the invaders

τὴν Αἰσκύλειον ἀγορὰν μεθ' ὅσων ἐφθάκεσαν
ὁπλίσαι. καὶ γίγνεταί τις ἀγὼν ἐχθρῶν, ὅδε
πρῶτος ἐν Ῥώμῃ, οὐχ ὑπὸ εἰκόνι στάσεως ἔτι,
ἀλλὰ ἀπροφασίστως ὑπὸ σάλπιγγι καὶ σημείοις,
πολέμου νόμῳ ἐς τοσοῦτον αὐτοῖς κακοῦ τὰ τῶν
στάσεων ἀμεληθέντα προέκοψε.

Τρεπομένων δὲ τῶν Σύλλα στρατιωτῶν, ὁ
Σύλλας σημεῖον ἁρπάσας προεκινδύνευεν, ὡς
αἰδοῖ τε τοῦ στρατηγοῦ καὶ δέει τῆς ἐπὶ τῷ ση-
μείῳ εἰ ἀπέχοιντο, ἀτιμίας εὐθὺς ἐκ τῆς τροπῆς
αὐτοὺς μετατίθεσθαι. καὶ ὁ Σύλλας ἐκάλει τε
τοὺς νεαλεῖς ἐκ τοῦ στρατοπέδου καὶ ἑτέρους κατὰ
τὴν καλουμένην Σιβούραν ὁδὸν περιέπεμπεν, ᾗ
κατὰ νώτου τῶν πολεμίων ἔμελλον ἔσεσθαι περι-
δραμόντες. οἱ δ' ἀμφὶ τὸν Μάριον πρός τε τοὺς
ἐπελθόντας ἀκμῆτας ἀσθενῶς μαχόμενοι καὶ ἐπὶ
τοῖς περιοδεύουσι δείσαντες περικύκλωσιν τούς τε
ἄλλους πολίτας ἐκ τῶν οἰκιῶν ἔτι μαχομένους
συνεκάλουν καὶ τοῖς δούλοις ἐκήρυττον ἐλευθερίαν
εἰ μετάσχοιεν τοῦ πόνου. οὐδενὸς δὲ προσιόντος
ἀπογνόντες ἁπάντων ἔφευγον εὐθὺς ἐκ τῆς πόλεως
καὶ σὺν αὐτοῖς ὅσοι τῶν ἐπιφανῶν συνεπεπρά-
χεσαν.

59. Ὁ δὲ Σύλλας τότε μὲν ἐς τὴν λεγομένην
Ἱερὰν ὁδὸν παρῆλθε καὶ τοὺς διαρπάζοντάς τι
τῶν ἐν ποσὶν αὐτίκα ἐν μέσῳ πάντων ἐφορώντων
ἐκόλαζε, φρουρὰν δὲ κατὰ μέρος ἐπιστήσας τῇ
πόλει διενυκτέρευεν αὐτός τε καὶ ὁ Πομπήιος,
περιθέοντες ἑκάστους, ἵνα μή τι δεινὸν ἢ παρὰ
τῶν δεδιότων ἢ παρὰ τῶν νενικηκότων ἐπιγένοιτο.
ἅμα δ' ἡμέρᾳ τὸν δῆμον ἐς ἐκκλησίαν συναγα-
γόντες ὠδύροντο περὶ τῆς πολιτείας ὡς ἐκ πολλοῦ

near the Esquiline forum, and here a battle took place
between the contending parties, the first regularly
fought in Rome with bugle and standards in full
military fashion, no longer like a mere faction fight.
To such extremity of evil had the recklessness of
party strife progressed among them.

Sulla's forces were beginning to waver when Sulla
seized a standard and exposed himself to danger
in the foremost ranks, so that from regard for their
general and fear of ignominy, should they abandon
their standard, they might rally at once. Then he
ordered up the fresh troops from his camp and sent
others around by the Suburran road to take the
enemy in the rear. The Marians fought feebly
against these new-comers, and as they feared lest
they should be surrounded they called to their aid
the other citizens who were still fighting from the
houses, and proclaimed freedom to slaves who would
share their dangers. As nobody came forward they
fell into utter despair and fled at once out of the
city, together with those of the nobility who had co-
operated with them.

59. Sulla advanced to the Via Sacra, and there, in
sight of everybody, punished at once certain soldiers
for looting things they had come across. He
stationed guards at intervals throughout the city, he
and Pompeius keeping watch by night. Each kept
moving about his own command to see that no
calamity was brought about either by the frightened
people or by the victorious troops. At daybreak they
summoned the people to an assembly and lamented
the condition of the republic, which had been so long
given over to demagogues, and said that they had

τοῖς δημοκοποῦσιν ἐκδεδομένης, καὶ αὐτοὶ τάδε
πράξαντες ὑπ᾿ ἀνάγκης. εἰσηγοῦντό τε μηδὲν
ἔτι ἀπροβούλευτον ἐς τὸν δῆμον ἐσφέρεσθαι, νενο-
μισμένον μὲν οὕτω καὶ πάλαι, παραλελυμένον δ᾿
ἐκ πολλοῦ, καὶ τὰς χειροτονίας μὴ κατὰ φυλάς,
ἀλλὰ κατὰ λόχους, ὡς Τύλλιος βασιλεὺς ἔταξε,
γίνεσθαι, νομίσαντες διὰ δυοῖν τοῖνδε οὔτε νόμον
οὐδένα πρὸ τῆς βουλῆς ἐς τὸ πλῆθος ἐσφερόμενον
οὔτε τὰς χειροτονίας ἐν τοῖς πένησι καὶ θρασυ-
τάτοις ἀντὶ τῶν ἐν περιουσίᾳ καὶ εὐβουλίᾳ γιγνο-
μένας δώσειν ἔτι στάσεων ἀφορμάς. πολλά τε
ἄλλα τῆς τῶν δημάρχων ἀρχῆς, τυραννικῆς
μάλιστα γεγενημένης, περιελόντες κατέλεξαν ἐς
τὸ βουλευτήριον, ὀλιγανθρωπότατον δὴ τότε
μάλιστα ὂν καὶ παρὰ τοῦτ᾿ εὐκαταφρόνητον
ἀθρόους ἐκ τῶν ἀρίστων ἀνδρῶν τριακοσίους.
ὅσα τε ὑπὸ Σουλπικίου κεκύρωτο μετὰ τὴν
κεκηρυγμένην ὑπὸ τῶν ὑπάτων ἀργίαν, ἅπαντα
διελύετο ὡς οὐκ ἔννομα.

60. Ὧδε μὲν αἱ στάσεις ἐξ ἔριδος καὶ φιλονικίας
ἐπὶ φόνους καὶ ἐκ φόνων ἐς πολέμους ἐντελεῖς
προέκοπτον, καὶ στρατὸς πολιτῶν ὅδε πρῶτος ἐς
τὴν πατρίδα ὡς πολεμίαν ἐσέβαλεν. οὐδ᾿ ἔληξαν
ἀπὸ τοῦδε αἱ στάσεις ἔτι κρινόμεναι στρατοπέδοις,
ἀλλ᾿ ἐσβολαὶ συνεχεῖς ἐς τὴν Ῥώμην ἐγίνοντο καὶ
τειχομαχίαι καὶ ὅσα ἄλλα πολέμων ἔργα, οὐδενὸς
ἔτι ἐς αἰδῶ τοῖς βιαζομένοις ἐμποδὼν ὄντος, ἢ
νόμων ἢ πολιτείας ἢ πατρίδος. τότε δὲ Σουλπίκιον
δημαρχοῦντα ἔτι καὶ σὺν αὐτῷ Μάριον, ἑξάκις

done what they had done as a matter of necessity. CHAP.
They proposed that no question should ever again be VII
brought before the people which had not been pre-
viously considered by the Senate, an ancient practice
which had been abandoned long ago ; also that the
voting should not be by tribes, but by centuries, as
King Servius Tullius had ordained. They thought
that by these two measures—namely, that no law
should be brought before the people unless it had
been previously before the Senate, and that the
voting should be controlled by the well-to-do and
sober-minded rather than by the pauper and reckless
classes—there would no longer be left any starting-
point for civil discord. They proposed many other
measures for curtailing the power of the tribunes,
which had become extremely tyrannical, and enrolled
300 of the best citizens at once in the list of the
senators, who had been reduced at that time to a
very small number and had fallen into contempt for
that reason. They also annulled all the acts performed
by Sulpicius after the vacation had been proclaimed
by the consuls, as being illegal.

60. Thus the seditions proceeded from strife and Rome under
contention to murder, and from murder to open war, martial law
and now the first army of her own citizens had
invaded Rome as a hostile country. From this time
the seditions were decided only by the arbitrament of
arms. There were frequent attacks upon the city
and battles before the walls and other calamities
incident to war. Henceforth there was no restraint
upon violence either from the sense of shame,
or regard for law, institutions, or country. This
time Sulpicius, who still held the office of tribune,
together with Marius, who had been consul six times,

CAP.
VII

ὑπατευκότα, καὶ τὸν Μαρίου παῖδα καὶ Πούπλιον Κέθηγον καὶ Ἰούνιον Βροῦτον καὶ Γναῖον καὶ Κοίντον Γράνιον καὶ Πούπλιον Ἀλβινοουανὸν καὶ Μᾶρκον Λαιτώριον ἑτέρους τε, ὅσοι μετ' αὐτῶν, ἐς δώδεκα μάλιστα, ἐκ Ῥώμης διεπεφεύγεσαν, ὡς στάσιν ἐγείραντας καὶ πολεμήσαντας ὑπάτοις καὶ δούλοις κηρύξαντας ἐλευθερίαν εἰς ἀπόστασιν πολεμίους Ῥωμαίων ἐψήφιστο εἶναι καὶ τὸν ἐντυχόντα νηποινεὶ κτείνειν ἢ ἀνάγειν ἐπὶ τοὺς ὑπάτους· τά τε ὄντα αὐτοῖς δεδήμευτο.

Καὶ ζητηταὶ διέθεον ἐπὶ τοὺς ἄνδρας, οἳ Σουλπίκιον μὲν καταλαβόντες ἔκτειναν· 61. ὁ δὲ Μάριος αὐτοὺς ἐς Μιντούρνας διέφυγεν, ἔρημος ὑπηρέτου τε καὶ θεράποντος. καὶ αὐτὸν οἱ τῆς πόλεως ἄρχοντες ἀναπαυόμενον ἐν οἴκῳ ζοφώδει δεδιότες μὲν τὸ κήρυγμα τοῦ δήμου, φυλαττόμενοι δὲ ἀνδρὸς ἑξάκις ὑπατεύσαντος καὶ πολλὰ καὶ λαμπρὰ εἰργασμένου αὐθένται γενέσθαι, Γαλάτην ἄνδρα ἐπιδημοῦντα μετὰ ξίφους ἐσέπεμψαν ἀνελεῖν. τὸν δὲ Γαλάτην φασὶν ἐν τῷ σκότῳ προσιόντα τῷ στιβαδίῳ δεῖσαι, δόξαντα τοὺς ὀφθαλμοὺς τοῦ Μαρίου πυρὸς αὐγὴν καὶ φλόγα ἀφιέναι· ὡς δὲ καὶ ὁ Μάριος αὐτὸς ὑπανιστάμενος ἐκ τῆς εὐνῆς ἐνεβόησε παμμέγεθες αὐτῷ· "σὺ τολμᾷς κτεῖναι Γάιον Μάριον;" προτροπάδην ὁ Γαλάτης ἔφευγεν ἔξω διὰ θυρῶν μεμηνότι ἐοικὼς καὶ βοῶν· "οὐ δύναμαι κτεῖναι Γάιον Μάριον." ὅθεν καὶ τοῖς ἄρχουσιν, ἅτε καὶ τέως ταῦτα σὺν ὄκνῳ κεκρικόσιν, ἐνέπιπτέ τι δαιμόνιον δέος καὶ μνήμη τῆς ἐκ παιδὸς ἐπιφημισθείσης τῷ ἀνδρὶ ἑβδόμης ὑπατείας· παιδὶ γὰρ ὄντι φασὶν ἐς τὸν κόλπον ἀετοῦ νεοττοὺς ἑπτὰ καταρρυῆναι καὶ

and his son Marius, also Publius Cethegus, Junius
Brutus, Gnaeus and Quintus Granius, Publius Albino-
vanus, Marcus Laetorius, and others with them, about
twelve in number, had been exiled from Rome,
because they had stirred up the sedition, had borne
arms against the consuls, had incited slaves to in-
surrection, and had been voted enemies of the Roman
people ; and anybody meeting them had been
authorized to kill them with impunity or to drag
them before the consuls, while their goods had been
confiscated.

Detectives, too, were hard on their tracks, who
caught Sulpicius and killed him, but 61. Marius
escaped them and fled to Minturnae without com-
panion or servant. While he was resting in a darkened
house the magistrates of the city, whose fears were
excited by the proclamation of the Roman people, but
who hesitated to be the murderers of a man who had
been six times consul and had performed so many
brilliant exploits, sent a Gaul who was living there
to kill him with a sword. The Gaul, it is said, was
approaching the pallet of Marius in the dusk when he
thought he saw the gleam and flash of fire darting from
his eyes, and Marius rose from his bed and shouted
to him in a thundering voice, " Do you dare to kill
Gaius Marius ? " He turned and fled out of doors like
a madman, exclaiming, " I cannot kill Gaius Marius."
The magistrates had come to their previous decision
with reluctance, and now a kind of religious awe
came over them as they remembered the prophecy
uttered while he was a boy, that he should be consul
seven times. For it was said that while he was a
boy seven eaglets alighted on his breast, and that

τοὺς μάντεις εἰπεῖν, ὅτι ἑπτάκις ἐπὶ τῆς μεγίστης
ἀρχῆς ἔσοιτο.

62. Ταῦτ' οὖν οἱ τῆς Μιντούρνης ἄρχοντες
ἐνθυμούμενοι καὶ τὸν Γαλάτην ἔνθουν κατὰ
δαίμονα καὶ περιδεᾶ νομίζοντες γεγονέναι, τὸν
Μάριον αὐτίκα τῆς πόλεως ἐξέπεμπον, ὅπη
δύναιτο, σῴζεσθαι. ὁ δὲ συγγιγνώσκων ἑαυτῷ
ζητουμένῳ τε ἐκ Σύλλα καὶ πρὸς ἱππέων
διωκομένῳ, ὁδοὺς ἀτριβεῖς ἐπὶ θάλασσαν ἠλᾶτο
καὶ καλύβης ἐπιτυχὼν ἀνεπαύετο, φυλλάδα
ἐπιβαλόμενος τῷ σώματι. ψόφου δ' αἰσθόμενος
ἐς τὴν φυλλάδα ὑπεκρύφθη καὶ μᾶλλον ἔτι
αἰσθόμενος ἐς σκάφος ἁλιέως πρεσβύτου παρορ-
μοῦν, βιασάμενος τὸν πρεσβύτην, ἐσήλατο
χειμῶνος ὄντος καὶ τὸ πεῖσμα κόψας καὶ τὸ
ἱστίον πετάσας ἐπέτρεψε τῇ τύχῃ φέρειν. κατή-
χθη δὲ ἔς τινα νῆσον, ὅθεν νεὼς οἰκείων ἀνδρῶν
παραπλεούσης ἐπιτυχὼν ἐς Λιβύην ἐπέρα.
εἰργόμενος δὲ καὶ Λιβύης ὡς πολέμιος ὑπὸ
Σεξστιλίου ἡγουμένου, διεχείμαζεν ἐν τῇ θαλάσσῃ,
μικρὸν ὑπὲρ Λιβύην ἄνω, ἐν τοῖς Νομάδων ὅροις.
καὶ αὐτῷ θαλασσεύνοτι δεῦρο κατὰ πύστιν ἐπέ-
πλευσαν τῶν συγκατεγνωσμένων Κέθηγός τε καὶ
Γράνιος καὶ Ἀλβινοουανὸς καὶ Λαιτώριος καὶ
ἕτεροι καὶ ὁ υἱὸς αὐτοῦ Μαρίου· οἳ ἐς μὲν Ἰεμ-
ψάλαν τὸν Νομάδων δυνάστην ἀπὸ Ῥώμης
διέφυγον, ὑποψίᾳ δ' ἐκδόσεως ἐκεῖθεν ἀπέδρασαν.

Οἱ μὲν δή, καθὰ καὶ Σύλλας ἐπεπράχει, βιά-
σασθαι τὴν πατρίδα διανοούμενοι, στρατιὰν δ'
οὐκ ἔχοντες, περιέβλεπον, εἴ τι συμβαίη· 63. ἐν δὲ
Ῥώμῃ Σύλλας μέν, ὅπλοις τὴν πόλιν ὅδε πρῶτος
καταλαβών τε καὶ δυνηθεὶς ἂν ἴσως ἤδη μοναρ-

the soothsayers predicted that he would attain
the highest office seven times.

62. Bearing these things in mind and believing
that the Gaul had been inspired with fear by divine
influence, the magistrates of Minturnae sent Marius
out of the town forthwith, to seek safety wherever
he could.   As he knew that Sulla was searching for
him and that horsemen were pursuing him, he moved
toward the sea by unfrequented roads and came to a
hut where he rested, covering himself up with leaves,
Hearing a slight noise, he concealed himself more
carefully with the leaves, but becoming more sure
he rushed to the boat of an old fisherman, which was
on the beach, overpowered him, leaped into it, and,
although a storm was raging, cut the painter, spread
the sail, and committed himself to chance.   He was He passes
over to
Africa
driven to an island where he found a ship navigated
by his own friends, and sailed thence to Africa.   He
was prohibited from landing even there by the
governor, Sextilius, because he was a public enemy,
and he passed the winter in his ship a little beyond
the province of Africa, in Numidia.   While he was
sailing thither he was joined by Cethegus, Granius,
Albinovanus, Laetorius, and others, and his son
Marius, who had gained tidings of his approach.
They had fled from Rome to Hiempsal prince of
Numidia, and now they had run away from him,
fearing lest they should be delivered up.

They were ready to do just as Sulla had done, that
is, to master their country by force, but as they had
no army they waited for some opportunity ; 63. but
in Rome Sulla, who had been the first to seize the
city by force of arms, and now perhaps could have

χεῖν, ἐπεὶ τοὺς ἐχθροὺς ἠμύνατο, τὴν βίαν ἑκὼν
ἀπέθετο καὶ τὸν στρατὸν ἐς Καπύην προπέμψας
αὖθις ἦρχεν ὡς ὕπατος· οἱ δὲ τῶν ἐξελαθέντων
στασιῶται, ὅσοι τῶν πλουσίων, καὶ γύναια πολλὰ
πολυχρήματα, τοῦ δέους τῶν ὅπλων ἀναπνεύ-
σαντες ἠρεθίζοντο ὑπὲρ καθόδου τῶνδε τῶν
ἀνδρῶν καὶ οὐδὲν σπουδῆς ἢ δαπάνης ἐς τοῦτο
ἀπέλειπον, ἐπιβουλεύοντες καὶ τοῖς τῶν ὑπάτων
σώμασιν ὡς οὐκ ἐνὸν τῶνδε περιόντων ἐκείνοις
κατελθεῖν. Σύλλᾳ μὲν δὴ καὶ παυσαμένῳ τῆς
ἀρχῆς στρατὸς ἦν, ὁ ἐψηφισμένος ἐπὶ Μιθριδά-
την, ἐς σωτηρίαν αὐτοῦ φύλαξ· Κόιντον δὲ
Πομπήιον, τὸν ἕτερον ὕπατον, ὁ δῆμος οἰκτείρων
τοῦ δέους ἐψηφίσατο ἄρχειν Ἰταλίας καὶ ἑτέρου
τοῦ περὶ αὐτὴν στρατοῦ, τότε ὄντος ὑπὸ Γναίῳ
Πομπηίῳ. τοῦθ᾽ ὁ Γναῖος πυθόμενός τε καὶ
δυσχεράνας ἥκοντα μὲν τὸν Κόιντον ἐς τὸ στρατό-
πεδον ἐσεδέξατο, καὶ τῆς ἐπιούσης τι χρηματί-
ζοντος ὑπεχώρησε μικρὸν οἷα ἰδιώτης, μέχρι τὸν
ὕπατον πολλοὶ καθ᾽ ὑπόκρισιν ἀκροάσεως περι-
στάντες ἔκτειναν. καὶ φυγῆς τῶν λοιπῶν γενομένης
ὁ Γναῖος αὐτοῖς ὑπήντα, χαλεπαίνων ὡς ὑπάτου
παρανόμως ἀνῃρημένου· δυσχεράνας δ᾽ ὅμως εὐθὺς
ἦρχεν αὐτῶν.

wielded supreme power, having rid himself of his CHAP VII
enemies, desisted from violence of his own accord.
He sent his army forward to Capua and resumed
consular authority. The supporters of the banished
faction, especially the rich, and many wealthy women,
who now found a respite from the terror of arms,
bestirred themselves for the return of the exiles.
They spared neither pains nor expense to this end,
even conspiring against the persons of the consuls,
since they thought they could not secure the recall
of their friends while the consuls survived. For
Sulla the army, which had been voted for the Mith-
ridatic war, furnished ample protection even after
he should cease to be consul; but the people com- Murder of Q. Pom-
miserated the perilous position of the other consul, peius
Quintus Pompeius, and gave him the command of
Italy and of the army appertaining to it, which was
then under Gnaeus Pompeius. When the latter
learned this he was greatly displeased, but received
Quintus in the camp, and, when next day Quintus
began to take over his duties, he gave way to him
for a time as if relieved of his command; but a
little later a crowd that had collected around the
consul under pretence of listening to him killed him.
After the guilty ones had fled, Gnaeus came to the
camp in a high state of indignation over the illegal
killing of a consul, but despite his displeasure he
forthwith resumed his command over them.[1]

---

[1] The *Epitome* of Livy (lxxvii.) says that Gnaeus Pompeius
the pro-consul procured the murder of Quintus Pompeius the
consul, when the latter came to supersede him.

VIII

64. Ἐξαγγελθέντος δ' ἐς τὴν πόλιν τοῦ Πομ
πηίου φόνου, αὐτίκα μὲν ὁ Σύλλας περιδεὴς ἐφ'
ἑαυτῷ γενόμενος τοὺς φίλους περιήγετο πανταχοῦ
καὶ νυκτὸς ἀμφ' αὑτὸν εἶχεν, οὐ πολὺ δ' ἐπιμείνας
ἐς Καπύην ἐπὶ τὸν στρατὸν κἀκεῖθεν ἐς τὴν
Ἀσίαν ἐξήλασεν. οἱ δὲ τῶν φυγάδων φίλοι
Κίννᾳ, τῷ μετὰ Σύλλαν ὑπατεύοντι, θαρροῦντες
τοὺς νεοπολίτας ἠρέθιζον ἐς τὸ ἐνθύμημα τοῦ
Μαρίου, ταῖς φυλαῖς πάσαις ἀξιοῦν ἀναμιχθῆ
ναι, ἵνα μὴ τελευταῖοι ψηφιζόμενοι πάντων
ὦσιν ἄκυροι. τοῦτο δὴ προοίμιον τῆς αὑτοῦ τε
Μαρίου καὶ τῶν ἀμφὶ τὸν ἄνδρα καθόδου. ἀνθι
σταμένων δὲ τῶν ἀρχαίων κατὰ κράτος, Κίννας
μὲν τοῖς νεοπολίταις συνέπραττε, νομιζόμενος ἐπὶ
τῷδε τριακόσια δωροδοκῆσαι τάλαντα, τοῖς δ'
ἀρχαίοις ὁ ἕτερος ὕπατος Ὀκτάουιος. καὶ οἱ μὲν
ἀμφὶ τὸν Κίνναν προλαβόντες τὴν ἀγορὰν μετὰ
κεκρυμμένων ξιφιδίων ἐβόων ἐς τὰς φυλὰς πάσας
ἀναμιγῆναι· τὸ δὲ καθαρώτερον πλῆθος ἐς τὸν
Ὀκτάουιον ἐχώρει, καὶ οἵδε μετὰ ξιφιδίων.

Ἔτι δ' αὐτῷ κατὰ τὴν οἰκίαν τὸ μέλλον περι
ορωμένῳ ἐξαγγέλλεται τοὺς πλέονας δημάρχους
κωλύειν τὰ γιγνόμενα, θόρυβον δὲ τῶν νεοπολιτῶν
εἶναι καὶ ἀπογύμνωσιν ἤδη τῶν ξιφιδίων περὶ
ὁδὸν ἐς τοὺς ἀντιλέγοντας δημάρχους ἀναπηδών
των ἐπὶ τὰ ἔμβολα. ὧν Ὀκτάουιος πυθόμενος
κατέβαινε διὰ τῆς Ἱερᾶς ὁδοῦ μετὰ πυκνοῦ πάνυ
πλήθους καὶ οἷα χειμάρρους ἐς τὴν ἀγορὰν ἐμπε
σὼν ὤσατο μὲν διὰ μέσων τῶν συνεστώτων καὶ

VIII

64. WHEN the murder of Pompeius was reported
in the city, Sulla became apprehensive for his own safety and was surrounded by friends wherever he went, and had them with him even by night. He did not, however, remain long in the city, but went to the army at Capua and from thence to Asia, and the friends of the exiles, encouraged by Cinna, Sulla's successor in the consulship, excited the new citizens in favour of the scheme of Marius, that they should be distributed among all the old tribes, so that they should not be powerless by reason of voting last. This was preliminary to the recall of Marius and his friends. Although the old citizens resisted with all their might, Cinna co-operated with the new ones, the story being that he had been bribed with 300 talents to do this. The other consul, Octavius, sided with the old citizens. The partisans of Cinna took possession of the forum with concealed daggers, and with loud cries demanded that they should be distributed among all the tribes. The more reputable part of the plebeians adhered to Octavius, and they also carried daggers.

While Octavius was still at home awaiting the result, the news was brought to him that the majority of the tribunes had vetoed the proposed action, but that the new citizens had started a riot, drawn their daggers on the street, and assaulted the opposing tribunes on the rostra. When Octavius heard this he ran down through the Via Sacra with a very dense mass of men, burst into the forum like a torrent, pushed through the midst of the crowd,

διέστησεν αὐτούς· ὡς δὲ κατέπληξεν, ἐς τὸ τῶν
Διοσκούρων ἱερὸν παρῆλθε, τὸν Κίνναν ἐκτρεπό-
μενος. ὅσοι δ' αὐτῷ συνῆσαν, χωρὶς ἐπαγγέλμα-
τος ἐμπεσόντες τοῖς νεοπολίταις ἔκτεινάν τε πολ-
λοὺς καὶ ἑτέρους φεύγοντας ἐπὶ τὰς πύλας ἐδίωκον.

65. Κίννας δὲ θαρρήσας μὲν τῷ πλήθει τῶν
νεοπολιτῶν καὶ βιάσεσθαι προσδοκήσας, παρὰ
δόξαν δ' ὁρῶν τὸ τόλμημα τῶν ὀλιγωτέρων ἐπικρα-
τοῦν, ἀνὰ τὴν πόλιν ἔθει τοὺς θεράποντας ἐπ'
ἐλευθερίᾳ συγκαλῶν. οὐδενὸς δ' αὐτῷ προσιόντος
ἐξέδραμεν ἐς τὰς ἀγχοῦ πόλεις τὰς οὐ πρὸ πολλοῦ
πολίτιδας Ῥωμαίων γενομένας, Τίβυρτόν τε καὶ
Πραινεστὸν καὶ ὅσαι μέχρι Νώλης, ἐρεθίζων
ἅπαντας ἐς ἀπόστασιν καὶ χρήματα ἐς τὸν πόλε-
μον συλλέγων. ταῦτα δ' ἐργαζομένῳ τε καὶ
ἐπινοοῦντι τῷ Κίννᾳ προσέφυγον ἀπὸ τῆς βουλῆς
οἳ τὰ αὐτὰ ἐφρόνουν, Γάιός τε Μιλώνιος καὶ
Κόιντος Σερτώριος καὶ Γάιος Μάριος ἕτερος.

Ἡ μὲν δὴ βουλὴ τὸν Κίνναν, ὡς ἐν κινδύνῳ τε
τὴν πόλιν καταλιπόντα ὕπατον καὶ δούλοις ἐλευ-
θερίαν κηρύξαντα, ἐψηφίσατο μήτε ὕπατον μήτε
πολίτην ἔτι εἶναι καὶ Λεύκιον Μερόλαν ἐχειροτό-
νησαν ἀντ' αὐτοῦ, τὸν ἱερέα τοῦ Διός. λέγεται δ'
οὗτος ὁ ἱερεὺς φλαμέντας καὶ πιλοφορεῖ μόνος
αἰεί, τῶν ἄλλων ἱερέων ἐν μόναις πιλοφορούντων
ταῖς ἱερουργίαις. Κίννας δ' ἐς Καπύην τραπό-
μενος, ἔνθα Ῥωμαίων στρατὸς ἄλλος ἦν, τούς τε
ἄρχοντας αὐτοῦ καὶ ὅσοι ἀπὸ τῆς βουλῆς ἐπεδή-
μουν, ἐθεράπευε καὶ παρελθὼν ὡς ὕπατος ἐς
μέσους τάς τε ῥάβδους καθεῖλεν οἷα ἰδιώτης καὶ

and separated them.   He struck terror into them,
went on to the temple of Castor and Pollux, and drove Cinna away; while his companions fell upon the new citizens without orders, killed many of them, put the rest to flight, and pursued them to the city gates.

65. Cinna, who had been emboldened by the
numbers of the new citizens to think that he should conquer, seeing the victory won contrary to his expectation by the bravery of the few, hurried through the city calling the slaves to his assistance by an offer of freedom.   As none responded he hastened to the towns near by, which had lately been admitted to Roman citizenship, Tibur, Praeneste, and the rest as far as Nola, inciting them all to revolution and collecting money for the purposes of war.   While Cinna was making these preparations and plans certain senators of his party joined him, among them Gaius Milo, Quintus Sertorius, and Gaius Marius the younger.

The Senate decreed that since Cinna had left the city in danger while holding the office of consul, and had offered freedom to the slaves, he should no longer be consul, or even a citizen, and elected in his stead Lucius Merula, the priest of Jupiter.   It is said that this priest alone wore the flamen's cap [1] at all times, the others wearing it only during sacrifices.   Cinna proceeded to Capua, where there was another Roman army, whose officers together with the senators who were present, he tried to win over.   He went to meet them as consul in an assembly, where he laid down the fasces as though he were a private

---

[1] The *apex* (in this case the *apex Dialis*), a conical hat or cap.   See also § 74 below.

δακρύσας ἔφη· "παρὰ μὲν ὑμῶν, ὦ πολῖται, τὴν
ἀρχὴν τήνδε ἔλαβον· ὁ γὰρ δῆμος ἐχειροτόνησεν·
ἡ βουλὴ δ' ἀφείλετό με χωρὶς ὑμῶν. καὶ τάδε
παθὼν ἐν οἰκείοις κακοῖς ὑπὲρ ὑμῶν ὅμως ἀγα-
νακτῶ· τί γὰρ ἔτι τὰς φυλὰς ἐν ταῖς χειροτονίαις
θεραπεύομεν, τί δὲ ὑμῶν δεόμεθα, ποῦ δὲ ἔσεσθε
τῶν ἐκκλησιῶν ἢ χειροτονιῶν ἢ τῶν ὑπατειῶν ἔτι
κύριοι, εἰ μὴ βεβαιώσετε μέν, ἃ δίδοτε, ἀφαιρή-
σεσθε δ', ὅταν αὐτοὶ δοκιμάσητε."

66. Ταῦτ' εἰπὼν ἐς ἐρέθισμα καὶ πολλὰ περὶ
αὑτοῦ κατοικτισάμενος τήν τε ἐσθῆτα κατέρρηξε
καὶ ἀπὸ τοῦ βήματος καταθορὼν ἔρριψεν αὑτὸν ἐς
μέσους καὶ ἔκειτο ἐπὶ πλεῖστον, ἕως ἐπικλα-
σθέντες ἀνέστησάν τε αὐτὸν καὶ καθίσαντες αὖθις
ἐπὶ τοῦ θρόνου τάς τε ῥάβδους ἀνέσχον καὶ
θαρρεῖν οἷα ὕπατον ἐκέλευον καὶ σφᾶς ἄγειν ἐφ'
ὅ τι χρήζοι. τῆς δ' ἀφορμῆς εὐθὺς οἱ ἄρχοντες
αὐτῶν ἐπέβαινον καὶ ὤμνυον τῷ Κίννᾳ τὸν ὅρκον
τὸν στρατιωτικόν, καὶ τοὺς ὑφ' αὑτὸν ἕκαστος
ἐξώρκου. ὁ δ', ἐπεί οἱ ταῦτα εἶχεν ἀσφαλῶς, ἐπὶ
τὰς συμμαχίδας πόλεις διέθει καὶ ἠρέθιζε κἀκεί-
νους, ὡς διὰ τούσδε μάλιστα τὴν συμφορὰν αὐτῷ
γενομένην· οἱ δὲ χρήματά τε αὐτῷ καὶ στρατιὰν
συνετέλουν· καὶ πολλοὶ καὶ τῶν ἐν Ῥώμῃ δυνα-
τῶν ἕτεροι πρὸς αὐτὸν ἀφικνοῦντο, οἷς ἀπήρεσκεν
ἡ τῆς πολιτείας εὐστάθεια.

Καὶ Κίννας μὲν ἀμφὶ ταῦτ' ἐγίγνετο, Ὀκτάουιος
δὲ καὶ Μερόλας οἱ ὕπατοι τὸ μὲν ἄστυ τάφροις
καὶ τειχῶν ἐπισκευαῖς ὠχύρουν καὶ μηχανήματα
ἐφίστανον, ἐπὶ δὲ στρατιὰν ἔς τε τὰς ἑτέρας

citizen, and shedding tears, said, " From you, citizens,
I received this authority. The people voted it to
me ; the Senate has taken it away from me without
your consent. Although I am the sufferer by this
wrong I grieve amid my own troubles equally for
your sakes. What need is there that we should
solicit the favour of the tribes in the elections here-
after ? What need have we of you ? Where will
after this be your power in the assemblies, in the
elections, in the choice of consuls, if you fail to con-
firm what you bestow, and whenever you give your
decision fail to secure it."

66. He said this to stir them up, and after exciting
much pity for himself he rent his garments, leaped
down from the rostra, and threw himself on the
ground before them, where he lay a long time.
Entirely overcome they raised him up ; they restored
him to the curule chair ; they lifted up the fasces
and bade him be of good cheer, as he was consul
still, and lead them wherever he would. The
tribunes, striking while the iron was hot, themselves
took the military oath to support Cinna, and admin-
istered it each to the soldiers under him. Now that
this was all secure, Cinna traversed the allied cities
and stirred them up also, alleging that it was on their
account chiefly that this misfortune had happened to
him. They furnished him both money and soldiers ;
and many others, even of the aristocratic party in
Rome, to whom the stability of the government was
irksome, came and joined him.

While Cinna was thus occupied, the consuls,
Octavius and Merula, fortified the city with trenches,
repaired the walls, and planted engines on them.
To raise an army they sent round to the towns that

πόλεις τὰς ἔτι σφῶν κατηκόους καὶ ἐς τὴν ἀγχοῦ
Γαλατίαν περιέπεμπον Γναῖόν τε Πομπήιον,
ἀνθύπατον ὄντα καὶ στρατευμάτων περὶ τὸν
Ἰόνιον ἡγούμενον, ἐκάλουν κατὰ σπουδὴν ἐπικου-
ρεῖν τῇ πατρίδι.

67. Ὁ δ' ἦλθε καὶ πρὸς ταῖς Κολλίναις πύλαις
ἐστρατοπέδευσε· καὶ ὁ Κίννας ἐπελθὼν αὐτῷ
παρεστρατοπέδευε. Γάιος δὲ Μάριος τούτων
πυθόμενος ἐς Τυρρηνίαν κατέπλευσεν ἅμα τοῖς
συνεξελαθεῖσι καὶ θεράπουσιν αὐτῶν ἐπελθοῦσιν
ἀπὸ Ῥώμης, ἐς πεντακοσίους μάλιστά που γεγο-
νόσι. ῥυπῶν δ' ἔτι καὶ κόμης ἔμπλεως ἐπῄει τὰς
πόλεις, οἰκτρὸς ὀφθῆναι· μάχας τε καὶ τρόπαια
αὑτοῦ Κιμβρικὰ καὶ ἐξ ὑπατείας ὑπερεπαίρων καὶ
περὶ τῆς χειροτονίας σφόδρα αὐτοῖς ἐπιθυμοῦσιν
ἐπαγγελλόμενός τε καὶ πιστὸς εἶναι δοκῶν, συνή-
γαγε Τυρρηνῶν ἑξακισχιλίους καὶ ἐς Κίνναν
διῆλθεν ἀσμένως αὐτὸν ἐπὶ κοινωνίᾳ τῶν παρόντων
δεχόμενον. ὡς δὲ ἀνεμίχθησαν, ἐστρατοπέδευον
ἐπὶ τοῦ ποταμοῦ τοῦ Τιβέριος ἐς τρία διαιρεθέντες,
Κίννας μὲν καὶ Κάρβων σὺν αὐτῷ τῆς πόλεως
ἀντικρύ, Σερτώριος δὲ ὑπὲρ τὴν πόλιν ἄνω καὶ
Μάριος πρὸς τῇ θαλάσσῃ, ζευγνύντες οἵδε τὸν
ποταμὸν καὶ γεφυροῦντες, ἵνα τὴν πόλιν ἀφέλοιντο
τὴν σιταγωγίαν. Μάριος δὲ καὶ Ὄστια εἷλε καὶ
διήρπαζε, καὶ Κίννας ἐπιπέμψας Ἀρίμινον κατέ-
λαβε, τοῦ μή τινα στρατιὰν ἐς τὴν πόλιν ἐπ-
ελθεῖν ἐκ τῆς ὑπηκόου Γαλατίας.

68. Οἱ δὲ ὕπατοι δεδιότες καὶ στρατιᾶς ἄλλης
δεόμενοι Σύλλαν μὲν οὐκ εἶχον καλεῖν ἐς τὴν
Ἀσίαν ἤδη πεπερακότα, Καικίλιον δὲ Μέτελλον,

were still faithful and also to Nearer Gaul, and summoned Gnaeus Pompeius, the proconsul who commanded the army on the Adriatic, to hasten to the aid of his country.

67. So Pompeius came and encamped before the Colline gate. Cinna advanced against him and encamped near him. When Gaius Marius heard of all this he sailed to Etruria with his fellow-exiles and about 500 slaves who had joined their masters from Rome. Still squalid and long-haired, he marched through the towns presenting a pitiable appearance, descanting on his battles, his victories over the Cimbri, and his six consulships; and what was extremely pleasing to them, promising, with all appearance of genuineness, to be faithful to their interests in the matter of the vote. In this way he collected 6000 Etruscans and reached Cinna, who received him gladly by reason of their common interest in the present enterprise. After joining forces they encamped on the banks of the Tiber and divided their army into three parts : Cinna and Carbo opposite the city, Sertorius above it, and Marius toward the sea. The two latter threw bridges across the river in order to cut off the city's food-supply. Marius captured and plundered Ostia, while Cinna sent a force and captured Ariminum in order to prevent an army coming to the city from the subject Gauls.

68. The consuls were alarmed. They needed more troops, but they were unable to summon Sulla because he had already crossed over to Asia. They, however, ordered Caecilius Metellus, who was carrying on

τὰ λείψανα τοῦ συμμαχικοῦ πολέμου πρὸς Σαυνίτας διατιθέμενον, ἐκέλευον ὅπη δύναιτο εὐπρεπῶς διαλυσάμενον ἐπικουρεῖν τῇ πατρίδι πολιορκουμένῃ. οὐ συμβαίνοντος δὲ Σαυνίταις ἐς ἃ ᾔτουν τοῦ Μετέλλου, ὁ Μάριος αἰσθόμενος συνέθετο τοῖς Σαυνίταις ἐπὶ πᾶσιν οἷς ᾔτουν παρὰ τοῦ Μετέλλου. ὧδε μὲν δὴ καὶ Σαυνῖται Μαρίῳ συνεμάχουν· Κλαύδιον δὲ Ἄππιον χιλίαρχον, τειχοφυλακοῦντα τῆς Ῥώμης τὸν λόφον τὸν καλούμενον Ἰάνουκλον, εὖ ποτε παθόντα ὑφ' ἑαυτοῦ, τῆς εὐεργεσίας ἀναμνήσας ὁ Μάριος ἐς τὴν πόλιν ἐσῆλθεν, ὑπανοιχθείσης αὐτῷ πύλης περὶ ἕω, καὶ τὸν Κίνναν ἐσεδέξατο. ἀλλ' οὗτοι μὲν αὐτίκα ἐξεώσθησαν Ὀκταουίου καὶ Πομπηίου σφίσιν ἐπιδραμόντων· κεραυνῶν δὲ πολλῶν ἐς τὸ τοῦ Πομπηίου στρατόπεδον καταρραγέντων ἄλλοι τε τῶν ἐπιφανῶν καὶ ὁ Πομπήιος ἀπώλετο.

69. Μάριος δ' ἐπεὶ τῆς ἀγορᾶς τῆς ἔκ τε θαλάσσης καὶ ἄνωθεν ἀπὸ τοῦ ποταμοῦ φερομένης κατέσχεν, ἐπὶ τὰς ἀγχοῦ τῆς Ῥώμης πόλεις διετρόχαζεν, ἔνθα σῖτος ἦν τοῖς Ῥωμαίοις προσεσωρευμένος. ἄφνω δὲ τοῖς φρουροῦσιν αὐτὸν ἐπιπίπτων εἷλε μὲν Ἄντιον καὶ Ἀρικίαν καὶ Λανούβιον καὶ ἄλλας πόλεις, ἔστιν ἃ καὶ προδιδόντων τινῶν· ὡς δὲ καὶ τῆς κατὰ γῆν ἐκράτησεν ἀγορᾶς, εὐθαρσῶς ἐβάδιζεν ἐπὶ τὴν Ῥώμην αὐτίκα διὰ τῆς ὁδοῦ τῆς καλουμένης Ἀππίας, πρίν τινα αὐτοῖς ἀγορὰν ἄλλην ἑτέρωθεν ἀχθῆναι. τοῦ δ' ἄστεος ἑκατὸν σταδίους αὐτός τε καὶ Κίννας καὶ οἱ στρατηγοῦντες αὐτοῖς Κάρβων τε καὶ Σερτώριος ἀποσχόντες ἐστρατοπέδευσαν, Ὀκταουίου καὶ Κράσσου καὶ Μετέλλου περὶ τὸ ὄρος τὸ Ἀλβανὸν

what was left of the Social War against the Samnites, to make peace on the best terms he could, and come to the rescue of his beleaguered country. But Metellus would not agree to the Samnites' demands, and when Marius heard of this he made an engagement with them to grant all that they asked from Metellus. In this way the Samnites also became allies of Marius. Appius Claudius, a military tribune, who had command of the defences of Rome at the Janiculum hill, had once received a favour from Marius of which the latter now reminded him, in consequence of which he admitted him into the city, opening a gate for him at about daybreak. Then Marius admitted Cinna. They were at once thrust out by Octavius and Pompeius, who attacked them together, but a severe thunder-storm broke upon the camp of Pompeius, and he was killed by lightning together with others of the nobility.

69. After Marius had stopped the passage of food-supplies from the sea, or by way of the river from above, he hastened to attack the neighbouring towns where grain was stored for the Romans. He fell upon their garrisons unexpectedly and captured Antium, Aricia, Lanuvium, and others. There were some also that were delivered up to him by treachery. Having in this manner obtained command of their supplies by land, he advanced boldly against Rome, by the Appian Way, before any other supplies were brought to them by another route. He and Cinna, and their lieutenant-generals, Carbo and Sertorius, halted at a distance of 100 stades from the city and went into camp, but Octavius, Crassus, and Metellus had taken position against them at the Alban

CAP.
VIII

αὐτοῖς ἀντικαθημένων καὶ τὸ μέλλον ἔσεσθαι περιβλεπομένων, ἀρετῇ μὲν ἔτι καὶ πλήθει νομιζομένων εἶναι κρειττόνων, ὀκνούντων δ' ὑπὲρ ὅλης ὀξέως κινδυνεῦσαι τῆς πατρίδος διὰ μάχης μιᾶς. ὡς δὲ περιπέμψας ὁ Κίννας περὶ τὸ ἄστυ κήρυκας ἐδίδου τοῖς ἐς αὐτὸν αὐτομολοῦσι θεράπουσιν ἐλευθερίαν, κατὰ πλῆθος ηὐτομόλουν αὐτίκα· καὶ ἡ βουλὴ ταραττομένη καὶ πολλὰ καὶ δεινά, εἰ βραδύνειεν ἡ σιτοδεία, παρὰ τοῦ δήμου προσδοκῶσα μετέπιπτε τῇ γνώμῃ καὶ πρέσβεις περὶ διαλύσεων ἐς τὸν Κίνναν ἔπεμπον. ὁ δὲ αὐτοὺς ἤρετο, πότερον ὡς πρὸς ὕπατον ἔλθοιεν ἢ πρὸς ἰδιώτην. ἀπορησάντων δ' ἐκείνων καὶ ἐς τὸ ἄστυ ἐπανελθόντων, πολλοὶ καὶ τῶν ἐλευθέρων ἤδη κατὰ πλῆθος πρὸς τὸν Κίνναν ἐξεπήδων, οἱ μὲν περὶ τῷ λιμῷ δεδιότες, οἱ δὲ πρὸ πολλοῦ τὰ ἐκείνων αἱρούμενοι καὶ τὴν ῥοπὴν τῶν γιγνομένων περιμένοντες.

70. Κίννας δ' ἤδη καταφρονητικῶς τῷ τείχει ἐπλησίαζε καὶ ἀποσχὼν ὅσον βέλους ὁρμὴν ἐστρατοπέδευεν, ἀπορούντων ἔτι καὶ δεδιότων καὶ ὀκνούντων ἐπιχειρεῖν αὐτῷ τῶν ἀμφὶ τὸν Ὀκτάουιον διὰ τὰς αὐτομολίας τε καὶ διαπρεσβεύσεις. ἡ δὲ βουλὴ πάνυ μὲν ἀποροῦσα καὶ δεινὸν ἡγουμένη Λεύκιον Μερόλαν, τὸν ἱερέα τοῦ Διός, ὑπατεύοντα ἀντὶ τοῦ Κίννα καὶ οὐδὲν ἐς τὴν ἀρχὴν ἁμαρτόντα ἀφελέσθαι, ἄκουσα δ' ὅμως ὑπὸ τῶν συμφορῶν αὖθις ἐς τὸν Κίνναν τοὺς πρέσβεις ἔπεμπεν ὡς πρὸς ὕπατον. οὐδέν τε χρηστὸν ἔτι προσδοκῶντες τοῦτο μόνον ᾔτουν, ἐπομόσαι σφίσι τὸν Κίνναν φόνον οὐκ ἐργάσεσθαι. ὁ δὲ ὀμόσαι μὲν οὐκ ἠξίωσεν, ὑπέσχετο δὲ καὶ ὧδε ἑκὼν οὐδενὶ

Mount, where they watched eventualities. Although
they considered themselves superior in bravery and
numbers, they hesitated to risk, through haste, their
country's fate on the hazard of a single battle. Cinna
sent heralds round the city to offer freedom to slaves
who would desert to him, and forthwith a large
number did desert. The Senate was alarmed, and,
anticipating the most serious consequences from the
people if the scarcity of corn should be protracted,
changed its mind and sent envoys to Cinna to treat
for peace. He asked them whether they came to
him as a consul or as a private citizen. They were
at a loss for an answer and went back to the city;
and now a large number of citizens flocked to Cinna,
some from fear of famine, and others because they
had been previously favourable to his party and had
been waiting to see which way the scales would
turn.

70. Cinna now began to despise his enemies and
drew near to the wall, halting out of range, and
encamped. Octavius and his party were unde-
cided and fearful, and hesitated to attack him on
account of the desertions and the negotiations.
The Senate was greatly perplexed and considered
it a dreadful thing to depose Lucius Merula, the
priest of Jupiter, who had been chosen consul in
place of Cinna, and who had done nothing wrong
in his office. Yet on account of the impending
danger it reluctantly sent envoys to Cinna again, and
this time as consul. They no longer expected favour-
able terms, so they only asked that Cinna should
swear to them that he would abstain from bloodshed.
He refused to take the oath, but he promised never-
theless that he would not willingly be the cause of

CAP.
VIII
σφαγῆς αἴτιος ἔσεσθαι. Ὀκτάουιον δ' ἤδη περι-
οδεύσαντα καὶ κατ' ἄλλας πύλας ἐς τὴν πόλιν
ἐσελθόντα ἐκέλευεν ἐκστῆναι τοῦ μέσου, μή τι
καὶ ἄκοντος αὐτοῦ πάθοι. ὁ μὲν δὴ ταῦτ' ἐπὶ
βήματος ὑψηλοῦ, καθάπερ ὕπατος, τοῖς πρέσβεσιν
ἄνωθεν ἀπεκρίνατο· Μάριος δ' αὐτῷ παρεστὼς
παρὰ τὸν θρόνον ἡσύχαζε μέν, ἐδήλου δὲ τῇ δριμύ-
τητι τοῦ προσώπου, πόσον ἐργάσεται φόνον. δεξα-
μένης δὲ ταῦτα τῆς βουλῆς καὶ καλούσης ἐσελθεῖν
Κίνναν τε καὶ Μάριον (ᾔσθοντο γὰρ δὴ Μαρίου
μὲν εἶναι τὰ ἔργα τάδε πάντα, Κίνναν δ' αὐτοῖς
ἐπιγράφεσθαι), σὺν εἰρωνείᾳ σφόδρα ὁ Μάριος
ἐπιμειδιῶν εἶπεν οὐκ εἶναι φυγάσιν εἰσόδους. καὶ
εὐθὺς οἱ δήμαρχοι τὴν φυγὴν αὐτῷ τε καὶ ὅσοι
ἄλλοι κατὰ Σύλλαν ὕπατον ἐξελήλαντο, ἐψηφί-
σαντο λελύσθαι.

71. Οἱ μὲν δὴ δεχομένων αὐτοὺς σὺν δέει
πάντων ἐσῄεσαν ἐς τὴν πόλιν, καὶ τὰ τῶν ἀντι-
πρᾶξαι σφίσι δοκούντων ἀκωλύτως πάντα διηρπά-
ζετο· Ὀκταουίῳ δὲ Κίννας μὲν καὶ Μάριος ὅρκους
ἐπεπόμφεσαν, καὶ θύται καὶ μάντεις οὐδὲν
πείσεσθαι προὔλεγον, οἱ δὲ φίλοι φυγεῖν παρῄ-
νουν. ὁ δ' εἰπὼν οὔποτε προλείψειν τὴν πόλιν
ὕπατος ὢν ἐς τὸ Ἰάνουκλον, ἐκστὰς τοῦ μέσου,
διῆλθε μετὰ τῶν ἐπιφανεστάτων καί τινος ἔτι καὶ
στρατοῦ ἐπί τε τοῦ θρόνου προυκάθητο, τὴν τῆς
ἀρχῆς ἐσθῆτα ἐπικείμενος, ῥάβδων καὶ πελέκεων
ὡς ὑπάτῳ περικειμένων. ἐπιθέοντος δ' αὐτῷ μετά
τινων ἱππέων Κηνσωρίνου καὶ πάλιν τῶν φίλων
αὐτὸν καὶ τῆς παρεστώσης στρατιᾶς φυγεῖν παρα-
καλούντων καὶ τὸν ἵππον αὐτῷ προσαγαγόντων,
οὐκ ἀνασχόμενος οὐδὲ ὑπαναστῆναι τὴν σφαγὴν

anybody's death. He directed, however, that Oc-
tavius, who had gone round and entered the city
by another gate, should keep away from the forum
lest anything should befall him against his own will.
This answer he delivered to the envoys from a high
platform in his character as consul. Marius stood
in silence beside the curule chair, but showed by the
asperity of his countenance the slaughter he con-
templated. When the Senate had accepted these
terms and had invited Cinna and Marius to enter (for
it was understood that, while it was Cinna's name
which appeared, the moving spirit was Marius), the
latter said with a scornful smile that it was not
lawful for men banished to enter. Forthwith the
tribunes voted to repeal the decree of banishment
against him and all the others who were expelled
under the consulship of Sulla.

71. Accordingly Cinna and Marius entered the city
and everybody received them with fear. Straight-
away they began to plunder without hindrance all
the goods of those who were supposed to be of the
opposite party. Cinna and Marius had sworn to
Octavius, and the augurs and soothsayers had pre-
dicted, that he would suffer no harm, yet his friends
advised him to fly. He replied that he would never
desert the city while he was consul. So he withdrew
from the forum to the Janiculum with the nobility
and what was left of his army, where he occupied
the curule chair and wore the robes of office, attended
as consul by lictors. Here he was attacked by Cen-
sorinus with a body of horse, and again his friends
and the soldiers who stood by him urged him to fly
and brought him his horse, but he disdained even to

περιέμενεν. ὁ δὲ Κηνσωρῖνος αὐτοῦ τὴν κεφαλὴν
ἐκτεμὼν ἐκόμισεν ἐς Κίνναν, καὶ ἐκρεμάσθη πρὸ
τῶν ἐμβόλων ἐν ἀγορᾷ πρώτου τοῦδε ὑπάτου.
μετὰ δ' αὐτὸν καὶ τῶν ἄλλων ἀναιρουμένων ἐκρήμ-
ναντο αἱ κεφαλαί, καὶ οὐ διέλιπεν ἔτι καὶ τόδε
τὸ μύσος, ἀρξάμενόν τε ἀπὸ Ὀκταουίου καὶ ἐς
τοὺς ἔπειτα ὑπὸ τῶν ἐχθρῶν ἀναιρουμένους
περιιόν.

Ζητηταὶ δ' ἐπὶ τοὺς ἐχθροὺς αὐτίκα ἐξέθεον
τούς τε ἀπὸ τῆς βουλῆς καὶ τῶν καλουμένων
ἱππέων, καὶ τῶν μὲν ἱππέων ἀναιρουμένων λόγος
οὐδεὶς ἔτι μετὰ τὴν ἀναίρεσιν ἐγίγνετο, αἱ δὲ τῶν
βουλευτῶν κεφαλαὶ πᾶσαι προυτίθεντο πρὸ τῶν
ἐμβόλων. αἰδώς τε θεῶν ἢ νέμεσις ἀνδρῶν ἢ
φθόνου φόβος οὐδεὶς ἔτι τοῖς γιγνομένοις ἐπῆν,
ἀλλὰ ἐς ἔργα ἀνήμερα καὶ ἐπὶ τοῖς ἔργοις ἐς ὄψεις
ἐτρέποντο ἀθεμίστους, κτιννύντες τε ἀνηλεῶς καὶ
περιτέμνοντες αὐχένας ἀνδρῶν ἤδη τεθνεώτων καὶ
προτιθέντες τὰς συμφορὰς ἐς φόβον ἢ κατάπληξιν
ἢ θέαν ἀθέμιστον.

72. Γάιος μὲν δὴ Ἰούλιος καὶ Λεύκιος Ἰούλιος,
δύο ἀλλήλοιν ἀδελφώ, καὶ Ἀτίλιος Σερρανὸς καὶ
Πούπλιος Λέντλος καὶ Γάιος Νεμετώριος καὶ
Μᾶρκος Βαίβιος ἐν ὁδῷ καταληφθέντες ἀνηρέ-
θησαν, Κράσσος δὲ μετὰ τοῦ παιδὸς διωκόμενος
τὸν μὲν υἱὸν ἔφθασε προανελεῖν, αὐτὸς δ' ὑπὸ τῶν
διωκόντων ἐπανῃρέθη. τὸν δὲ ῥήτορα Μᾶρκον
Ἀντώνιον ἔς τι χωρίον ἐκφυγόντα ὁ γεωργὸς
ἐπικρύπτων καὶ ξενίζων ἐς πανδοκεῖον ἔπεμψε τὸν
θεράποντα σπουδαιότερον τοῦ συνήθους οἶνον
πρίασθαι· καὶ τοῦ καπήλου, τί δὴ σπουδαιότερον
αἰτοίη, πυθομένου, ὁ μὲν θεράπων ἐψιθύρισε τὴν

arise, and awaited death. Censorinus cut off his
head and carried it to Cinna, and it was suspended
in the forum in front of the rostra, the first head of
a consul that was so exposed. After him the heads
of others who were slain were suspended there;
and this shocking custom, which began with Octavius,
was not discontinued, but was handed down to
subsequent massacres.

Now the victors sent out spies to search for their
enemies of the senatorial and equestrian orders.
When any knights were killed no further attention
was paid to them, but all the heads of senators were
exposed in front of the rostra. Neither reverence
for the gods, nor the indignation of men, nor the
fear of odium for their acts existed any longer among
them. After committing savage deeds they turned
to godless sights. They killed remorselessly and
severed the necks of men already dead, and they
paraded these horrors before the public eye, either
to inspire fear and terror, or for a godless spectacle.

72. The brothers Gaius Julius and Lucius Julius,
Atilius Serranus, Publius Lentulus, Gaius Neme-
torius, and Marcus Baebius were arrested in the
street and killed. Crassus was pursued with his son.
He anticipated the pursuers by killing his son, but
was himself killed by them. Marcus Antonius, the
orator, fled to a country place, where he was con-
cealed and entertained by the farmer, who sent his
slave to a tavern for wine of a better quality than he
was in the habit of buying. When the innkeeper
asked him why he wanted the better quality, the

Death of
M. Anton-
ius the
orator

αἰτίαν καὶ πριάμενος ἐπανῆλθεν, ὁ δὲ κάπηλος
αὐτίκα ἔθει Μαρίῳ τοῦτο δηλώσων, καὶ ὁ Μάριος,
ἐπείτε ἤκουσεν, ὑφ' ἡδονῆς ἀνέδραμεν ὡς αὐτὸς
ὁρμήσων ἐπὶ τὸ ἔργον. ἐπισχόντων δ' αὐτὸν
τῶν φίλων χιλίαρχος ἀποσταλεὶς στρατιώτας
ἐς τὸ οἴκημα ἀνέπεμψεν, οὓς ὁ Ἀντώνιος ἡδὺς ὢν
εἰπεῖν κατεκήλει λόγοις μακροῖς, οἰκτιζόμενός τε
καὶ πολλὰ καὶ ποικίλα διεξιών, ἕως ὁ χιλίαρχος
ἀπορῶν ἐπὶ τῷ γιγνομένῳ αὐτὸς ἀνέδραμεν ἐς τὸ
οἴκημα καὶ τοὺς στρατιώτας εὑρὼν ἀκρωμένους
ἔκτεινε τὸν Ἀντώνιον ῥητορεύοντα ἔτι καὶ τὴν
κεφαλὴν ἔπεμψε τῷ Μαρίῳ.

73. Κορνοῦτον δὲ ἐν καλύβαις κρυπτόμενον οἱ
θεράποντες εὐμηχάνως περιέσωσαν· νεκρῷ γὰρ
περιτυχόντες σώματι πυράν τε ἔνησαν καὶ τῶν
ζητητῶν ἐπιόντων ἅψαντες τὴν πυρὰν ἔφασαν
τὸν δεσπότην καίειν ἀπαγξάμενον. ὁ μὲν δὴ
πρὸς τῶν θεραπόντων περιεσέσωστο, Κόιντος δὲ
Ἀγχάριος Μάριον ἐν τῷ Καπιτωλίῳ μέλλοντα
θύσειν ἐφύλαττεν, ἐλπίζων οἱ τὸ ἱερὸν διαλλακτή-
ριον ἔσεσθαι. ὁ δ' ἀρχόμενος τῆς θυσίας προσ-
ιόντα τὸν Ἀγχάριον καὶ προσαγορεύοντα αὐτίκα
ἐν τῷ Καπιτωλίῳ τοῖς παρεστῶσι προσέταξεν
ἀνελεῖν. καὶ ἡ κεφαλὴ καὶ τοῦδε καὶ Ἀντωνίου
τοῦ ῥήτορος καὶ τῶν ἄλλων ὑπάτων ἢ στρατηγῶν
γεγονότων ἐν ἀγορᾷ προυτέθησαν. ταφήν τε
οὐδενὶ ἐξῆν ἐπενεγκεῖν ἐς οὐδένα τῶν ἀναιρουμένων,
ἀλλ' οἰωνοὶ καὶ κύνες ἄνδρας τοιούσδε διεσπά-
σαντο. πολὺς δὲ καὶ ἄλλος ἦν τῶν στασιωτῶν
φόνος ἐς ἀλλήλους ἀνεύθυνος καὶ ἐξελάσεις ἑτέρων
καὶ δημεύσεις περιουσίας καὶ ἀρχῆς ἀφαιρέσεις
καὶ ἀνατροπαὶ τῶν ἐπὶ Σύλλα τεθέντων νόμων.

slave whispered the reason to him, bought the wine,
and went back. The innkeeper ran and told Marius,
who sprang up with joy as though he would rush to
do the deed himself, but was restrained by his friends.
A tribune despatched to the house sent some soldiers
upstairs, whom Antonius, a speaker of much charm,
tried to soften with a long discourse, appealing to
their pity by recalling many and various subjects,
until the tribune, who was at a loss to know what
had happened, rushed into the house and, finding his
soldiers listening to Antonius, killed him while he
was still declaiming, and sent his head to Marius.

73. Cornutus concealed himself in a hut and was
saved by his slaves in an ingenious way, for finding a
dead body they placed it on a funeral pyre, and
when the spies came set fire to it and said they
were burning the body of their master, who had
hanged himself. In this way he was saved by his
slaves. As for Quintus Ancharius, he watched his
opportunity till Marius was about to offer sacrifice
in the Capitol, hoping that the temple would be a
propitious place for reconciliation. But when he
approached and saluted Marius, the latter, who was
just beginning the sacrifice, ordered the guards to
kill him in the Capitol forthwith; and his head,
with that of the orator Antonius, and those of others
who had been consuls and praetors, was exposed in
the forum. Burial was not permitted to any of the
slain, but the bodies of men like these were torn in
pieces by birds and dogs. There was, too, much private
and irresponsible murder committed by the factions
upon each other. There were banishments, and
confiscations of property, and depositions from office,
and a repeal of the laws enacted during Sulla's

αὐτοῦ τε Σύλλα φίλοι πάντες ἀνηροῦντο, καὶ ἡ
οἰκία κατεσκάπτετο, καὶ ἡ περιουσία δεδήμευτο,
καὶ πολέμιος ἐψηφίζετο· τὸ δὲ γύναιον καὶ ἡ
γενεὰ ζητούμενοι διέφυγον. ὅλως τε οὐδὲν ἀπῆν
ἀθρόων τε καὶ ποικίλων κακῶν.

74. Ἐπὶ δὲ τούτοις, ἐς ὑπόκρισιν ἀρχῆς ἐννό-
μου μετὰ τοσούσδε φόνους ἀκρίτους, ὑπεβλήθησαν
κατήγοροι τῷ τε ἱερεῖ τοῦ Διὸς Μερόλα, κατ'
ὀργὴν ἄρα τῆς ἀρχῆς, ἣν Κίνναν οὐδὲν ἀδικῶν
διεδέδεκτο, καὶ Λουτατίῳ Κάτλῳ, τῷ Μαρίου
περὶ τὰ Κιμβρικὰ συνάρχῳ, περισωθέντι μὲν ἐκ
Μαρίου πάλαι, ἀχαρίστῳ δ' ἐς αὐτὸν καὶ πικρο-
τάτῳ περὶ τὴν ἐξέλασιν γενομένῳ. οὗτοι μὲν δὴ
φυλασσόμενοί τε ἀφανῶς καὶ τῆς κυρίας ἡμέρας
ἐπελθούσης ἐς τὴν δίκην ἀνακαλούμενοι (τετράκις
δὲ ἐχρῆν κηρυττομένους ἐν ὡρισμένοις ὡρῶν
διαστήμασιν ἁλῶναι), Μερόλας μὲν τὰς φλέβας
ἐνέτεμεν ἑαυτοῦ, καὶ πινάκιον αὐτῷ παρακείμενον
ἐδήλου, ὅτι κόπτων τὰς φλέβας τὸν πῖλον
ἀποθοῖτο (οὐ γὰρ ἦν θεμιτὸν ἱερέα περικείμενον
τελευτᾶν), Κάτλος δ' ἐν οἰκήματι νεοχρίστῳ τε
καὶ ἔτι ὑγρῷ καίων ἄνθρακας ἑκὼν ἀπεπνίγη.
καὶ οὗτοι μὲν οὕτως ἀπέθανον, θεράποντες δ' ὅσοι
κατὰ τὸ κήρυγμα πρὸς Κίνναν ἐκδραμόντες ἐλεύ-
θεροι γεγένηντο καὶ αὐτῷ Κίννᾳ τότε ἐστρατεύοντο,
ταῖς οἰκίαις ἐπέτρεχον καὶ διήρπαζον, ἀναιροῦντες
ἅμα οἷς περιτύχοιεν· οἱ δὲ αὐτῶν καὶ τοῖς

consulship. All Sulla's friends were put to death, his house was razed to the ground, his property confiscated, and himself voted a public enemy. Search was made for his wife and children, but they escaped. Altogether nothing was wanted to complete these wide-spread miseries.

74. To crown all, under the similitude of legal authority after so many had been put to death without trial, accusers were suborned to make false charges against Merula, the priest of Jupiter, who was hated because he had been the successor of Cinna in the consulship, although he had committed no other fault. Accusation was also brought against Lutatius Catulus, who had been the colleague of Marius in the war against the Cimbri, and whose life Marius once saved. It was alleged that he had been very ungrateful to Marius and had been very bitter against him when he was banished. These men were put under secret surveillance, and when the day for holding court arrived were summoned to trial (the proper way was to put the accused under arrest after they had been cited four times at certain fixed intervals), but Merula had opened his veins, and a tablet lying at his side showed that when he cut his veins he had removed his flamen's cap, for it was accounted a sin for the priest to wear it at his death. Catulus of free will suffocated himself with burning charcoal in a chamber newly plastered and still moist. So these two men perished. The slaves who had joined Cinna in answer to his proclamation and had thereupon been freed and were at this time enrolled in the army by Cinna himself, broke into and plundered houses, and killed persons whom they met in the street, some of them attacking

CAP.
VIII
σφετέροις δεσπόταις μάλιστα ἐπεχείρουν. Κίννας
δ᾽ ἐπεὶ πολλάκις αὐτοῖς ἀπαγορεύων οὐκ ἔπειθε,
Γαλατῶν στρατιὰν αὐτοῖς ἔτι νυκτὸς ἀναπαυο-
μένοις περιστήσας διέφθειρε πάντας.

Οἱ μὲν δὴ θεράποντες δίκην ἀξίαν ἔδοσαν τῆς
ἐς δεσπότας πολλάκις ἀπιστίας· 75. τοῦ δ᾽ ἐπι-
όντος ἔτους ὕπατοι μὲν ᾕρηντο Κίννας τε αὖθις καὶ
Μάριος ἕβδομον, ᾧ μετὰ φυγὴν καὶ ἐπικήρυξιν,
εἴ τις ὡς πολέμιον ἀνέλοι, τὸ μάντευμα ὅμως
ἀπήντα τὸ τῶν ἑπτὰ νεογνῶν ἀετῶν. ἀλλ᾽ οὗτος
μὲν πολλὰ καὶ δεινὰ ἐς Σύλλαν ἐπινοῶν τοῦ
πρώτου μηνὸς τῆς ἀρχῆς ἀπέθανε, καὶ Οὐαλέριον
Φλάκκον ὁ Κίννας ἑλόμενος ἀντ᾽ αὐτοῦ εἰς τὴν
Ἀσίαν ἐξέπεμψεν, ἀποθανόντος δὲ καὶ Φλάκκου
Κάρβωνα εἵλετο συνάρχειν ἑαυτῷ.

IX

CAP.
IX
76. Σύλλας δ᾽ ἐπείξει τῆς ἐπὶ τοὺς ἐχθροὺς
ἐπανόδου τὰ ἐς Μιθριδάτην πάντ᾽ ἐπιταχύνας,
ὥς μοι προείρηται, καὶ ἔτεσιν οὐδ᾽ ὅλοις τρισὶν
ἑκκαίδεκα μὲν ἀνδρῶν μυριάδας κατακανών, τὴν
δὲ Ἑλλάδα καὶ Μακεδονίαν καὶ Ἰωνίαν καὶ
Ἀσίαν καὶ ἄλλα ἔθνη πολλά, ὅσα Μιθριδάτης
προειλήφει, ἐς Ῥωμαίους ἀναλαβὼν αὐτόν τε τὸν
βασιλέα τὰς ναῦς ἀφελόμενος καὶ ἐς μόνην τὴν
πατρῷαν ἀρχὴν ἐκ τοσῶνδε κατακλείσας, ἐπανῄει
στρατὸν ἄγων εὔνουν οἵ καὶ γεγυμνασμένον καὶ
πολὺν καὶ τοῖς γεγονόσιν ἐπηρμένον. ἦγε δὲ
καὶ νεῶν πλῆθος καὶ χρήματα καὶ παρα-
σκευὴν ἐς ἄπαντα ἀξιόλογον, καὶ τοῖς ἐχθροῖς ἦν

their own masters particularly. After Cinna had CHAP.
forbidden this several times, but without avail, he VIII
surrounded them with his Gallic soldiery one night
while they were taking their rest, and killed them all.

Thus did the slaves receive fit punishment for B.C. 86
their repeated treachery to their masters. 75. The Death of
following year Cinna was chosen consul for the Marius
second time, and Marius for the seventh; so that,
notwithstanding his banishment and the price on
his head, the augury of the seven eaglets proved
true for him. But he died in the first month of his
consulship, while forming all sorts of terrible designs
against Sulla. Cinna caused Valerius Flaccus to be
chosen in his place and sent him to Asia, and when
Flaccus lost his life he chose Carbo as his fellow-
consul.

IX

76. SULLA now hastened his return to meet his CHAP.
enemies, having quickly finished the war with Mith- IX
ridates, as I have already related. Within less than B.C. 85
three years he had killed 160,000 men, recovered Sulla ends
Greece, Macedonia, Ionia, Asia, and many other the Mithri-
datic War
countries that Mithridates had previously occupied,
taken the king's fleet away from him, and from
such vast possessions restricted him to his paternal
kingdom alone. He returned with a large and well-
disciplined army, devoted to him and elated by its
exploits. He had an abundance of ships, money,
and apparatus suitable for all emergencies, and was

CAP.
IX

ἐπίφοβος, ὥστε δειμαίνοντες αὐτὸν ὅ τε Κάρβων καὶ ὁ Κίννας ἐς ὅλην τὴν Ἰταλιαν τινὰς περιέπεμπον, χρήματα καὶ στρατιὰν καὶ σῖτον αὐτοῖς ἀθροίζειν, τούς τε δυνατοὺς συνουσίαις ἀνελάμβανον καὶ τῶν πόλεων ἠρέθιζον μάλιστα τὰς νεοπολιτίδας, ὡς δι' αὐτὰς ὄντες ἐν τοσῷδε κινδύνου. τάς τε ναῦς ἐπεσκεύαζον ἀθρόως καὶ τὰς ἐν Σικελίᾳ μετεκάλουν καὶ τὴν παράλιον ἐφύλασσον καὶ οὐδὲν ὀξείας οὐδὲ οἵδε παρασκευῆς μετὰ δέους ἅμα καὶ σπουδῆς ἐξέλιπον.

77. Σύλλας δ' ἐπὶ φρονήματος ἐπέστελλε τῇ βουλῇ περί τε αὑτοῦ καταλέγων, ὅσα περὶ Λιβύην ἐς Ἰογόρθαν τὸν Νομάδα ἔτι ταμιεύων ἢ ἐπὶ τοῖς Κιμβρικοῖς πρεσβεύων ἢ Κιλικίας ἡγούμενος ἢ ἐν τοῖς συμμαχικοῖς ἢ ὑπατεύων ἔπραξε, τὰ δ' ἔναγχος ἐς Μιθριδάτην ὑπερεπαίρων τε μάλιστα καὶ καταλογιζόμενος αὐτοῖς ἀθρόως ἔθνη πολλά, ὅσα Μιθριδάτου γενόμενα Ῥωμαιοις ἀναλάβοι, καὶ οὐδενὸς ἧττον, ὅτι τοὺς ἐξελαθέντας ἐκ Ῥώμης ὑπὸ Κίννα καταφυγόντας ἐς αὐτὸν ὑποδέξαιτο ἀπορουμένους καὶ ἐπικουφίζοι τὰς συμφορὰς αὐτοῖς. ἀνθ' ὧν ἔφη τοὺς ἐχθροὺς πολέμιον αὐτὸν ἀναγράψαι καὶ τὴν οἰκίαν ἀνασκάψαι καὶ τοὺς φίλους ἀνελεῖν, τὴν δὲ γυναῖκα καὶ τέκνα μόλις πρὸς ἑαυτὸν διαφυγεῖν. ἀλλ' αὐτίκα καὶ τοῖσδε καὶ τῇ πόλει πάσῃ τιμωρὸς ἥξειν ἐπὶ τοὺς εἰργασμένους. τοῖς δ' ἄλλοις πολίταις τε καὶ νεοπολίταις προὔλεγεν οὐδενὶ μέμψεσθαι περὶ οὐδενός.

an object of terror to his enemies.   Carbo and Cinna
were in such fear of him that they despatched
emissaries to all parts of Italy to collect money,
soldiers, and supplies.   They took the leading
citizens into friendly intercourse and appealed espe-
cially to the newly created citizens of the towns,
pretending that it was on their account that they
were threatened with the present danger.   They
began at once to repair the ships, recalled those
that were in Sicily, guarded the coast, and with fear
and haste they, for their part, made preparations of
every kind.

77. Sulla wrote to the Senate in a tone of
superiority recounting what he had done in Africa
.n the war against Jugurtha the Numidian while
still quaestor, as lieutenant in the Cimbric war, as
praetor in Cilicia and in the Social war, and as
consul.   Most of all he dwelt upon his recent
victories in the Mithridatic war, enumerating to
them the many nations which had been under
Mithridates and which he had recovered for the
Romans.   Of nothing did he make more account
than that those who had been banished from Rome
by Cinna had fled to him, and that he had received
them in their helplessness and supported them in
their affliction.   In return for this, he said, he had
been declared a public enemy by his foes, his house
had been destroyed, his friends put to death, and
his wife and children had with difficulty made their
escape to him.   He would be there presently to take
vengeance, on behalf of themselves and of the entire
city, upon the guilty ones.   He assured the other
citizens, and the new citizens, that he would make
no complaint against them.

CAP.
IX

Ὧν ἀναγινωσκομένων δέος ἅπαντας ἐπεῖχε, καὶ
πρέσβεις ἔπεμπον, οἳ συναλλάξειν αὐτὸν τοῖς
ἐχθροῖς ἔμελλον καὶ προερεῖν, εἴ τινος ἀσφαλείας
δέοιτο, τῇ βουλῇ τάχιστα ἐπιστεῖλαι· τοῖς δ᾽
ἀμφὶ τὸν Κίνναν εἴρητο μὴ στρατολογεῖν, ἔστε
ἐκεῖνον ἀποκρίνασθαι. οἱ δ᾽ ὑπέσχοντο μὲν ὧδε
πράξειν, οἰχομένων δὲ τῶν πρέσβεων ἐς τὸ μέλλον
ἑαυτοὺς ἀνεῖπον ὑπάτους αὐτίκα, τοῦ μὴ διὰ τὰ
ἀρχαιρέσια θᾶττον ἐπανήκειν, καὶ τὴν Ἰταλίαν
περιιόντες στρατιὰν συνῆγον, ἣν ἐς Λιβυρνίαν, ὡς
ἐκεῖθεν ἀπαντήσοντες τῷ Σύλλᾳ, κατὰ μέρος ἐπὶ
νεῶν διεβίβαζον.

78. τὸ μὲν δὴ πρῶτον μέρος εὐσταθῶς διέ-
πλευσε· τῷ δ᾽ ἐξῆς χειμὼν ἐπέπεσε, καὶ ὅσοι τῆς
γῆς ἐλαμβάνοντο, εὐθὺς ἐς τὰς πατρίδας διεδί-
δρασκον ὡς οὐ στρατεύσοντες ἑκόντες κατὰ
πολιτῶν· οἵ τε λοιποὶ πυνθανόμενοι ταῦτ᾽ οὐδ᾽
αὐτοὶ περάσειν ἔτι ἔλεγον ἐς τὴν Λιβυρνίαν.
Κίννας δ᾽ ἀγανακτῶν ἐς ἐκκλησίαν αὐτοὺς ὡς
ἐπιπλήξων συνεκάλει· καὶ οἱ σὺν ὀργῇ παρῄεσαν
ὡς ἀμυνούμενοι. τῶν δὲ ῥαβδοφόρων τινὸς ὁδο-
ποιοῦντος τῷ Κίννᾳ καί τινα τῶν ἐν ποσὶ πατά-
ξαντος, ἕτερος ἐκ τοῦ στρατοῦ τὸν ῥαβδοῦχον
ἐπάταξε. καὶ Κίννα κελεύσαντος αὐτὸν συλ-
λαβεῖν βοὴ παρὰ πάντων ἀνέστη, καὶ λίθων ἦσαν
ἐπ᾽ αὐτὸν ἀφέσεις· οἱ δ᾽ ἐγγὺς καὶ τὰ ξιφίδια
ἐπισπάσαντες συνεκέντησαν αὐτόν. οὕτω μὲν δὴ
καὶ Κίννας ὑπατεύων ἀπέθανε· Κάρβων δ᾽ ἔκ τε
Λιβυρνίας τοὺς διαπεπλευκότας ἐς αὐτὴν μετε-
κάλει καὶ τὰ γιγνόμενα δεδιὼς ἐς τὴν πόλιν οὐ

When the letters were read fear fell upon all, and they began sending messengers to reconcile him with his enemies and to tell him in advance that, if he wanted any security, he should write to the Senate at once. They ordered Cinna and Carbo to cease recruiting soldiers until Sulla's answer should be received. They promised to do so, but as soon as the messengers had gone they proclaimed themselves consuls for the ensuing year so that they need not come back to the city earlier to hold the election. They traversed Italy, collecting soldiers whom they carried across by detachments on shipboard to Liburnia,[1] which was to act as their base against Sulla.

78. The first detachment had a prosperous voyage. The next encountered a storm, and those who reached land again escaped home immediately, as they did not relish the prospect of fighting their fellow-citizens. When the rest learned this they too refused to cross to Liburnia. Cinna was indignant and called them to an assembly in order to terrify them, and they assembled, angry also and ready to defend themselves. One of the lictors, who was clearing the road for Cinna, struck somebody who was in the way and one of the soldiers struck the lictor. Cinna ordered the arrest of the offender, whereupon a clamour rose on all sides, stones were thrown at him, and those who were near him drew their dirks and stabbed him. So Cinna also perished during his consulship. Carbo recalled those who had been sent over by ship to Liburnia, and, through fear of what was taking place, did not go back to the city, although the tribunes summoned him with

[1] On the northern coast of Illyria.

CAP.
IX

κατήει, καὶ πάνυ τῶν δημάρχων αὐτὸν καλούντων
ἐπὶ συνάρχου χειροτονίαν. ἀπειλησάντων δὲ
ἰδιώτην ἀποφανεῖν, ἐπανῆλθε μὲν καὶ χειροτονίαν
προύθηκεν ὑπάτου, ἀπαισίου δὲ τῆς ἡμέρας γενο-
μένης ἑτέραν προύγραφε· κἂν ταύτῃ κεραυνοῦ
πεσόντος ἐς τὸ τῆς Σελήνης καὶ τὸ τῆς Δήμητρος
ἱερὸν οἱ μάντεις ὑπὲρ τὰς θερινὰς τροπὰς ἀνετί-
θεντο τὰς χειροτονίας, καὶ μόνος ἦρχεν ὁ Κάρβων.

79. Σύλλας δὲ τοῖς πρὸς αὐτὸν ἥκουσιν ἀπὸ
τῆς βουλῆς ἀπεκρίνατο αὐτὸς μὲν οὔποτε ἀνδράσι
τοιάδε ἐργασαμένοις ἔσεσθαι φίλος, τῇ πόλει δ'
οὐ φθονήσειν χαριζομένῃ τὴν σωτηρίαν αὐτοῖς·
ἀσφάλειαν δὲ αὐτὸς μᾶλλον αὐτοῖς ἔφη καὶ τοῖς
ἐς αὐτὸν καταφυγοῦσιν ἐς ἀεὶ παρέξειν, στρατὸν
ἔχων εὔνουν. ᾧ δὴ καὶ μάλιστα δῆλος ἐγένετο,
ἑνὶ ῥήματι τῷδε, οὐ διαλύσων τὸν στρατόν, ἀλλὰ
τὴν τυραννίδα ἤδη διανοούμενος. ᾔτει δ' αὐτοὺς
τήν τε ἀξίωσιν καὶ περιουσίαν καὶ ἱερωσύνην καὶ
εἴ τι ἄλλο γέρας εἶχεν, ἐντελῆ πάντα ἀποδοθῆναι·
καὶ τοὺς περὶ τούτων ἐροῦντας συνέπεμπε τοῖς
πρέσβεσιν. οἱ δ' εὐθὺς ἀπὸ τοῦ Βρεντεσίου,
Κίνναν τε πυθόμενοι τεθνάναι καὶ τὴν πόλιν
ἀδιοίκητον εἶναι, πρὸς τὸν Σύλλαν ἀνέστρεφον
ἄπρακτοι. καὶ ὁ Σύλλας πέντε Ἰταλοῦ στρατοῦ
τέλη καὶ ἱππέας ἑξακισχιλίους, ἄλλους τέ τινας
ἐκ Πελοποννήσου καὶ Μακεδονίας προσλαβών,
ἅπαντας ἄγων ἐς μυριάδας ἀνδρῶν τέσσαρας, ἐπί
τε Πάτρας ἀπὸ τοῦ Πειραιέως καὶ ἐκ Πατρῶν ἐς
Βρεντέσιον χιλίαις καὶ ἑξακοσίαις ναυσὶ διέπλει.
δεξαμένων δ' αὐτὸν ἀμαχεὶ τῶν Βρεντεσίων,
τοῖσδε μὲν ὕστερον ἔδωκεν ἀτέλειαν, ἣν καὶ νῦν

urgency to hold an election for the choice of a CHAP.
colleague. However, when they threatened to IX
reduce him to the rank of a private citizen he
came back and ordered the holding of the consular
election, but as the omens were unfavourable he
postponed it to another day. On that day lightning
struck the temples of Luna and of Ceres; so the
augurs prorogued the comitia beyond the summer
solstice, and Carbo remained sole consul.

79. Sulla answered those who came to him from Negoti-
the Senate, saying that he would never be on friendly ations with
Sulla
terms with the men who had committed such crimes,
but would not prevent the city from extending
clemency to them. As for security he said that he,
with a devoted army, could better furnish lasting
security to them, and to those who had fled to his
camp, than they to him; whereby it was made plain
in a single sentence that he would not disband his
army, but was now contemplating supreme power. He
demanded of them his former dignity, his property,
and the priesthood, and that they should restore to
him in full measure whatever other honours he had
previously held. He sent some of his own men
with the Senate's messengers to confer about these
matters, but they, learning at Brundusium that Cinna
was dead and that Rome was in an unsettled state,
went back to Sulla without transacting their business.
He then started with five legions of Italian troops and Sulla in
6000 horse, to whom he added some other forces Italy
from the Peloponnesus and Macedonia, in all about B.C. 83
40,000 men, from the Piraeus to Patrae, and then
sailed from Patrae to Brundusium in 1600 ships.
The Brundusians received him without a fight, for
which favour he afterward gave them exemption

CAP.
IX
ἔχουσιν, αὐτὸς δ᾽ ἀναστήσας τὸν στρατὸν ἦγεν ἐς
τὸ πρόσω.

80. Καὶ αὐτῷ Μέτελλος Καικίλιος ὁ Εὐσεβής,
ἐκ πολλοῦ τε ᾐρημένος ἐς τὰ λοιπὰ τοῦ συμμαχι-
κοῦ πολέμου καὶ διὰ Κίνναν καὶ Μάριον ἐς τὴν
πόλιν οὐκ ἐσελθών, ἀλλὰ ἐν τῇ Λιβυστίδι τὸ
μέλλον περιορῶν, αὐτόκλητος σύμμαχος ἀπήντα
μεθ᾽ ἧς εἶχε συμμαχίας, ἀνθύπατος ἔτι ὤν· ἔστι
γὰρ εἶναι τοῖς αἱρεθεῖσιν, ἔστε ἐπανέλθοιεν ἐς
Ῥώμην. ἐπὶ δὲ τῷ Μετέλλῳ καὶ Γναῖος Πομπή-
ιος, ὁ μετ᾽ οὐ πολὺ Μέγας παρονομασθείς, Πομ-
πηίου μὲν ὢν παῖς τοῦ διεφθαρμένου τῷ κεραυνῷ,
οὐκ εὔνου τῷ Σύλλᾳ νομισθέντος, τὴν δ᾽ ὑποψίαν
διαλυόμενος, ἦλθε καὶ τέλος ἤγαγεν, ἐκ τῆς Πικη-
νίτιδος κατὰ κλέος τοῦ πατρὸς ἰσχύσαντος ἐν
αὐτῇ μάλιστα ἀγείρας. μετὰ δ᾽ οὐ πολὺ καὶ δύο
ἄλλα συνέλεξε καὶ χρησιμώτατος ἐν τοῖς μάλιστα
ὅδε ὁ ἀνὴρ ἐγένετο τῷ Σύλλᾳ· ὅθεν αὐτὸν ὁ
Σύλλας ἔτι νεώτατον ὄντα ἦγεν ἐν τιμῇ καὶ
ἐπιόντος, φασίν, ὑπανίστατο μόνῳ. λήγοντος δὲ
τοῦ πολέμου καὶ ἐς Λιβύην ἔπεμψεν ἐξελάσαι τε
τοὺς Κάρβωνος φίλους καὶ Ἰεμψάλαν ἐκπεσόντα
ὑπὸ Νομάδων ἐς τὴν βασιλείαν καταγαγεῖν. ἐφ᾽ ᾧ
δὴ καὶ θριαμβεῦσαι κατὰ τῶν Νομάδων αὐτῷ
παρέσχεν ὁ Σύλλας, ἔτι ὄντι νέῳ καὶ ἔτι ὄντι τῶν
ἱππέων. καὶ ἀπὸ τοῦδε ἐπαρθεὶς ἐς μέγα ὁ
Πομπήιος ἐπὶ Σερτώριον ἐς Ἰβηρίαν ἐπέμφθη καὶ
ἐς τὸν Πόντον ἐπὶ Μιθριδάτην ὕστερον. ἀφίκετο
δὲ καὶ Κέθηγος ἐς τὸν Σύλλαν, χαλεπώτατος
ἀντιστασιώτης αὐτῷ μετὰ Κίννα καὶ Μαρίου
γενόμενος καὶ σὺν ἐκείνοις τῆς πόλεως ἐκπεσών,

from customs-duties, which they enjoy to this day.
Then he put his army in motion and went forward.

80. He was met on the road by Caecilius Metellus
Pius, who had been chosen some time before to
finish the Social War, but did not return to the city
for fear of Cinna and Marius. He had been await-
ing in Libya the turn of events, and now offered
himself as a volunteer ally with the force under his
command, as he was still a proconsul; for those who
have been chosen to this office may retain it till
they come back to Rome. After Metellus came
Gnaeus Pompeius, who not long afterward was sur-
named the Great, son of the Pompeius who was killed
by lightning and who was supposed to be unfriendly
to Sulla. The son removed this suspicion by coming
with a legion which he had collected from the
territory of Picenum owing to the reputation of
his father, who had been very influential there. A
little later he recruited two more legions and be-
came Sulla's right-hand man in these affairs. So
Sulla held him in honour, though still very young;
and they say he never rose at the entrance of any
other than this youth. When the war was nearly
finished Sulla sent him to Africa to drive out the
party of Carbo and to restore Hiempsal (who had
been expelled by the Numidians) to his kingdom.
For this service Sulla allowed him a triumph over
the Numidians, although he was under age, and was
still in the equestrian order. From this beginning
Pompeius achieved greatness, being sent against
Sertorius in Spain and later against Mithridates in
Pontus. Cethegus also joined Sulla, although with
Cinna and Marius he had been violently hostile to
him and had been driven out of the city with them.

CAP.
IX

ἱκέτης τε γιγνόμενος καὶ ἑαυτὸν ὑπηρέτην ἐς ὅ τι βούλοιτο παρέχων.

81. Ὁ δὲ καὶ στρατιᾶς πολὺ πλῆθος ἔχων ἤδη καὶ φίλους πολλοὺς τῶν ἐπιφανῶν, τοῖσδε μὲν ὑποστρατήγοις ἐχρῆτο, αὐτὸς δὲ καὶ Μέτελλος ἀνθυπάτω ὄντε ἐς τὸ πρόσθεν ἐχώρουν· ἐδόκει γὰρ δὴ καὶ ὁ Σύλλας, ἀνθύπατος ἐπὶ Μιθριδάτῃ γενόμενος, οὐκ ἀποθέσθαι πω τὴν ἀρχήν, εἰ καὶ πολέμιον αὐτὸν ἐψηφίσατο Κίννας. ὁ μὲν δὴ κατὰ τῶν ἐχθρῶν ἤει βαρυτάτῃ καὶ ἀφανεῖ ἔχθρᾳ· οἱ δ᾽ ἐν ἄστει τῆς τε φύσεως αὐτοῦ καλῶς τεκμαιρόμενοι καὶ τὴν προτέραν ἐς τὴν πόλιν ἐσβολὴν αὐτοῦ καὶ κατάληψιν ἔτι ἔχοντες ἐν ὄψει τά τε ψηφίσματα, ἃ ἐπεκήρυξαν αὐτῷ, λογιζόμενοι καὶ τὴν οἰκίαν ὁρῶντες ἀνεσκαμμένην καὶ περιουσίαν δεδημευμένην καὶ φίλους ἀνῃρημένους καὶ γενεὰν μόλις ἐκφυγοῦσαν ἐδείμαινον. καὶ οὐδὲν σφίσι νίκης ἢ πανωλεθρίας μέσον εἶναι νομίζοντες συνίσταντο τοῖς ὑπάτοις ἐπὶ τὸν Σύλλαν μετὰ δέους, ἔς τε τὴν Ἰταλίαν περιπέμποντες στρατιὰν καὶ τροφὰς καὶ χρήματα συνῆγον, οὐδὲν ὡς περὶ ἐσχάτων σφίσιν ἀπολείποντες οὔτε σπουδῆς οὔτε προθυμίας.

82. Γάιός τε Νωρβανὸς καὶ Λεύκιος Σκιπίων, τὼ τότε ὄντε ὑπάτω, καὶ μετ᾽ αὐτῶν Κάρβων, ὃς πέρυσιν ἦρχεν, ἔχθρᾳ μὲν ἐς τὸν Σύλλαν ὁμοίᾳ χρώμενοι, δέει δὲ καὶ συνειδότι ὧν ἔπραξαν πολὺ τῶν ἄλλων χείρονι, ἔκ τε τῆς πόλεως στρατόν, ὅσον εὐπόρουν, κατέλεγον καὶ τὸν ἐκ τῆς Ἰταλίας προσλαβόντες ἐπὶ τὸν Σύλλαν κατὰ μέρος ἐχώρουν, σπείραις ἐκ πεντακοσίων ἀνδρῶν διακοσίαις

He now turned suppliant, and offered his services to Sulla in any capacity he might desire.

81. Sulla now had plenty of soldiers and plenty of friends of the higher orders, whom he used as lieutenants. He and Metellus marched in advance, being both proconsuls, for it seems that Sulla, who had been appointed proconsul against Mithridates, had at no time hitherto laid down his command, although he had been voted a public enemy at the instance of Cinna. Now Sulla moved against his enemies with a most intense yet concealed hatred. The people in the city, who formed a pretty fair judgment of the character of the man, and who remembered his former attack and capture of the city, and who took into account the decrees they had proclaimed against him, and who had witnessed the destruction of his house, the confiscation of his property, the killing of his friends, and the narrow escape of his family, were in a state of terror. Conceiving that there was no middle ground between victory and utter destruction, they united with the consuls to resist Sulla, but with trepidation. They despatched messengers throughout Italy to collect soldiers, provisions, and money, and, as in cases of extreme peril, they omitted nothing that zeal and earnestness could suggest.

82. Gaius Norbanus and Lucius Scipio, who were then the consuls, and with them Carbo, who had been consul the previous year (all of them moved by equal hatred of Sulla and more alarmed than others because they knew that they were more to blame for what had been done), levied the best possible army from the city, joined with it the Italian army, and marched against Sulla in detachments. They Marshalling the forces against Sulla

τότε πρῶτον· ὕστερον γὰρ καὶ πλέοσι τούτων. ἡ γὰρ εὔνοια τῶν ἀνδρῶν ἐς τοὺς ὑπάτους παρὰ πολὺ ἐποίει, ὡς τὸ μὲν ἔργον τὸ Σύλλα, χωροῦντος ἐπὶ τὴν πατρίδα, δόξαν ἔχον πολεμίου, τὸ δὲ τῶν ὑπάτων, εἰ καὶ περὶ σφῶν ἔπραττον, πρόσχημα τῆς πατρίδος. τῶν τε ἁμαρτηθέντων αὐτοῖς οἱ πολλοὶ συνεγνωκότες καὶ τοῦ φόβου μετέχειν ἡγούμενοι συνέπρασσον, εὖ τὸν Σύλλαν εἰδότες οὐ κόλασιν ἢ διόρθωσιν ἢ φόβον ἐπὶ σφίσιν, ἀλλὰ λύμας καὶ θανάτους καὶ δημεύσεις καὶ ἀναίρεσιν ὅλως ἀθρόαν ἐπινοοῦντα. ὧν οὐκ ἐψεύσθησαν τῆς δόξης. ὅ τε γὰρ πόλεμος ἔφθειρε πάντας, ὧν γε καὶ μύριοι καὶ δισμύριοι πολλάκις ἐν μάχῃ μιᾷ καὶ ἀμφὶ τὸ ἄστυ πέντε μυριάδες ἀμφοῖν ἀπέθανον· καὶ ἐς τοὺς ὑπολοίπους ὁ Σύλλας οὐδὲν δεινὸν καὶ καθ᾽ ἕνα καὶ κατὰ πόλεις ἐξέλιπε δρῶν, μέχρι καὶ μόναρχον ἑαυτὸν ἀπέφηνε τῆς Ῥωμαίων ἀρχῆς ὅλης, ἐφ᾽ ὅσον ἔχρῃζέ τε καὶ ἐβούλετο.

83. Καὶ τάδε αὐτοῖς ἐδόκει καὶ τὸ δαιμόνιον ἐν τῷδε τῷ πολέμῳ προσημῆναι. δείματά τε γὰρ ἄλογα πολλοῖς καὶ ἰδίᾳ καὶ κατὰ πλῆθος ἐνέπιπτε περὶ ὅλην τὴν Ἰταλίαν, καὶ μαντευμάτων παλαιῶν ἐπιφοβωτέρων ἐμνημόνευον, τέρατά τε πολλὰ ἐγίνετο, καὶ ἡμίονος ἔτεκε, καὶ γυνὴ κύουσα ἔχιν ἀντὶ βρέφους ἐξέδωκε, τήν τε γῆν ὁ θεὸς ἐπὶ μέγα ἔσεισε καὶ νεώς τινας ἐν Ῥώμῃ κατήνεγκε, καὶ πάνυ Ῥωμαίων ὄντων ἐς τὰ τοιαῦτα βαρυεργῶν. τό τε Καπιτώλιον ὑπὸ τῶν βασιλέων τετρακοσίοις που πρόσθεν ἔτεσι γενόμενον ἐνεπρήσθη, καὶ

had 200 cohorts of 500 men at first, and their forces were considerably augmented afterward. For the sympathies of the people were much in favour of the consuls, because the action of Sulla, who was marching against his country, seemed to be that of an enemy, while that of the consuls, even if they were working for themselves, was ostensibly the cause of the republic. Many persons, too, who knew that they had shared the guilt, and who believed that they could not despise the fears, of the consuls, co-operated with them. They knew very well that Sulla was not meditating merely punishment, correction, and alarm for them, but destruction, death, confiscation, and wholesale extermination. In this they were not mistaken, for the war ruined everyone. From 10,000 to 20,000 men were slain in a single battle more than once. Fifty thousand on both sides lost their lives round the city, and to the survivors Sulla was unsparing in severity, both to individuals and to communities, until, finally, he made himself the undisputed master of the whole Roman government, so far as he wished or cared to be.

83. It seems, too, that divine providence foretold to them the results of this war. Mysterious terrors came upon many, both in public and in private, throughout all Italy. Ancient, awe-inspiring oracles were remembered. Many monstrous things happened. A mule foaled, a woman gave birth to a viper instead of a child. There was a severe earthquake divinely sent and some of the temples in Rome were thrown down (the Romans being in any case very seriously disposed towards such things). The Capitol, that had been built by the kings 400 years before, was burned down, and nobody could dis-

CAP. τὴν αἰτίαν οὐδεὶς ἐπενόει. πάντα δ' ἔδοξεν ἐς τὸ
IX πλῆθος τῶν ἀπολουμένων καὶ τὴν ἅλωσιν τῆς
Ἰταλίας καὶ Ῥωμαίων αὐτῶν τῆς τε πόλεως κατά-
ληψιν καὶ πολιτείας μεταβολὴν προσημῆναι.

84. Ἤρξατο μὲν οὖν ὅδε ὁ πόλεμος, ἐξ οὗ
Σύλλας ἐς Βρεντέσιον παρῆλθεν, ὀλυμπιάδων
οὐσῶν ἑκατὸν ἑβδομήκοντα καὶ τεσσάρων· μῆκος
δ' αὐτοῦ, διά τε τὸ μέγεθος τῶν ἔργων, σὺν
ἐπείξει ὡς ἐπ' ἐχθροὺς ἰδίους ταχυνόντων, οὐ
πολὺ ὡς ἐπὶ τοσοῖσδε ἔργοις ἐγένετο. ὅθεν καὶ
μάλιστα αὐτοῖς τὰ παθήματα ἐπειγομένοις ἐν
βραχεῖ μείζω καὶ ὀξύτερα συνέβη γενέσθαι. ἐς
δὲ τριετὲς ὅμως προῆλθε, κατά γε τὴν Ἰταλίαν,
μέχρι τὴν ἀρχὴν ἀνεδήσατο Σύλλας· ἐν γὰρ
Ἰβηρίᾳ καὶ μετὰ Σύλλαν ἐξέτεινεν ἐπὶ πλεῖον.
μάχαι δὲ καὶ ἀκροβολίαι καὶ πολιορκίαι καὶ
πολέμων ἰδέαι πᾶσαι κατὰ τὴν Ἰταλίαν ἀθρόαι
τε καὶ κατὰ μέρη τοῖς στρατηγοῖς ἐγένοντο πολλαί,
καὶ πᾶσαι διαφανεῖς. ὧν τὰ μέγιστα καὶ ἀξιολο-
γώτατα, ἐν κεφαλαίῳ φράσαι, τοιάδε ἦν.

X

CAP. Πρώτη μὲν ἀμφὶ Κανύσιον τοῖς ἀνθυπάτοις
X πρὸς Νωρβανὸν ἐγίγνετο μάχη· καὶ θνήσκουσι
Νωρβανοῦ μὲν ἑξακισχίλιοι, τῶν δ' ἀμφὶ τὸν
Σύλλαν ἑβδομήκοντα, τραυματίαι δ' ἐγένοντο
πολλοί· καὶ Νωρβανὸς ἐς Καπύην ἀνέζευξε. 85.
Σύλλᾳ δὲ καὶ Μετέλλῳ περὶ τὸ Τεανὸν οὖσι
Λεύκιος Σκιπίων ἐπῄει μεθ' ἑτέρου στρατοῦ,

cover the cause of the fire. All things seemed to point to the multitude of coming slaughters, to the conquest of Italy and of the Romans themselves, to the capture of the city, and to constitutional change.

84. This war began as soon as Sulla arrived at Brundusium, which was in the 174th Olympiad. Considering the magnitude of the operations,[1] its length was not great, compared with wars of this size in general, since the combatants rushed upon each other with the fury of private enemies. For this special reason greater and more distressing calamities than usual befell those who took part in it in a short space of time, because they rushed to meet their troubles. Nevertheless the war lasted three years in Italy alone, until Sulla had secured the supreme power, but in Spain it continued even after Sulla's death. Battles, skirmishes, sieges, and fighting of all kinds were numerous throughout Italy, and the generals had both regular battles and partial engagements, and all were noteworthy. The greatest and most remarkable of them I shall mention in brief.

X

First of all Sulla and Metellus fought a battle against Norbanus at Canusium and killed 6000 of his men, while Sulla's loss was seventy, but many of his men were wounded. Norbanus retreated to Capua. 85. Next, while Sulla and Metellus were near Teanum, L. Scipio advanced against them with another army which was very downhearted and

[1] The text is certainly corrupt here, and cannot adequately be rendered as it stands.

APPIAN'S ROMAN HISTORY

CAP.
X

πάνυ ἀθύμως ἔχοντος καὶ ποθοῦντος εἰρήνην γε-
νέσθαι· αἰσθόμενοι δ' οἱ περὶ τὸν Σύλλαν πρὸς τὸν
Σκιπίωνα περὶ συμβάσεων ἐπρέσβευον, οὐχ οὕτως
ἐλπίζοντες ἢ χρῄζοντες, ὡς στασιάσειν προσδο-
κῶντες αὐτοῦ τὸν στρατὸν ἀθύμως ἔχοντα. ὃ καὶ
συνηνέχθη γενέσθαι. Σκιπίων μὲν γὰρ ὅμηρα τῆς
συνόδου λαβὼν ἐς τὸ πεδίον κατήει, καὶ συνῇσαν
τρεῖς ἑκατέρωθεν, ὅθεν οὐδὲ γνῶναι τὰ λεχθέντα
συνέβη· ἐδόκει δ' ἀναθέμενος ὁ Σκιπίων ἐς Νωρ-
βανὸν τὸν σύναρχον περὶ τῶν λελεγμένων πέμψαι
Σερτώριον ἀπαγγελοῦντα, καὶ ὁ στρατὸς ὁ ἑκα-
τέρων ἡσύχαζε, τὰς ἀποκρίσεις ἀναμένοντες. Σερ-
τωρίου δ' ἐν παρόδῳ Σύεσσαν, ἣ τὰ Σύλλεια
ᾕρητο, καταλαβόντος ὁ μὲν Σύλλας ᾐτιᾶτο πέμ-
πων ἐς τὸν Σκιπίωνα, ὁ δέ, εἴτε τῷ γενομένῳ
συνεγνωκὼς εἴτε ἀποκρίσεως ἀπορῶν ὡς ἐπὶ ἀλλο-
κότῳ δὴ τῷ Σερτωρίου ἔργῳ, τὰ ὅμηρα ἀπέπεμπε
τῷ Σύλλᾳ. καὶ αὐτίκα ὁ στρατὸς αὐτοῦ, τῇ τε
τῆς Συέσσης ἐν σπονδαῖς ἀλόγῳ καταλήψει καὶ
τῇ τῶν ὁμήρων οὐκ ἀπαιτουμένων ἀποπέμψει
τοὺς ὑπάτους ἔχοντες ἐν αἰτίαις, κρύφα τῷ Σύλλᾳ
συνετίθεντο μεταθήσεσθαι πρὸς αὐτόν, εἰ πελά-
σειε. καὶ προσιόντος αὐτίκα πάντες ἀθρόως
μετέστησαν, ὡς τὸν ὕπατον Σκιπίωνα καὶ τὸν
υἱὸν αὐτοῦ Λεύκιον μόνους ἐκ τοῦ στρατοῦ παντὸς
ἐν τῇ σκηνῇ διηπορημένους Σύλλαν καταλαβεῖν.
καί μοι δοκεῖ τόδε οὐ στρατηγοῦ παθεῖν ὁ Σκι-
πίων, ἀγνοήσας ὅλου στρατοῦ τοσήνδε συνθήκην.

86. Σκιπίωνα μὲν δὴ μετὰ τοῦ παιδὸς οὐ μετα-
πείθων ὁ Σύλλας ἀπέπεμπεν ἀπαθῆ. καὶ πρὸς
Νωρβανὸν ἐς Καπύην περὶ συμβάσεων ἔπεμπεν
ἑτέρους, εἴτε δείσας τῆς πλέονος Ἰταλίας ἔτι τοῖς

154

longed for peace. The Sullan faction knew this and
sent envoys to Scipio to negotiate, not because they
hoped or desired to come to an agreement, but be-
cause they expected to create dissensions in Scipio's
army, which was in a state of dejection. In this they
succeeded. Scipio took hostages for the conference
and marched down to the plain. Only three from
each side conferred, so that what passed between
them is not known. It seems, however, that during
the armistice Scipio sent Sertorius to his colleague,
Norbanus, to communicate with him concerning the
negotiation, and there was a cessation of hostilities
while they were waiting for the answers. Sertorius
on his way took possession of Suessa, which had
espoused the side of Sulla, and Sulla made complaint
of this to Scipio. The latter, either because he was
privy to the affair or because he did not know what
answer to make concerning the strange act of
Sertorius, sent back Sulla's hostages. His army
blamed the consuls for the unjustifiable seizure
of Suessa during the armistice and for the surrender
of the hostages, who were not demanded back, and
made a secret agreement with Sulla to go over to
him if he would draw nearer. This he did, and
straightway they all went over *en masse*, so that the
consul, Scipio, and his son Lucius, alone of the whole
army, were left, not knowing what to do, in their
tent, where they were captured by Sulla. Scipio's
ignorance of a conspiracy of this kind, embracing his
whole army, seems to me inexcusable in a general.

86. When Sulla was unable to induce Scipio to
change, he sent him away with his son unharmed.
He also sent other envoys to Norbanus at Capua to
open negotiations, either because he was apprehensive

CAP.
X

ὑπάτοις συνισταμένης εἴτε καὶ ἐς τόνδε καθάπερ
ἐς τὸν Σκιπίωνα τεχνάζων. οὐδενὸς δ' αὐτῷ προι-
όντος οὐδ' ἐς ἀπόκρισιν (ὁ γάρ τοι Νωρβανός, ὡς
ἔοικε, μὴ διαβληθείη τὰ ὅμοια ἐς τὸν στρατὸν
ἔδεισεν) ἀναστήσας Σύλλας ἐχώρει πρόσω τὰ
πολέμια πάντα δῃῶν· τὸ δ' αὐτὸ καὶ Νωρβανὸς
ἔπραττε κατ' ἄλλας ὁδούς. Κάρβων δὲ ἐς τὸ
ἄστυ προδραμὼν Μέτελλόν τε καὶ τοὺς ἄλλους,
ὅσοι ὄντες ἀπὸ τῆς βουλῆς τῷ Σύλλᾳ συνῆσαν,
ἐψηφίζετο εἶναι πολεμίους. αἷς ἡμέραις καὶ τὸ
Καπιτώλιον ἐνεπίμπρατο· καὶ τὸ ἔργον τινὲς
ἐλογοποίουν Κάρβωνος ἢ τῶν ὑπάτων ἢ Σύλλα
πέμψαντος εἶναι, τὸ δ' ἀκριβὲς ἄδηλον ἦν, καὶ οὐκ
ἔχω τὴν αἰτίαν ἐγὼ συμβαλεῖν, δι' ἣν ἂν οὕτως
ἐγένετο. Σερτώριος δ' ἐκ πολλοῦ στρατηγεῖν
ᾑρημένος Ἰβηρίας μετὰ τὴν Συέσσης κατάληψιν
ἔφευγεν ἐς τὴν Ἰβηρίαν· καὶ αὐτὸν τῶν προτέρων
στρατηγῶν οὐ δεχομένων, πολλοὺς ἐνταῦθα καὶ
ὅδε Ῥωμαίοις ἀνεκίνησε πόνους. πλέονος δ' ἀεὶ
τοῖς ὑπάτοις γιγνομένου στρατοῦ ἀπό τε τῆς
πλέονος Ἰταλίας ἔτι σφίσι συνεστώσης καὶ ἀπὸ
τῆς ὁμόρου περὶ τὸν Ἠριδανὸν Γαλατίας, οὐδ' ὁ
Σύλλας ἠμέλει, περιπέμπων ἐς ὅσα δύναιτο τῆς
Ἰταλίας, φιλίᾳ τε καὶ φόβῳ καὶ χρήμασι καὶ
ἐλπίσιν ἀγείρων, μέχρι τὸ λοιπὸν τοῦ θέρους
ἑκατέροις ἐς ταῦτα ἀνηλώθη.

87. Τοῦ δ' ἐπιόντος ἔτους ὕπατοι μὲν ἐγενέσθην
Παπίριός τε Κάρβων αὖθις καὶ Μάριος ὁ ἀδελφι-
δοῦς Μαρίου τοῦ περιφανοῦς, ἑπτὰ καὶ εἴκοσιν
ἔτη γεγονώς· χειμὼν δὲ καὶ κρύος πολὺ γενό-
μενον ἅπαντας ἀλλήλων διέστησεν. ἀρχομένου δ'

of the result (since the greater part of Italy still CHAP adhered to the consuls), or in order to play the same X game on him that he had played on Scipio. As nobody came forward and no answer was returned (for it seems that Norbanus feared lest he should be accused by his army in the same way that Scipio had been), Sulla again advanced, devastating all hostile territory, while Norbanus did the same thing on other roads. Carbo hastened to the city and caused Metellus, and all the other senators who had joined Sulla, to be decreed public enemies. It was at this time that the Capitol was burned. Some attributed this deed to Carbo, others to the consuls, others to somebody sent by Sulla; but of the exact fact there was no evidence, nor am I able now to conjecture what caused the fire. Sertorius, who had been some Sertorius time previously chosen praetor for Spain, after the goes to taking of Suessa fled to his province, and as the Spain former praetor refused to recognize his authority, he stirred up a great deal of trouble for the Romans there. In the meantime the forces of the consuls were constantly increasing from the major part of Italy, which still adhered to them, and also from the neighbouring Gauls on the Po. Nor was Sulla idle. He sent messengers to all parts of Italy that he could reach, to collect troops by friendship, by fear, by money, and by promises. In this way the remainder of the summer was consumed on both sides.

87. The consuls for the following year were Papirius B.C. 82 Carbo for the second time and Marius, the nephew of Success of the great Marius, then twenty-seven years of age. Sulla's At first the winter and severe frost kept the com- generals batants apart. At the beginning of spring, on the

CAP. X ἦρος περὶ τὸν Αἰσῖνον ποταμὸν ἐξ ἠοῦς ἐπὶ μεσημβρίαν ἀγὼν καρτερὸς ἐγένετο Μετέλλῳ τε καὶ Καρρίνᾳ, Κάρβωνος στρατηγῷ, πρὸς ἀλλήλους· καὶ φεύγει μὲν ὁ Καρρίνας πολλοὺς ἀποβαλών, τὰ δὲ περίοικα πάντα ἐς τὸν Μέτελλον ἀπὸ τῶν ὑπάτων μετετίθετο. Μέτελλον δὲ Κάρβων καταλαβὼν ἐφρούρει περικαθήμενος, ἔστε Μάριον τὸν ἕτερον ὕπατον μεγάλῃ μάχῃ περὶ Πραινεστὸν ἡττῆσθαι πυθόμενος ἀνεστρατοπέδευεν ἐς Ἀρίμινον. καὶ τοῦδε μὲν Πομπήιος τῆς οὐραγίας ἐξαπτόμενος ἠνώχλει, ἡ δὲ περὶ Πραινεστὸν ἧσσα ὧδε ἐγένετο. Σύλλα Σήτιον καταλαβόντος, ὁ Μάριος ἀγχοῦ στρατοπεδεύων ὑπεχώρει κατ' ὀλίγον, ὡς δ' ἦλθεν ἐπὶ τὸν καλούμενον Ἱερὸν λιμένα, ἐξέτασσεν ἐς μάχην καὶ ἠγωνίζετο προθύμως. ἀρχομένου δ' ἐνδιδόναι τοῦ λαιοῦ μέρους, σπεῖραι πέντε πεζῶν καὶ δύο ἱππέων οὐκ ἀναμείνασαι τὴν τροπὴν ἐκφανῆναι τά τε σημεῖα ἔρριψαν ὁμοῦ καὶ πρὸς τὸν Σύλλαν μετετίθεντο. καὶ τόδ' εὐθὺς ἦρχε τῷ Μαρίῳ δυσχεροῦς ἥττης. κοπτόμενοι γὰρ ἐς Πραινεστὸν ἔφευγον ἅπαντες, ἑπομένου τοῦ Σύλλα σὺν δρόμῳ. καὶ οἱ Πραινέστιοι τοὺς μὲν πρώτους αὐτῶν εἰσεδέξαντο, Σύλλα δ' ἐπικειμένου τὰς πύλας ἀπέκλεισαν καὶ Μάριον καλῳδίοις ἀνιμήσαντο. πολὺς δ' ἄλλος ἐκ τοῦδε περὶ τοῖς τείχεσιν ἐγίγνετο φόνος, καὶ πλῆθος αἰχμαλώτων ὁ Σύλλας ἔλαβεν, ὧν τοὺς Σαυνίτας ἔκτεινε πάντας ὡς αἰεὶ χαλεποὺς Ῥωμαίοις γενομένους.

88. Ταῖς δ' αὐταῖς ἡμέραις καὶ Μέτελλος ἐνίκα ἕτερον Κάρβωνος στρατόν, πέντε κἀνταῦθα σπειρῶν ἐν τῷ ἔργῳ σεσωσμένων ἐς Μέτελλον.

banks of the river Aesis, there was a severe engage-
ment lasting from early morning till noon between
Metellus and Carinas, Carbo's lieutenant. Carinas
was put to flight after heavy loss, whereupon all the
country thereabout seceded from the consuls to
Metellus. Carbo came up with Metellus and besieged
him until he heard that Marius, the other consul,
had been defeated in a great battle near Praeneste,
when he led his forces back to Ariminum, while
Pompey hung on his rear doing damage. The defeat
at Praeneste was in this wise. Sulla having captured
the town of Setia, Marius, who was encamped near by,
drew a little farther away. But when he arrived at
the Sacred Lake he gave battle and fought bravely.
When his left wing began to give way five cohorts
of foot and two of horse decided not to wait for open
defeat, but threw away their standards in a body and
went over to Sulla. This was the beginning of a
terrible disaster to Marius. His shattered army
fled to Praeneste with Sulla in hot pursuit. The
Praenestines gave shelter to those who arrived first,
but when Sulla pressed upon them the gates were
closed, and Marius was hauled up by ropes. There
was another great slaughter round the walls by
reason of the closing of the gates. Sulla captured a
large number of prisoners, and killed all the Samnites
among them, because they had all along been ill-
affected toward the Romans.

88. About the same time Metellus gained a victory
over another army of Carbo, and here again five
cohorts, for safety's sake, deserted to Metellus

CAP.
X

Πομπήιός τε Μάρκιον ἐνίκα περὶ πόλιν Σήνας καὶ τὴν πόλιν διήρπαζεν. ὁ δὲ Σύλλας τὸν Μάριον ἐς Πραινεστὸν κατακλείσας τὴν πόλιν ἀπετάφρευε καὶ ἀπετείχιζεν ἐκ μακροῦ διαστήματος καὶ Λουκρήτιον Ὀφέλλαν ἐπέστησε τῷ ἔργῳ, ὡς οὐκέτι μάχῃ παραστησόμενος Μάριον, ἀλλὰ λιμῷ. Μάριος δὲ οὐδὲν χρηστὸν ἔτι προσδοκῶν τοὺς ἰδίους ἐχθροὺς ἠπείγετο προανελεῖν καὶ Βρούτῳ στρατηγοῦντι τῆς πόλεως ἐπέστελλε τὴν σύγκλητον ὡς ἐπὶ ἄλλο συναγαγεῖν καὶ κτεῖναι Πόπλιον Ἀντίστιον καὶ Παπίριον Κάρβωνα ἕτερον καὶ Λεύκιον Δομίτιον καὶ Μούκιον Σκαιόλαν, τὸν τὴν μεγίστην Ῥωμαίοις ἱερωσύνην ἱερωμένον. οἱ μὲν δὴ δύο τῶνδε ἀνῃρέθησαν ἐν τῇ βουλῇ, καθὰ Μάριος προσέταξε, τῶν σφαγέων ἐς τὸ βουλευτήριον ἐσαχθέντων. Δομίτιος δ' ἐκτρέχων παρὰ τὴν ἔξοδον ἀνῃρέθη, καὶ μικρὸν πρὸ τοῦ βουλευτηρίου Σκαιόλας. τά τε σώματα αὐτῶν ἐς τὸν ποταμὸν ἐρρίφη· ἐπεπόλαζε γὰρ ἤδη μὴ καταθάπτεσθαι τοὺς ἀναιρουμένους. Σύλλας δὲ στρατὸν ἐς Ῥώμην κατὰ μέρη δι' ἑτέρων καὶ ἑτέρων ὁδῶν περιέπεμπεν, ἐντελλόμενος τὰς πύλας καταλαβεῖν, εἰ δὲ ἀποκρουσθεῖεν, ἐπὶ Ὄστια χωρεῖν. τοὺς δὲ αἵ τε πόλεις παροδεύοντας ξὺν φόβῳ προσεδέχοντο, καὶ τὸ ἄστυ προσιοῦσι τὰς πύλας ἀνέῳξαν, ὑπό τε λιμοῦ πιεζόμενοι καὶ τῶν παρόντων κακῶν ἄρα ἀεὶ τὰ ἐπικρατοῦντα φέρειν ἐθιζόμενοι.

89. Σύλλας δ' ὡς ἔμαθεν, αὐτίκα ἐπελθὼν τὴν μὲν στρατιὰν ἵδρυσε πρὸ τῶν πυλῶν ἐν τῷ Ἀρείῳ πεδίῳ, αὐτὸς δ' εἴσω παρῆλθεν, ἐκφυγόντων τῶν

during the battle. Pompey overcame Marcius near Senae and plundered the town. Sulla, having shut Marius up in Praeneste, drew a line of circumvallation round the town a considerable distance from it and left the work in charge of Lucretius Ofella, as he intended to reduce Marius by famine, not by fighting. When Marius saw that his condition was hopeless he hastened to put his private enemies out of the way. He wrote to Brutus, the city praetor, to call the Senate together on some pretext or other and to kill Publius Antistius, the other Papirius, Lucius Domitius, and Mucius Scaevola, the pontifex maximus. Of these the two first were slain in their seats as Marius had ordered, assassins having been introduced into the senate-house for this purpose. Domitius ran out, but was killed at the door, and Scaevola was killed a little farther away. Their bodies were thrown into the Tiber, for it was now the custom not to bury the slain. Sulla sent an army to Rome in detachments by different roads with orders to seize the gates, and if they were repulsed to rendezvous at Ostia. The towns on the way received them with fear and trembling, and the city opened its gates to them because the people were oppressed by hunger, and because, of present evils, men always nerve themselves to bear the worse.[1]

89. When Sulla learned this he came on immediately and established his army before the gates in the Campus Martius. He went inside himself, all of

---

[1] The famine, that is, being the lighter evil of the two.

CAP.
X
ἀντιστασιωτῶν ἁπάντων. καὶ τὰ μὲν τούτων αὐτίκα ἐδημεύετο καὶ διεπιπράσκετο, τὸν δὲ δῆμον ἐς ἐκκλησίαν συναγαγὼν τήν τε ἀνάγκην τῶν παρόντων ὠλοφύρετο καὶ θαρρεῖν προσέταξεν ὡς αὐτίκα τῶνδε παυσομένων καὶ τῆς πολιτείας ἐς τὸ δέον ἐλευσομένης. διοικησάμενος δ' ὅσα ἤπειγε καὶ τῇ πόλει τινὰς ἐπιστήσας τῶν ἑαυτοῦ ἐξώρμησεν ἐς Κλούσιον, ἔνθα τοῦ πολέμου τὰ λοιπὰ ἤκμαζεν. ἐν δὲ τούτῳ τοῖς ὑπάτοις προσεγένοντο ἱππεῖς Κελτίβηρες, ὑπὸ τῶν ἐν Ἰβηρίᾳ στρατηγῶν ἀπεσταλμένοι, καὶ γενομένης παρὰ τὸν Γλάνιν ποταμὸν ἱππομαχίας ὁ μὲν Σύλλας ἔκτεινεν ἐς πεντήκοντα τῶν πολεμίων, διακόσιοι δὲ καὶ ἑβδομήκοντα τῶνδε τῶν Κελτιβήρων ηὐτομόλησαν ἐς Σύλλαν· καὶ τοὺς λοιποὺς ὁ Κάρβων ἀνεῖλεν, εἴτε χαλεπήνας τῆς τῶν ὁμοεθνῶν αὐτομολίας εἴτε δείσας περὶ ὁμοίου. τοῦ δ' αὐτοῦ χρόνου περὶ Σατουρνίαν ἑτέρῳ μέρει τοὺς ἐχθροὺς ὁ Σύλλας ἐνίκα, καὶ Μέτελλος ἐπὶ Ῥάβενναν περιπλέων τὴν Οὐριτανὴν χώραν, πεδιάδα καὶ πυροφόρον οὖσαν, προκατελάμβανεν. ἔς τε Νέαν πόλιν ἐκ προδοσίας νυκτὸς ἕτεροι τῶν Συλλείων ἐσελθόντες ἔκτειναν ἅπαντας χωρὶς ὀλίγων διαφυγόντων καὶ τὰς τριήρεις τῆς πόλεως ἔλαβον. αὐτῷ δὲ Σύλλᾳ καὶ Κάρβωνι περὶ Κλούσιον ἐξ ἠοῦς ἐπὶ ἑσπέραν γίγνεται μάχη καρτερά· καὶ φανέντες ἀλλήλοις ἰσόμαχοι μετὰ σκότους διεκρίθησαν.

90. Ἐν δὲ τῷ πωλητίῳ πεδίῳ Πομπήιος καὶ Κράσσος, ἄμφω Σύλλα στρατηγοί, κτείνουσι τῶν Καρβωνείων ἐς τρισχιλίους καὶ Καρρίναν τὸν ἀντιστρατηγοῦντα σφίσιν ἐπολιόρκουν, ἔστε Κάρ-

the opposite faction having fled. Their property was at once confiscated and exposed to public sale. Sulla summoned the people to an assembly, where he lamented the necessity of his present doings and told them to cheer up, as the troubles would soon be over and the government go on as it ought. Having arranged such matters as were pressing and put some of his own men in charge of the city, he set out for Clusium, where the war was still raging. In the meantime a body of Celtiberian horse, sent by the praetors in Spain, had joined the consuls, and there was a cavalry fight on the banks of the river Glanis. Sulla killed about fifty of the enemy, and then 270 of the Celtiberian horse deserted to him, and Carbo himself killed the rest of them, either because he was angry at the desertion of their countrymen or because he feared similar action on their own part. About the same time Sulla overcame another detachment of his enemies near Saturnia, and Metellus sailed around toward Ravenna and took possession of the level wheat-growing country of Uritanus.[1] Another Sullan division effected an entrance into Neapolis by treachery in the night, killed all the inhabitants except a few who had made their escape, and seized the triremes belonging to the city. A severe battle was fought near Clusium between Sulla himself and Carbo, lasting all day. Neither party had the advantage when darkness put an end to the conflict.

90. In the plain of Spoletium, Pompey and Crassus, both Sulla's officers, killed some 3000 of Carbo's men and besieged Carinas, the opposing general. Carbo sent reinforcements to Carinas, but Sulla learned of

Sullan
successes

---

[1] So Viereck; but it may be "*ager viritanus*," "qui viritim distribuitur" according to Festus.

CAP.
X

βῶν μὲν ἕτερον τῷ Καρρίνᾳ στρατὸν ἔπεμψεν·
ὁ δὲ Σύλλας αἰσθόμενος καὶ ἐφεδρεύσας ἔκτεινεν
αὐτῶν παροδ νόντων ἐς δισχιλίους, καὶ Καρρίνας
δὲ νυκτός, ὕδατός τε ὄντος ἐξ οὐρανοῦ πολλοῦ καὶ
σκότους, αἰσθομένων μέν τι τῶν περικαθημένων,
διὰ δὲ τὸν ὄμβρον ἀμελούντων, διέφυγε. καὶ
Κάρβων ἐς Πραινεστὸν Μαρίῳ τῷ συνάρχῳ
Μάρκιον ἔπεμπεν, ὀκτὼ τέλη στρατιᾶς ἄγοντα,
πυνθανόμενος αὐτὸν ὑπὸ λιμοῦ κακοπαθεῖν· οἷς
ὁ Πομπήιος ἐξ ἐνέδρας ἐν στενῷ προσπεσὼν
τρέπεταί τε καὶ πολλοὺς διαφθείρας ἐς λόφον
συνέκλεισε τοὺς λοιπούς. ἐξ οὗ Μάρκιος μὲν
οὐ σβέσας τὸ πῦρ ἀπεδίδρασκεν, ὁ δὲ στρατὸς
αὐτῷ τὴν αἰτίαν τῆς ἐνέδρας προστιθεὶς ἐστασίασε
χαλεπῶς, καὶ τέλος μὲν ὑπὸ τοῖς σημείοις ὅλον
ἄνευ παραγγέλματος ἐπανῆλθεν ἐς Ἀρίμινον, οἱ
λοιποὶ δ' ἐς τὰς πατρίδας κατὰ μέρη διελύθησαν,
ὡς ἑπτὰ σπείρας τῷ στρατηγῷ μόνας παρα-
μεῖναι.

Καὶ Μάρκιος μὲν ὧδε πράξας κακῶς ἐς Κάρ-
βωνα ἐπανῄει, Μάρκον δὲ Λαμπώνιον ἐκ Λευκανίας
καὶ Πόντιον Τελεσῖνον ἐκ τῆς Σαυνίτιδος καὶ τὸν
Καπυαῖον Γούτταν, μεθ' ἑπτὰ μυριάδων ἐπειγομέ-
νους Μάριον ἐξελέσθαι τῆς πολιορκίας, ὁ Σύλλας
ἐν τοῖς στενοῖς, ᾗ μόνη διαβατὸν ἦν, ἀπέκλειε τῆς
παρόδου. καὶ ὁ Μάριος, ἀπογινώσκων ἤδη τὰς
ἔξωθεν ἐπικουρίας, φρούριον ἐν τῷ μεταιχμίῳ
μεγάλῳ ὄντι ἤγειρεν, ἐς ὃ καὶ μηχανὰς καὶ στρα-
τιὰν συναγαγὼν ἐπεχείρει βιάσασθαι τὸν Λουκρή-
τιον. πολυημέρου δ' αὐτῷ καὶ ποικίλης τῆς
πείρας γενομένης, οὐδὲν ἀνύων ἐς Πραινεστὸν
αὖθις συνεκλείετο.

91. Καὶ περὶ τὰς αὐτὰς ἡμέρας ἐν Φαυεντίᾳ

their movement, laid an ambush for them, and killed about 2000 of them on the road. Carinas escaped by night during a heavy rain-storm and thick darkness, since although the besiegers were aware of some movement, they made no opposition on account of the storm. Carbo sent Marcius with eight legions to the relief of his colleague, Marius, at Praeneste, having heard that he was suffering from hunger. Pompey fell upon them from ambush in a defile, defeated them, killed a large number, and surrounded the remainder on a hill. Marcius indeed made his escape, leaving his fires burning, but the army blamed him for being caught in an ambush and there was a serious mutiny. One whole legion marched off under their standards to Ariminum without orders. The rest separated and went home in driblets, so that only seven cohorts remained with their general.

Marcius, having made a failure of it in this way, returned to Carbo. However, Marcus Lamponius from Lucania, Pontius Telesinus from Samnium, and Gutta the Capuan, with 70,000 men, hastened to deliver Marius from the siege, but Sulla occupied a pass which was the only approach to the place, and blocked the road. Marius now despaired of aid from without, and built a raised fort in the wide space between himself and the enemy, within which he collected his soldiers and his engines, and from which he attempted to force his way through the besieging army of Lucretius. The attempt was renewed several days in different ways, but he accomplished nothing and was again shut up in Praeneste.

91. About the same time Carbo and Norbanus

CAP.
X

Κάρβων καὶ Νωρβανὸς ἐξ ὁδοῦ βραχὺ πρὸ
ἑσπέρας ἐπὶ τὸ Μετέλλου στρατόπεδον ἐλθόντες,
λοιπῆς οὔσης ὥρας μιᾶς καὶ ἀμπέλων πυκνῶν
περικειμένων, ἀνοήτως μάλα ὑπὸ ὀργῆς ἐς μάχην
ἐξέταττον, ἐλπίσαντες Μέτελλον τῷ παραλόγῳ
καταπλήξειν. ἡττώμενοι δὲ ὡς ἐν ἀφυεῖ χωρίῳ
τε καὶ ὥρᾳ καὶ ἐς τὰ φυτὰ ἐμπίπτοντες ἐφθείροντο
κατὰ πλῆθος, ὡς ἀπολέσθαι μὲν ἀμφὶ τοὺς μυ-
ρίους, αὐτομολῆσαι δ' ἐς ἑξακισχιλίους καὶ τοὺς
λοιποὺς διαρριφῆναι, μόνων ἐν τάξει χιλίων
ἐπανελθόντων ἐς Ἀρίμινον. τέλος δ' ἄλλο Λευ-
κανῶν ἀγόμενον ὑπὸ Ἀλβενουανοῦ, τῆς ἥττης
πυθόμενον, μετεχώρει πρὸς Μέτελλον δυσχεραί-
νοντος Ἀλβενουανοῦ. ὁ δὲ τότε μὲν οὐ κατασχὼν
τῆς ὁρμῆς αὐτὸν ἐς Νωρβανὸν ἐπανῆλθεν, οὐ
πολλαῖς δὲ ἡμέραις ὕστερον κρύφα τῷ Σύλλᾳ
κοινολογησάμενος καὶ λαβὼν ἄδειαν, εἴ τι πράξειεν
ἀξιόλογον, ἐπὶ ἑστίασιν ἐκάλει Νωρβανόν τε καὶ
τοὺς συνόντας αὐτῷ στρατηγούς, Γάιον Ἀντί-
πατρον καὶ Φλάυιον Φιμβρίαν, ἀδελφὸν τοῦδε
τοῦ περὶ τὴν Ἀσίαν ἑαυτὸν ἀνελόντος, ὅσοι τε
ἄλλοι τῶν Καρβωνείων στρατηγοὶ τότε παρῆσαν.
ὡς δ' ἀφίκοντο χωρίς γε Νωρβανοῦ (μόνος γὰρ
οὐκ ἀφίκετο), πάντας αὐτοὺς ὁ Ἀλβενουανὸς
ἔκτεινεν ἐπὶ τῆς διαίτης καὶ ἐς τὸν Σύλλαν διέ-
φυγε. Νωρβανὸς δὲ καὶ Ἀρίμινον ἐπὶ τῇδε τῇ
συμφορᾷ καὶ ἄλλα πολλὰ τῶν πλησίον στρατο-
πέδων ἐς τὸν Σύλλαν μεταχωρεῖν πυνθανόμενος
τῶν τε παρόντων οἱ φίλων οὐδένα ἔτι πιστὸν οὐδὲ
βέβαιον ὡς ἐν συμφοραῖς τιθέμενος, ἰδιωτικοῦ
σκάφους ἐπιβὰς ἐς Ῥόδον διέπλευσεν· ὅθεν ὕστε-

went by a short road to attack the camp of Metellus CHAP.
in Faventia just before nightfall. There was only X
one hour of daylight left, and there were thick vine-
yards thereabout. They made their plans for battle
with more temper than judgment, hoping to take
Metellus unawares and to stampede him. But they
were beaten, both the place and the time being
unfavourable for them. They became entangled in
the vines, and suffered a heavy slaughter, losing
some 10,000 men. About 6000 more deserted, and
the rest were dispersed, only 1000 getting back to
Ariminum in good order. Another legion of Lu-
canians under Albinovanus, when they heard of this
defeat, went over to Metellus to the great chagrin
of their leader. As the latter was not able to
restrain this impulse of his men, he, for the time,
returned to Norbanus. Not many days later he sent
secretly to Sulla, and having obtained a promise of
safety from him, if he should accomplish anything
important, he invited Norbanus and his lieutenants,
Gaius Antipater and Flavius Fimbria (brother of the
one who committed suicide in Asia), together with
such of Carbo's lieutenants as were then present,
to a feast. When they had all assembled except
Norbanus (he was the only one who did not come),
Albinovanus murdered them all at the banquet and
then fled to Sulla. Norbanus, having learned that,
in consequence of this disaster, Ariminum and many More
other camps in the vicinity were going over to Sulla, desertions
and being unable to rely on the good faith and firm to Sulla
support of many of his friends on the spot, now that
he found himself in adversity, took passage on a
private ship, and sailed to Rhodes. When, at a later
period, Sulla demanded his surrender, and while the

ρον ἐξαιτούμενος ὑπὸ τοῦ Σύλλα, Ῥοδίων ἔτι
ἀμφιγνοούντων, ἑαυτὸν ἐν ἀγορᾷ μέσῃ διέφθειρε.

92. Κάρβων δὲ ἕτερα δύο τέλη στρατιωτῶν ἐς
Πραινεστὸν ἄγειν ἔπεμπε Δαμάσιππον, ὑπερεπει-
γόμενος Μάριον ἐκλῦσαι τῆς πολιορκίας· ἀλλ'
οὐδ' οὗτοι τὰ στενὰ διελθεῖν ἐδύναντο φυλασσό-
μενα ὑπὸ τοῦ Σύλλα. Γαλάται τε ὅσοι ἀπὸ
Ῥαβέννης ἐπὶ τὰ Ἄλπεια παρήκουσιν, ἀθρόως ἐς
Μέτελλον μετετίθεντο· καὶ Λεύκολλος ἑτέρους
τῶν Καρβωνείων ἐνίκα περὶ Πλακεντίαν. ὧν
ὁ Κάρβων πυνθανόμενος, τρισμυρίους ὅμως ἔτι
ἔχων περὶ τὸ Κλούσιον καὶ δύο τέλη τὰ Δαμασ-
ίππου καὶ ἕτερα περὶ Καρρίναν καὶ Μάρκιον
Σαυνιτῶν τε αὐτῷ χειρὶ πολλῇ προθύμως περὶ τὰ
στενὰ κακοπαθούντων, ἀπογνοὺς ἁπάντων ἀσθενῶς
ἔφευγε σὺν τοῖς φίλοις ἐς Λιβύην ἐξ Ἰταλίας
ὕπατος ἔτι ὤν, ὡς Λιβύην παραστησόμενος ἀντὶ τῆς
Ἰταλίας. τῶν δ' ὑπολειφθέντων οἱ μὲν ἀμφὶ τὸ
Κλούσιον Πομπηΐῳ συνενεχθέντες ἐς μάχην ἀπέ-
βαλον ἐς δισμυρίους, καὶ ὡς ἐπὶ συμφορᾷ μεγίστῃ
καὶ τὸ λοιπὸν τοῦδε τοῦ στρατοῦ ἐς τὰς πατρίδας
κατὰ μέρη διελύθη· Καρρίνας δὲ καὶ Μάρκιος
καὶ Δαμάσιππος οἷς εἶχον ἅπασιν ἐπὶ τὰ στενὰ
ἐχώρουν ὡς ὁμοῦ τοῖς Σαυνίταις βιασόμενοι πάντως
αὐτὰ περᾶσαι. οὐ δυνηθέντες δὲ οὐδ' ὧς, ἐφέροντο
ἐς Ῥώμην ὡς ἔρημον ἀνδρῶν καὶ τροφῶν ἅμα
καταληψόμενοι τὸ ἄστυ καὶ πρὸ σταδίων ἑκατὸν
ἐστρατοπέδευον ἀμφὶ τὴν Ἀλβανῶν γῆν.

93. Δείσας οὖν ὁ Σύλλας περὶ τῇ πόλει τοὺς
μὲν ἱππέας προύπεμψε κατὰ σπουδὴν ἐνοχλεῖν
αὐτοῖς ὁδεύουσιν, αὐτὸς δ' ἐπειχθεὶς ἀθρόῳ τῷ
στρατῷ παρὰ ταῖς Κολλίναις πύλαις περὶ μεσημ-

Rhodians were deliberating on it, he killed himself CHAP.
X
in the middle of the market-place.

92. Carbo sent Damasippus in haste with two
other legions to Praeneste to relieve Marius, who
was still besieged, but not even these could force
their way through the pass that was guarded by
Sulla. The Gauls who inhabited the country lying
between Ravenna and the Alps went over to
Metellus *en masse* and Lucullus won a victory over
another body of Carbo's forces near Placentia. When
Carbo learned these facts, although he still had
30,000 men around Clusium, and the two legions of
Damasippus, and others under Carinas and Marcius,
besides a large force of Samnites, who were courage-
ously enduring hardships at the pass, he fell into
despair and weakly fled to Africa with his friends, Carbo flees
to Africa
although he was still consul, hoping to win over
Africa instead of Italy. Of those whom he left
behind, the army around Clusium had a battle with
Pompey in which they lost 20,000 men. Naturally,
after this greatest disaster of all, the remainder
of the army broke into fragments and each man
went to his own home. Carinas, Marcius, and
Damasippus went with all the forces they had to the
pass in order to force their way through it in con-
junction with the Samnites. Failing in the attempt
they marched to Rome, thinking that the city might
be easily taken, as it was bereft of men and pro-
visions, and they encamped in the Alban territory at
a distance of 100 stades from it.

93. Sulla feared for the safety of the city, and sent Sulla's
victory at
the Colline
Gate
his cavalry forward with all speed to hinder their
march, and then hastened in person with his whole
army and encamped beside the Colline gate near

CAP. βρίαν ἐστρατοπέδευσεν, ἀμφὶ τὸ τῆς Ἀφροδίτης
X ἱερόν, ἤδη καὶ τῶν πολεμίων περὶ τὴν πόλιν
στρατοπεδευόντων. μάχης δ' εὐθὺς αὐτοῖς περὶ
δείλην ἑσπέραν γενομένης τῷ μὲν δεξιῷ Σύλλας
ἐκράτει, τὸ δὲ λαιὸν ἡττώμενον ἐπὶ τὰς πύλας
κατέφυγεν. οἱ δὲ γέροντες, ὄντες ἐπὶ τῶν τειχῶν,
ὡς εἶδον αὐτοῖς συνεστρέχοντας τοὺς πολεμίους,
τὰς πύλας καθῆκαν ἀπὸ μηχανῆς· αἱ δ' ἐμπίπ-
τουσαι πολλοὺς μὲν ἀπὸ τοῦ στρατοῦ διέφθειραν,
πολλοὺς δ' ἀπὸ τῆς βουλῆς, οἱ λοιποὶ δ' ὑπὸ
δέους καὶ ἀνάγκης ἀνέστρεφον ἐς τοὺς πολεμίους.
καὶ νυκτὸς ὅλης ἀγωνισάμενοι πολὺ πλῆθος
ἔκτειναν· ἔκτειναν δὲ καὶ τῶν στρατηγῶν Τελεσῖ-
νόν τε καὶ Ἀλβῖνον καὶ τὰ στρατόπεδα αὐτῶν
ἔλαβον. Λαμπώνιός τε ὁ Λευκανὸς καὶ Μάρκιος
καὶ Καρρίνας ὅσοι τε ἄλλοι στρατηγοὶ τῆς Καρβω-
νείου στάσεως αὐτοῖς συνῆσαν, διέφυγον. καὶ
θάνατος ἐκ τοῦδε τοῦ ἔργου πέντε μυριάδων ἐδόκει
γενέσθαι παρ' ἀμφοτέρων· τά τε αἰχμάλωτα
ὀκτακισχιλίων πλείω γενόμενα Σύλλας, ὅτι Σαυ-
νῖται τὸ πλέον ἦν, κατηκόντισε. μετὰ δὲ μίαν
ἡμέραν αὐτῷ καὶ Μάρκιος καὶ Καρρίνας ἁλόντες
προσήγοντο· καὶ οὐδὲ τῶνδε φειδόμενος οἷα Ῥω-
μαίων ἔκτεινεν ἄμφω καὶ τὰς κεφαλὰς ἐς Πραι-
νεστὸν Λουκρητίῳ περὶ τὰ τείχη περιενεγκεῖν
ἔπεμψεν.

94. Πραινέστιοι δὲ καὶ τάδε θεώμενοι καὶ τὸν
Κάρβωνος στρατὸν ἀπολωλέναι πάντα πυνθανό-
μενοι αὐτόν τε Νωρβανὸν ἤδη φυγεῖν ἐξ Ἰταλίας
καὶ τὴν ἄλλην Ἰταλίαν καὶ Ῥώμην ἐπ' αὐτῇ
Σύλλαν ἐκτενῶς κεχειρῶσθαι, τὴν πόλιν τῷ
Λουκρητίῳ παρέδοσαν, Μαρίου καταδύντος ἐς

the temple of Venus about noon, the enemy being
already encamped around the city. A battle was
fought at once, late in the afternoon. On the right
wing Sulla was victorious, but his left was vanquished
and fled to the gates. The old soldiers on the walls,
when they saw the enemy rushing in with their own
men, dropped the portcullis, which fell upon and
killed many soldiers and many senators. But the
majority, impelled by fear and necessity, turned and
fought the enemy. The fighting continued through
the night and a great many were slain. The
generals, Telesinus and Albinus, were slain also and
their camp was taken. Lamponius the Lucanian,
Marcius, and Carinas, and the other generals of the
faction of Carbo, fled. It was estimated that 50,000
men on both sides lost their lives in this engage-
ment. Prisoners, to the number of more than 8,000,
were shot down with darts by Sulla because they
were mostly Samnites. The next day Marcius and
Carinas were captured and brought in. Sulla did not
spare them because they were Romans, but killed
them both and sent their heads to Lucretius at
Praeneste to be displayed round the walls.

94. When the Praenestians saw them and knew Surrender of Praeneste
that Carbo's army was completely destroyed, and
that Norbanus himself had fled from Italy, and that
Rome and all the rest of Italy were entirely in the
power of Sulla, they surrendered their city to
Lucretius. Marius hid himself in an undergronnd

CAP.
X

τάφρους ὑπονόμους καὶ μετὰ βραχὺ καὶ ἀνελόντος
ἑαυτόν. Λουκρήτιος μὲν δὴ Μαρίου τὴν κεφαλὴν
ἐκτεμὼν ἔπεμπεν ἐς Σύλλαν· καὶ αὐτὴν ὁ Σύλλας
ἐν ἀγορᾷ μέσῃ πρὸ τῶν ἐμβόλων θέμενος ἐπιγε-
λάσαι λέγεται τῇ νεότητι τοῦ ὑπάτου καὶ εἰπεῖν·
" ἐρέτην δεῖ πρῶτα γενέσθαι, πρὶν πηδαλίοις
ἐπιχειρεῖν." Λουκρήτιος δ' ἐπεὶ Πραινεστὸν εἷλε,
τῶν ἀπὸ τῆς βουλῆς ἐνταῦθα Μαρίῳ στρατηγούν-
των τοὺς μὲν αὐτίκα ἀνῄρει, τοὺς δ' ἐς φυλακὴν
ἐσέβαλλεν· οὓς ὁ Σύλλας ἐπελθὼν ἀνεῖλε. καὶ
τοὺς ἐν Πραινεστῷ προσέταξε χωρὶς ὅπλων
προελθεῖν ἅπαντας ἐς τὸ πεδίον καὶ προελθόντων
τοὺς μὲν ἑαυτῷ τι χρησίμους γενομένους, ὀλίγους
πάμπαν, ἐξείλετο, τοὺς δὲ λοιποὺς ἐκέλευσεν ἐς
τρία ἀπ' ἀλλήλων διαστῆναι, Ῥωμαίους τε καὶ
Σαννίτας καὶ Πραινεστίους· ἐπεὶ δὲ διέστησαν,
τοῖς μὲν Ῥωμαίοις ἐπεκήρυξεν, ὅτι καὶ οἴδε ἄξια
θανάτου δεδράκασι, καὶ συγγνώμην ἔδωκεν ὅμως,
τοὺς δὲ ἑτέρους κατηκόντισεν ἅπαντας· γύναια δ'
αὐτῶν καὶ παιδία μεθῆκεν ἀπαθεῖς ἀπιέναι. καὶ
τὴν πόλιν διήρπαζε, πολυχρήματον ἐν τοῖς μά-
λιστα τότε οὖσαν.

Ὧδε μὲν δὴ καὶ Πραινεστὸς ἑάλω, Νῶρβα δ',
ἑτέρα πόλις, ἀντεῖχεν ἔτι ἐγκρατῶς, ἔστε Αἰμιλίου
Λεπίδου νυκτὸς ἐς αὐτὴν ἐκ προδοσίας ἐσελθόντος
διαγανακτήσαντες οἱ ἔνδον ἐπὶ τῇ προδοσίᾳ, οἱ
μὲν ἑαυτοὺς ἀνῄρουν, οἱ δ' ἀλλήλους ἑκόντες, οἱ δὲ
καὶ βρόχοις συνεπλέκοντο· καὶ τὰς θύρας ἐνέ-
φραττον ἕτεροι καὶ ἐνεπίμπρασαν . . . ἄνεμός τε
πολὺς ἐμπεσὼν ἐς τοσοῦτον αὐτὴν ἐδαπάνησεν,
ὡς μηδὲν ἐκ τῆς πόλεως λάφυρον γενέσθαι.

tunnel and shortly afterward committed suicide.
Lucretius cut off his head and sent it to Sulla, who
exposed it in the forum in front of the rostra. It is
said that he indulged in a jest at the youth of the
consul, saying " First learn to row, before you try to
steer." [1] When Lucretius took Praeneste he seized
the senators who had held commands under Marius,
and put some of them to death and cast the others
into prison. The latter were put to death by Sulla
when he came that way. All the others who were
taken in Praeneste he ordered to march out to the
plain without arms, and when they had done so he
chose out a very few who had been in any way
serviceable to him. The remainder he ordered to be
divided into three sections, consisting of Romans,
Samnites, and Praenestians respectively. When this
had been done he announced to the Romans by
herald that they had merited death, but nevertheless
he would pardon them. The others he shot down to
the last man, but their wives and children he allowed
to go unharmed. The town, which was extremely
rich at that time, he gave over to plunder.

In this way was Praeneste taken. Norba, another
town, still resisted with all its might until Aemilius
Lepidus was admitted to it in the night by treachery.
The inhabitants, maddened by this treason, killed
themselves, or fell on each other's swords, or strangled
themselves with ropes. Others closed the gates and
set fire to the town. A strong wind fanned the
flames, which so far consumed the place that no
plunder was gained from it.

---

[1] A quotation from Aristophanes (*Knights* 542).

XI

95. Καὶ οἵδε μὲν οὕτως ἐγκρατῶς ἀπέθανον·
ἠνυσμένων δὲ τῶν ἀμφὶ τὴν Ἰταλίαν πολέμοις
καὶ πυρὶ καὶ φόνῳ πολλῷ, οἱ μὲν τοῦ Σύλλα
στρατηγοὶ τὰς πόλεις ἐπιόντες τὰ ὕποπτα ἐφρού-
ρουν, καὶ Πομπήιος ἔς τε Λιβύην ἐπὶ Κάρβωνα
καὶ ἐς Σικελίαν ἐπὶ τοὺς ἐκεῖ Κάρβωνος φίλους
ἐστέλλετο· αὐτὸς δὲ ὁ Σύλλας Ῥωμαίους ἐς
ἐκκλησίαν συναγαγὼν πολλὰ ἐμεγαληγόρησεν
ἐφ' ἑαυτῷ καὶ φοβερὰ ἐς κατάπληξιν εἶπεν ἕτερα
καὶ ἐπήνεγκεν, ὅτι τὸν μὲν δῆμον ἐς χρηστὴν ἄξει
μεταβολήν, εἰ πείθοιντό οἱ, τῶν δ' ἐχθρῶν οὐδενὸς
ἐς ἔσχατον κακοῦ φείσεται, ἀλλὰ καὶ τοὺς στρατη-
γοὺς ἢ ταμίας ἢ χιλιάρχους ἢ ὅσοι τι συνέπραξαν
ἄλλοι τοῖς πολεμίοις, μεθ' ἣν ἡμέραν Σκιπίων ὁ
ὕπατος οὐκ ἐνέμεινε τοῖς πρὸς αὐτὸν ὡμολογη-
μένοις, μετελεύσεσθαι κατὰ κράτος. ταῦτα δ'
εἰπὼν αὐτίκα βουλευτὰς ἐς τεσσαράκοντα καὶ
τῶν καλουμένων ἱππέων ἀμφὶ χιλίους καὶ ἑξακο-
σίους ἐπὶ θανάτῳ προύγραφεν. οὗτος γὰρ δοκεῖ
πρῶτος, οὓς ἐκόλασε θανάτῳ, προγράψαι καὶ γέρα
τοῖς ἀναιροῦσι καὶ μήνυτρα τοῖς ἐλέγχουσι καὶ
κολάσεις τοῖς κρύπτουσιν ἐπιγράψαι. μετ' οὐ
πολὺ δὲ βουλευτὰς ἄλλους αὐτοῖς προσετίθει.
καὶ τῶνδε οἱ μὲν ἀδοκήτως καταλαμβανόμενοι
διεφθείροντο, ἔνθα συνελαμβάνοντο, ἐν οἰκίαις
ἢ στενωποῖς ἢ ἱεροῖς, οἱ δὲ μετέωροι πρὸς τὸν

XI

95. So perished the stout-hearted men of Norba;
and now, after thus crushing Italy by war, fire, and
murder, Sulla's generals visited the several cities
and established garrisons at the suspected places.
Pompey was despatched to Africa against Carbo and
to Sicily against Carbo's friends who had taken
refuge there. Sulla himself called the Roman
people together in an assembly and made them a
speech, vaunting his own exploits and making other
menacing statements in order to inspire terror. He
finished by saying that he would bring about a
change which would be beneficial to the people if
they would obey him, but of his enemies he
would spare none, but would visit them with the
utmost severity. He would take vengeance by
strong measures on the praetors, quaestors, military
tribunes, and everybody else who had committed
any hostile act after the day when the consul Scipio
violated the agreement made with him. After
saying this he forthwith proscribed about forty
senators and 1600 knights. He seems to have been
the first to make a formal list[1] of those whom he
punished, to offer prizes to assassins and rewards
to informers, and to threaten with punishment those
who should conceal the proscribed. Shortly after-
ward he added the names of other senators to the
proscription. Some of these, taken unawares, were
killed where they were caught, in their houses, in
the streets, or in the temples. Others were hurled

---

[1] Latin *proscribere*, whence "proscription."

CAP.
XI

Σύλλαν φερόμενοί τε καὶ πρὸ ποδῶν αὐτοῦ ῥιπτού·
μενοι· οἱ δὲ καὶ ἐσύροντο καὶ κατεπατοῦντο, οὐδὲ
φωνὴν ἔτι τῶν θεωμένων οὐδενὸς ἐπὶ τοσοῖσδε
κακοῖς ἔχοντος ὑπ' ἐκπλήξεως. ἐξέλασίς τε ἑτέρων
ἦν καὶ δήμευσις τῶν ἑτέροις ὄντων. ἐπὶ δὲ τοὺς
τῆς πόλεως ἐκφυγόντας ζητηταὶ πάντα μαστεύ-
οντες διέθεον καὶ ὅσους αὐτῶν λάβοιεν ἀνῄρουν.

96. Πολλὴ δὲ καὶ τῶν Ἰταλιωτῶν ἀναίρεσίς τε
καὶ ἐξέλασις καὶ δήμευσις ἦν, ὅσοι τι Κάρβωνος
ἢ Νωρβανοῦ ἢ Μαρίου ἢ τῶν ὑπ' ἐκείνοις στρατη-
γούντων ὑπήκουσαν. κρίσεις τε ἦσαν ἐπὶ τούτοις
ἀνὰ τὴν Ἰταλίαν ὅλην πικραὶ καὶ ἐγκλήματα
ποικίλα, στρατηγίας ἢ στρατείας ἢ ἐσφορᾶς
χρημάτων ἢ ἄλλης ὑπηρεσίας ἢ βουλεύσεως ὅλως
κατὰ Σύλλα. ἐγκλήματα δ' ἦν καὶ ξενία καὶ
φιλία καὶ δάνεισμα, λαβόντος ἢ δόντος, ἤδη δέ τις
καὶ προθυμίας ἢ μόνης συνοδίας ἡλίσκετο. καὶ
ταῦτ' ἤκμαζε μάλιστα κατὰ τῶν πλουσίων. ὡς δ'
ἐξέλιπε τὰ καθ' ἕνα ἄνδρα ἐγκλήματα, ἐπὶ τὰς
πόλεις ὁ Σύλλας μετῄει καὶ ἐκόλαζε καὶ τάσδε,
τῶν μὲν ἀκροπόλεις κατασκάπτων ἢ τείχη καθαι-
ρῶν ἢ κοινὰς ζημίας ἐπιτιθεὶς ἢ εἰσφοραῖς ἐκτρύ-
χων βαρυτάταις· ταῖς δὲ πλείοσι τοὺς ἑαυτῷ
στρατευσαμένους ἐπῴκιζεν ὡς ἕξων φρούρια κατὰ
τῆς Ἰταλίας τήν τε γῆν αὐτῶν καὶ τὰ οἰκήματα
ἐς τούσδε μεταφέρων διεμέριζεν· ὃ καὶ μάλιστ'
αὐτοὺς εὔνους αὐτῷ καὶ τελευτήσαντι ἐποίησεν·
ὡς γὰρ οὐχ ἕξοντες αὐτὰ βεβαίως, εἰ μὴ πάντ'

through mid-air [1] and thrown at Sulla's feet. Others
were dragged through the city and trampled on,
none of the spectators daring to utter a word of
remonstrance against these horrors. Banishment
was inflicted upon some and confiscation upon
others. Spies were searching everywhere for those
who had fled from the city, and those whom they
caught they killed.

96. There was much massacre, banishment, and
confiscation also among those Italians who had
obeyed Carbo, or Marius, or Norbanus, or their
lieutenants. Severe judgments of the courts were
rendered against them throughout all Italy on
various charges—for exercising military command,
for serving in the army, for contributing money,
for rendering other service, or even giving counsel
against Sulla. Hospitality, private friendship, the
borrowing or lending of money, were alike accounted
crimes. Now and then one would be arrested for
doing a kindness to a suspect, or merely for being
his companion on a journey. These accusations
abounded mostly against the rich. When charges
against individuals failed Sulla took vengeance on
whole communities. He punished some of them by
demolishing their citadels, or destroying their walls,
or by imposing fines and crushing them by heavy
contributions. Among most of them he placed
colonies of his troops in order to hold Italy under
garrisons, sequestrating their lands and houses and
dividing them among his soldiers, whom he thus
made true to him even after his death. As they could
not be secure in their own holdings unless all Sulla's

---

[1] Probably from windows or roofs; but the Greek may
merely mean "carried" as opposed to "dragged."

εἴη τὰ Σύλλα βέβαια, ὑπερηγωνίζοντο αὐτοῦ καὶ μεταστάντος.

Καὶ τάδε μὲν ἦν ἀμφὶ τὴν Ἰταλίαν, Κάρβωνα δ' ἐκ Λιβύης ἐς Σικελίαν μετὰ πολλῶν ἐπιφανῶν καὶ ἀπ' αὐτῆς ἐς Κοσσύραν νῆσον ὑποφεύγοντα πέμψας τινὰς ὁ Πομπήιος συνέλαβε. καὶ τοὺς μὲν ἄλλους τοῖς ἄγουσιν ἐκέλευσεν οὐδ' ἐς ὄψιν οἱ προσαχθέντας ἀνελεῖν, Κάρβωνα δὲ παραστησάμενος αὐτοῦ τοῖς ποσὶ δεσμώτην τρὶς ὕπατον ἐπεδημηγόρησε καὶ κατέκανε καὶ τὴν κεφαλὴν ἐς Σύλλαν ἔπεμψεν.

97. Ὁ δ', ἐπεί οἱ πάντα, ὡς ἐβούλετο, ἐπὶ τοῖς ἐχθροῖς διῴκητο καὶ πολέμιον οὐδὲν ἦν ἔτι πλὴν Σερτωρίου μακρὰν ὄντος, Μέτελλον μὲν ἐπὶ τοῦτον ἐξέπεμπεν ἐς Ἰβηρίαν, τὰ δ' ἐν τῇ πόλει καθίστατο ἅπαντα ἐφ' ἑαυτοῦ, καθ' ὃν ἐβούλετο τρόπον. νόμου γὰρ ἢ χειροτονίας ἢ κλήρου λόγος οὐκ ἦν ἔτι, πεφρικότων ὑπὸ δέους πάντων καὶ κρυπτομένων ἢ σιωπώντων· οἳ καὶ πάντα, ὅσα διῴκησεν ὁ Σύλλας ὑπατεύων τε καὶ ἀνθυπατεύων, βέβαια καὶ ἀνεύθυνα ἐψηφίζοντο εἶναι εἰκόνα τε αὐτοῦ ἐπίχρυσον ἐπὶ ἵππου πρὸ τῶν ἐμβόλων ἀνέθεσαν καὶ ὑπέγραψαν "Κορνηλίου Σύλλα ἡγεμόνος Εὐτυχοῦς." ὧδε γὰρ αὐτὸν οἱ κόλακες, διευτυχοῦντα ἐπὶ τοῖς ἐχθροῖς, ὠνόμαζον· καὶ προῆλθεν ἐς βέβαιον ὄνομα ἡ κολακεία. ἤδη δέ που γραφῇ περιέτυχον ἡγουμένῃ τὸν Σύλλαν Ἐπαφρόδιτον ἐν τῷδε τῷ ψηφίσματι ἀναγραφῆναι, καὶ οὐκ ἀπεικὸς ἐφαίνετό μοι καὶ τόδε, ἐπεὶ καὶ Φαῦστος ἐπωνομάζετο· δύναται δὲ τοῦ αἰσίου καὶ ἐπαφροδίτου ἀγχοτάτω μάλιστα εἶναι τὸ ὄνομα. ἔστι δ' ὅπου

system were on a firm foundation, they were his stoutest champions even after he died.

While the affairs of Italy were in this state, Pompey sent a force and captured Carbo, who had fled with many persons of distinction from Africa to Sicily and thence to the island of Cossyra. He ordered his officers to kill all of the others without bringing them into his presence; but Carbo, "the three times consul," he caused to be brought before his feet in chains, and after making a public harangue at him, murdered him and sent his head to Sulla.

97. When everything had been accomplished against his enemies as he desired, and there was no longer any hostile force except that of Sertorius, who was far distant, Sulla sent Metellus into Spain against him and seized upon everything in the city to suit himself. There was no longer any occasion for laws, or elections, or for casting lots, because everybody was shivering with fear and in hiding, or dumb. Everything that Sulla had done as consul, or as proconsul, was confirmed and ratified, and his gilded equestrian statue was erected in front of the rostra with the inscription, "Cornelius Sulla, the ever Fortunate," for so his flatterers called him on account of his unbroken success against his enemies. And this flattering title still attaches to him. I have come across a document which relates that Sulla was styled Epaphroditus[1] by a decree of the Senate itself. This does not seem to me to be inappropriate for one of his names was Faustus (lucky), which name seems to have very nearly the same significa- tion as Epaphroditus. There was also an oracle given to him somewhere which, in response to his

---

[1] "The favourite of Venus."

καὶ χρησμὸς αὐτῷ δοθεὶς ἐβεβαίου τάδε σκεπτο-
μένῳ τὰ μέλλοντα.

πείθεό μοι, Ῥωμαῖε. κράτος μέγα Κύπρις
ἔδωκεν
Αἰνείου γενεῇ μεμελημένη. ἀλλὰ σὺ πᾶσιν
ἀθανάτοις ἐπέτεια τίθει. μὴ λήθεο τῶνδε·
Δελφοῖς δῶρα κόμιζε. καὶ ἔστι τις ἀμβαίνουσι
Ταύρου ὑπὸ νιφόεντος, ὅπου περιμήκετον ἄστυ
Καρῶν, οἳ ναίουσιν ἐπώνυμον ἐξ Ἀφροδίτης·
ἢ πέλεκυν θέμενος λήψῃ κράτος ἀμφιλαφές σοι.

ὁπότερα δ' αὐτῶν ἐψηφίσαντο Ῥωμαῖοι τὴν εἰκόνα
τιθέντες, δοκοῦσί μοι παρασκώπτοντες ἢ ἐκμει-
λισσόμενοι τὸν ἄνδρα ἐπιγράψαι. ἔπεμψε δὲ καὶ
στέφανον χρύσεον καὶ πέλεκυν, ἐπιγράψας τάδε·

τόνδε σοι αὐτοκράτωρ Σύλλας ἀνέθηκ', Ἀφρο-
δίτη,
ᾧ σ' εἶδον κατ' ὄνειρον ἀνὰ στρατιὴν διέπουσαν
τεύχεσι τοῖς Ἄρεος μαρναμένην ἔνοπλον.

98. Ὁ δὲ ἔργῳ βασιλεὺς ὢν ἢ τύραννος, οὐχ
αἱρετός, ἀλλὰ δυνάμει καὶ βίᾳ, δεόμενος δ' ἄρα
καὶ τοῦ προσποιήματος αἱρετὸς εἶναι δοκεῖν, ὧδε
καὶ τόδε ἐμηχανήσατο. Ῥωμαίοις πάλαι κατ'
ἀρετὴν ἦσαν οἱ βασιλέες· καὶ ὁπότε τις αὐτῶν
ἀποθάνοι, βουλευτὴς ἕτερος παρ' ἕτερον ἐπὶ πέντε
ἡμέρας ἦρχεν, ἕως τινὰ ἄλλον ὁ δῆμος δοκιμάσειε
βασιλεύειν. καὶ τόνδε τὸν πενθήμερον ἄρχοντα
ἰντέρρηγα ἐκάλουν· εἴη δ' ἂν ἐν τοσῷδε βασιλεύς.
ἀρχαιρέσια δ' ὑπάτων οἱ λήγοντες τῆς ἀρχῆς ἀεὶ
προυτίθεσαν· καὶ εἴ ποτε κατὰ συντυχίαν ὕπατος

question concerning the future, assured his prosperous career as follows :—

" Roman, believe me! On Aeneas' line
 Cypris, its patron, sheddeth power divine ;
 To all the Immortals bring thy yearly gifts ;
 And chief to Delphi. But where Taurus lifts
 His snowy side, and Carian men have walled
 A far-spread town, from Aphrodite called,[1]
 There bring an Axe, and power supreme is
  thine !"

Whichever inscription the Romans voted when they erected the statue, they seem to me to have inscribed it either by way of jest or cajolery. However, Sulla did actually send a golden crown and axe to Venus with this inscription :—

This Axe to Aphrodite Sulla brought,
 For in a dream he saw her as she fought
 Queen of his host, full armed, and deeds of
  knighthood wrought.

98. Thus Sulla became king, or tyrant, *de facto*, not elected, but holding power by force and violence. As, however, he needed the pretence of being elected this too was managed in this way. The kings of the Romans in the olden time were chosen for their bravery, and whenever one of them died the senators held the royal power in succession for five days each, until the people should decide who should be the new king. This five-day ruler was called the Interrex, which means king for the time being. The retiring consuls always presided over the election of their successors in office, and if there

---

[1] Aphrodisias in Caria.

οὐκ εἴη, ὅδε ὁ ἐν τοσῷδε βασιλεὺς καὶ τότε ἐγίγνετο
ἐς τὴν τῶν ὑπάτων χειροτονίαν. τούτου δὴ τοῦ
ἔθους ἐπιβαίνων ὁ Σύλλας, ὑπάτων οὐκ ὄντων,
ἐπεὶ καὶ Κάρβων ἐν Σικελίᾳ καὶ Μάριος κατὰ
Πραινεστὸν ἐτεθνήκεσαν, αὐτὸς μέν που τῆς
πόλεως ὑπεξῆλθε, τῇ δὲ βουλῇ προσέταξεν ἑλέσθαι
τὸν καλούμενον μεταξὺ βασιλέα.

Ἡ μὲν δὴ Οὐαλέριον Φλάκκον εἵλετο, ἐλπίσασα
ὑπάτων προτεθήσεσθαι χειροτονίαν· ὁ δὲ Σύλλας
ἐπέστελλε τῷ Φλάκκῳ γνώμην ἐς τὸν δῆμον
ἐσενεγκεῖν, ὅτι χρήσιμον ἡγοῖτο Σύλλας ἐν τῷ
παρόντι ἔσεσθαι τῇ πόλει τὴν ἀρχήν, οὓς ἐκάλουν
δικτάτορας, παυσάμενον ἔθος ἐκ τετρακοσίων ἐτῶν·
ὃν δὲ ἔλοιντο, ἐκέλευεν ἄρχειν οὐκ ἐς χρόνον ῥητόν,
ἀλλὰ μέχρι τὴν πόλιν καὶ τὴν Ἰταλίαν καὶ τὴν
ἀρχὴν ὅλην στάσεσι καὶ πολέμοις σεσαλευμένην
στηρίσειεν. ὁ μὲν δὴ νοῦς τὴν γνώμην ἐς αὑτὸν
ἔφερε τὸν Σύλλαν, καὶ οὐδ' ἀμφίβολον ἦν· ὁ δὲ
Σύλλας οὐ κατασχὼν αὑτοῦ καὶ τοῦτ' ἐν τέλει τῆς
ἐπιστολῆς ἀνεκάλυπτεν, ὅτι οἱ δοκοίη μάλιστ' ἂν
αὐτὸς τῇ πόλει καὶ ἐν τῷδε γενέσθαι χρήσιμος.

99. Ὁ μὲν δὴ τάδε ἐπέστελλε, Ῥωμαῖοι δ' οὐχ
ἑκόντες μὲν οὐδὲ κατὰ νόμον ἔτι χειροτονοῦντες
οὐδὲν οὐδ' ἐπὶ σφίσιν ἡγούμενοι τὸ ἔργον ὅλως, ἐν
δὲ τῇ πάντων ἀπορίᾳ τὴν ὑπόκρισιν τῆς χειρο-
τονίας ὡς ἐλευθερίας εἰκόνα καὶ πρόσχημα ἀσπα-
σάμενοι χειροτονοῦσι τὸν Σύλλαν, ἐς ὅσον θέλοι,
τύραννον αὐτοκράτορα. τυραννὶς μὲν γὰρ ἡ τῶν
δικτατόρων ἀρχὴ καὶ πάλαι, ὀλίγῳ χρόνῳ δ'
ὁριζομένη· τότε δὲ πρῶτον ἐς ἀόριστον ἐλθοῦσα

chanced to be no consul at such a time an Interrex
was appointed for the purpose of holding the
consular comitia. Sulla took advantage of this
custom. There were no consuls at this time, Carbo
having lost his life in Sicily and Marius in Praeneste.
So Sulla went out of the city for a time and ordered
the Senate to choose an Interrex.

They chose Valerius Flaccus, expecting that he
would soon hold the consular comitia. But Sulla
wrote ordering Flaccus to represent to the people
his own strong opinion that it was to the immediate
interest of the city to revive the dictatorship, an
office which had now been in abeyance 400 years.[1]
He told them not to appoint the dictator for a fixed
period, but until such time as he should firmly
re-establish the city and Italy and the government
generally, shattered as it was by factions and wars.
That this proposal referred to himself was not at
all doubtful, and Sulla made no concealment of it,
declaring openly at the conclusion of the letter that,
in his judgment, he could be most serviceable to the
city in that capacity.

99. Such was Sulla's message. The Romans did not He is made dictator for life
like it, but they had no more opportunities for
elections according to law, and they considered that
this matter was not altogether in their own power.
So, in the general deadlock, they welcomed this
pretence of an election as an image and semblance
of freedom, and chose Sulla their absolute master for
as long a time as he pleased. There had been
autocratic rule of the dictators before, but it was
limited to short periods. But under Sulla it first

[1] Some slip of text or memory is probable; 120 years is
correct.

τυραννὶς ἐγίγνετο ἐντελής. τοσόνδε μέντοι προσ-
έθεσαν εἰς εὐπρέπειαν τοῦ ῥήματος, ὅτι αὐτὸν
αἱροῖντο δικτάτορα ἐπὶ θέσει νόμων, ὧν αὐτὸς ἐφ'
ἑαυτοῦ δοκιμάσειε, καὶ καταστάσει τῆς πολιτείας.
οὕτω μὲν δὴ Ῥωμαῖοι βασιλεῦσιν ὑπὲρ τὰς ἑξή-
κοντα ὀλυμπιάδας χρησάμενοι, ἐπὶ δ' ἐκείνοις
δημοκρατίᾳ τε καὶ ὑπάτοις ἐτησίοις προστάταις
ἐς ἄλλας ἑκατὸν ὀλυμπιάδας, αὖθις ἐπειρῶντο
βασιλείας, ὀλυμπιάδων οὐσῶν ἐν Ἕλλησιν ἑκατὸν
ἑβδομήκοντα πέντε καὶ οὐδενὸς ἐν Ὀλυμπίᾳ τότε
ἀγωνίσματος πλὴν σταδίου δρόμου γιγνομένου·
τοὺς γὰρ ἀθλητὰς καὶ τὰ ἄλλα θεάματα πάντα
ὁ Σύλλας ἐς Ῥώμην μετεκέκλητο ἐπὶ δόξῃ τῶν
Μιθριδατείων ἔργων ἢ τῶν Ἰταλικῶν. πρόφασις
δ' ἦν ἀναπνεῦσαι καὶ ψυχαγωγῆσαι τὸ πλῆθος ἐκ
καμάτων.

100. Ὁ δ' ἐς μὲν πρόσχημα τῆς πατρίου πολι-
τείας ὑπάτους αὐτοῖς ἐπέτρεψεν ἀποφῆναι, καὶ
ἐγένοντο Μάρκος Τύλλιος καὶ Κορνήλιος Δολο-
βέλλας· αὐτὸς δ' οἷα δὴ βασιλεύων δικτάτωρ ἐπὶ
τοῖς ὑπάτοις ἦν· πελέκεις τε γὰρ ἐφέροντο πρὸ
αὐτοῦ, οἷα δικτάτορος, εἴκοσι καὶ τέσσαρες, ὅσοι
καὶ τῶν πάλαι βασιλέων ἡγοῦντο, καὶ φυλακὴν
τοῦ σώματος περιέθετο πολλήν. νόμους τε ἐξέλυε
καὶ ἑτέρους ἐτίθετο· καὶ στρατηγεῖν ἀπεῖπε, πρὶν
ταμιεῦσαι, καὶ ὑπατεύειν, πρὶν στρατηγῆσαι, καὶ
τὴν ἀρχὴν τὴν αὐτὴν αὖθις ἄρχειν ἐκώλυσε, πρὶν
ἔτη δέκα διαγενέσθαι. τὴν δὲ τῶν δημάρχων
ἀρχὴν ἴσα καὶ ἀνεῖλε, ἀσθενεστάτην ἀποφήνας
καὶ νόμῳ κωλύσας μηδεμίαν ἄλλην τὸν δήμαρχον
ἀρχὴν ἔτι ἄρχειν· διὸ καὶ πάντες οἱ δόξης ἢ

became unlimited and so an absolute tyranny. All
the same they added, for propriety's sake, that they
chose him dictator for the enactment of such laws as
he himself might deem best and for the regulation of
the commonwealth. Thus the Romans, after having
government by kings for above sixty Olympiads, and
a democracy, under consuls chosen yearly, for 100
Olympiads, resorted to kingly government again.
This was in the 175th Olympiad, according to the
Greek calendar, but there were no Olympic games
then except races in the stadium, since Sulla had
carried away the athletes and all the sights and
shows to Rome to celebrate his victories in the
Mithridatic and Italian wars, under the pretext that
the masses needed a breathing-spell and recreation
after their toils.

100. Nevertheless, by way of keeping up the form
of the republic he allowed them to appoint consuls.
Marcus Tullius and Cornelius Dolabella were chosen.
But Sulla, like a reigning sovereign, was dictator over
the consuls. Twenty-four axes were borne in front
of him as dictator, the same number that were
borne before the ancient kings, and he had a large
body-guard also. He repealed laws and enacted
others. He forbade anybody to hold the office of
praetor until after he had held that of quaestor, or to
be consul before he had been praetor, and he
prohibited any man from holding the same office a
second time till after the lapse of ten years. He
reduced the tribunician power to such an extent that
it seemed to be destroyed. He curtailed it by a law
which provided that one holding the office of tribune
should never afterward hold any other office ; for
which reason all men of reputation or family, who

CAP.
XI
γένους ἀντιποιούμενοι τὴν ἀρχὴν ἐς τὸ μέλλον
ἐξετρέποντο. καὶ οὐκ ἔχω σαφῶς εἰπεῖν, εἰ
Σύλλας αὐτήν, καθὰ νῦν ἐστιν, εἰς τὴν βουλὴν
ἀπὸ τοῦ δήμου μετήνεγκεν. αὐτῇ δὲ τῇ βουλῇ
διὰ τὰς στάσεις καὶ τοὺς πολέμους πάμπαν ὀλιγαν-
δρούσῃ προσκατέλεξεν ἀμφὶ τοὺς τριακοσίους ἐκ
τῶν ἀρίστων ἱππέων, ταῖς φυλαῖς ἀναδοὺς ψῆφον
περὶ ἑκάστου. τῷ δὲ δήμῳ τοὺς δούλους τῶν
ἀνῃρημένων τοὺς νεωτάτους τε καὶ εὐρώστους,
μυρίων πλείους, ἐλευθερώσας ἐγκατέλεξε καὶ
πολίτας ἀπέφηνε Ῥωμαίων καὶ Κορνηλίους ἀφ'
ἑαυτοῦ προσεῖπεν, ὅπως ἑτοίμοις ἐκ τῶν δημοτῶν
πρὸς τὰ παραγγελλόμενα μυρίοις χρῷτο. τὸ δ'
αὐτὸ καὶ περὶ τὴν Ἰταλίαν ἐπινοῶν τέλεσι τοῖς
ὑπὲρ ἑαυτοῦ στρατευσαμένοις τρισὶ καὶ εἴκοσιν
ἐπένειμεν, ὥς μοι προείρηται, πολλὴν ἐν ταῖς
πόλεσι γῆν, τὴν μὲν ἔτι οὖσαν ἀνέμητον, τὴν δὲ
τὰς πόλεις ἀφαιρούμενος ἐπὶ ζημίᾳ.

101. Ἐς ἅπαντα δ' ἦν οὕτω φοβερὸς καὶ ἄκρος
ὀργήν, ὡς καὶ Κόιντον Λουκρήτιον Ὀφέλλαν τὸν
Πραινεστὸν αὐτῷ λαβόντα καὶ Μάριον τὸν ὕπατον
ἐκπεπολιορκηκότα καὶ τὸ τέλος αὐτῷ τῆς νίκης
συναγαγόντα, ὑπατεύειν ἔτι ἱππέα ὄντα, πρὶν
ταμιεῦσαι καὶ στρατηγῆσαι, διὰ τὸ μέγεθος τῶν
εἰργασμένων κατὰ παλαιὸν ἔθος ἀξιοῦντα καὶ τῶν
πολιτῶν δεόμενον, ἐπεὶ κωλύων καὶ ἀνατιθέμενος
οὐ μετέπειθεν, ἐν ἀγορᾷ μέσῃ κτεῖναι. καὶ συνα-
γαγὼν τὸ πλῆθος ἐς ἐκκλησίαν εἶπεν· "ἴστε μέν,
ὦ ἄνδρες, καὶ παρ' ἐμοῦ δὲ ἀκούσατε, ὅτι Λουκρή-
τιον ἐγὼ κατέκανον ἀπειθοῦντά μοι." καὶ λόγον

formerly contended for this office, shunned it there-
after. I am not able to say positively whether Sulla
transferred this office from the people to the Senate,
where it is now lodged, or not. To the Senate
itself, which had been much thinned by the seditions
and wars, he added about 300 members from the
best of the knights, taking the vote of the tribes on
each one. To the plebeians he added more than
10,000 slaves of proscribed persons, choosing the
youngest and strongest, to whom he gave freedom
and Roman citizenship, and he called them Cornelii
after himself. In this way he made sure of having
10,000 men among the plebeians always ready to
obey his commands. In order to provide the same
kind of safeguard throughout Italy he distributed to
the twenty-three legions that had served under him
a great deal of land in the various communities, as I
have already related, some of which was public
property and some taken from the communities by
way of fine.

101. So terrible in all ways was he and so uncon-
trollable in anger that finding it vain to check and
hinder by persuasive means Q. Lucretius Ofella, who
had besieged and captured Praeneste together with
the consul Marius, and had won the final victory for
him, and who now, despite the new law, presumed to
be a candidate for the consulship while still in the
equestrian order and before he had been quaestor and
praetor, counting on the greatness of his services,
according to the traditional custom, and appealing to
the populace, he slew him in the middle of the forum.
Then Sulla assembled the people and said to them,
"Know, citizens, and learn from me, that I put to death
Lucretius because he disobeyed me." And then he

CAP.
XI

εἶπε· "φθείρες γεωργὸν ἀροτριῶντα ὑπέδακνον· ὁ δὲ δὶς μέν," ἔφη, "τὸ ἄροτρον μεθεὶς τὸν χιτωνίσκον ἐκάθηρεν· ὡς δ' αὖθις ἐδάκνετο, ἵνα μὴ πολλάκις ἀργοίη, τὸν χιτωνίσκον ἔκαυσεν. κἀγὼ τοῖς δὶς ἡττημένοις παραινῶ τρίτου πυρὸς μὴ δεηθῆναι." Σύλλας μὲν δὴ καὶ τοῖσδε καταπληξάμενος αὐτούς, καθὰ ἐβούλετο, ἦρχε. καὶ ἐθριάμβευσεν ἐπὶ τῷ Μιθριδατείῳ πολέμῳ. καί τινες αὐτοῦ τὴν ἀρχὴν ἀρνουμένην βασιλείαν ἐπισκώπτοντες ἐκάλουν, ὅτι τὸ τοῦ βασιλέως ὄνομα μόνον ἐπικρύπτοι· οἱ δ' ἐπὶ τοὐναντίον ἀπὸ τῶν ἔργων μετέφερον καὶ τυραννίδα ὁμολογοῦσαν ἔλεγον.

102. Ἐς τοσοῦτον αὐτοῖς τε Ῥωμαίοις καὶ Ἰταλοῖς ἅπασιν ὁ πόλεμος ὅδε προύβη κακοῦ, προύβη δὲ καὶ τοῖς ὑπὲρ τὴν Ἰταλίαν ἔθνεσιν ἅπασιν, ἄρτι μὲν ὑπὸ λῃστῶν καὶ Μιθριδάτου καὶ Σύλλα πεπολεμημένοις, ἄρτι δ' ἀποροῦντος τοῦ ταμείου διὰ τὰς στάσεις ἐκτετρυχωμένοις εἰσφοραῖς πολλαῖς. ἔθνη τε γὰρ πάντα καὶ βασιλέες, ὅσοι σύμμαχοι, καὶ πόλεις, οὐχ ὅσαι μόνον ὑποτελεῖς, ἀλλὰ καὶ ὅσαι ἑαυτὰς ἐγκεχειρίκεσαν ἐπὶ συνθήκαις ἔνορκοι καὶ ὅσαι διὰ συμμαχίαν ἤ τινα ἀρετὴν ἄλλην αὐτόνομοί τε καὶ φόρων ἦσαν ἀτελεῖς, τότε πᾶσαι συντελεῖν ἐκελεύοντο καὶ ὑπακούειν, χώρας τε ἔνιαι καὶ λιμένων κατὰ συνθήκας σφίσι δεδομένων ἀφῃροῦντο.

Σύλλας δὲ καὶ Ἀλέξανδρον τὸν Ἀλεξάνδρου τοῦ ἐν Αἰγύπτῳ βασιλεύσαντος υἱόν, ἀνατραφέντα μὲν ἐν Κῷ καὶ ὑπὸ Κώων ἐκδοθέντα Μιθριδάτῃ, διαφυγόντα δὲ πρὸς Σύλλαν ἐκ Μιθριδάτου καὶ συνήθη γενόμενον, ἐψηφίσατο

told a parable : " A husbandman was bitten by fleas
while ploughing. He stopped his ploughing twice in
order to shake them out of his shirt. When they
bit him again he burned his shirt, to avoid interrup-
tion in his work. And I tell you, who have felt my
hand twice, to take warning lest the third time you
need fire." With these words he terrified them
and thereafter ruled as he pleased. He had a
triumph on account of the Mithridatic war, during
which some of the scoffers called his govern-
ment "the official denial of royalty" because he
kept back only the name of king. Others took the
contrary view, judging from his acts, and called it
"the official avowal of tyranny."

102. Into such evils were the Romans and all the
Italians plunged by this war; and so likewise were
all the countries beyond Italy by the recent piracies,
or by the Mithridatic war, or by the many exhausting
taxes levied to meet the deficit in the public
treasury due to the seditions. All the allied nations
and kings, and not only the tributary cities, but
those which had delivered themselves to the Romans
voluntarily under sworn agreements, and those which
by virtue of their furnishing aid in war or for some
other merit were autonomous and not subject to
tribute, all were now required to pay and to obey,
while some were deprived of the territory and har-
bours that had been conceded to them under treaties.

Sulla decreed that Alexander (the son of Alexander
the former sovereign of Egypt), who had been reared
in Cos and given up to Mithridates by the inhabitants
of that island, and had fled to Sulla and become
intimate with him, should be king of Alexandria.

CAP.
XI
βασιλεύειν 'Αλεξανδρέων, ἐρήμου τῆς 'Αλεξαι-
δρέων ἀρχῆς ἀνδρὸς οὔσης καὶ τῶν γυναικῶν,
ὅσαι βασιλείου γένους. ἀνδρὸς συγγενοῦς δεομέ-
νων, ἐλπίσας χρηματιεῖσθαι πολλὰ ἐκ βασι-
λείας πολυχρύσου. ἀλλὰ τόνδε μὲν οἱ 'Αλεξαν-
δρεῖς ἐννεακαιδεκάτην ἡμέραν ἔχοντα τῆς ἀρχῆς
καὶ ἀτοπώτερον σφῶν, οἷα Σύλλᾳ πεποιθότα,
ἐξηγούμενον, ἐς τὸ γυμνάσιον ἐκ τοῦ βασιλείου
προαγαγόντες ἔκτειναν. οὕτως ἔτι καὶ οἵδε διά
τε μέγεθος ἀρχῆς ἰδίας καὶ τῶν ἔξωθεν κακῶν
ἔτι ὄντες ἀπαθεῖς ἀφόβως εἶχον ἑτέρων.

XII

CAP.
XII
103. Τοῦ δ' ἐπιόντος ἔτους Σύλλας, καίπερ ὢν
δικτάτωρ, ἐς ὑπόκρισιν ὅμως καὶ σχῆμα δημοκρα-
τικῆς ἀρχῆς ὑπέστη καὶ ὕπατος αὖθις γενέσθαι
σὺν Μετέλλῳ τῷ Εὐσεβεῖ. καὶ ἀπὸ τοῦδε ἴσως
ἔτι νῦν οἱ 'Ρωμαίων βασιλέες, ὑπάτους ἀποφαί-
νοντες τῇ πατρίδι, ἔστιν ὅτε καὶ ἑαυτοὺς ἀποδεικ-
νύουσιν, ἐν καλῷ τιθέμενοι μετὰ τῆς μεγίστης
ἀρχῆς καὶ ὑπατεῦσαι.

Τῷ δ' ἑξῆς ἔτει ὁ μὲν δῆμος καὶ τότε τὸν
Σύλλαν θεραπεύων ᾑρεῖτο ὑπατεύειν, ὁ δὲ οὐκ
ἀνασχόμενος ὑπάτους μὲν αὐτοῖς ἀπέφηνε Σερουί-
λιον 'Ισαυρικὸν καὶ Κλαύδιον Ποῦλχρον, αὐτὸς
δὲ τὴν μεγάλην ἀρχὴν οὐδενὸς ἐνοχλοῦντος ἑκὼν
ἀπέθετο. καί μοι θαῦμα μὲν καὶ τόδε αὐτοῦ
καταφαίνεται τοσήνδε ἀρχὴν πρῶτον ἀνδρῶν καὶ
μόνον ἐς τότε Σύλλαν οὐδενὸς ἐπείγοντος ἀπο-

He did this because the government of Alexandria CHAP.
XI was destitute of a sovereign in the male line, and the women of the royal house wanted a man of the same lineage, and because he expected to reap a large reward from a rich kingdom. As, however, Alexander relying upon Sulla behaved himself in a very offensive manner toward them, the Alexandrians, on the nineteenth day of his reign, dragged him from the palace to the gymnasium and put him to death; for they too were still without fear of foreigners, either by reason of the magnitude of their own government or their inexperience as yet of external dangers.

XII

103. THE following year Sulla, although he was CHAP. dictator, undertook the consulship a second time, ^{XII} with Metellus Pius for his colleague, in order to _{B.C. 80} preserve the pretence and form of democratic government. It is perhaps from this example that the Roman emperors appoint consuls for the country and even sometimes nominate themselves, considering it not unbecoming to hold the office of consul in connection with the supreme power.

The next year the people, in order to pay court to B.C. 79 Sulla, chose him consul again, but he refused the office and nominated Servilius Isauricus and Claudius Pulcher, and voluntarily laid down the supreme power, although nobody interfered with him. This Sulla's act seems wonderful to me—that Sulla should have abdication been the first, and till then the only one, to abdicate such vast power without compulsion, not to sons (like

CAP. θέσθαι, οὐ παισίν, ὡς Πτολεμαῖος ἐν Αἰγύπτῳ
XII καὶ Ἀριοβαρζάνης ἐν Καππαδοκίᾳ καὶ Σέλευκος
ἐν Συρίᾳ, ἀλλ᾽ αὐτοῖς τοῖς τυραννουμένοις· ἄλογον
δ᾽ ἤδη καὶ τὸ βιασάμενον ἐς τὴν ἀρχὴν ῥιψοκιν-
δύνως, ἐπείτε ἐγκρατὴς ἐγένετο, ἑκόντα ἀποθέσθαι
καὶ παράδοξον, οἷον οὔπω τι ἕτερον, τὸ μὴ δεῖσαι
νεότητος ἐν τῷδε τῷ πολέμῳ πλέον μυριάδων
δέκα ἀνῃρημένης καὶ τῶν ἐχθρῶν αὐτὸν ἀνελόντα
βουλευτὰς μὲν ἐνενήκοντα, ὑπάτους δ᾽ ἐς πεντε-
καίδεκα, ἀπὸ δὲ τῶν καλουμένων ἱππέων δισχι-
λίους καὶ ἑξακοσίους σὺν τοῖς ἐξεληλαμένοις·
ὧν τῆς τε περιουσίας δεδημευμένης καὶ πολλῶν
ἀτάφων ἐκριφέντων, οὔτε τοὺς οἴκοι ὁ Σύλλας οὔτε
τοὺς φεύγοντας καταπλαγεὶς οὐδὲ τὰς πόλεις,
ὧν ἀκροπόλεις τε καὶ τείχη καὶ γῆν καὶ χρήματα
καὶ ἀτελείας ἀφῄρητο, ἑαυτὸν ἀπέφηνεν ἰδιώτην.

104. Τοσοῦτον ἦν ἐν τῷδε τῷ ἀνδρὶ τόλμης καὶ
τύχης· ὅν γέ φασιν ἐπειπεῖν ἐν ἀγορᾷ, τὴν ἀρχὴν
ἀποτιθέμενος, ὅτι καὶ λόγον, εἴ τις αἰτοίη, τῶν
γεγονότων ὑφέξει, καὶ τὰς ῥάβδους καθελόντα καὶ
τοὺς πελέκεας τὴν φρουρὰν ἀπὸ τοῦ σώματος
ἀπώσασθαι καὶ μόνον μετὰ τῶν φίλων ἐς πολὺ
ἐν μέσῳ βαδίσαι θεωμένου τοῦ πλήθους καὶ
καταπεπληγότος αὐτὸν καὶ τότε. ἀναχωροῦντα
δ᾽ ἐπὶ τὴν οἰκίαν μόλις ποτὲ μειράκιον ἐπεμέμφετο
καὶ οὐδενὸς αὐτὸ ἀπερύκοντος ἐθάρρησε καὶ
λοιδορούμενον αὐτῷ μέχρι τῆς οἰκίας ἐλθεῖν. ὁ δὲ
κατὰ τῶν μεγίστων ἀνδρῶν τε καὶ πόλεων ἄκρος
ὀργὴν γενόμενος εὐσταθῶς τὸ μειράκιον ἤνεγκε
καὶ τοσοῦτον ἐσιὼν ἐς τὴν οἰκίαν, εἴτε ἀπὸ
ξυνέσεως εἴτε καὶ τύχῃ καταμαντευόμενος τῶν
ἐσομένων, ἀπεκρίνατο, ὅτι κωλύσει τὸ μειρά-

Ptolemy in Egypt, or Ariobarzanes in Cappadocia, or Seleucus in Syria), but to the very people over whom he had tyrannized. Almost incredible is it that after incurring so many dangers in forcing his way to this power he should have laid it down of his own free will after he had acquired it. Paradoxical beyond anything is the fact that he was afraid of nothing, although more than 100,000 young men had perished in this war, and he had destroyed of his enemies 90 senators, 15 consulars, and 2600 knights, including the banished. The property of these men had been confiscated and the bodies of many cast out unburied. Undaunted by the relatives of these persons at home, or by the banished abroad, or by the cities whose towers and walls he had thrown down and whose lands, money, and privileges he had swept away, Sulla now proclaimed himself a citizen.

104. So great was this man's boldness and good fortune. Character of Sulla It is said that he made a speech in the forum when he laid down his power in which he offered to give the reasons for what he had done to anybody who should ask them. He dismissed the lictors with their axes and discontinued his body-guard, and for a long time walked to the forum with only a few friends, the multitude looking upon him with awe even then. Once only when he was going home he was reviled by a boy. As nobody restrained this boy he made bold to follow Sulla to his house, railing at him; and Sulla, who had opposed the greatest men and states with towering rage, endured his reproaches with calmness, and as he went into the house said, divining the future either by his intelligence or by chance, "This young man will

CAP.
XII
κιον τόδε ἕτερον ἄνδρα ἀρχὴν τοιάνδε ἔχοντα ἀποθέσθαι.

Καὶ Ῥωμαίοις μὲν οὕτω γενέσθαι συνηνέχθη μετ᾽ ὀλίγον, Γαΐου Καίσαρος τὴν ἀρχὴν οὐκέτι μεθέντος· ὁ δὲ Σύλλας μοι δοκεῖ, ἐς πάντα σφοδρὸς ὁμοῦ καὶ δυνατὸς γενόμενος, ἐπιθυμῆσαι τύραννος ἐξ ἰδιώτου γενέσθαι καὶ ἰδιώτης ἐκ τυράννου καὶ μετὰ τοῦτ᾽ ἐπ᾽ ἐρημίας ἀγροίκου δια- γενέσθαι. διῆλθε γὰρ ἐς χωρία ἴδια ἐς Κύμην τῆς Ἰταλίας καὶ ἐνταῦθα ἐπ᾽ ἐρημίας θαλάσσῃ τε καὶ κυνηγεσίοις ἐχρῆτο, οὐ φυλασσόμενος ἄρα τὸν κατὰ ἄστυ ἰδιώτην βίον οὐδ᾽ ἀσθενὴς ὢν αὖθις ἐς ὅ τι ὁρμήσειεν· ᾧ δυνατὴ μὲν ἔτι ἡ ἡλικία καὶ τὸ σῶμα εὔρωστον, ἀμφὶ δὲ τὴν Ἰταλίαν δυώδεκα μυριάδες ἀνδρῶν ἦσαν ἔναγχος ὑπεστρατευμένων καὶ δωρεὰς μεγάλας καὶ γῆν πολλὴν παρ᾽ αὐτοῦ λαβόντων, ἕτοιμοι δ᾽ οἱ κατὰ τὸ ἄστυ μύριοι Κορνήλιοι καὶ ὁ ἄλλος αὐτοῦ στασιώτης λεώς, εὔνους αὐτῷ καὶ φοβερὸς ὢν ἔτι τοῖς ἑτέροις καὶ τὸ σφέτερον ἀδεές, ὧν τῷ Σύλλα συνεπεπράχεσαν, ἐν τῷ Σύλλαν περιεῖναι τιθέ- μενοι· ἀλλά μοι δοκεῖ κόρον τε πολέμων καὶ κόρον ἀρχῆς καὶ κόρον ἄστεος λαβὼν ἐπὶ τέλει καὶ ἀγροικίας ἐρασθῆναι.

105. Ἄρτι δ᾽ ἀποστάντος αὐτοῦ, Ῥωμαῖοι φόνου καὶ τυραννίδος ἀπαλλαγέντες ἡσυχῇ πάλιν ἐπὶ στάσεις ὑπερριπίζοντο ἑτέρας. καὶ ὕπατοι αὐτοῖς καθίστανται Κόιντός τε Κάτλος ἀπὸ τῶν Συλλείων καὶ Λέπιδος Αἰμίλιος ἀπὸ τῶν ἐναντίων, ἐχθίστω τε ἀλλήλοιν καὶ εὐθὺς ἀρξαμένω διαφέ- ρεσθαι. δῆλόν τε ἦν τι κακὸν ἕτερον ἐκ τοῦδε γενησόμενον.

prevent any future holder of such power from laying it down."

This saying was shortly confirmed to the Romans, for Gaius Caesar never laid down his power, but Sulla seems to me, having shewn himself the same masterful and able man in all respects, to have desired to reach supreme power from private life, and to change back to private life from supreme power, and then to pass his time in rural solitude; for he retired to his own estate at Cumae in Italy and there occupied his leisure in hunting and fishing. He did this not because he was afraid to live a private life in the city, nor because he had not sufficient bodily strength for whatever he might be eager to do, for he was still of virile age and sound constitution, and there were 120,000 men throughout Italy who had recently served under him in war and had received large gifts of money and land from him, and there were the 10,000 Cornelii ready in the city, besides other people of his party devoted to him and still formidable to his opponents, all of whom rested upon Sulla's safety their hopes of impunity for what they had done in co-operation with him. But I think that because he was weary of war, weary of power, weary of Rome, he finally fell in love with rural life.

105. Directly after his retirement the Romans, although delivered from slaughter and tyranny, began gradually to feed the flames of new seditions. Quintus Catulus and Aemilius Lepidus were chosen consuls, the former of the Sullan faction and the latter of the opposite party. They hated each other bitterly and began to quarrel immediately, from which it was plain that fresh troubles were imminent.

CAP.
XII

Σύλλας δ' ἐν τοῖς ἀγροῖς ἐνύπνιον ἔδοξεν ἰδεῖν,
ὅτι αὐτὸν ὁ δαίμων ἤδη καλοίη· καὶ ὁ μὲν αὐτίκα
μεθ' ἡμέραν τοῖς φίλοις τὸ ὄναρ ἐξειπὼν διαθήκας
συνέγραφεν ἐπειγόμενος καὶ αὐτῆς ἡμέρας συνε-
τέλει· σφραγισαμένῳ δ' αὐτὰς περὶ ἑσπέραν
πυρετὸς ἐμπίπτει καὶ νυκτὸς ἐτελεύτησεν, ἑξήκοντα
μὲν ἔτη βιώσας, εὐτυχέστατος δ' ἀνδρῶν ἔς τε τὸ
τέλος αὐτὸ καὶ ἐς τἆλλα πάντα, ὥσπερ καὶ
ὠνομάζετο, γενέσθαι δοκῶν, εἰ δή τις εὐτυχίαν
ἡγοῖτο τυχεῖν ὅσων ἂν ἐθέλῃ. γίνεται δ' εὐθὺς ἐν
ἄστει στάσις ἐπ' αὐτῷ, τῶν μὲν ἄγειν ἀξιούντων
τὸ σῶμα διὰ τῆς Ἰταλίας ἐπὶ πομπῇ καὶ ἐς τὴν
Ῥώμην ἐν ἀγορᾷ προτιθέναι καὶ ταφῆς δημοσίας
ἀξιοῦν, Λεπίδου δὲ καὶ τῶν ἀμφὶ Λέπιδον ἐνιστα-
μένων. ἐξενίκα δ' ὁ Κάτλος καὶ οἱ Σύλλειοι, καὶ
ἐφέρετο ὁ νέκυς ὁ τοῦ Σύλλα διὰ τῆς Ἰταλίας ἐς
τὸ ἄστυ ἐπὶ κλίνης χρυσηλάτου καὶ κόσμου
βασιλικοῦ, σαλπιγκταί τε πολλοὶ καὶ ἱππέες καὶ
ἄλλος ὅμιλος ἐκ ποδὸς ὡπλισμένος εἵπετο. οἵ τε
ὑποστρατευσάμενοι αὐτῷ πανταχόθεν ἐπὶ τὴν
παραπομπὴν ὡπλισμένοι συνέθεον καί, ὡς ἕκαστος
ἀφικνοῖτο, εὐθὺς ἐς κόσμον καθίσταντο· ἄλλο τε
πλῆθος, ὅσον ἐπ' οὐδενὶ ἔργῳ, συνέτρεχεν. ἡγεῖτο
δ' αὐτοῦ σημεῖα καὶ πελέκεις, ὅσοις περιὼν ἔτι
καὶ ἄρχων ἐκοσμεῖτο.

106. Ὡς δ' ἐπὶ τὸ ἄστυ ἠνέχθη, ἐσεφέρετο
μετὰ πομπῆς ἐνταῦθα δὴ μάλιστα ὑπερόγκου.
στέφανοί τε γὰρ δισχιλίων πλείους ἀπὸ χρυσοῦ
κατὰ σπουδὴν γενόμενοι παρεφέροντο, δῶρα τῶν
πόλεων καὶ τῶν ὑπ' αὐτῷ στρατευσαμένων τελῶν
καὶ καθ' ἕνα τῶν φίλων, ἄλλη τε τῶν ἐς τὴν
ταφὴν πεμφθέντων οὐ δυνατὴ φράσαι πολυτέλεια.

While he was living in the country Sulla had a dream in which he thought he saw his Genius already calling him. Early in the morning he told the dream to his friends and in haste began writing his will, which he finished that day. After sealing it he was taken with a fever towards evening and died the same night. He was sixty years of age and was, I think, as his name suggests, the "most fortunate" of men in life and in death itself; that is, if the fortunate man is he who obtains all that he desires. Immediately a dissension sprang up in the city over his remains, some proposing to bring them in a procession through Italy and exhibit them in the forum and give him a public funeral. Lepidus and his faction opposed this, but Catulus and the Sullan party prevailed. Sulla's body was borne through Italy on a golden litter with royal splendour. Trumpeters and horsemen in great numbers went in advance and a great multitude of armed men followed on foot. His soldiers flocked from all directions under arms to join the procession, and each one was assigned his place in due order as he came, while the crowd of common people that came together was unprecedented, and in front of all were borne the standards and the fasces that he had used while living and ruling.

CHAP. XII

His death and funeral

106. When the remains reached the city then indeed they were borne through the streets with an enormous procession. More than 2000 golden crowns which had been made in haste were carried in it, the gifts of cities and of the legions that he had commanded and of individual friends. It would be impossible to describe all the costly things contributed to this funeral. From fear of the assembled soldiery all the

CAP.
XII

καὶ τὸ σῶμα δέει τοῦ συνδραμόντος στρατοῦ
παρέπεμπον ἱερέες τε ἅμα πάντες καὶ ἱέρειαι,
κατὰ σφᾶς αὐτῶν ἑκάτεροι, καὶ ἡ βουλὴ πᾶσα
καὶ αἱ ἀρχαί, τὰ σφέτερα σημεῖα ἐπικείμενοι.
κόσμῳ δ᾽ ἄλλῳ τὸ τῶν καλουμένων ἱππέων πλῆθος
εἵπετο καὶ ὁ στρατὸς ἐν μέρει πᾶς, ὅσος ὑπεστρά-
τευτο αὐτῷ· συνέδραμον γὰρ σπουδῇ, τὸ ἔργον
ἅπαντες ἐπειγόμενοι καταλαβεῖν, σημεῖά τε φέρ-
οντες ἐπίχρυσα καὶ ὅπλα ἐπὶ σφίσι περιάργυρα,
οἷς ἔτι νῦν ἐς τὰς πομπὰς εἰώθασι χρῆσθαι.
σαλπιγκτῶν τε ἄπειρον ἦν πλῆθος, παρὰ μέρος
ὑγρότατα καὶ πένθιμα μελῳδούντων. βοῇ δ᾽
ἐπευφήμουν ἥ τε βουλὴ πρώτη καὶ οἱ ἱππέες ἐν
μέρει, εἶθ᾽ ὁ στρατός, εἶθ᾽ ὁ δῆμος, οἱ μὲν τῷ ὄντι
τὸν Σύλλαν ἐπιποθοῦντες, οἱ δὲ δειμαίνοντες αὐτοῦ
καὶ τότε τὸν στρατὸν καὶ τὸν νέκυν οὐχ ἧττον ἢ
περιόντος· ἔς τε γὰρ τὴν ὄψιν τῶν γιγνομένων
ἀποβλέποντες καὶ ἐς τὴν μνήμην ὧν ἔδρασεν ὁ
ἀνήρ, ἐξεπλήττοντο καὶ ὡμολόγουν τοῖς ἐναντίοις
εὐτυχέστατον αὐτὸν ἐκείνοις γενέσθαι καὶ σφίσι
καὶ τεθνεῶτα φοβερώτατον. ὡς δ᾽ ἐπὶ τοῦ βήμα-
τος, ἔνθα δημηγοροῦσιν ἐν ἀγορᾷ, προυτέθη, τοὺς
μὲν ἐπιταφίους λόγους εἶπεν ὁ κράτιστος εἰπεῖν
τῶν τότε, ἐπεὶ Φαῦστος ὁ παῖς ὁ τοῦ Σύλλα
νεώτατος ἦν ἔτι, τὸ δὲ λέχος ὑποδύντες ἀπὸ τῆς
βουλῆς ἄνδρες εὔρωστοι διεκόμιζον ἐς τὸ πεδίον
τὸ Ἄρειον, ἔνθα βασιλέες θάπτονται μόνοι· καὶ
τὸ πῦρ οἵ τε ἱππέες καὶ ἡ στρατιὰ περιέδραμον.

priests and priestesses escorted the remains, each CHAP
in proper costume. The entire Senate and the XII
whole body of magistrates attended with their insignia
of office. A multitude of knights followed with their
peculiar decorations, and, in their turn, all the legions
that had fought under him. They came together
with eagerness, all hastening to join in the task,
carrying gilded standards and silver-plated shields,
such as are still used on such occasions. There was a
countless number of trumpeters who in turns played
the most melting and dirge-like strains. Loud cries
of farewell were raised, first by the Senate, then by
the knights, then by the soldiers, and finally by the
plebeians. For some really longed for Sulla, but
others were afraid of his army and his dead body, as
they had been of himself when living. As they
looked at the present spectacle and remembered
what this man had accomplished they were amazed,
and agreed with their opponents that he had been
most fortunate for his own party and most formidable
to themselves even in death. The body was shown
in the forum on the rostra, where public speeches
are usually made, and the most eloquent of the
Romans then living delivered the funeral oration, as
Sulla's son, Faustus, was still very young. Then
strong men of the senators took up the bier and
carried it to Campus Martius, where only kings were
buried, and the knights and the army marched past
the funeral fire.

XIII

107. Καὶ Σύλλα μὲν τοῦτο τέλος ἦν, ἀπὸ δὲ τῆς πυρᾶς χωροῦντες εὐθὺς οἱ ὕπατοι λόγοις βλασφήμοις ἐς ἀλλήλους διεφέροντο, καὶ τὸ ἀστικὸν ἐς αὐτοὺς διῄρητο. Λέπιδος δὲ καὶ τοὺς Ἰταλικοὺς προσποιούμενος ἔλεγεν, ὅτι τὴν γῆν αὐτοῖς, ἣν ὁ Σύλλας ἀφῄρητο, ἀποδώσει. ἄμφω μὲν οὖν ἡ βουλὴ δείσασα ὥρκωσε μὴ πολέμῳ διακριθῆναι, κληρωσάμενος δ' ὁ Λέπιδος τὴν ὑπὲρ Ἄλπεις Γαλατίαν, ἐπὶ τὰ ἀρχαιρέσια οὐ κατῄει ὡς πολεμήσων τοῖς Συλλείοις τοῦ ἐπιόντος ἔτους ὑπὲρ τὸν ὅρκον ἀδεῶς· ἐδόκουν γὰρ ἐς τὸ τῆς ἀρχῆς ἔτος ὡρκῶσθαι. οὐ λανθάνων δ', ἐφ' οἷς ἐβούλευεν, ἐκαλεῖτο ὑπὸ τῆς βουλῆς· καὶ οὐδὲ αὐτὸς ἀγνοῶν, ἐφ' οἷς ἐκαλεῖτο, ᾔει μετὰ τοῦ στρατοῦ παντὸς ὡς ἐς τὴν πόλιν ἐσελευσόμενος σὺν αὐτῷ. κωλυόμενος δὲ ἐκήρυξεν ἐς τὰ ὅπλα χωρεῖν, καὶ ἀντεκήρυττε Κάτλος. μικρόν τε πρὸ τοῦ Ἀρείου πεδίου μάχης αὐτοῖς γενομένης, ἡττώμενος ὁ Λέπιδος καὶ οὐκ ἐς πολὺ ἔτι ἀντισχὼν ἐς Σαρδὼ διέπλευσεν, ἔνθα νόσῳ τηκεδόνι χρώμενος ἀπέθανε· καὶ ὁ στρατὸς αὐτοῦ μικρὰ κατὰ μέρος ἐνοχλήσας διελύθη, τὸ δὲ κράτιστον Περπέννας ἐς Ἰβηρίαν ἤγαγε Σερτωρίῳ.

108. Λοιπὸν δ' ἐστὶ τῶν Συλλείων ἔργων τὸ Σερτωρίου, γενόμενον μὲν ὀκτάετες, οὐκ εὐμαρὲς δὲ οὐδαμὰ Ῥωμαίοις, ἅτε μὴ πρὸς Ἴβηρας αὐτούς, ἀλλὰ καὶ τόδε ἐπ' ἀλλήλους καὶ πρὸς

XIII

107. This was Sulla's end, but directly after their return from the funeral the consuls fell into a wordy quarrel and the citizens began to take sides with them. Lepidus, in order to curry favour with the Italians, said that he would restore the land which Sulla had taken from them. The Senate was afraid of both factions and made them take an oath that they would not carry their differences to the point of war. To Lepidus the province of transalpine Gaul was assigned by lot, and he did not come back to the comitia because he realised he would be released in the following year from his oath not to make war on the Sullans; for it was considered that the oath was binding only during the term of office. As his designs did not escape observation he was recalled by the Senate, and as he knew why he was recalled he came with his whole army, intending to bring them into the city with him. As he was prevented from doing this, he ordered his men under arms, and Catulus did the same thing on the other side. A battle was fought not far from the Campus Martius. Lepidus was defeated, and, soon giving up the struggle, sailed shortly afterwards to Sardinia, where he died of a wasting disease. His army was frittered away little by little and dissolved; the greater part of it was conducted by Perpenna to Sertorius in Spain.

108. There remained of the Sullan troubles the war with Sertorius, which had been going on for eight years, and was not an easy war to the Romans since it was waged not merely against Spaniards, but against other Romans and Sertorius. He had been

APPIAN'S ROMAN HISTORY

Σερτώριον, ὃς ἥρητο μὲν Ἰβηρίας ἄρχειν, Κάρ-
βωνι δ' ἐπὶ Σύλλᾳ συμμαχῶν Σύεσσαν πόλιν ἐν
σπονδαῖς κατέλαβε καὶ φεύγων ἐπὶ τὴν στρα-
τηγίαν ᾤχετο. καὶ στρατὸν ἔχων ἔκ τε Ἰταλίας
αὐτῆς καί τινα ἄλλον ἐκ Κελτιβήρων ἀγείρας
τούς τε πρὸ ἑαυτοῦ στρατηγούς, οὐ παραδιδόντας
οἱ τὴν ἀρχὴν ἐς χάριν Σύλλα, τῆς Ἰβηρίας ἐξέβαλε
καὶ πρὸς Μέτελλον ἐπιπεμφθέντα ὑπὸ Σύλλα
ἀπεμάχετο γενναίως. περιώνυμος δὲ ὢν ἐπὶ τόλμῃ,
βουλὴν κατέλεξεν ἐκ τῶν συνόντων οἱ φίλων
τριακοσίους καὶ τήνδε ἔλεγεν εἶναι τὴν Ῥωμαίων
βουλὴν καὶ ἐς ὕβριν ἐκείνης σύγκλητον ἐκάλει.
Σύλλα δ' ἀποθανόντος καὶ Λεπίδου μετὰ Σύλλαν,
στρατὸν ἔχων ἄλλον Ἰταλῶν, ὅσον αὐτῷ Περπέν-
νας ὁ τοῦ Λεπίδου στρατηγὸς ἤγαγεν, ἐπίδοξος ἦν
στρατεύσειν ἐπὶ τὴν Ἰταλίαν, εἰ μὴ δείσασα ἡ
βουλὴ στρατόν τε ἄλλον καὶ στρατηγὸν ἕτερον
ἐπὶ τῷ προτέρῳ Πομπήιον ἔπεμψεν ἐς Ἰβηρίαν,
νέον μὲν ἔτι ὄντα, περιφανῆ δ' ἐξ ὧν ἐπὶ Σύλλα
περί τε Λιβύην καὶ ἐν αὐτῇ Ἰταλίᾳ κατείργαστο.

109. Ὁ δὲ ἐς τὰ Ἄλπεια ὄρη μετὰ φρονήματος
ἀνῄει, οὐ κατὰ τὴν Ἀννίβου μεγαλουργίαν, ἑτέραν
δ' ἐχάρασσεν ἀμφὶ ταῖς πηγαῖς τοῦ τε Ῥοδανοῦ
καὶ Ἠριδανοῦ, οἳ ἀνίσχουσι μὲν ἐκ τῶν Ἀλπείων
ὀρῶν οὐ μακρὰν ἀπ' ἀλλήλων, ῥεῖ δ' ὁ μὲν διὰ
Κελτῶν τῶν ὑπὲρ Ἄλπεις εἰς τὴν Τυρρηνικὴν
θάλασσαν, ὁ δὲ ἔνδοθεν τῶν Ἀλπείων ἐπὶ τὸν
Ἰόνιον, Πάδος ἀντὶ Ἠριδανοῦ μετονομασθείς.
ἀφικομένου δ' ἐς Ἰβηρίαν αὐτίκα ὁ Σερτώριος
τέλος ὅλον, ἐπὶ χορτολογίαν ἐξιόν, αὐτοῖς ὑπο-

chosen governor of Spain while he was co-operating
with Carbo against Sulla; and after taking the city of Suessa during the armistice he fled and assumed his governorship. He had an army from Italy itself and he raised another from the Celtiberians, and drove out of Spain the former praetors, who, in order to favour Sulla, refused to surrender the government to him. He had also fought nobly against Metellus, who had been sent against him by Sulla. Having acquired a reputation for bravery he enrolled a council of 300 members from the friends who were with him, and called it the Roman Senate in derision of the real one. After Sulla died, and Lepidus later, he obtained another army of Italians which Perpenna, the lieutenant of Lepidus, brought to him and it was supposed he intended to march against Italy itself, and would have done so had not the Senate become alarmed and sent another army and general into Spain in addition to the former ones. This general was Pompey, who was still a young man, but renowned for his exploits in the time of Sulla, in Africa and in Italy itself.

109. Pompey courageously crossed the Alps, not with the expenditure of labour of Hannibal, but by opening another passage around the sources of the Rhone and the Eridanus. These issue from the Alpine mountains not far from each other. One of them runs through Transalpine Gaul and empties into the Tyrrhenian sea; the other from the interior of the Alps to the Adriatic, its name having been changed from the Eridanus to the Po. Directly Pompey arrived in Spain Sertorius cut in pieces a whole legion of his army, which had been sent out foraging, together with its animals and servants.

CAP.
XIII

ζυγίοις καὶ θεράπουσι συνέκοψε καὶ Λαύρωνα πόλιν ἐφορῶντος αὐτοῦ Πομπηίου διήρπασε καὶ κατέσκαψεν. ἐκ δὲ τῆς πολιορκίας γυνή τις ἐνυβρίζοντος αὐτῇ τοῦ λαβόντος παρὰ φύσιν τοῖς δακτύλοις ἐξέτεμε τὰς ὄψεις· καὶ ὁ Σερτώριος τοῦ πάθους πυθόμενος τὴν σπεῖραν ὅλην, ἀγέρωχον ἐς τὰ τοιαῦτ᾽ εἶναι νομιζομένην, καίπερ οὖσαν Ῥωμαϊκὴν κατέκανε.

110. Καὶ τότε μὲν χειμῶνος ἐπιόντος διέστησαν, ἀρχομένου δ᾽ ἦρος ἐπῄεσαν ἀλλήλοις, Μέτελλος μὲν καὶ Πομπήιος ἀπὸ τῶν Πυρηναίων ὁρῶν, ἔνθα διεχείμαζον, Σερτώριος δὲ καὶ Περπέννας ἐκ Λυσιτανίας. καὶ συμβάλλουσιν ἀλλήλοις περὶ πόλιν, ᾗ ὄνομα Σούκρων. κτύπου δ᾽ ἐν αἰθρίᾳ φοβεροῦ καὶ ἀστραπῶν παραλόγων γενομένων, τάδε μὲν ὡς ἐμπειροπόλεμοι διέφερον ἀκαταπλήκτως, πολὺν δ᾽ ἀλλήλων φόνον ἐξειργάζοντο, μέχρι Μέτελλος μὲν Περπένναν ἐτρέψατο καὶ τὸ στρατόπεδον αὐτοῦ διήρπαζεν, ὁ δὲ Σερτώριος ἐνίκα Πομπήιον, καὶ ἐτρώθη δόρατι ἐς τὸν μηρὸν ἐπικινδύνως ὁ Πομπήιος. καὶ τοῦτο τέλος ἐγένετο τῆς τότε μάχης.

Ἔλαφος δ᾽ ἦν λευκὴ χειροήθης τῷ Σερτωρίῳ καὶ ἄνετος· ἧς ἀφανοῦς γενομένης ὁ Σερτώριος οὐκ αἴσιον ἑαυτῷ τιθέμενος ἐβαρυθύμει τε καὶ ἐπ᾽ ἀργίας ἦν, καὶ ταῦτ᾽ ἐπιτωθαζόμενος ἐς τὴν ἔλαφον ὑπὸ τῶν πολεμίων. ὡς δ᾽ ὤφθη διὰ δρυμῶν δρόμῳ φερομένη, ἀνά τε ἔδραμεν ὁ Σερτώριος καὶ εὐθύς, ὥσπερ αὐτῇ προκαταρχόμενος, ἠκροβολίσατο ἐς τοὺς πολεμίους.

Οὐ πολὺ δὲ ὕστερον ἀγῶνα μέγαν ἠγωνίσατο περὶ Σεγοντίαν ἐκ μεσημβρίας ἐπὶ ἄστρα. καὶ

He also plundered and destroyed the Roman town of CHAP.
Lauro before the very eyes of Pompey. In this XIII
siege a woman tore out with her fingers the eyes of
a soldier who had insulted her and was trying to
commit an outrage upon her. When Sertorius heard
of this he put to death the whole cohort that was
supposed to be addicted to such brutality, although
it was composed of Romans. 110. Then the armies
were separated by the advent of winter. B.C. 75

When spring came they resumed hostilities,
Metellus and Pompey coming from the Pyrenees,
where they had wintered, and Sertorius and Per-
penna from Lusitania. They met near the town of
Sucro. While the fight was going on flashes of
lightning came unexpectedly from a clear sky, but
these trained soldiers stood it all without being in
the least dismayed. They continued the fight, with
heavy slaughter on both sides, until Metellus de-
feated Perpenna and plundered his camp. On the Sertorius
other hand, Sertorius defeated Pompey, who re- defeats
ceived a dangerous wound from a spear in the thigh, Pompey
and this put an end to that battle.

Sertorius had a white fawn that was tame and
allowed to move about freely. When this fawn was
not in sight Sertorius considered it a bad omen.
He became low-spirited and abstained from fighting;
nor did he mind the enemy's scoffing at him about
the fawn. When she made her appearance running
through the woods Sertorius would run to meet her,
and, as though he were consecrating the first-fruits
of a sacrifice to her, he would at once direct a hail
of javelins at the enemy.

Not long afterward Sertorius fought a great battle
near Seguntia, lasting from noon till night. Sertorius

αὐτὸς μὲν ἱππομαχῶν ἐκράτει τοῦ Πομπηίου καὶ
ἔκτεινεν ἐς ἑξακισχιλίους ἀποβαλὼν ἐς ἡμίσεας·
Μέτελλος δὲ καὶ τότε Περπέννα περὶ πεντακισ-
χιλίους διέφθειρε. καὶ ὁ Σερτώριος μετὰ τὴν
μάχην τῆς ἐπιούσης ἡμέρας πολλοὺς βαρβάρους
προσλαβὼν ἐπέδραμεν ἀδοκήτως τῷ Μετέλλου
στρατοπέδῳ περὶ δείλην ἑσπέραν ὡς ἀποταφρεύ-
σων αὐτὸ σὺν τόλμῃ, Πομπηίου δ' ἐπιδραμόντος
ἐπαύσατο τῆς καταφρονήσεως.

Καὶ τάδε μὲν αὐτοῖς ἦν τοῦδε τοῦ θέρους ἔργα,
καὶ πάλιν ἐς χειμασίαν διεκρίθησαν· 111. τοῦ
δ' ἐπιόντος ἔτους, ἕκτης ἑβδομηκοστῆς καὶ ἑκα-
τοστῆς ὀλυμπιάδος οὔσης, δύο μὲν ἐκ διαθηκῶν
ἔθνη Ῥωμαίοις προσεγίγνετο, Βιθυνία τε Νικο-
μήδους ἀπολιπόντος καὶ Κυρήνη Πτολεμαίου, τοῦ
Λαγίδου βασιλέως, ὃς ἐπίκλησιν ἦν Ἀπίων,
πόλεμοι δ' ἤκμαζον οὗτός τε ὁ Σερτωρίου περὶ
Ἰβηρίαν καὶ ὁ Μιθριδάτου περὶ τὴν ἀνατολὴν
καὶ ὁ τῶν λῃστῶν ἐν ὅλῃ τῇ θαλάσσῃ καὶ
περὶ Κρήτην πρὸς αὐτοὺς Κρῆτας ἕτερος καὶ
ὁ τῶν μονομάχων ἀνὰ τὴν Ἰταλίαν, αἰφνίδιος
αὐτοῖς καὶ ὅδε καὶ σφοδρὸς ὁμοῦ γενόμενος.
διαιρούμενοι δ' ἐς τοσαῦτα, ὅμως καὶ ἐς Ἰβηρίαν
ἔπεμψαν ἄλλα στρατοῦ δύο τέλη, μεθ' ὧν ἅμα
τῷ ἄλλῳ παντὶ Μέτελλός τε καὶ Πομπήιος
αὖθις ἀπὸ τῶν Πυρηναίων ὀρῶν ἐπὶ τὸν Ἴβηρα
κατέβαινον. Σερτώριος δὲ καὶ Περπέννας αὐτοῖς
ἀπήντων ἀπὸ Λυσιτανίας.

112. Καὶ τότε μάλιστα πολλοὶ Σερτωρίου
πρὸς τὸν Μέτελλον ηὐτομόλουν, ἐφ' ᾧ χαλε-
παίνων ὁ Σερτώριος ἀγρίως καὶ βαρβαρικῶς
ἐλυμαίνετο πολλοῖς καὶ διὰ μίσους ἐγίγνετο.

fought on horseback and vanquished Pompey, killing nearly 6000 of his men and losing about half that number himself. Metellus at the same time destroyed about 5000 of Perpenna's army. The day after this battle Sertorius, with a large reinforcement of barbarians, attacked the camp of Metellus unexpectedly towards evening with the intention of boldly cutting it off with a trench, but Pompey hastened up and caused Sertorius to desist from his contemptuous enterprise.

In this way they passed the summer, and again they separated to winter quarters. 111. The following year, which was in the 176th Olympiad, two countries were acquired by the Romans by bequest. Bithynia was left to them by Nicomedes, and Cyrene by Ptolemy surnamed Apion, of the house of the Lagidae. There were wars and wars; the Sertorian was raging in Spain, the Mithridatic in the East, that of the pirates on the entire sea, and another around Crete against the Cretans themselves, besides the gladiatorial war in Italy, which started suddenly and became very serious. Although distracted by so many conflicts the Romans sent another army of two legions into Spain. With these and the other forces in their hands Metellus and Pompey again descended from the Pyrenees to the Ebro; and Sertorius and Perpenna advanced from Lusitania to meet them.

112. At this juncture many of the soldiers of Sertorius deserted to Metellus, at which Sertorius was so exasperated that he visited savage and barbarous punishment upon many of his men and became unpopular in consequence. The soldiers blamed him

CAP.
XIII

μᾶλλον δ' αὐτὸν ὁ στρατὸς ἐν αἰτίαις εἶχεν, ἐπεὶ
καὶ δορυφόρους ἀντ' αὐτῶν ἐπήγετο πανταχοῦ
Κελτίβηρας καὶ τὴν φυλακὴν τοῦ σώματος,
Ῥωμαίους ἀπελάσας, τοῖσδε ἀντ' ἐκείνων ἐπέ-
τρεπεν. οὐ γὰρ ἔφερον ἐς ἀπιστίαν ὀνειδιζόμενοι,
εἰ καὶ πολεμίῳ Ῥωμαίων ἐστρατεύοντο· ἀλλ'
αὐτὸ δὴ τοῦτο καὶ μάλιστα ὑπέδακνεν αὐτούς, τὸ
ἀπίστους ἐς τὴν πατρίδα διὰ τὸν Σερτώριον γενο-
μένους ἀπιστεῖσθαι καὶ πρὸς αὐτοῦ, οὐδ' ἠξίουν
διὰ τοὺς αὐτομολήσαντας οἱ παραμένοντες κατεγ-
νῶσθαι. πολλὰ δὲ καὶ οἱ Κελτίβηρες αὐτοῖς,
ἀφορμῆς λαβόμενοι, ἐνύβριζον ὡς ἀπιστουμένοις.
οἱ δ' οὐ τελέως ὅμως τὸν Σερτώριον ἀπεστρέφοντο
διὰ τὰς χρείας· οὐ γὰρ ἦν τότε τοῦ ἀνδρὸς οὔτε
πολεμικώτερος ἄλλος οὔτ' ἐπιτυχέστερος. ὅθεν
αὐτὸν καὶ οἱ Κελτίβηρες διὰ τὴν ταχυεργίαν
ἐκάλουν Ἀννίβαν, ὃν θρασύτατόν τε καὶ ἀπατη-
λότατον στρατηγὸν παρὰ σφίσιν ἐδόκουν γενέ-
σθαι. ὁ μὲν δὴ στρατὸς ὧδε εἶχε Σερτωρίῳ,
πόλεις δ' αὐτοῦ πολλὰς ἐπέτρεχον οἱ περὶ τὸν
Μέτελλον καὶ τοὺς ἄνδρας ἐς τὰ ὑπήκοα σφίσι
μετῆγον. Παλαντίαν δὲ Πομπηίου περικαθημένου
καὶ τὰ τείχη ξύλων κορμοῖς ὑποκρεμάσαντος,
ἐπιφανεὶς ὁ Σερτώριος τὴν μὲν πολιορκίαν ἐξέ-
λυσε, τὰ τείχη δ' ἔφθασεν ὑποκαύσας ὁ Πομ-
πήιος καὶ ἐς Μέτελλον ἀνεχώρει. Σερτώριος δὲ
καὶ τὰ πεσόντα ἤγειρε, καὶ τοῖς περί τι χωρίον
Καλάγυρον στρατοπεδεύουσιν ἐπιδραμὼν ἔκτεινε
τρισχιλίους. καὶ τάδε ἦν καὶ τοῦδε τοῦ ἔτους ἐν
Ἰβηρίᾳ.

particularly because wherever he went he surrounded CHAP.
himself with a body-guard of Celtiberian spearmen XIII
instead of Romans, and gave the care of his person
to the former in place of the latter. Nor could they
bear to be reproached with treachery by him while
they were serving under an enemy of the Roman
people. That they should be charged with bad faith
by Sertorius while they were acting in bad faith to
their country on his account was the very thing that
vexed them most. Nor did they consider it just that
those who remained with the standards should be
condemned because others deserted. Moreover, the
Celtiberians took this occasion to insult them as men
under suspicion. Still they did not wholly break with
Sertorius since they derived advantages from his
service, for there was no other man of that period
more skilled in the art of war or more successful in
it. For this reason, and on account of the rapidity
of his movements, the Celtiberians gave him the
name of Hannibal, whom they considered the boldest
and most crafty general ever known in their country.
In this way the army stood affected toward Sertorius,
and on this account the forces of Metellus overran
many of his towns and brought the men belonging to
them under subjection. While Pompey was laying
siege to Palantia and slinging logs of wood along the
foot of the walls[1] Sertorius suddenly appeared on the Sertorius
scene and raised the siege. Pompey hastily set fire puts
to the walls and retreated to Metellus. Sertorius flight at
rebuilt the part of the wall which had fallen and then Pallantia
attacked his enemies who were encamped around
the castle of Calagurris and killed 3000 of them.
And so this year went by in Spain.

[1] To these he would have set fire by means of faggots.

113. Τοῦ δ' ἐπιόντος οἱ στρατηγοὶ Ῥωμαίων
μᾶλλόν τι θαρρήσαντες ἐπῄεσαν ταῖς πόλεσι ταῖς
ὑπὸ Σερτωρίῳ σὺν καταφρονήσει καὶ πολλὰ
αὐτοῦ περιέσπων καὶ ἑτέροις ἐπέβαινον, ἐπαιρό-
μενοι τοῖς ἀπαντωμένοις. οὐ μέντοι μεγάλη γε
μάχῃ συνηνέχθησαν, ἀλλ' αὖθις . . ., μέχρι τοῦ
ἑξῆς ἔτους αὐτοὶ μὲν αὖθις ἐπῄεσαν σὺν πλέονι
μᾶλλον καταφρονήσει, ὁ δὲ Σερτώριος βλάπτοντος
ἤδη θεοῦ τὸν μὲν ἐπὶ τοῖς πράγμασι πόνον ἑκὼν
μεθίει, τὰ πολλὰ δ' ἦν ἐπὶ τρυφῆς, γυναιξὶ καὶ
κώμοις καὶ πότοις σχολάζων. ὅθεν ἡττᾶτο συν-
εχῶς. καὶ γεγένητο ὀργήν τε ἄκρος δι' ὑπονοίας
ποικίλας καὶ ὠμότατος ἐς κόλασιν καὶ ὑπόπτης
ἐς ἅπαντας, ὥστε καὶ Περπένναν, τὸν ἐκ τῆς
Αἰμιλίου στάσεως ἑκόντα πρὸς αὐτὸν ἐλθόντα
μετὰ πολλοῦ στρατοῦ, δεῖσαι περὶ ἑαυτοῦ καὶ
προεπιβουλεῦσαι μετὰ ἀνδρῶν δέκα. ὡς δὲ καὶ
τῶνδέ τινες τῶν ἀνδρῶν ἐνδειχθέντες οἱ μὲν
ἐκολάσθησαν, οἱ δ' ἀπέφυγον, ὁ Περπέννας παρὰ
δόξαν λαθὼν ἔτι μᾶλλον ἐπὶ τὸ ἔργον ἠπείγετο
καὶ οὐδαμοῦ τὸν Σερτώριον μεθιέντα τοὺς δορυ-
φόρους ἐπὶ ἑστίασιν ἐκάλει, μεθύσας δ' αὐτόν τε
καὶ τὴν περιεστῶσαν τὸν ἀνδρῶνα φυλακὴν ἔκ-
τεινεν ἀπὸ τῆς διαίτης.

114. Καὶ ὁ στρατὸς εὐθὺς ἐπὶ τὸν Περπένναν
ἀνίστατο σὺν θορύβῳ τε πολλῷ καὶ μετ' ὀργῆς,
ἐς εὔνοιαν αὐτίκα τοῦ Σερτωρίου μεταβαλόντων
ἀπὸ τοῦ μίσους, ὥσπερ ἅπαντες ἐπὶ τοῖς ἀποθανοῦ-
σι τὴν μὲν ὀργὴν μεθιᾶσιν, οὐκ ἐμποδὼν ἔτι τοῦ
λυποῦντος ὄντος, ἐς δὲ τὴν ἀρετὴν αὐτῶν μετ'
ἐλέου καὶ μνήμης ἐπανίασι. τότε δὲ καὶ τὰ

113. In the following year the Roman generals
plucked up rather more courage and advanced in an audacious manner against the towns that adhered to Sertorius, drew many away from him, assaulted others, and were much elated by their success. No great battle was fought, but [skirmishes continued[1]] until the following year, when they advanced again even more audaciously. Sertorius was now evidently smitten by some heaven-sent madness, for he relaxed his labours, fell into habits of luxury, and gave himself up to women, carousing and drinking, and as a result was defeated continually. He became hot-tempered, from various suspicions, extremely cruel in punishment, and distrustful of everybody, so much so that Perpenna, who had belonged to the faction of Lepidus and had come to him as a volunteer with a considerable army, began to fear for his own safety and formed a conspiracy with ten other men against him. The conspiracy was betrayed, some of the guilty ones were punished and others fled, but Perpenna escaped detection in some unaccountable manner and applied himself all the more to carry out the design. As Sertorius was never without his guard of spearmen, Perpenna invited him to a banquet, plied him and the guards who surrounded the banqueting room with wine, and assassinated him after the feast.

114. The soldiers straightway rose in tumult and anger against Perpenna, their hatred of Sertorius being suddenly turned to affection for him, as people generally mollify their anger toward the dead, and when he who has injured them is no longer before their eyes recall his virtues with tender memory.

[1] There is a gap in the text.

παρόντα σφίσιν ἐκλογιζόμενοι, Περπένναν μὲν ὡς
ἰδιώτου κατεφρόνουν, τὴν δ' ἀρετὴν Σερτωρίου
μόνην ἂν σφίσιν ἡγούμενοι γενέσθαι σωτήριον,
χαλεπῶς ἐς τὸν Περπένναν διετίθεντο αὐτοί τε
καὶ οἱ βάρβαροι σὺν αὐτοῖς, μάλιστα δὲ τούτων
Λυσιτανοί, ὅσῳ καὶ μάλιστα αὐτοῖς ὁ Σερτώριος
ἐχρῆτο.

Ὡς δὲ καὶ τῶν διαθηκῶν ἀνοιχθεισῶν τῶν
Σερτωρίου ὁ Περπέννας αὐταῖς ἐνεγέγραπτο ἐπὶ
τῷ κλήρῳ, μᾶλλόν τι πάντας ὀργὴ καὶ μῖσος ἐς
τὸν Περπένναν ἐσῄει, ὡς οὐκ ἐς ἄρχοντα μόνον ἢ
στρατηγόν, ἀλλὰ καὶ ἐς φίλον καὶ εὐεργέτην
τοσόνδε μῖσος ἐργασάμενον. καὶ οὐκ ἂν οὐδὲ
χειρῶν ἀπέσχοντο, εἰ μὴ περιθέων αὐτοὺς ὁ
Περπέννας τοὺς μὲν δώροις ὑπηγάγετο, τοὺς δ'
ὑποσχέσεσι, τοὺς δ' ἀπειλαῖς ἐξεφόβησε, τοὺς δὲ
καὶ διεχρήσατο ἐς κατάπληξιν ἑτέρων. ἐπί τε
τὰ πλήθη παρερχόμενος ἐδημαγώγει καὶ τοὺς
δεσμώτας αὐτῶν ἔξέλυεν, οὓς ὁ Σερτώριος κατέ-
δησεν, καὶ τοῖς Ἴβηρσι τὰ ὅμηρα ἀπέλυεν. οἷς
ὑπαχθέντες ὑπήκουον μὲν ὡς στρατηγῷ (τὸ γὰρ
δὴ μετὰ Σερτώριον εἶχεν ἀξίωμα), οὐ μέντοι χωρὶς
δυσμενείας οὐδὲ τότε ἐγίγνοντο· καὶ γὰρ ὠμότατος
αὐτίκα ἐς κολάσεις θαρρήσας ἐφαίνετο καὶ τῶν ἐκ
Ῥώμης αὐτῷ συμφυγόντων ἐπιφανῶν ἔκτεινε
τρεῖς καὶ τὸν ἀδελφιδοῦν ἑαυτοῦ.

115. Ὡς δὲ ἐφ' ἕτερα τῆς Ἰβηρίας ὁ Μέτελλος
ᾤχετο (οὐ γὰρ ἔτι δυσχερὲς ἐδόκει Περπένναν
ἐπιτρέψαι μόνῳ Πομπηίῳ), ἐπὶ μέν τινας ἡμέρας
ἐγίγνοντο ἀψιμαχίαι καὶ ἀπόπειραι Πομπηίου
καὶ Περπέννα, μὴ σαλευόντων ἄθρουν τὸν

Reflecting on their present situation they despised Perpenna too as a private individual, for they considered that the bravery of Sertorius had been their only salvation. They were angry with Perpenna, and the barbarians were no less so; and above all the Lusitanians, of whose services Sertorius had especially availed himself.

When the will of Sertorius was opened a bequest to Perpenna was found in it, and thereupon still greater anger and hatred of him entered into the minds of all, since he had committed such an abominable crime, not merely against his ruler and commanding general, but against his friend and benefactor. And they would not have abstained from violence had not Perpenna bestirred himself, making gifts to some and promises to others. Some he terrified with threats and some he killed in order to strike terror into the rest. He came forward and made a speech to the multitude, and released from confinement some whom Sertorius had imprisoned, and dismissed some of the Spanish hostages. Reduced in this way to submission they Perpenna takes the command obeyed him as general (for he held the next rank to Sertorius), yet they were not without bitterness toward him even then. As he grew bolder he became very cruel in punishments, and put to death three of the nobility who had fled together from Rome to him, and also his own nephew.

115. As Metellus had gone to other parts of Spain—for he considered it no longer a difficult task for Pompey alone to vanquish Perpenna—these two skirmished and made tests of each other for several days, but did not bring their whole strength into the field. On the tenth day, however, a great

CAP.
XIII

στρατόν, τῇ δεκάτῃ δὲ ἀγὼν αὐτοῖς μέγιστος ἐξερράγη. ἑνὶ γὰρ ἔργῳ κρίναντες διακριθῆναι, Πομπήιος μὲν τῆς Περπέννα στρατηγίας κατεφρόνει, Περπέννας δ' ὡς οὐ πιστῷ χρησόμενος ἐς πολὺ τῷ στρατῷ, πάσῃ σχεδὸν τῇ δυνάμει συνεπλέκετο. ταχὺ δ' ὁ Πομπήιος περιῆν ὡς οὔτε στρατηγοῦ διαφέροντος οὔτε προθύμου στρατοῦ. καὶ τροπῆς πάντων ὁμαλοῦς γενομένης ὁ μὲν Περπέννας ὑπὸ θάμνῳ πόας ἐκρύφθη, δεδιὼς τοὺς οἰκείους μᾶλλον τῶν πολεμίων· λαβόντες δ' αὐτὸν ἱππέες τινὲς εἷλκον ἐς τὸν Πομπήιον, ἐπιβλασφημούμενον ὑπὸ τῶν ἰδίων ὡς αὐθέντην Σερτωρίου καὶ βοῶντα πολλὰ μηνύσειν τῷ Πομπηίῳ περὶ τῆς Ῥώμη στάσεως· ἔλεγε δὲ εἴτε ἀληθεύων εἴθ' ἵνα σῶος ἀχθείη πρὸς αὐτόν. ὁ δὲ προπέμψας ἀπέκτεινεν αὐτόν, πρὶν ἐς ὄψιν ἐλθεῖν, δείσας ἄρα, μή τι μηνύσειεν ἀδόκητον καὶ ἑτέρων ἀρχὴ κακῶν ἐν Ῥώμῃ γένοιτο. καὶ ἔδοξεν ἐμφρόνως πάνυ τοῦθ' ὁ Πομπήιος πρᾶξαι καὶ συνετέλεσεν αὐτῷ καὶ τόδε εἰς δόξαν ἀγαθήν. τέλος δ' ἦν τοῦτο τῷ περὶ Ἰβηρίαν πολέμῳ, τὸ καὶ Σερτωρίῳ τοῦ βίου γενόμενον· δοκεῖ γὰρ οὐκ ἂν οὔτε ὀξέως οὔτε εὐμαρῶς οὕτως, ἔτι Σερτωρίου περιόντος, συντελεσθῆναι.

XIV

CAP.
XIV

116. Τοῦ δ' αὐτοῦ χρόνου περὶ τὴν Ἰταλίαν ονομάχων ἐς θέας ἐν Καπύῃ τρεφομένων, Σπάρτακος Θρᾷξ ἀνήρ, ἐστρατευμένος ποτὲ Ῥωμαίοις, ἐκ δὲ αἰχμαλωσίας καὶ πράσεως ἐν τοῖς μονο-

battle was fought between them. They resolved to decide the contest by one engagement—Pompey because he despised the generalship of Perpenna; Perpenna because he did not believe that his army would long remain faithful to him, and he was now engaging with nearly his maximum strength. Pompey, as might have been expected, soon got the better of this inferior general and disaffected army. Perpenna was defeated all along the line and concealed himself in a thicket, more fearful of his own troops than of the enemy's. He was seized by some horsemen and dragged towards Pompey's headquarters, loaded with the execrations of his own men, as the murderer of Sertorius, and crying out that he would give Pompey information about the factions in Rome. This he said either because it was true, or in order to be brought safe to Pompey's presence, but the latter sent orders and put him to death before he came into his presence, fearing, it seemed, lest some startling revelation might be the source of new troubles at Rome. Pompey seems to have behaved very prudently in this matter, and his action added to his high reputation. So ended the war in Spain with the life of Sertorius. I think that if he had lived longer the war would not have ended so soon or so easily.

CHAP. XIII
He is defeated and slain by Pompey

XIV

116. At the same time Spartacus, a Thracian by birth, who had once served as a soldier with the Romans, but had since been a prisoner and sold for a gladiator, and was in the gladiatorial training-school

CHAP. XIV
B.C. 73
War with Spartacus

CAP.
XIV

μάχοις ὤν, ἔπεισεν αὐτῶν ἐς ἑβδομήκοντα ἄνδρας
μάλιστα κινδυνεῦσαι περὶ ἐλευθερίας μᾶλλον ἢ
θέας ἐπιδείξεως καὶ βιασάμενος σὺν αὐτοῖς τοὺς
φυλάσσοντας ἐξέδραμε· καὶ τινων ὁδοιπόρων
ξύλοις καὶ ξιφιδίοις ὁπλισάμενος ἐς τὸ Βέσβιον
ὄρος ἀνέφυγεν, ἔνθα πολλοὺς ἀποδιδράσκοντας
οἰκέτας καὶ τινας ἐλευθέρους ἐκ τῶν ἀγρῶν ὑπο-
δεχόμενος ἐλῄστευε τὰ ἐγγύς, ὑποστρατήγους
ἔχων Οἰνόμαόν τε καὶ Κρίξον μονομάχους. μερι-
ζομένῳ δ' αὐτῷ τὰ κέρδη κατ' ἰσομοιρίαν ταχὺ
πλῆθος ἦν ἀνδρῶν· καὶ πρῶτος ἐπ' αὐτὸν ἐκπεμ-
φθεὶς Οὐαρίνιος Γλάβρος, ἐπὶ δ' ἐκείνῳ Πόπλιος
Οὐαλέριος, οὐ πολιτικὴν στρατιὰν ἄγοντες, ἀλλ'
ὅσους ἐν σπουδῇ καὶ παρόδῳ συνέλεξαν (οὐ γάρ
πω Ῥωμαῖοι πόλεμον, ἀλλ' ἐπιδρομήν τινα καὶ
λῃστηρίῳ τὸ ἔργον ὅμοιον ἡγοῦντο εἶναι), συμ-
βαλόντες ἡττῶντο. Οὐαρινίου δὲ καὶ τὸν ἵππον
αὐτὸς Σπάρτακος περιέσπασεν· παρὰ τοσοῦτον
ἦλθε κινδύνου Ῥωμαίων ὁ στρατηγὸς αὐτὸς αἰχ-
μάλωτος ὑπὸ μονομάχου γενέσθαι.

Μετὰ δὲ τοῦτο Σπαρτάκῳ μὲν ἔτι μᾶλλον
πολλοὶ συνέθεον, καὶ ἑπτὰ μυριάδες ἦσαν ἤδη
στρατοῦ, καὶ ὅπλα ἐχάλκευε καὶ παρασκευὴν
συνέλεγεν, οἱ δ' ἐν ἄστει τοὺς ὑπάτους ἐξέπεμπον
μετὰ δύο τελῶν. 117. καὶ τούτων ὑπὸ μὲν
θατέρου Κρίξος, ἡγούμενος τρισμυρίων ἀνδρῶν,
περὶ τὸ Γάργανον ὄρος ἡττᾶτο, καὶ δύο μέρη τοῦ
στρατοῦ καὶ αὐτὸς συναπώλετο αὐτοῖς· Σπάρ-
τακον δὲ διὰ τῶν Ἀπεννίνων ὀρῶν ἐπὶ τὰ Ἄλπεια
καὶ ἐς Κελτοὺς ἀπὸ τῶν Ἀλπείων ἐπειγόμενον
ὁ ἕτερος ὕπατος προλαβὼν ἐκώλυε τῆς φυγῆς,
καὶ ὁ ἕτερος ἐδίωκεν. ὁ δ' ἐφ' ἑκάτερον αὐτῶν

at Capua, persuaded about seventy of his comrades to strike for their own freedom rather than for the amusement of spectators. They overcame the guards and ran away, arming themselves with clubs and daggers that they took from people on the roads, and took refuge on Mount Vesuvius. There many fugitive slaves and even some freemen from the fields joined Spartacus, and he plundered the neighbouring country, having for subordinate officers two gladiators named Oenomaus and Crixus. As he divided the plunder impartially he soon had plenty of men. Varinius Glaber was first sent against him and afterwards Publius Valerius, not with regular armies, but with forces picked up in haste and at random, for the Romans did not consider this a war as yet, but a raid, something like an outbreak of robbery. They attacked Spartacus and were beaten. Spartacus even captured the horse of Varinius; so narrowly did the very general of the Romans escape being captured by a gladiator.

After this still greater numbers flocked to Spartacus till his army numbered 70,000 men. For these he manufactured weapons and collected equipment, whereas Rome now sent out the consuls with two legions. 117. One of them overcame Crixus with 30,000 men near Mount Garganus, two-thirds of whom perished together with himself. Spartacus endeavoured to make his way through the Apennines to the Alps and the Gallic country, but one of the consuls anticipated him and hindered his flight while the other hung upon his rear. He turned upon them one after the other and beat them in detail. They

B.C. 72

He defeats the Romans in several engagements

217

ἐπιστρεφόμενος παρὰ μέρος ἐνίκα. καὶ οἱ μὲν
σὺν θορύβῳ τὸ ἀπὸ τοῦδε ὑπεχώρουν, ὁ δὲ
Σπάρτακος τριακοσίους Ῥωμαίων αἰχμαλώτους
ἐναγίσας Κρίξῳ, δυώδεκα μυριάσι πεζῶν ἐς Ῥώμην
ἠπείγετο, τὰ ἄχρηστα τῶν σκευῶν κατακαύσας
καὶ τοὺς αἰχμαλώτους πάντας ἀνελὼν καὶ ἐπι-
σφάξας τὰ ὑποζύγια, ἵνα κοῦφος εἴη· αὐτομόλων
τε πολλῶν αὐτῷ προσιόντων οὐδένα προσίετο.
καὶ τῶν ὑπάτων αὐτὸν αὖθις περὶ τὴν Πικηνίτιδα
γῆν ὑποστάντων, μέγας ἀγὼν ἕτερος ὅδε γίγνεται
καὶ μεγάλη καὶ τότε ἧσσα Ῥωμαίων.

Ὁ δὲ τῆς μὲν ἐς Ῥώμην ὁδοῦ μετέγνω, ὡς οὔπω
γεγονὼς ἀξιόμαχος οὐδὲ τὸν στρατὸν ὅλον ἔχων
στρατιωτικῶς ὡπλισμένον (οὐ γάρ τις αὐτοῖς
συνέπραττε πόλις, ἀλλὰ θεράποντες ἦσαν καὶ
αὐτόμολοι καὶ σύγκλυδες), τὰ δ' ὄρη τὰ περὶ
Θουρίους καὶ τὴν πόλιν αὐτὴν κατέλαβε, καὶ
χρυσὸν μὲν ἢ ἄργυρον τοὺς ἐμπόρους ἐσφέρειν
ἐκώλυε καὶ κεκτῆσθαι τοὺς ἑαυτοῦ, μόνον δὲ
σίδηρον καὶ χαλκὸν ὠνοῦντο πολλοῦ καὶ τοὺς
ἐσφέροντας οὐκ ἠδίκουν. ὅθεν ἀθρόας ὕλης
εὐπορήσαντες εὖ παρεσκευάσαντο καὶ θαμινὰ ἐπὶ
λεηλασίας ἐξῄεσαν. Ῥωμαίοις τε πάλιν συνενεχ-
θέντες ἐς χεῖρας ἐκράτουν καὶ τότε καὶ λείας
πολλῆς γέμοντες ἐπανῄεσαν.

118. Τριέτης τε ἦν ἤδη καὶ φοβερὸς αὐτοῖς ὁ
πόλεμος, γελώμενος ἐν ἀρχῇ καὶ καταφρονούμενος
ὡς μονομάχων. προτεθείσης τε στρατηγῶν ἄλ-
λων χειροτονίας ὄκνος ἐπεῖχεν ἅπαντας καὶ
παρήγγελλεν οὐδείς, μέχρι Λικίνιος Κράσσος,
γένει καὶ πλούτῳ Ῥωμαίων διαφανής, ἀνεδέξατο
στρατηγήσειν καὶ τέλεσιν ἐξ ἄλλοις ἤλαυνεν ἐπὶ

retreated in confusion in different directions. Spar-
tacus sacrificed 300 Roman prisoners to the shade of
Crixus, and marched on Rome with 120,000 foot,
having burned all his useless material, killed all his
prisoners, and butchered his pack-animals in order to
expedite his movement. Many deserters offered
themselves to him, but he would not accept them.
The consuls again met him in the country of Picenum.
Here there was fought another great battle and
there was, too, another great defeat for the Romans.

Spartacus changed his intention of marching on
Rome. He did not consider himself ready as yet
for that kind of a fight, as his whole force was not
suitably armed, for no city had joined him, but only
slaves, deserters, and riff-raff. However, he occupied
the mountains around Thurii and took the city itself.
He prohibited the bringing in of gold or silver by
merchants, and would not allow his own men to
acquire any, but he bought largely of iron and brass
and did not interfere with those who dealt in these
articles. Supplied with abundant material from this
source his men provided themselves with plenty of
arms and made frequent forays for the time being.
When they next came to an engagement with the
Romans they were again victorious, and returned
laden with spoils.

118. This war, so formidable to the Romans (al-
though ridiculed and despised in the beginning, as
being merely the work of gladiators), had now lasted
three years. When the election of new praetors
came on, fear fell upon all, and nobody offered him-
self as a candidate until Licinius Crassus, a man
distinguished among the Romans for birth and
wealth, assumed the praetorship and marched against

CAP.
XIV

τὸν Σπάρτακον· ἀφικόμενος δὲ καὶ τὰ τῶι
ὑπάτων δύο προσέλαβε. καὶ τῶνδε μὲν αὐτίκα
διακληρώσας ὡς πολλάκις ἡττημένων ἐπὶ θανάτῳ
μέρος δέκατον διέφθειρεν. οἱ δ' οὐχ οὕτω νομί-
ζουσιν, ἀλλὰ παντὶ τῷ στρατῷ συμβαλόντα καὶ
τόνδε καὶ ἡττημένον, πάντων διακληρῶσαι τὸ
δέκατον καὶ ἀνελεῖν ἐς τετρακισχιλίους, οὐδὲν διὰ
τὸ πλῆθος ἐνδοιάσαντα. ὁποτέρως δ' ἔπραξε,
φοβερώτερος αὐτοῖς τῆς τῶν πολεμίων ἥττης
φανεὶς αὐτίκα μυρίων Σπαρτακείων ἐφ' ἑαυτῶν
που στρατοπεδευόντων ἐκράτει καὶ δύο αὐτῶν
μέρη κατακανὼν ἐπ' αὐτὸν ἤλαννε τὸν Σπάρτακον
σὺν καταφρονήσει. νικήσας δὲ καὶ τόνδε λαμ-
πρῶς ἐδίωκε φεύγοντα ἐπὶ τὴν θάλασσαν ὡς δια-
πλευσούμενον ἐς Σικελίαν καὶ καταλαβὼν ἀπετά-
φρευε καὶ ἀπετείχιζε καὶ ἀπεσταύρου.

119. Βιαζομένου δ' ἐς τὴν Σαυνῖτιδα τοῦ Σπαρ-
τάκου διαδραμεῖν, ἔκτεινεν ὁ Κράσσος ἐς ἑξακισ-
χιλίους ἄλλους περὶ ἕω καὶ περὶ δείλην ἐς τοσούσ-
δε ἑτέρους, τριῶν ἐκ τοῦ Ῥωμαίων στρατοῦ μόνον
ἀποθανόντων καὶ ἑπτὰ τρωθέντων· τοσῆδε ἦν
αὐτίκα διὰ τὴν κόλασιν ἐς τὸ τῆς νίκης θάρσος
μεταβολή. Σπάρτακος δὲ ἱππέας ποθὲν προσιόν-
τας αὐτῷ περιμένων οὐκέτι μὲν ἐς μάχην ᾔει τῷ
στρατῷ παντί, πολλὰ δ' ἠνώχλει τοῖς περικαθη-
μένοις ἀνὰ μέρος, ἄφνω τε καὶ συνεχῶς αὐτοῖς
ἐπιπίπτων, φακέλους τε ξύλων ἐς τὴν τάφρον
ἐμβάλλων κατέκαιε καὶ τὸν πόνον αὐτοῖς δύσερ-
γον ἐποίει. αἰχμάλωτόν τε Ῥωμαῖον ἐκρέμασεν
ἐν τῷ μεταιχμίῳ, δεικνὺς τοῖς ἰδίοις τὴν ὄψιν ὧν
πείσονται, μὴ κρατοῦντες. οἱ δ' ἐν ἄστει Ῥωμαῖοι

Spartacus with six new legions. When he arrived CHAP.
at his destination he received also the two legions of XIV
the consuls, whom he decimated by lot for their bad
conduct in several battles. Some say that Crassus,
too, having engaged in battle with his whole army,
and having been defeated, decimated the whole
army and was not deterred by their numbers, but
destroyed about 4000 of them. Whichever way it
was, when he had once demonstrated to them that he
was more dangerous to them than the enemy, he over-
came immediately 10,000 of the Spartacans, who were
encamped somewhere in a detached position, and
killed two-thirds of them. He then marched boldly
against Spartacus himself, vanquished him in a
brilliant engagement, and pursued his fleeing forces
to the sea, where they tried to pass over to Sicily.
He overtook them and enclosed them with a line of
circumvallation consisting of ditch, wall, and paling.

119. Spartacus tried to break through and make an
incursion into the Samnite country, but Crassus slew
about 6000 of his men in the morning and as many
more towards evening. Only three of the Roman
army were killed and seven wounded, so great was
the improvement in their *moral* inspired by the
recent punishment. Spartacus, who was expecting a
reinforcement of horse from somewhere, no longer
went into battle with his whole army, but harassed
the besiegers by frequent sallies here and there. He
fell upon them unexpectedly and continually, threw
bundles of fagots into the ditch and set them on
fire and made their labour difficult. He also crucified
a Roman prisoner in the space between the two
armies to show his own men what fate awaited them
if they did not conquer. Bnt when the Romans in

τῆς πολιορκίας πυνθανόμενοι καὶ ἀδοξοῦντες, εἰ χρόνιος αὐτοῖς ἔσται πόλεμος μονομάχων, προσκατέλεγον ἐπὶ τὴν στρατείαν Πομπήιον ἄρτι ἀφικόμενον ἐξ Ἰβηρίας, πιστεύοντες ἤδη δυσχερὲς εἶναι καὶ μέγα τὸ Σπαρτάκειον ἔργον.

120. Διὰ δὲ τὴν χειροτονίαν τήνδε καὶ **Κράσσος**, ἵνα μὴ τὸ κλέος τοῦ πολέμου γένοιτο Πομπηίου, πάντα τρόπον ἐπειγόμενος ἐπεχείρει τῷ Σπαρτάκῳ, καὶ ὁ Σπάρτακος, τὸν Πομπήιον προλαβεῖν ἀξιῶν, ἐς συνθήκας τὸν Κράσσον προυκαλεῖτο. ὑπερορώμενος δ᾽ ὑπ᾽ αὐτοῦ διακινδυνεύειν τε ἔγνω καί, παρόντων οἱ τῶν ἱππέων ἤδη, ὤσατο παντὶ τῷ στρατῷ διὰ τοῦ περιτειχίσματος καὶ ἔφυγεν ἐπὶ Βρεντέσιον, Κράσσου διώκοντος. ὡς δὲ καὶ Λεύκολλον ἔμαθεν ὁ Σπάρτακος ἐς τὸ Βρεντέσιον, ἀπὸ τῆς ἐπὶ Μιθριδάτῃ νίκης ἐπανιόντα, εἶναι, πάντων ἀπογνοὺς ἐς χεῖρας ᾔει τῷ Κράσσῳ μετὰ πολλοῦ καὶ τότε πλήθους· γενομένης δὲ τῆς μάχης μακρᾶς τε καὶ καρτερᾶς ὡς ἐν ἀπογνώσει τοσῶνδε μυριάδων, τιτρώσκεται ἐς τὸν μηρὸν ὁ Σπάρτακος δορατίῳ καὶ συγκάμψας τὸ γόνυ καὶ προβαλὼν τὴν ἀσπίδα πρὸς τοὺς ἐπιόντας ἀπεμάχετο, μέχρι καὶ αὐτὸς καὶ πολὺ πλῆθος ἀμφ᾽ αὐτὸν κυκλωθέντες ἔπεσον. ὅ τε λοιπὸς αὐτοῦ στρατὸς ἀκόσμως ἤδη κατεκόπτοντο κατὰ πλῆθος, ὡς φόνον γενέσθαι τῶν μὲν οὐδ᾽ εὐαρίθμητον, Ῥωμαίων δὲ ἐς χιλίους ἄνδρας, καὶ τὸν Σπαρτάκου νέκυν οὐχ εὑρεθῆναι. πολὺ δ᾽ ἔτι πλῆθος ἦν ἐν τοῖς ὄρεσιν, ἐκ τῆς μάχης διαφυγόν· ἐφ᾽ οὓς ὁ Κράσσος ἀνέβαινεν. οἱ δὲ διελόντες ἑαυτοὺς ἐς τέσσαρα μέρη ἀπεμάχοντο, μέχρι

the city heard of the siege they thought it would be
disgraceful if this war against gladiators should be
prolonged. Believing also that the work still to be
done against Spartacus was great and severe they
ordered up the army of Pompey, which had just
arrived from Spain, as a reinforcement.

120. On account of this vote Crassus tried in every
way to come to an engagement with Spartacus so
that Pompey might not reap the glory of the war.
Spartacus himself, thinking to anticipate Pompey,
invited Crassus to come to terms with him. When
his proposals were rejected with scorn he resolved to
risk a battle, and as his cavalry had arrived he made
a dash with his whole army through the lines of the
besieging force and pushed on to Brundusium with
Crassus in pursuit. When Spartacus learned that
Lucullus had just arrived in Brundusium from his
victory over Mithridates he despaired of everything
and brought his forces, which were even then very
numerous, to close quarters with Crassus. The
battle was long and bloody, as might have been
expected with so many thousands of desperate men.
Spartacus was wounded in the thigh with a spear
and sank upon his knee, holding his shield in front
of him and contending in this way against his assail-
ants until he and the great mass of those with him
were surrounded and slain. The remainder of his
army was thrown into confusion and butchered in
crowds. So great was the slaughter that it was
impossible to count them. The Roman loss was
about 1000. The body of Spartacus was not found.
A large number of his men fled from the battle-field
to the mountains and Crassus followed them thither.
They divided themselves in four parts, and continued

πάντες ἀπώλοντο πλὴν ἑξακισχιλίων, οἳ ληφ-
θέντες ἐκρεμάσθησαν ἀνὰ ὅλην τὴν ἐς Ῥώμην ἀπὸ
Καπύης ὁδόν.

121. Καὶ τάδε Κράσσος ἓξ μησὶν ἐργασάμενος
ἀμφήριστος ἐκ τοῦδε αὐτίκα μάλα τῇ δόξῃ τῇ
Πομπηίου γίνεται. καὶ τὸν στρατὸν οὐ μεθίει,
διότι μηδὲ Πομπήιος. ἐς δὲ ὑπατείαν ἄμφω
παρήγγελλον, ὁ μὲν ἐστρατηγηκὼς κατὰ τὸν
νόμον Σύλλα, ὁ δὲ Πομπήιος οὔτε στρατηγήσας
οὔτε ταμιεύσας ἔτος τε ἔχων τέταρτον ἐπὶ τοῖς
τριάκοντα· τοῖς δὲ δημάρχοις ὑπέσχητο πολλὰ
τῆς ἀρχῆς ἐς τὸ ἀρχαῖον ἐπανάξειν. αἱρεθέντες
δὲ ὕπατοι οὐδ' ὡς μεθίεσαν τὸν στρατόν, ἔχοντες
ἀγχοῦ τῆς πόλεως, ἑκάτερος πρόφασιν τήνδε
ποιούμενος, Πομπήιος μὲν ἐς τὸν Ἰβηρικὸν θρίαμ-
βον περιμένειν ἐπανιόντα Μέτελλον, ὁ δὲ Κράσ-
σος, ὡς Πομπήιον δέον προδιαλῦσαι.

Καὶ ὁ δῆμος, ἑτέραν ἀρχὴν στάσεως ὁρῶν καὶ
φοβούμενος δύο στρατοὺς περικαθημένους, ἐδέοντο
τῶν ὑπάτων ἐν ἀγορᾷ προκαθημένων συναλλα-
γῆναι πρὸς ἀλλήλους. καὶ τὰ μὲν πρῶτα ἑκά-
τερος ἀπεκρούετο· ὡς δὲ καὶ θεόληπτοί τινες
προύλεγον πολλὰ καὶ δεινά, εἰ μὴ συναλλαγεῖεν
οἱ ὕπατοι, ὁ δῆμος αὖθις αὐτοὺς μετ' οἰμωγῆς
παρεκάλει πάνυ ταπεινῶς, ἔτι τῶν Σύλλα καὶ
Μαρίου κακῶν ἀναφέροντες. καὶ ὁ Κράσσος
πρότερος ἐνδοὺς ἀπὸ τοῦ θρόνου κατέβαινε καὶ
ἐς τὸν Πομπήιον ἐχώρει, τὴν χεῖρα προτείνων

to fight until they all perished except 6000, who CHAP.
were captured and crucified along the whole road XIV
from Capua to Rome.

121. Crassus accomplished his task within six
months, whence arose a contention for honours Rivalry of
between himself and Pompey. Crassus did not Crassus
dismiss his army, for Pompey did not dismiss his.
Both were candidates for the consulship. Crassus
had been praetor as the law of Sulla required.
Pompey had been neither praetor nor quaestor, and
was only thirty-four years old, but he had promised
the tribunes of the people that much of their former
power should be restored. When they were chosen
consuls they did not even then dismiss their armies,
which were stationed near the city. Each one
offered an excuse. Pompey said that he was waiting
the return of Metellus for his Spanish triumph;
Crassus said that Pompey ought to dismiss his army
first.

The people, seeing fresh seditions brewing and
fearing two armies encamped round about, besought
the consuls, while they were occupying the curule
chairs in the forum, to be reconciled to each other;
but at first both of them repelled these solicitations.
When, however, certain persons, who seemed pro-
phetically inspired,[1] predicted many direful conse-
quences if the consuls did not come to an agreement,
the people again implored them with lamentations
and the greatest dejection, reminding them of the
evils produced by the contentions of Marius and
Sulla. Crassus yielded first. He came down from
his chair, advanced to Pompey, and offered him his

---

[1] Soothsayers, presumably; a recognized class at Rome, of
which an example is given by Shakespeare in *Julius Caesar*.

CAP.
XIV
ἐπὶ διαλλαγαῖς· ὁ δ' ὑπανίστατο καὶ προσέτρεχε.
καὶ δεξιωσαμένων ἀλλήλους εὐφημίαι τε ἦσαν
ἐς αὐτοὺς ποικίλαι, καὶ οὐ πρὶν ὁ δῆμος ἀπέστη
τῆς ἐκκλησίας ἢ προγράψαι τοὺς ὑπάτους τὰς
ἀφέσεις τῶν στρατοπέδων. οὕτω μὲν δὴ δόξασα
καὶ ἥδε μεγάλη στάσις ἔσεσθαι κατελύετο εὐστα-
θῶς· καὶ ἔτος ἦν τῷδε τῷ μέρει τῶν ἐμφυλίων
ἀμφὶ τὰ ἑξήκοντα μάλιστ' ἀπὸ τῆς ἀναιρέσεως
Τιβερίου Γράκχου.

hand in the way of reconciliation. Pompey rose and hastened to meet him. They shook hands amid general acclamations and the people did not leave the assembly until the consuls had given orders in writing to disband the armies. Thus was the well-grounded fear of another great dissension happily dispelled. This was about the sixtieth year in the course of the civil convulsions, reckoning from the death of Tiberius Gracchus.

BOOK II

Β′

I

1. Μετὰ δὲ τὴν Σύλλα μοναρχίαν καὶ ὅσα ἐπ᾽ αὐτῇ Σερτώριός τε καὶ Περπέννας περὶ Ἰβηρίαν ἔδρασαν, ἕτερα ἐμφύλια Ῥωμαίοις τοιάδε ἐγίγνετο, μέχρι Γάιος Καῖσαρ καὶ Πομπήιος Μάγνος ἀλλήλοις ἐπολέμησαν καὶ Πομπήιον μὲν καθεῖλεν ὁ Καῖσαρ, Καίσαρα δ᾽ ἐν τῷ βουλευτηρίῳ τινὲς ὡς βασιλιζόμενον κατέκανον. ταῦτα δὲ ὅπως ἐγένετο καὶ ὅπως ἀνηρέθησαν ὅ τε Πομπήιος καὶ ὁ Γάιος, ἡ δευτέρα τῶν ἐμφυλίων ἥδε δηλοῖ.

Ὁ μὲν δὴ Πομπήιος ἄρτι τὴν θάλασσαν καθήρας ἀπὸ τῶν ληστηρίων τότε μάλιστα πανταχοῦ πλεονασάντων Μιθριδάτην ἐπὶ τοῖς λῃσταῖς καθῃρήκει, Πόντου βασιλέα, καὶ τὴν ἀρχὴν αὐτοῦ καὶ ὅσα ἄλλα ἔθνη προσέλαβεν ἀμφὶ τὴν ἕω, διετάσσετο· ὁ δὲ Καῖσαρ ἦν ἔτι νέος, δεινὸς εἰπεῖν τε καὶ πρᾶξαι, τολμῆσαί τε ἐς πάντα καὶ ἐλπίσαι περὶ ἁπάντων, ἐς δὲ δὴ φιλοτιμίαν ἀφειδὴς ὑπὲρ δύναμιν, ὡς ἀγορανομῶν ἔτι καὶ στρατηγῶν εἶναι κατάχρεως καὶ τῷ πλήθει δαιμονίως ὑπεραρέσκειν, τῶν δήμων αἰεὶ τοὺς δαψιλεῖς ἐπαινούντων.

2. Γάιος δὲ Κατιλίνας, μεγέθει τε δόξης καὶ

BOOK II

I

1. AFTER the sole rule of Sulla, and the operations, later on, of Sertorius and Perpenna in Spain, other internal commotions of a similar nature took place among the Romans until Gaius Caesar and Pompey the Great waged war against each other, and Caesar made an end of Pompey and was himself killed in the senate-chamber because he was accused of behaving after the fashion of royalty. How these things came about and how both Pompey and Caesar lost their lives, this second book of the Civil Wars will show.

Pompey had lately cleared the sea of pirates, who were then more numerous than ever before, and afterwards had overthrown Mithridates, king of Pontus, and regulated his kingdom and the other nations that he had subdued in the East. Caesar was still a young man, but powerful in speech and action, audacious in every way, sanguine in everything, and profuse beyond his means in the pursuit of honours. While yet aedile and praetor he had incurred great debts and had made himself wonderfully agreeable to the multitude, who always sing the praises of those who are lavish in expenditure.

2. Gaius[1] Catiline was a person of note, by reason

---

[1] An error of Appian's. "Lucius" is correct.

CAP.
I

γένους λαμπρότητι περιώνυμος, ἔμπληκτος ἀνήρ,
δόξας ποτὲ καὶ υἱὸν ἀνελεῖν δι' Αὐρηλίας Ὀρεσ-
τίλλης ἔρωτα, οὐχ ὑφισταμένης τῆς Ὀρεστίλλης
παῖδα ἔχοντι γήμασθαι, Σύλλα φίλος τε καὶ
στασιώτης καὶ ζηλωτὴς μάλιστα γεγονώς, ἐκ δὲ
φιλοτιμίας καὶ ὅδε ἐς πενίαν ὑπενηνεγμένος καὶ
θεραπευόμενος ἔτι πρὸς δυνατῶν ἀνδρῶν τε καὶ
γυναικῶν, ἐς ὑπατείαν παρήγγελλεν ὡς τῇδε παρο-
δεύσων ἐς τυραννίδα. πάγχυ δ' ἐλπίσας αἱρεθή-
σεσθαι διὰ τὴν ὑποψίαν τήνδε ἀπεκρούσθη, καὶ
Κικέρων μὲν ἦρχεν ἀντ' αὐτοῦ, ἀνὴρ ἥδιστος εἰπεῖν
τε καὶ ῥητορεῦσαι, Κατιλίνας δ' αὐτὸν ἐς ὕβριν
τῶν ἑλομένων ἐπέσκωπτεν, ἐς μὲν ἀγνωσίαν γένους
καινὸν ὀνομάζων (καλοῦσι δ' οὕτω τοὺς ἀφ' ἑαυτῶν,
ἀλλ' οὐ τῶν προγόνων γνωρίμους), ἐς δ' ξενίαν
τῆς πόλεως ἰγκουιλῖνον, ᾧ ῥήματι καλοῦσι τοὺς
ἐνοικοῦντας ἐν ἀλλοτρίαις οἰκίαις. αὐτὸς δὲ πολ-
ιτείαν μὲν ὅλως ἔτι ἀπεστρέφετο ἐκ τοῦδε, ὡς
οὐδὲν μοναρχίαν ταχὺ καὶ μέγα φέρουσαν, ἀλλ'
ἔριδος καὶ φθόνου μεστήν· χρήματα δ' ἀγεί
ρων πολλὰ παρὰ πολλῶν γυναικῶν, αἳ τοὺς
ἄνδρας ἤλπιζον ἐν τῇ ἐπαναστάσει διαφθερεῖν,
συνώμνυτό τισιν ἀπὸ τῆς βουλῆς καὶ τῶν καλου-
μένων ἱππέων, συνῆγε δὲ καὶ δημότας καὶ ξένους
καὶ θεράποντας. καὶ πάντων ἡγεμόνες ἦσαν αὐτῷ
Κορνήλιος Λέντλος καὶ Κέθηγος, οἳ τότε τῆς
πόλεως ἐστρατήγουν. ἀνά τε τὴν Ἰταλίαν περιέ-
πεμπεν ἐς τῶν Συλλείων τοὺς τὰ κέρδη τῆς τότε
βίας ἀναλωκότας καὶ ὀρεγομένους ἔργων ὁμοίων,

of his great celebrity, and high birth, but a mad-
man, for it was believed that he had killed his own
son because of his own love for Aurelia Orestilla,
who was not willing to marry a man who had a son.
He had been a friend and zealous partisan of Sulla.
He had reduced himself to poverty in order to
gratify his ambition, but still he was courted by the
powerful, both men and women, and he became a
candidate for the consulship as a step leading to
absolute power.   He confidently expected to be
elected; but the suspicion of his ulterior designs
defeated him, and Cicero, the most eloquent orator
and rhetorician of the period, was chosen instead.
Catiline, by way of raillery and contempt for those
who voted for him, called him a " New Man,' on
account of his obscure birth (for so they call those
who achieve distinction by their own merits and not
by those of their ancestors); and because he was not
born in the city he called him " The Lodger,"[1] by
which term they designate those who occupy houses
belonging to others.   From this time Catiline ab-
stained wholly from politics as not leading quickly
and surely to absolute power, but as full of the spirit
of contention and malice.   He procured much money
from many women who hoped that they would get
their husbands killed in the rising, and he formed a
conspiracy with a number of senators and knights,
and collected together a body of plebeians, foreign
residents, and slaves.   His leading fellow-conspira-
tors were Cornelius Lentulus and Cethegus, who
were then the city praetors.   He sent emissaries
throughout Italy to those of Sulla's soldiers who
had squandered the gains of their former life of

CHAP.
I
Conspiracy
of Catiline

B.C. 63

---

[1] Latin *Inquilinus*, correctly explained by Appian above.

CAP
I

ἐς μὲν Φαισούλας τῆς Τυρρηνίας Γάιον **Μάλλιον**,
ἐς δὲ τὴν Πικηνίτιδα καὶ τὴν Ἀπουλίαν ἑτέρους,
οἳ στρατὸν αὐτῷ συνέλεγον ἀφανῶς.

3. Καὶ τάδε πάντα ἔτι ἀγνοούμενα Φουλβία
γύναιον οὐκ ἀφανὲς ἐμήνυε τῷ Κικέρωνι· ἧς ἐρῶν
Κόιντος Κούριος, ἀνὴρ δι' ὀνείδη πολλὰ τῆς βουλῆς
ἀπεωσμένος καὶ τῆσδε τῆς Κατιλίνα συνθήκης
ἠξιωμένος, κούφως μάλα καὶ φιλοτίμως ἐξέφερεν
οἷα πρὸς ἐρωμένην, ὡς αὐτίκα δυναστεύσων. ἤδη
δὲ καὶ περὶ τῶν ἐν τῇ Ἰταλίᾳ γιγνομένων λόγος
ἐφοίτα. καὶ ὁ Κικέρων τήν τε πόλιν ἐκ διαστη-
μάτων φρουραῖς διελάμβανε καὶ τῶν ἐπιφανῶν
ἐξέπεμπε πολλοὺς ἐς πάντα τὰ ὕποπτα τοῖς
γιγνομένοις ἐφεδρεύειν. Κατιλίνας δ', οὐδενὸς μέν
πω θαρροῦντος αὐτοῦ λαβέσθαι διὰ τὴν ἔτι τοῦ
ἀκριβοῦς ἀγνωσίαν, δεδιὼς δὲ ὅμως καὶ τὸ χρόνιον
ἡγούμενος ὕποπτον, ἐν δὲ τῷ τάχει τὴν ἐλπίδα
τιθέμενος, τά τε χρήματα προύπεμπεν ἐς Φαισού-
λας καὶ τοῖς συνωμόταις ἐντειλάμενος κτεῖναι
Κικέρωνα καὶ τὴν πόλιν ἐκ διαστημάτων πολλῶν
νυκτὸς ἐμπρῆσαι μιᾶς ἐξῄει πρὸς Γάιον Μάλλιον
ὡς αὐτίκα στρατὸν ἄλλον ἀθροίσων καὶ ἐς τὸν
ἐμπρησμὸν τῆς πόλεως ἐπιδραμούμενος. ὁ μὲν
δὴ ῥάβδους τε καὶ πελέκεας ὥς τις ἀνθύπατος
κούφως μάλα ἀνέσχε πρὸ ἑαυτοῦ καὶ ἐς τὸν
Μάλλιον ἐχώρει στρατολογῶν· Λέντλῳ δὲ καὶ
τοῖς συνωμόταις ἔδοξεν, ὅτε Κατιλίναν ἐν Φαι-
σούλαις πυνθάνοιντο γεγενῆσθαι, Λέντλον μὲν
αὐτὸν καὶ Κέθηγον ἐφεδρεῦσαι ταῖς Κικέρωνος
θύραις περὶ ἕω μετὰ κεκρυμμένων ξιφιδίων, ἐσδεχ-
θέντας τε διὰ τὴν ἀξίωσιν καὶ λαλοῦντας ὁτιδὴ

plunder and who longed for similar doings. For
this purpose he sent Gaius Mallius to Faesulae in
Etruria and others to Picenum and Apulia, who
enlisted soldiers for him secretly.

3. All these facts, while they were still secret,
were communicated to Cicero by Fulvia, a woman of
quality. Her lover, Quintus Curius, who had been
expelled from the Senate for many deeds of shame
and was thought fit to share in this plot of Catiline's,
told his mistress in a vain and boastful way that he
would soon be in a position of great power. By now,
too, a rumour of what was transpiring in Italy was
getting about. Accordingly Cicero stationed guards
at intervals throughout the city, and sent many of the
nobility to the suspected places to watch what was
going on. Catiline, although nobody had ventured
to lay hands on him, because the facts were not yet
accurately known, was nevertheless timid lest, with
delay, suspicion also should increase. Trusting to
rapidity of movement he forwarded money to Faesulae
and directed his fellow-conspirators to kill Cicero
and set the city on fire at a number of different places
during the same night. Then he departed to join
Gaius Mallius, intending to collect additional forces
and invade the city while burning. So extremely
vain was he that he had the rods and axes borne
before him as though he were a proconsul, and he
proceeded on his journey to Mallius, enlisting
soldiers as he went. Lentulus and his fellow-con-
spirators decided that when they should learn that
Catiline had arrived at Faesulae, Lentulus and
Cethegus should present themselves at Cicero's door
early in the morning with concealed daggers, and
when their rank gained them admission, enter into

CAP.
I

μηκῦναι τὴν ὁμιλίαν ἐν περιπάτῳ καὶ κτεῖναι περισπάσαντας ἀπὸ τῶν ἄλλων, Λεύκιον δὲ Βηστίαν τὸν δήμαρχον ἐκκλησίαν εὐθὺς ὑπὸ κήρυξι συνάγειν καὶ κατηγορεῖν τοῦ Κικέρωνος ὡς ἀεὶ δειλοῦ καὶ πολεμοποιοῦ καὶ τὴν πόλιν ἐν οὐδενὶ δεινῷ διαταράττοντος, ἐπὶ δὲ τῇ Βηστίου δημηγορίᾳ, νυκτὸς αὐτίκα τῆς ἐπιούσης, ἑτέρους ἐν δυώδεκα τόποις ἐμπιπράναι τὴν πόλιν καὶ διαρπάζειν καὶ κατακτείνειν τοὺς ἀρίστους.

4. Ὧδε μὲν Λέντλῳ καὶ Κεθήγῳ καὶ Στατιλίῳ καὶ Κασσίῳ, τοῖς ἄρχουσι τῆς ἐπαναστάσεως, ἐδέδοκτο, καὶ τὸν καιρὸν ἐπετήρουν. Ἀλλοβρίγων δὲ πρέσβεις, αἰτιώμενοι τοὺς ἡγουμένους αὐτῶν, . . . ἐς τὴν Λέντλου συνωμοσίαν ἐπήχθησαν ὡς ἀναστήσοντες ἐπὶ Ῥωμαίους τὴν Γαλατίαν. καὶ Λέντλος μὲν αὐτοῖς συνέπεμπεν ἐς Κατιλίναν Βουλτούρκιον, ἄνδρα Κροτωνιάτην, γράμματα χωρὶς ὀνομάτων γεγραμμένα φέροντα· οἱ δ' Ἀλλόβριγες ἐνδοιάσαντες ἐκοινώσαντο Φαβίῳ Σάγγᾳ, ὃς ἦν τῶν Ἀλλοβρίγων προστάτης, ὥσπερ ἁπάσαις πόλεσιν ἔστι τις ἐν Ῥώμῃ προστάτης. παρὰ δὲ τοῦ Σάγγα μαθὼν ὁ Κικέρων συνέλαβεν ἀπιόντας τοὺς Ἀλλόβριγάς τε καὶ Βουλτούρκιον καὶ ἐς τὴν βουλὴν εὐθέως ἐπήγαγεν· οἱ δ' ὡμολόγουν, ὅσα τοῖς ἀμφὶ τὸν Λέντλον συνῄδεσαν, ἀχθέντας τε ἤλεγχον, ὡς ὁ Κορνήλιος Λέντλος εἴποι πολλάκις εἱμάρθαι τρεῖς Κορνηλίους γενέσθαι Ῥωμαίων μονάρχους, ὧν ἤδη Κίνναν καὶ Σύλλαν γεγονέναι.

conversation with him in the vestibule on some subject, no matter what; draw him away from his own people, and kill him; that Lucius Bestia, the tribune, should at once call an assembly of the people by heralds and accuse Cicero as always timorous, a stirrer up of war and ready to disturb the city without cause; and that on the night following Bestia's speech the city should be set on fire by others in twelve places and looted, and the leading citizens killed.

4. Such were the designs of Lentulus, Cethegus, Statilius, and Cassius, the chiefs of the conspiracy, and they waited for their time. Meanwhile ambassadors of the Allobroges, who were making complaint against their magistrates,[1] were solicited to join the conspiracy of Lentulus in order to cause an uprising against the Romans in Gaul. Lentulus sent in company with them, to Catiline, a man of Croton named Vulturcius, who carried letters without signatures. The Allobroges being in doubt communicated the matter to Fabius Sanga, the patron of their state; for it was the custom of all the subject states to have patrons at Rome. Sanga communicated the facts to Cicero, who arrested the Allobroges and Vulturcius on their journey and brought them straightway before the Senate. They confessed to their understanding with Lentulus' agents, and when confronted with them testified that Cornelius Lentulus had often said that it was written in the book of fate that three Cornelii should be monarchs of Rome, two of whom, Cinna and Sulla, had already been such.

---

[1] Probably there is a gap in the text: *e.g.* "were in Rome, and ..."

CAP.
I

5. Λεχθέντων δὲ τούτων ἡ μὲν βουλὴ Λέντλον παρέλυσε τῆς ἀρχῆς, ὁ δὲ Κικέρων ἕκαστον ἐς τὰς οἰκίας τῶν στρατηγῶν διαθεὶς ἐπανῆλθεν αὐτίκα καὶ ψῆφον περὶ αὐτῶν ἐδίδου. θόρυβος δ' ἦν ἀμφὶ τὸ βουλευτήριον, ἀγνοουμένου ἔτι τοῦ ἀκριβοῦς, καὶ δέος τῶν συνεγνωκότων. αὐτοῦ δὲ Λέντλου καὶ Κεθήγου θεράποντές τε καὶ ἐξελεύθεροι, χειροτέχνας πολλοὺς προσλαβόντες, κατ' ὀπισθίας ὁδοὺς περιῄεσαν ἐπὶ τὰς τῶν στρατηγῶν οἰκίας ὡς τοὺς δεσπότας ἐξαρπασόμενοι. ὧν ὁ Κικέρων πυθόμενος ἐξέδραμεν ἐκ τοῦ βουλευτηρίου καὶ διαθεὶς ἐς τὰ ἐπίκαιρα φύλακας ἐπανῆλθε καὶ τὴν γνώμην ἐπετάχυνε. Σιλανὸς μὲν δὴ πρῶτος ἔλεγεν, ὃς ἐς τὸ μέλλον ᾕρητο ὑπατεύειν· ὧδε γὰρ Ῥωμαίοις ὁ μέλλων ὑπατεύσειν πρῶτος ἐσφέρει γνώμην, ὡς αὐτός, οἶμαι, πολλὰ τῶν κυρουμένων ἐργασόμενος καὶ ἐκ τοῦδε εὐβουλότερόν τε καὶ εὐλαβέστερον ἐνθυμησόμενος περὶ ἑκάστου. ἀξιοῦντι δὲ τῷ Σιλανῷ τοὺς ἄνδρας ἐσχάτῃ κολάσει μετιέναι πολλοὶ συνετίθεντο, ἕως, ἐπὶ Νέρωνα τῆς γνώμης περιιούσης, ὁ Νέρων ἐδικαίου φυλάττειν αὐτούς, μέχρι Κατιλίναν ἐξέλωσι πολέμῳ καὶ τὰ ἀκριβέστατα μάθωσι,

6. Γάιός τε Καῖσαρ οὐ καθαρεύων μὲν ὑπονοίας μὴ συνεγνωκέναι τοῖς ἀνδράσι, Κικέρωνος δ' οὐ θαρροῦντος καὶ τόνδε, ὑπεραρέσκοντα τῷ δήμῳ, ἐς τὸν ἀγῶνα προβαλέσθαι, προσετίθει διαθέσθαι τοὺς ἄνδρας Κικέρωνα τῆς Ἰταλίας ἐν πόλεσιν αἷς ἂν αὐτὸς δοκιμάσῃ, μέχρι Κατιλίνα

5. When they had so testified the Senate deprived
Lentulus of his office. Cicero put each of the
conspirators under arrest at the houses of the praetors,
and returned directly to take the vote of the Senate
concerning them. In the meantime there was a
great tumult around the senate-house, the affair
being as yet little understood, and a good deal of
alarm among the conspirators. The slaves and
freedmen of Lentulus and Cethegus, reinforced by
numerous artisans, made a circuit by back streets
and assaulted the houses of the praetors in order to
rescue their masters. When Cicero heard of this he
hurried out of the senate-house and stationed the
necessary guards and then came back and hastened
the taking of the vote. Silanus, the consul-elect,
spoke first, as it was the custom among the Romans
for the man who was about to assume that office to
deliver his opinion first, because, as I think, he
would have most to do with the execution of the
decrees, and hence would give more careful considera-
tion and use more circumspection in each case. It was
the opinion of Silanus that the culprits should suffer
the extreme penalty, and many senators agreed with
him until it came to Nero's turn to deliver his opinion.
Nero judged that it would be best to keep them
under guard until Catiline should be beaten in the
field and they could obtain the most accurate
knowledge of the facts.

6. Gaius Caesar was not free from the suspicion of
complicity with these men, but Cicero did not
venture to bring into the controversy one so popular
with the masses. Caesar proposed that Cicero should
distribute the culprits among the towns of Italy,
according to his own discretion, to be kept until

καταπολεμηθέντος ἐς δικαστήριον ὑπαχθῶσι, καὶ
μηδὲν ἀνήκεστον ἐς ἄνδρας ἐπιφανεῖς ἢ πρὸ λόγου
καὶ δίκης ἐξειργασμένος. δικαίου δὲ τῆς γνώμης
φανείσης καὶ δεχθείσης, ἀκρατῶς οἱ πολλοὶ
μετετίθεντο, μέχρι Κάτων ἤδη σαφῶς ἀνακαλύπ-
των τὴν ἐς τὸν Καίσαρα ὑποψίαν καὶ ὁ Κικέρων
δεδιὼς ἀμφὶ τῇ νυκτὶ προσιούσῃ, μὴ τὸ συνεγνω-
κὸς τοῖς ἀνδράσι πλῆθος αἰωρούμενον ἔτι κατ'
ἀγορὰν καὶ δεδιὸς περί τε σφῶν αὐτῶν καὶ περὶ
ἐκείνων ἐργάσηταί τι ἄτοπον, ἔπεισαν ὡς αὐτο-
φώρων ἄνευ κρίσεως καταγνῶναι. καὶ εὐθὺς ἐκ
τῶν οἰκιῶν, ἔτι τῆς βουλῆς συνεστώσης, ἕκαστον
αὐτῶν ὁ Κικέρων ἐς τὸ δεσμωτήριον μεταγαγών,
τοῦ πλήθους ἀγνοοῦντος, ἐπεῖδεν ἀποθνήσκοντας
καὶ τοῖς ἐν ἀγορᾷ παροδεύων ἐσήμηνεν, ὅτι τεθνᾶ-
σιν. οἱ δὲ διελύοντο πεφρικότες τε καὶ περὶ σφῶν
ἀγαπῶντες ὡς διαλαθόντες.

Οὕτω μὲν ἡ πόλις ἀνέπνευσεν ἀπὸ τοῦ δέους
πολλοῦ σφίσιν ἐκείνης τῆς ἡμέρας ἐπιστάντος·
7. Κατιλίναν δὲ ἐς δισμυρίους τε ἀγείραντα καὶ
τούτων τεταρτημόριον ὁπλίσαντα ἤδη καὶ ἐς
Γαλατίαν ἐπὶ ἄλλην παρασκευὴν ἀπιόντα
Ἀντώνιος ὁ ἕτερος ὕπατος ὑπ' Ἀλπείοις κατα-
λαβών, οὐ δυσχερῶς ἐκράτησεν ἀνδρὸς ἐμπλήκτως
ἀλλόκοτον ἔργον ἐπὶ νοῦν λαβόντος τε καὶ ἐς
πεῖραν ἔτι ἐμπληκτότερον ἀπαρασκεύως προαγα-

Catiline should be beaten in fight, and that then CHAP.
they should be regularly tried, instead of inflicting I
an irremediable punishment upon members of the
nobility without argument and trial. As this
opinion appeared to be just and acceptable, most of
the senators changed completely, until Cato openly
manifested his suspicion of Caesar ; and Cicero, who
had apprehensions concerning the coming night
(lest the crowd who were concerned with the
conspiracy and were still in the forum in a state of
suspense, fearful for themselves and the conspirators,
might do something desperate), persuaded the
Senate to give judgment against them without
trial as persons caught in the act. Cicero immediately,
while the Senate was still in session, conducted each
of the conspirators from the houses where they
were in custody to the prison, without the know-
ledge of the crowd, and saw them put to death.
Then he went back to the forum and signified that
they were dead. The crowd dispersed in alarm,
congratulating themselves that they had not been
found out.

Thus the city breathed freely once more after B.C. 62
the great fear that had weighed upon it that day, Battle of
Pistoria and
7. but Catiline had assembled about 20,000 troops, death of
of whom one-fourth part were already armed, and Catiline
was moving toward Gaul in order to complete his
preparations, when Antonius, the other consul,
overtook him at the foot of the Alps [1] and easily
defeated the madly-conceived adventure of the man,
which was still more madly put to the test without

---

[1] The battle was fought at Pistoria, at the southern base
of the Apennines. The Roman army was commanded, not
by the consul Antonius, but by his lieutenant Petreius.

CAP.
I
γόντος. οὐ μὴν ὅ γε Κατιλίνας οὐδ᾽ ἄλλος οὐδεὶς
τῶν συνόντων ἐπιφανῶν φυγεῖν ἠξίωσεν, ἀλλ
ἐσδραμόντες ἐς τοὺς πολεμίους ἀπώλοντο.

Ὧδε μὲν ἡ Κατιλίνα ἐπανάστασις, παρ᾽ ὀλίγον
ἐς ἔσχατον ἐλθοῦσα κινδύνου τῇ πόλει, διελύετο.
καὶ ὁ Κικέρων, ἅπασιν ἐπὶ λόγου δυνάμει μόνῃ
γνώριμος ὤν, τότε καὶ ἐπὶ ἔργῳ διὰ στόματος ἦν
καὶ σωτὴρ ἐδόκει περιφανῶς ἀπολλυμένῃ τῇ
πατρίδι γενέσθαι, χάριτές τε ἦσαν αὐτῷ παρὰ τὴν
ἐκκλησίαν καὶ εὐφημίαι ποικίλαι. Κάτωνος δ᾽
αὐτὸν καὶ πατέρα τῆς πατρίδος προσαγορεύσαντος
ἐπεβόησεν ὁ δῆμος. καὶ δοκεῖ τισιν ἥδε ἡ εὐφημία
ἀπὸ Κικέρωνος ἀρξαμένη περιελθεῖν ἐς τῶν νῦν
αὐτοκρατόρων τοὺς φαινομένους ἀξίους· οὐδὲ γὰρ
τοῖσδε, καίπερ οὖσι βασιλεῦσιν, εὐθὺς ἀπ᾽ ἀρχῆς
ἅμα ταῖς ἄλλαις ἐπωνυμίαις, ἀλλὰ σὺν χρόνῳ
μόλις ἥδε, ὡς ἐντελὴς ἐπὶ μεγίστοις δὴ μαρτυρίᾳ,
ψηφίζεται.

II

CAP.
II
8. Ὁ δὲ Καῖσαρ στρατηγὸς ἐς Ἰβηρίαν αἱρεθεὶς
ἐπὶ μέν τι πρὸς τῶν χρήστων διεκρατεῖτο ἐν Ῥώμῃ,
πολὺ πλέονα τῆς περιουσίας ὀφλὼν διὰ τὰς
φιλοτιμίας· ὅτε φασὶν αὐτὸν εἰπεῖν, ὅτι δέοιτο
δισχιλίων καὶ πεντακοσίων μυριάδων, ἵνα ἔχοι
μηδέν· διαθέμενος δὲ τοὺς ἐνοχλοῦντας, ὡς ἐδύ-
νατο, καὶ τῆς Ἰβηρίας ἐπιβὰς χρηματίζειν μὲν

preparation.   Neither Catiline nor any of the nobility chap. who were associated with him deigned to fly, but all ¹ flung themselves upon their enemies and perished.

Such was the end of the rising of Catiline, which almost brought the city to the extreme of peril.   Cicero, who had been hitherto distinguished only for eloquence, was now in everybody's mouth as a man of action, and was considered unquestionably the saviour of his country on the eve of its destruction, for which reason the thanks of the assembly were bestowed upon him, amid general acclamations.   At the instance of Cato the people saluted him as the Father of his country. Some think that this honourable appellation, which is now bestowed upon those emperors who are deemed worthy of it, had its beginning with Cicero, for although they are in fact kings, it is not given even to them with their other titles immediately upon their accession, but is decreed to them in the progress of time, not as a matter of course, but as a final testimonial of the greatest services.

II

8. Caesar, who had been chosen praetor for Spain, chap. was detained in the city by his creditors, as he owed ^{II} much more than he could pay, by reason of his b.c. 61 political expenses.   He was reported as saying that he needed 25,000,000 sesterces ¹ in order to have nothing at all.   However, he arranged with those who were detaining him as best he could and proceeded to Spain. Here he neglected the transaction

¹ About £250,000.

ταῖς πόλεσιν ἢ διαιτᾶν δίκας ἢ ὅσα ὁμοιότροπα
τούτοις, ἅπαντα ὑπερεῖδεν ὡς οὐδὲν οἷς ἐπενόει
χρήσιμα, στρατιὰν δὲ ἀγείρας ἐπετίθετο τοῖς ἔτι
λοιποῖς Ἰβήρων ἀνὰ μέρος, μέχρι τὴν Ἰβηρίαν ἐς
τὸ ὁλόκληρον ἀπέφηνε Ῥωμαίοις ὑποτελῆ, καὶ
χρήματα πολλὰ ἐς Ῥώμην ἔπεμψεν ἐς τὸ κοινὸν
ταμιεῖον. ἐφ᾽ οἷς ἡ μὲν βουλὴ θριαμβεῦσαι παρέ-
σχεν αὐτῷ, ὁ δὲ τῆς πομπῆς τὴν παρασκευὴν ἐς
τὸ λαμπρότατον ἐν τοῖς τῆς Ῥώμης προαστείοις
διεκόσμει, ἐν αἷς ἡμέραις ὑπατείας ἦσαν παραγγελί-
αι, καὶ ἔδει τὸν παραγγέλλοντα παρεῖναι,
ἐσελθόντι δὲ οὐκ ἦν ἔτι ἐπὶ τὸν θρίαμβον ἐπαν-
ελθεῖν. ὁ δὲ καὶ τῆς ἀρχῆς ἐς πολλὰ τυχεῖν
ἐπειγόμενος καὶ τὴν πομπὴν οὐχ ἕτοιμον ἔχων
ἐσέπεμπε τῇ βουλῇ δεόμενος ἐπιτρέψαι οἱ τὴν
παραγγελίαν ἀπόντι ποιήσασθαι διὰ τῶν φίλων,
εἰδὼς μὲν παράνομον, γεγονὸς δὲ ἤδη καὶ ἑτέροις.
Κάτωνος δ᾽ ἀντιλέγοντος αὐτῷ καὶ τὴν ἡμέραν
τελευταίαν οὖσαν τῶν παραγγελιῶν ἀναλοῦντος
ἐπὶ τοῖς λόγοις, ἐσέδραμεν ὁ Καῖσαρ ὑπεριδὼν
τοῦ θριάμβου καὶ παραγγείλας ἐς τὴν ἀρχὴν ἀνέ-
μενε τὴν χειροτονίαν.

9. Ἐν δὲ τούτῳ Πομπήιος, ἐκ τῶν Μιθριδατείων
ἔργων ἐπὶ μέγα δόξης καὶ δυνάμεως ἐλθών, ἠξίου
πολλά, ὅσα βασιλεῦσι καὶ δυνάσταις καὶ πόλεσιν
ἐδεδώκει, τὴν βουλὴν βεβαιῶσαι. φθόνῳ δ᾽ αὐτῶν
οἱ πολλοὶ καὶ μάλιστα Λεύκολλος, ὁ πρὸ τοῦ
Πομπηίου στρατεύσας ἐπὶ τὸν Μιθριδάτην, ὡς
ἀσθενέστατον αὐτὸν ἀπολιπὼν τῷ Πομπηίῳ,
διεκώλυεν, ἴδιον ἔργον ἀποφαίνων τὸ Μιθριδάτειον.
καὶ Λευκόλλῳ συνελάμβανε Κράσσος. ἀγανακ-
τῶν οὖν ὁ Πομπήιος προσεταιρίζεται Καῖσαρα,

of public business, the administration of justice, and all matters of that kind because he considered them of no use to his purposes, but he raised an army and attacked the independent Spanish tribes one by one until he made the whole country tributary to the Romans. He also sent much money to the public treasury at Rome. For these reasons the Senate awarded him a triumph. He was making prepara- tions outside the walls for a most splendid procession, during the days when candidates for the consulship were required to present themselves. It was not lawful for one who was going to have a triumph to enter the city and then go back again for the triumph. As Caesar was very anxious to secure the office, and his procession was not yet ready, he sent to the Senate and asked permission to go through the forms of standing for the consulship while absent, through the instrumentalities of friends, for although he knew it was against the law it had been done by others. Cato opposed his pro- position and used up the last day for the presentation of candidates, in speech-making. Thereupon Caesar abandoned his triumph, entered the city, offered him- self as a candidate, and waited for the comitia.

9. In the meantime Pompey, who had acquired great glory and power by his Mithridatic war, was asking the Senate to ratify numerous concessions that he had granted to kings, princes, and cities. Most Senators, however, moved by envy, made opposition, and especially Lucullus, who had held the command against Mithridates before Pompey, and who con- sidered that the victory was his, since he had left the king for Pompey in a state of extreme weakness. Crassus co-operated with Lucullus in this matter.

CAP.
II
συμπράξειν ἐς τὴν ὑπατείαν ἐπομόσας· ὁ δ'
εὐθὺς αὐτῷ Κράσσον διήλλασσε. καὶ τρεῖς οἵδε
τὸ μέγιστον ἐπὶ πᾶσι κράτος ἔχοντες τὰς χρείας
ἀλλήλοις συνηράνιζον. καί τις αὐτῶν τήνδε τὴν
συμφροσύνην συγγραφεύς, Οὐάρρων, ἐνὶ βιβλίῳ
περιλαβὼν ἐπέγραψε Τρικάρανον.

Ὑφορωμένη δ' αὐτοὺς ἡ βουλὴ Λεύκιον Βύβλον
ἐς ἐναντίωσιν τοῦ Καίσαρος ἐχειροτόνησεν αὐτῷ
συνάρχειν· 10. καὶ εὐθὺς αὐτῶν ἦσαν ἔριδές τε
καὶ ὅπλων ἐπ' ἀλλήλους ἰδίᾳ παρασκευαί. δεινὸς
δ' ὢν ὁ Καῖσαρ ὑποκρίνεσθαι, λόγους ἐν τῇ βουλῇ
περὶ ὁμονοίας διέθετο πρὸς Βύβλον, ὡς τὰ κοινὰ
λυπήσοντες, εἰ διαφέροιντο. πιστευθεὶς δ' οὕτω
φρονεῖν, ἀπερίσκεπτον ἤδη καὶ ἀπαράσκευον καὶ
οὐδὲν ἔτι τῶν γιγνομένων ὑπονοοῦντα τὸν Βύβλον
ἔχων, χεῖρά τε πολλὴν ἀφανῶς ἡτοιμάζετο καὶ
νόμους ὑπὲρ τῶν πενήτων ἐς τὸ βουλευτήριον
ἐσέφερε καὶ γῆν αὐτοῖς διένεμε, καὶ τὴν ἀριστεύου-
σαν αὐτῆς μάλιστα περὶ Καπύην, ἣ ἐς τὰ
κοινὰ διεμισθοῦτο, τοῖς οὖσι πατράσι παίδων
τριῶν, ἔμμισθον ἑαυτῷ τῆσδε τῆς χάριτος πλῆθος
τοσόνδε ποιούμενος· δισμύριοι γὰρ ἀθρόως ἐφάνη-
σαν οἱ τὰ τρία τρέφοντες μόνοι. ἐνισταμένων δὲ
τῇ γνώμῃ πολλῶν, ὑποκρινάμενος δυσχεραίνειν,
ὡς οὐ δίκαια ποιούντων, ἐξέδραμε καὶ βουλὴν μὲν
οὐκέτι συνῆγεν ἐπὶ τὸ ἔτος ὅλον, ἐπὶ δὲ τῶν
ἐμβόλων ἐδημηγόρει· Πομπήιόν τε ἐν μέσῳ καὶ
Κράσσον ἠρώτα περὶ τῶν νόμων· οἱ δὲ αὐτοὺς

Pompey was indignant and made friends with Caesar CHAP.
and promised under oath to support him for the con- II
sulship. The latter thereupon brought Crassus into
friendly relations with Pompey. So these three most
powerful men pooled their interests. This coalition
the Roman writer Varro treated of in a book entitled
Tricaranus (the three-headed monster).

The Senate had its suspicions of them and elected
Lucius Bibulus as Caesar's colleague to hold him in
check; 10. and strife sprang up between them im- B.C. 59
mediately and they proceeded to arm themselves
secretly against each other. Caesar, who was a master
of dissimulation, made speeches in the Senate in the
interest of concord to Bibulus, insinuating that any
differences between them might have serious results
for the state. As he was believed to be sincere,
Bibulus was thrown off his guard, and while he was
unprepared and unsuspecting Caesar secretly got
a large band of soldiers in readiness and brought
before the Senate measures for the relief of the poor
by the distribution of the public land to them. The Caesar's
best part of this land especially round Capua, which Law
was leased for the public benefit, he proposed to
bestow upon those who were the fathers of at
least three children, by which means he bought
for himself the favour of a multitude of men,
for twenty thousand, being those only who had
three children each, came forward at once. As
many senators opposed his motion he pretended to be
indignant at their injustice, and rushed out of the
Senate and did not convene it again for the remainder
of the year, but harangued the people from the
rostra. In a public assembly he asked Pompey and
Crassus what they thought about his proposed laws.

CAP.
II

ἐπῄνουν, καὶ ὁ δῆμος ἐπὶ τὴν χειροτονίαν ᾔει σὺν
κεκρυμμένοις ξιφιδίοις.

11. Ἡ βουλὴ δέ (οὐ γάρ τις αὐτὴν συνῆγεν,
οὐδ' ἐξῆν τῷ ἑτέρῳ τῶν ὑπάτων συναγαγεῖν αὐτήν)
ἐς τὴν οἰκίαν τοῦ Βύβλου συνελθόντες οὐδὲν μὲν
ἀντάξιον τῆς Καίσαρος ἰσχύος τε καὶ παρασκευῆς
ἐποίουν, ἐπενόουν δ' ὅμως Βύβλον ἐνίστασθαι τοῖς
νόμοις καὶ μὴ δόξαν ἀμελείας, ἀλλὰ ἥσσης ἐνέγ-
κασθαι. πεισθεὶς οὖν ὁ Βύβλος ἐνέβαλεν ἐς τὴν
ἀγορὰν δημηγοροῦντος ἔτι τοῦ Καίσαρος. ἔριδος
δὲ καὶ ἀταξίας γενομένης πληγαί τε ἦσαν ἤδη, καὶ
οἱ μετὰ τῶν ξιφιδίων τὰς ῥάβδους καὶ τὰ σημεῖα
τοῦ Βύβλου περιέκλων καὶ τῶν δημάρχων ἔστιν
οὓς περὶ αὐτὸν ὄντας ἔτρωσαν. Βύβλος δ' οὐ
καταπλαγεὶς ἀπεγύμνου τὴν σφαγὴν καὶ μετὰ
βοῆς ἐκάλει τοὺς Καίσαρος φίλους ἐπὶ τὸ ἔργον·
"εἰ γὰρ οὐ δύναμαι πεῖσαι τὰ δίκαια ποιεῖν," ἔφη,
"Καίσαρα, τό γε ἄγος αὐτῷ καὶ μύσος οὕτως
ἀποθανὼν ἐπιβαλῶ." ἀλλὰ τὸν μὲν ἄκοντα
ὑπεξήγαγον οἱ φίλοι ἐς τὸ πλησίον ἱερὸν τοῦ
Στησίου Διός, Κάτων δ' ἐπιπεμφθεὶς ὤσατο μὲν
ὡς νέος ἐς μέσους καὶ δημηγορεῖν ἤρχετο, μετέωρος
δ' ὑπὸ τῶν Καίσαρος ἀρθεὶς ἐξεφέρετο. καὶ
λαθὼν κατ' ἄλλας ὁδοὺς αὖθις ἀνέδραμεν ἐς τὸ
βῆμα καὶ λέγειν μὲν ἔτι οὐδενὸς ἀκούοντος
ἀπεγίνωσκε, τοῦ δὲ Καίσαρος ἀγροίκως κατεβόα,
μέχρι καὶ τότε μετέωρος ἐξερρίφη καὶ τοὺς νόμους
ὁ Καῖσαρ ἐκύρωσε.

12. Καὶ ἐπ' αὐτοῖς τόν τε δῆμον ὥρκωσεν ἐς
ἀεὶ κυρίους νομιεῖν καὶ τὴν βουλὴν ἐκέλευεν
ὀμνύναι. ἐνισταμένων δὲ πολλῶν καὶ Κάτωνος,

Both gave their approval, and the people came to the voting-place carrying concealed daggers.

11. The Senate (since no one called it together and it was not lawful for one consul to do so without the consent of the other) assembled at the house of Bibulus, but did nothing to counteract the force and preparation of Caesar. They planned, however, that Bibulus should oppose Caesar's laws, so that they should seem to be overcome by force rather than to suffer by their own negligence. Accordingly, Bibulus burst into the forum while Caesar was still speaking. Strife and tumult arose, blows were given, and those who had daggers broke the fasces and insignia of Bibulus and wounded some of the tribunes who stood around him. Bibulus was in no wise terrified, but bared his neck to Caesar's partisans and loudly called on them to strike. "If I cannot persuade Caesar to do right," he said, "I will affix upon him the guilt and stigma of my death." His friends, however, led him, against his will, out of the crowd and into the neighbouring temple of Jupiter Stator. Then Cato was summoned to the spot, and being a young man, forced his way to the midst of the crowd and began to make a speech, but was lifted up and carried out by Caesar's partisans. Then he went around secretly by another street and again mounted the rostra; but as he despaired of making a speech, since nobody would listen to him, he abused Caesar roundly until he was again lifted up and ejected by the Caesarians, and Caesar secured the enactment of his laws.

12. The plebeians swore to observe these laws for ever, and Caesar directed the Senate to do the same. Many of them, including Cato, refused, and Caesar

CAP.
II
εἰσηγεῖτο μὲν ὁ Καῖσαρ θάνατον τῷ μὴ ὀμόσαντι,
καὶ ὁ δῆμος ἐπεκύρου· ὤμνυον δ' αὐτίκα δείσαντες
οἵ τε ἄλλοι καὶ οἱ δήμαρχοι· οὐ γὰρ ἔτι χρήσιμον
ἀντιλέγειν ἦν κυρουμένου διὰ τοὺς ἄλλους τοῦ
νόμου. Οὐέττιος δ' ἀνὴρ δημότης, ἐς τὸ μέσον
ἐσδραμὼν μετὰ ξιφιδίου γυμνοῦ, ἐπιπεμφθῆναι
ἔφη πρός τε Βύβλου καὶ Κικέρωνος καὶ Κάτωνος
ἐς ἀναίρεσιν Καίσαρός τε καὶ Πομπηίου καὶ τὸ
ξιφίδιον αὐτῷ Βύβλου ῥαβδοῦχον ἐπιδοῦναι
Ποστούμιον. ὑπόπτου δ' ὄντος ἐφ' ἑκάτερα τοῦ
πράγματος ὁ μὲν Καῖσαρ ἐξετράχυνε τὸ πλῆθος,
τὴν δ' ἐπιοῦσαν ἐξετάσειν τὸν Οὐέττιον ἀνεβάλ-
λοντο. καὶ ὁ Οὐέττιος φυλασσόμενος ἐν τῷ
δεσμωτηρίῳ νυκτὸς ἀνῃρέθη. εἰκαζομένου δ' ἐς
ποικίλα τοῦ συμβεβηκότος ὁ Καῖσαρ οὐκ ἀνίει
καὶ τοῦτο δρᾶσαι λέγων τοὺς δεδιότας, ἕως ὁ
δῆμος αὐτῷ συνεχώρησεν ἀμύνειν τοῖς ἐπιβεβου-
λευμένοις. καὶ Βύβλος μὲν ἐκ χειρῶν ἅπαντα
μεθεὶς οἷά τις ἰδιώτης οὐ προῄει τῆς οἰκίας ἐπὶ τὸ
λοιπὸν τῆς ἀρχῆς ἅπαν, ὁ δὲ Καῖσαρ οὐδ' αὐτὸς
ἔτι ἐζήτει περὶ τοῦ Οὐεττίου, μόνος ἔχων τὸ
κράτος ἐπὶ τῇ πολιτείᾳ.

13. Νόμους δ' ἐσέφερεν, ἐκθεραπεύων τὸ πλῆ-
θος, ἑτέρους καὶ τὰ Πομπηίῳ πεπραγμένα ἅπαντα
ἐκύρου, καθάπερ ὑπέσχητο αὐτῷ. οἱ δ' ἱππέες
λεγόμενοι, τὴν μὲν ἀξίωσιν τοῦ δήμου καὶ τῆς
βουλῆς ὄντες ἐν μέσῳ, δυνατώτατοι δὲ ἐς ἅπαντα
περιουσίας τε οὕνεκα καὶ μισθώσεως τελῶν καὶ

proposed and the people enacted the death penalty
to the recusants. Then they became alarmed and
took the oath, including the tribunes, for it was no
longer of any use to speak against it after the law
had been confirmed by the others. And now Vettius,
a plebeian, ran into the forum with a drawn dagger
and said that he had been sent by Bibulus, Cicero,
and Cato to kill Caesar and Pompey, and that
the dagger had been given to him by Postumius, the
lictor of Bibulus. Although this affair was open to
suspicion from either point of view, Caesar made
use of it to inflame the multitude and postponed
till the morrow the examination of the assailant.
Vettius was thrown into prison and killed the same
night. As this transaction was variously commented
on, Caesar did not let it pass unnoticed, but said
that it had been done by the opposite party, who
were afraid of exposure.[1] Finally, the people fur-
nished him a guard to protect him against conspirators,
and Bibulus abstained from public business alto-
gether, as though he were a private citizen, and
did not go out of his house for the remainder of his
official term, while Caesar, having now sole adminis-
tration of public affairs, did not make any further
inquiry concerning Vettius.

13. He brought forward new laws to win the
favour of the multitude, and caused all of Pompey's
acts to be ratified, as he had promised him. The
knights, who held the middle place in rank between
the Senate and the plebeians, and were extremely
powerful in all ways by reason of their wealth, and of

---

[1] τοὺς δεδιότας, "those who were afraid." Mendelssohn
suggests the addition of ἀντιστασιώτας, "the opposite party,"
to complete the sense.

CAP.
II

φόρων, οὓς ὑπὸ τῶν ἐθνῶν τελουμένους ἐξεμι-
σθοῦντο, καὶ πλήθους βεβαιοτάτων ἐς ταῦτα
θεραπόντων, ἐκ πολλοῦ τὴν βουλὴν ᾔτουν ἄφεσίν
τινα μέρους τῶν φόρων αὐτοῖς γενέσθαι. καὶ
ἀποδιέτριβεν ἡ βουλή. ὁ δὲ Καῖσαρ ἐς οὐδὲν
τότε τῆς βουλῆς δεόμενος, ἀλλὰ μόνῳ τῷ δήμῳ
χρώμενος τὰ τρίτα τῶν μισθώσεων αὐτοῖς παρῆ-
κεν. οἱ δέ, ὑπὲρ τὴν σφετέραν ἀξίωσιν ἀδοκήτου
τῆς χάριτος αὐτοῖς γενομένης, ἐξεθείαζον αὐτόν,
καὶ στῖφος ἄλλο καρτερώτερον τοῦ δήμου τόδε τῷ
Καίσαρι προσγεγένητο δι' ἑνὸς πολιτεύματος. ὁ
δὲ καὶ θέας ἐπεδίδου καὶ κυνηγέσια θηρίων ὑπὲρ
δύναμιν, δανειζόμενος ἐς ἅπαντα καὶ τὰ πρότερα
πάνθ' ὑπερβάλλων παρασκευῇ καὶ χορηγίᾳ καὶ
δόσεσι λαμπραῖς· ἐφ' οἷς αὐτὸν εἵλοντο Γαλατίας
τῆς τε ἐντὸς Ἄλπεων καὶ ὑπὲρ Ἄλπεις ἐπὶ
πενταετὲς ἄρχειν καὶ ἐς τὴν ἀρχὴν ἔδοσαν τέλη
στρατοῦ τέσσαρα.

14. Ὁ δὲ καὶ τὴν ἀποδημίαν οἱ χρόνιον ὁρῶν
ἐσομένην καὶ τὸν φθόνον ὡς ἐπὶ μεγίστοις δὴ τοῖς
δεδομένοις μείζονα, Πομπηΐῳ μὲν ἐζεύγνυ τὴν
θυγατέρα, καίπερ ἐνηγγυημένην Καιπίωνι, δεδιώς,
μὴ καὶ φίλος ὢν ἐπιφθονήσειε τῷ μεγέθει τῆς
εὐδαιμονίας, τοὺς δὲ θρασυτάτους τῶν στασιωτῶν
ἐπὶ τὰς ἀρχὰς τοῦ μέλλοντος ἔτους παρῆγε. καὶ
ὕπατον μὲν ἀπέφηνεν Αὖλον Γαβίνιον, φίλον
ἑαυτοῦ· Λευκίου δὲ Πείσωνος τοῦ σὺν αὐτῷ
μέλλοντος ὑπατεύσειν τὴν θυγατέρα Καλπουρνίαν
αὐτὸς ἤγετο, βοῶντος Κάτωνος διαμαστροπεύ-

the farming of the provincial revenues which they
contracted for, and who kept for this purpose multitudes of very trusty servants, had been asking the Senate for a long time to release them from a part of what they owed to the treasury. The Senate regularly shelved the question. As Caesar did not want anything of the Senate then, but was employing the people only, he released the publicans from the third part of their obligations. For this unexpected favour, which was far beyond their deserts, the knights extolled Caesar to the skies. Thus a more powerful body of defenders than that of the plebeians was added to Caesar's support through one political act. He gave spectacles and combats of wild beasts beyond his means, borrowing money on all sides, and surpassing all former exhibitions in lavish display and splendid gifts, in consequence of which he was appointed governor of both Cisalpine and Transalpine Gaul for five years, with the command of four legions.

14. As Caesar saw that he would be away from home a long time, and that envy would be greater in proportion to the greatness of the benefits conferred,[1] he gave his daughter in marriage to Pompey, although she was betrothed to Caepio, because he feared that even a friend might become envious of his great success. He also promoted the boldest of his partisans to the principal offices for the ensuing year. He designated his friend Aulus Gabinius as consul, with Lucius Piso as his colleague, whose daughter, Calpurnia, Caesar married, although Cato cried out that the empire

---

[1] Appian apparently means not that envy would increase with Caesar's honours, but that his royal bounties themselves would be a danger to him.

CAP.
II
εσθαι γάμοις τὴν ἡγεμονίαν. δημάρχους δὲ
ᾑρεῖτο Οὐατίνιόν τε καὶ Κλώδιον τὸν Καλὸν
ἐπίκλην, ὅν τινα αἰσχρὰν ἐν ἱερουργίᾳ γυναικῶν
ποτε λαβόντα ὑπόνοιαν ἐπὶ Ἰουλίᾳ τῇ Καί-
σαρος αὐτοῦ γυναικὶ ὁ μὲν Καῖσαρ οὐκ ἔκρινεν,
ὑπεραρέσκοντα τῷ δήμῳ, καίπερ ἀποπεμψάμενος
τὴν γυναῖκα, ἕτεροι δὲ διὰ τὴν ἱερουργίαν ἐς
ἀσέβειαν ἐδίωκον, καὶ συνηγόρευε τοῖς διώκουσι
Κικέρων. καὶ κληθεὶς ἐς μαρτυρίαν ὁ Καῖσαρ οὐ
κατεῖπεν, ἀλλὰ τότε καὶ δήμαρχον ἐς ἐπιβουλὴν
τοῦ Κικέρωνος ἀπέφηνε, διαβάλλοντος ἤδη τὴν
συμφροσύνην τῶν τριῶν ἀνδρῶν ἐς μοναρχίαν.
οὕτω καὶ λύπης ἐκράτουν ὑπὸ χρείας καὶ τὸν
ἐχθρὸν εὐηργέτουν ἐς ἄμυναν ἑτέρου. δοκεῖ δὲ
καὶ ὁ Κλώδιος ἀμείψασθαι πρότερος τὸν Καίσαρα
καὶ συλλαβεῖν ἐς τὴν τῆς Γαλατίας ἀρχήν.

III

CAP.
III
15. Τοσάδε μὲν δὴ Καῖσαρ ὑπατεύων ἔπραξε
καὶ τὴν ἀρχὴν ἀποθέμενος ἐπὶ τὴν ἑτέραν εὐθὺς
ἐξῄει· Κικέρωνα δὲ γράφεται Κλώδιος παρανόμων,
ὅτι πρὸ δικαστηρίου τοὺς ἀμφὶ Λέντλον καὶ
Κέθηγον ἀνέλοι. ὁ δ' ἐς τὸ ἔργον ἐκεῖνο γενναι-
οτάτῳ λήματι κεχρημένος ἀσθενέστατος ἐς τὴν
δίκην ἐγίγνετο, καὶ ταπεινὴν ἐσθῆτα ἐπικείμενος
γέμων τε αὐχμοῦ καὶ ῥύπου προσέπιπτεν οἷς
ἐντύχοι κατὰ τοὺς στενωπούς, οὐδὲ τοῖς ἀγνῶσιν
ἐνοχλεῖν αἰδούμενος, ὥστε αὐτῷ τὸ ἔργον διὰ τὴν

was become a mere matrimonial agency. For CHAP. II
tribunes he chose Vatinius and Clodius Pulcher,
although the latter had been suspected of an intrigue
with the wife [1] of Caesar himself during a religious
ceremony of women. Caesar, however, did not bring
him to trial owing to his popularity with the masses,
but divorced his wife. Others prosecuted Clodius
for impiety at the sacred rites, and Cicero was the
counsel for the prosecution. When Caesar was
called as a witness he refused to testify against
Clodius, but even raised him to the tribuneship as a
foil to Cicero, who was already decrying the trium-
virate as tending toward monarchy. Thus Caesar
turned a private grievance to useful account and
benefited one enemy in order to revenge himself on
another. It appears, however, that Clodius had
previously requited Caesar by helping him to secure
the governorship of Gaul.

III

15. Such were the acts of Caesar's consulship. CHAP.
He then laid down his magistracy and proceeded III
directly to his new government. Clodius now brought B.C. 58
an accusation against Cicero for putting Lentulus Clodius
and Cethegus and their followers to death without Cicero
trial. Cicero, who had exhibited the highest courage citizens to
in that transaction, became utterly unnerved at his death
trial. He put on humble raiment and, defiled with trial
squalor and dirt, supplicated those whom he met in
the streets, not being ashamed to annoy people who
knew nothing about the business, so that his doings

---

[1] Pompeia.

CAP.
III

ἀπρέπειαν ἀπὸ οἴκτου μεταπίπτειν ἐς γέλωτα. ἐς τοσοῦτο δειλίας περὶ μίαν οἰκείαν δίκην κατέπεσεν, ὃς τὸν ὅλον βίον ἐν ἀλλοτρίαις ἐξήτασto λαμπρῶς, οἷόν τι καὶ Δημοσθένη φασὶ τὸν Ἀθηναῖον οὐδ᾽ ὑποστῆναι τὴν ἑαυτοῦ δίκην, ἀλλὰ πρὸ τοῦ ἀγῶνος φυγεῖν. Κλωδίου δὲ καὶ τὰς παρακλήσεις αὐτῷ σὺν ὕβρει διακόπτοντος ἐν τοῖς στενωποῖς, ἀπέγνω πάνθ᾽ ὁ Κικέρων καὶ ἔφευγεν ἑκούσιον καὶ ὅδε φυγήν, καὶ φίλων αὐτῷ πλῆθος συνεξῄει, καὶ ἡ βουλὴ συνίστη τὸν ἄνδρα πόλεσί τε καὶ βασιλεῦσι καὶ δυνάσταις. Κλώδιος δ᾽ αὐτῷ τὴν οἰκίαν καὶ τὰς ἐπαύλεις ἐπικατέσκαπτεν ἐπαιρόμενός τε καὶ τῷδε ἀντιπαρεβάλλετο ἤδη καὶ Πομπηίῳ τὸ μέγιστον ἐν τῇ πόλει κράτος ἔχοντι.

16. Ὁ δὲ Μίλωνα, τὸν σὺν τῷ Κλωδίῳ τὴν ἀρχὴν παραδεδεγμένον, θρασύτερον ὄντα τοῦ Κλωδίου, ἐς ὑπατείαν ἐπήλπιζε καὶ ἤλειφεν ἐπὶ τὸν Κλώδιον καὶ ψηφίσασθαι τῷ Κικέρωνι κάθοδον ἐκέλευεν, ἐλπίσας τὸν Κικέρωνα ἐλθόντα περὶ μὲν τῆς παρούσης πολιτείας οὐκέτι φθέγξεσθαι μεμνημένον, οἷα ἔπαθε, δίκας δὲ καὶ πράγματα ἐποίσειν τῷ Κλωδίῳ.

Κικέρων μὲν δὴ διὰ Πομπήιον ἐκπεσὼν διὰ Πομπήιον κατῄει, ἑκκαιδεκάτῳ μάλιστα μηνὶ τῆς ἐξελάσεως· καὶ αὐτῷ καὶ τὴν οἰκίαν καὶ τὰς ἐπαύλεις ἀνίστη τέλεσι κοινοῖς. λαμπρῶς δ᾽ αὐτὸν περὶ τὰς πύλας ὑποδεχομένων πάντων, φασὶ περὶ τὰς δεξιώσεις τὴν ἡμέραν ὅλην, οἷόν τι καὶ Δημοσθένει συνέβη κατιόντι, ἀναλῶσαι.

17. Ὁ δὲ Καῖσαρ ἔν τε Κελτοῖς καὶ Βρεττανοῖς

excited laughter rather than pity by reason of his
unseemly aspect. Into such trepidation did he fall
at this single trial of his own, although he had been
managing other people's causes successfully all his
life. In like manner they say that Demosthenes the
Athenian did not stand his ground when himself
accused, but fled before the trial. When Clodius
interrupted Cicero's supplications on the streets with
contumely, he gave way to despair and, like Demos-
thenes, went into voluntary exile. A multitude of his
friends went out of the city with him, and the Senate
gave him introductions to cities, kings, and princes.
Clodius demolished his house and his villas, and
was so much elated by this affair that he compared
himself with Pompey, who was then the most power-
ful man in Rome.

16. Accordingly, Pompey held out to Milo, who
was Clodius' colleague in office and a bolder spirit
than himself, the hope of the consulship, and incited
him against Clodius, and directed him to procure a
vote for the recall of Cicero. He hoped that when
Cicero should come back he would no longer speak
against the existing status (the triumvirate), remem-
bering what he had suffered, but would make trouble
for Clodius and bring punishment upon him.

Thus Cicero, who had been exiled by means of
Pompey, was recalled by means of Pompey about
sixteen months after his banishment, and the Senate
rebuilt his house and his villas at the public expense.
He was received magnificently at the city gates, and it
is said that a whole day was consumed by the greet-
ings extended to him, as was the case with Demos-
thenes when he returned.

17. In the meantime Caesar, who had performed

APPIAN'S ROMAN HISTORY

πολλὰ καὶ λαμπρὰ εἰργασμένος, ὅσα μοι περὶ
Κελτῶν λέγοντι εἴρηται, πλούτου γέμων ἐς τὴν
ὅμορον τῇ Ἰταλίᾳ Γαλατίαν, τὴν ἀμφὶ τὸν Ἠρι-
δανὸν ποταμόν, ἧκεν, ἐκ συνεχοῦς πολέμου τὸν
στρατὸν ἀναπαύσων ἐπ' ὀλίγον. ὅθεν αὐτῷ
περιπέμποντι ἐς Ῥώμην πολλὰ πολλοῖς χρήματα
αἵ τε ἐτήσιοι ἀρχαὶ παρὰ μέρος ἀπήντων καὶ οἱ
ἄλλως ἐπιφανεῖς ὅσοι τε ἐς ἡγεμονίας ἐθνῶν ἢ
στρατοπέδων ἐξῇεσαν, ὡς ἑκατὸν μέν ποτε καὶ
εἴκοσι ῥάβδους ἀμφ' αὐτὸν γενέσθαι, βουλευτὰς
δὲ πλείους διακοσίων, τοὺς μὲν ἀμειβομένους
ὑπὲρ τῶν ἤδη γεγονότων, τοὺς δὲ χρηματιου-
μένους, τοὺς δ' ἄλλο τι τοιουτότροπον αὐτοῖς
ἐξεργασομένους. πάντα γὰρ ἤδη διὰ τούτου
ἐπράσσετο στρατιᾶς τε πολλῆς οὕνεκα καὶ δυνά-
μεως χρημάτων καὶ σπουδῆς ἐς ἅπαντας φιλαν-
θρώπου. ἀφίκοντο δ' αὐτῷ καὶ Πομπήιος καὶ
Κράσσος, οἱ κοινωνοὶ τῆς δυναστείας. καὶ αὐτοῖς
βουλευομένοις ἔδοξε Πομπήιον μὲν καὶ Κράσσον
αὖθις ὑπατεῦσαι, Καίσαρι δ' ἐς τὴν ἡγεμονίαν ὧν
εἶχεν ἐθνῶν, ἄλλην ἐπιψηφισθῆναι πενταετίαν.

Ὧδε μὲν ἀπ' ἀλλήλων διεκρίθησαν, Πομπηίῳ
δ' ἐς τὴν ὑπατείαν ἀντιπαρήγγελλε Δομίτιος
Αἰνόβαρβος· καὶ τῆς κυρίας ἡμέρας ἄμφω κατ-
ῄεσαν ἔτι νυκτὸς ἐς τὸ πεδίον ἐς τὴν χειροτονίαν.
τῶν δ' ἀμφ' αὐτοὺς ἔριδες ἦσαν καὶ συνεπλέκοντο,
μέχρι τις τὸν Δομιτίου δαδοῦχον ἐπάταξε ξίφει.
καὶ φυγὴ μετὰ τοῦτο ἦν, Δομίτιός τε αὐτὸς ἐς

the many brilliant exploits in Gaul and Britain which CHAP.
have been described in my Celtic history, had III
returned with vast riches to Cisalpine Gaul on the B.C. 56
river Po to give his army a short respite from con-
tinuous fighting. From this district he sent large
sums of money to many persons in Rome, to those
who were holding the yearly offices and to persons
otherwise distinguished as governors and generals,
and they went thither by turns to meet him.[1] So
many of them came that 120 lictors could be seen
around him at one time, and more than 200 senators,
some returning thanks for what they had already
received, others asking for money or seeking some
other advantage for themselves from the same
quarter. All things were now possible to Caesar by
reason of his large army, his great riches, and his
readiness to oblige everybody. Pompey and Crassus, Caesar's
his partners in the triumvirate, came also. In their conference
conference it was decided that Pompey and Crassus at Luca
should be elected consuls again and that Caesar's
governorship over his provinces should be extended
for five years more.

Thereupon they separated and Domitius Aheno-
barbus offered himself as a candidate for the consul-
ship against Pompey. When the appointed day
came, both went down to the Campus Martius before
daylight to attend the comitia. Their followers got
into an altercation and came to blows, and finally
somebody assaulted the torchbearer of Domitius
with a sword. There was a scattering after this,
and Domitius escaped with difficulty to his own

---

[1] There are textual difficulties; the Greek as it stands
means "and those who were going out to governorships . . .
also went to meet him."

CAP. τὴν οἰκίαν διεσώζετο μόλις, καὶ Πομπηίου τὴν
III ἐσθῆτά τινες ἡμαγμένην ἔφερον οἴκαδε. παρὰ
τοσοῦτον ἑκάτερος ἦλθε κινδύνου.

18. Αἱρεθέντες δ' οὖν ὕπατοι Κράσσος τε καὶ
Πομπήιος Καίσαρι μέν, ὥσπερ ὑπέστησαν, τὴν
ἑτέραν πενταετίαν προσεψηφίσαντο, τὰ δὲ ἔθνη
διακληρούμενοι καὶ στρατιὰν ἐπ' αὐτοῖς, ὁ μὲν
Πομπήιος εἵλετο Ἰβηρίαν τε καὶ Λιβύην καὶ ἐς
τάσδε τοὺς φίλους περιπέμπων αὐτὸς ὑπέμεινεν ἐν
Ῥώμῃ, ὁ δὲ Κράσσος Συρίαν τε καὶ τὰ Συρίας
πλησίον ἐπιθυμίᾳ πολέμου πρὸς Παρθυαίους ὡς
εὐχεροῦς δὴ καὶ ἐνδόξου καὶ ἐπικερδοῦς. ἀλλὰ
τῷδε μὲν ἐξιόντι τῆς πόλεως πολλά τε ἄλλα
ἀπαίσια ἐγίγνετο, καὶ οἱ δήμαρχοι προηγόρευον
μὴ πολεμεῖν Παρθυαίοις οὐδὲν ἀδικοῦσιν, οὐ πει-
θομένῳ δὲ δημοσίας ἀρὰς ἐπηρῶντο, ὧν ὁ Κράσ-
σος οὐ φροντίσας ἀπώλετο ἐν τῇ Παρθυηνῇ σύν
τε παιδὶ ὁμωνύμῳ καὶ αὐτῷ στρατῷ· μύριοι γὰρ
οὐδ' ἐντελεῖς ἐκ δέκα μυριάδων ἐς Συρίαν διέφυγον.
ἀλλὰ τὴν μὲν Κράσσου συμφορὰν ἡ Παρθικὴ
δηλώσει γραφή, Ῥωμαῖοι δὲ λιμῷ πιεζόμενοι
Πομπήιον εἵλοντο τῆς ἀγορᾶς αὐτοκράτορα εἶναι
καὶ οἱ καθάπερ ἐπὶ τῶν λῃστηρίων εἴκοσιν ἀπὸ
τῆς βουλῆς ὑπηρέτας ἔδωκαν. ὁ δὲ αὐτοὺς ὁμοίως
ἐς τὰ ἔθνη διαθεὶς ἐπέτρεχε καὶ τὴν Ῥώμην αὐτίκα
ἐνέπλησεν ἀγορᾶς δαψιλοῦς, ὅθεν ἔτι μᾶλλον ἐς
μέγα δόξης ἐπήρτο καὶ δυνάμεως.

19. Τοῦ δ' αὐτοῦ χρόνου καὶ ἡ Καίσαρος

house. Even Pompey's clothing was carried home stained with blood,[1] so great was the danger incurred by both candidates.

18. Accordingly, Pompey and Crassus were chosen consuls and Caesar's governorship was extended for five years according to the agreement. The provinces were allotted with an army to each consul in the following manner: Pompey chose Spain and Africa, but sent friends to take charge of them, he himself remaining in Rome. Crassus took Syria and the adjacent country because he wanted a war with the Parthians, which he thought would be easy as well as glorious and profitable. But when he took his departure from the city there were many unfavourable omens, and the tribunes forbade the war against the Parthians, who had done no wrong to the Romans. As he would not obey, they invoked public imprecations on him, which Crassus disregarded; wherefore he perished in Parthia, together with his son of the same name and his army, not quite 10,000 of whom, out of 100,000, escaped to Syria. The disaster to Crassus will be described in my Parthian history. As the Romans were suffering from scarcity, they appointed Pompey the sole manager of the grain supply and gave him, as in his operations against the pirates, twenty assistants from the Senate. These he distributed in like manner among the provinces while he superintended the whole, and thus Rome was very soon provided with abundant supplies, by which means Pompey again gained great reputation and power.

19. About this time the daughter of Caesar, who

---

[1] This apparently meaningless incident is borrowed from another context. See Plutarch, *Pompeius*, 52, 53.

CAP.
II!

θυγάτηρ κύουσα τῷ Πομπηίῳ θνῆσκει. καὶ ὅεος
ἅπασιν ἐνέπιπτεν ἀνῃρημένης τῆς ἐπιγαμίας, ὡς
αὐτίκα μεγάλοις στρατοῖς Καίσαρός τε καὶ Πομ-
πηίου διοισομένων ἐς ἀλλήλους, ἀσυντάκτου
μάλιστα καὶ χαλεπῆς ἐκ πολλοῦ γεγενημένης τῆς
πολιτείας· αἵ τε γὰρ ἀρχαὶ κατὰ στάσιν ἢ
δωροδοκίαν σπουδῇ τε ἀδίκῳ καὶ λίθοις ἢ ξίφεσι
καθίσταντο, καὶ τὸ δεκάζειν ἢ δωροδοκεῖν ἀναι-
σχύντως τότε μάλιστα ἐπλεόνασεν, ὅ τε δῆμος
αὐτὸς ἔμμισθος ἐπὶ τὰς χειροτονίας ᾔει. ὤφθη δέ
που καὶ μεσεγγύημα ταλάντων ὀκτακοσίων ὑπὲρ
τῆς ἐπωνύμου γενόμενον ἀρχῆς. οἵ τε ἀνὰ ἔτος
ἕκαστον ὕπατοι στρατεύειν μέν που καὶ πολεμεῖν
ἀπεγίνωσκον, διακλειόμενοι τῇ δυναστείᾳ τῶνδε
τῶν τριῶν ἀνδρῶν· ὅσοι δ' ἦσαν αὐτῶν ἀτοπώ-
τεροι, κέρδος ἀντὶ τῶν στρατειῶν ἐτίθεντο τὰ
κοινὰ τῆς πόλεως καὶ τὰς τῶν ἰδίων διαδόχων
χειροτονίας. οἱ δ' ἀγαθοὶ διὰ ταῦτα καὶ πάμπαν
ἐξέλιπον τὸ ἄρχειν, ὥστε ποτὲ καὶ μῆνας ὀκτὼ
τὴν πόλιν ἄναρχον ἐκ τῆς τοιᾶσδε ἀσυνταξίας
γενέσθαι, Πομπηίου πάνθ' ὑπερορῶντος ἐπίτηδες,
ἵνα ἐν χρείᾳ γένοιντο δικτάτορος.

20. Καὶ πολλοὶ τοῦτο ἐς ἀλλήλους διελάλουν,
ὅτι μόνον ἂν γένοιτο φάρμακον ἐπὶ τοῖς παροῦσι
κακοῖς ἡ μόναρχος ἐξουσία, χρῆναι δ' ἑλέσθαι
δυνατὸν ὁμοῦ καὶ ἤπιον, ἐνσημαινόμενοι τὸν
Πομπήιον, στρατιᾶς τε ἄρχοντα ἱκανῆς καὶ φιλό-
δημον εἶναι δοκοῦντα καὶ τὴν βουλὴν ἄγοντα διὰ
τιμῆς, καὶ τὸν βίον ἐγκρατῆ καὶ σώφρονα, περί τε
τὰς ἐντεύξεις εὐπρόσιτον ἢ ὄντα ἢ νομιζόμενον

262

was married to Pompey, died in childbirth, and fear
fell upon all lest, with the termination of this marriage
connection Caesar and Pompey with their great armies
should come into conflict with each other, especially as
the commonwealth had been for a long time disorderly
and unmanageable. The magistrates were chosen
by means of money, and faction fights, with dis-
honest zeal, with the aid of stones and even swords.
Bribery and corruption prevailed in the most
scandalous manner. The people themselves went
already bought to the elections. A case was found
where a deposit of 800 talents had been made to
obtain the consulship. The consuls holding office
yearly could not hope to lead armies or to command
in war because they were shut out by the power of the
triumvirate. The baser among them strove for gain,
instead of military commands, at the expense of the
public treasury or from the election of their own
successors. For these reasons good men abstained
from office altogether, and the disorder was such that
at one time the republic was without consuls for
eight months, Pompey conniving at the state of
affairs in order that there might be need of a
dictator.

20. Many citizens began to talk to each other
about this, saying that the only remedy for existing
evils was the authority of a single ruler, but that
there was need of a man who combined strength
of character and mildness of temper, thereby
indicating Pompey, who had a sufficient army under
his command and who appeared to be both a friend
of the people and a leader of the Senate by virtue
of his rank, a man of temperance and self-control
and easy of access, or at all events so considered.

CHAP.
III

B.C. 54
Death of
Caesar's
daughter

Shocking
state of
Roman
political
life

B.C. 53

εἶναι. ὁ δὲ τὴν προσδοκίαν τήνδε λόγῳ μὲν ἐδυσχέραινεν, ἔργῳ δ' ἐς αὐτὴν πάντα ἔπραττεν ἀφανῶς καὶ τὴν ἀσυνταξίαν τῆς πολιτείας καὶ ἀναρχίαν ἐπὶ τῇ ἀσυνταξίᾳ ἑκὼν ὑπερεώρα. Μίλωνός τε τὰ ἐς Κλώδιον ὑπηρετήσαντος αὐτῷ καὶ ἀρεσκομένου τῷ δήμῳ διὰ τὴν Κικέρωνος κάθοδον, ὑπατείαν ὡς ἐν καιρῷ παρὰ τήνδε τὴν ἀναρχίαν μετιόντος ἀποδιέτριβε τὰς χειροτονίας, μέχρι βαρυθυμῶν ὁ Μίλων, ὡς καὶ περὶ αὑτὸν ἀπίστου γιγνομένου τοῦ Πομπηίου, ἐς τὴν πατρίδα Λανούβιον ἐξῄει, ἣν Διομήδη φασὶν ἁλώμενον ἐξ Ἰλίου πρώτην ἐν τῇ Ἰταλίᾳ πόλιν οἰκίσαι, καὶ εἰσὶν ἀπὸ Ῥώμης ἐς αὐτὴν στάδιοι πεντήκοντα καὶ ἑκατόν.

21. Κλωδίου δ' ἐξ ἰδίων χωρίων ἐπανιόντος ἐπὶ ἵππου καὶ περὶ Βοΐλλας ἀπαντήσαντος αὐτῷ, οἱ μὲν κατὰ τὴν ἔχθραν ὑπείδοντο μόνον ἀλλήλους καὶ παρώδευσαν, θεράπων δὲ τοῦ Μίλωνος ἐπιδραμὼν τῷ Κλωδίῳ, εἴτε κεκελευσμένος εἴθ' ὡς ἐχθρὸν δεσπότου κτείνων, ἐπάταξεν ἐς τὸ μετάφρενον ξιφιδίῳ. καὶ τὸν μὲν αἵματι ῥεόμενον ἐς τὸ πλησίον πανδοκεῖον ὁ ἱπποκόμος ἐσέφερεν, ὁ δὲ Μίλων μετὰ τῶν θεραπόντων ἐπιστὰς ἔτι ἔμπνουν ἢ καὶ νεκρὸν ἐπανεῖλεν, ὑποκρινόμενος μὲν οὐ βουλεῦσαι τὸν φόνον οὐδὲ προστάξαι· ὡς δὲ κινδυνεύσων ἐξ ἅπαντος, ἠξίου τὸ ἔργον οὐκ ἀτελὲς καταλιπεῖν. περιαγγελθέντος δ' ἐς Ῥώμην τοῦ πάθους ὁ μὲν δῆμος ἐκπλαγεὶς ἐν ἀγορᾷ διενυκτέρευε, καὶ τὸ σῶμά τινες τοῦ Κλωδίου μεθ' ἡμέραν προύθεσαν ἐπὶ τῶν ἐμβόλων·

The expectation of a dictatorship Pompey dis-
countenanced in words, but in fact he did
everything secretly to promote it, and went out
of his way to overlook the prevailing disorder
and the anarchy consequent upon the disorder.
Milo, who had assisted him in his controversy with
Clodius, and had acquired great popularity by the
recall of Cicero, now sought the consulship, as he
considered it a favourable time in view of the present
anarchy; but Pompey kept postponing the comitia
until Milo, believing that Pompey was false
to him, became disgusted, and withdrew to his
native town of Lanuvium, which they say was the
first city founded in Italy by Diomedes on his return
from Troy, and which is situated about 150 stades
from Rome.

21. Clodius happened to be coming from his own
country-seat on horseback and he met Milo at
Bovillae. They merely exchanged hostile scowls
and passed along; but one of Milo's servants attacked
Clodius, either because he was ordered to do so or
because he wanted to kill his master's enemy, and
stabbed him through the back with a dagger.
Clodius' groom carried him bleeding into a neigh-
bouring inn. Milo followed with his servants and
finished him,—whether he was still alive, or already
dead, is not known—for, although he claimed that
he had neither advised nor ordered the murder, he
was not willing to leave the deed unfinished because
he knew that he would be accused in any event.
When the news of this affair was circulated in
Rome, the people were thunderstruck, and they
passed the night in the forum. When daylight
came, the corpse of Clodius was displayed on the

ἁρπάσαντες δ' αὐτὸ τῶν τε δημάρχων ἔνιοι καὶ
οἱ φίλοι τοῦ Κλωδίου καὶ πλῆθος ἄλλο σὺν
ἐκείνοις, ἐς τὸ βουλευτήριον ἐκόμισαν, εἴτε ἐπὶ
τιμῇ, βουλευτικοῦ γένους ὄντα, εἴτε ἐς ὄνειδος τῆς
βουλῆς τοιάδε περιορώσης. καὶ τῶν παρόντων οἱ
προπετέστεροι τὰ βάθρα καὶ τοὺς θρόνους τῶν
βουλευτῶν συμφορήσαντες ἧψαν αὐτῷ πυράν, ὑφ'
ἧς τό τε βουλευτήριον καὶ πολλαὶ τῶν πλησίον
οἰκίαι τῷ Κλωδίῳ συγκατεφλέγησαν.

22. Μίλωνι δὲ θράσος τοσόνδε περιῆν, ὡς οὐ
δεδιέναι περὶ τῷ φόνῳ μᾶλλον ἢ ἀγανακτεῖν ἐπὶ
τῇ Κλωδίου περὶ τὴν ταφὴν τιμῇ. θεραπόντων
οὖν καὶ ἀνδρῶν ἀγροίκων πλῆθος ἀθροίσας καὶ
ἐς τὸν δῆμον περιπέμψας χρήματα τῶν τε δημάρ-
χων Μάρκον Καίλιον πριάμενος ἐς τὴν πόλιν
κατῄει θρασύτατα. καὶ αὐτὸν ὁ Καίλιος εὐθὺς
ἐσιόντα εἷλκεν ἐς τὴν ἀγορὰν ἐπὶ τοὺς παρ' αὐτοῦ
δεδωροδοκηκότας ὥσπερ ἐπ' ἐκκλησίαν, ὑποκρι-
νόμενος μὲν ἀγανακτεῖν καὶ οὐ διδόναι τῆς δίκης
ἀναβολήν, ἐλπίζων δέ, εἰ αὐτὸν οἱ παρόντες
μεθεῖεν, ἐκλύσειν τὴν δίκην τὴν ἀληθεστέραν.
καὶ Μίλων μὲν οὐ βουλεῦσαι τὸ ἔργον εἰπών (οὐ
γὰρ ἂν μετὰ σκευῆς καὶ γυναικὸς ἐπὶ ταῦτα
ὁρμῆσαι), τὸν λοιπὸν λόγον κατὰ τοῦ Κλωδίου
διετίθετο ὡς θρασυτάτου δὴ καὶ φίλου θρασυ-
τάτων, οἳ καὶ τὸ βουλευτήριον ἐπικατέπρησαν
αὐτῷ· ἔτι δ' αὐτοῦ λέγοντος οἵ τε λοιποὶ δήμαρχοι
καὶ τοῦ δήμου τὸ ἀδιάφθορον ὁπλισάμενοι ἐνέβα-
λον ἐς τὴν ἀγοράν. Καίλιος μὲν δὴ καὶ Μίλων

rostra. Some of the tribunes and the friends of
Clodius and a great crowd with them seized it and
carried it to the senate-house, either to confer
honour upon it, as he was of senatorial birth, or
as an act of contumely to the Senate for conniving
at such deeds. There the more reckless ones col-
lected the benches and chairs of the senators and
made a funeral pyre for him, which they lighted and
from which the senate-house and many buildings in
the neighbourhood caught fire and were consumed
along with the corpse of Clodius.

22. Such was the superabundant hardihood of Milo
that he was moved less by fear of punishment for the
murder than by indignation at the honour bestowed
upon Clodius at his funeral. He collected a crowd of
slaves and rustics, and, after sending some money to
be distributed among the people and buying Marcus
Caelius, one of the tribunes, he came back to the
city with the greatest boldness. Directly he entered,
Caelius dragged him to the forum to be tried by
those whom he had bribed, as though by an assembly
of the people, pretending to be very indignant and
not willing to grant any delay, but really hoping that
if those present should acquit him he would escape a
more regular trial. Milo said that the deed was not
premeditated, since nobody would set out with such
intentions encumbered with his luggage and his
wife. The remainder of his speech was directed
against Clodius as a desperado and a friend of
desperadoes, who had set fire to the senate-house
and burned it to ashes over his body. While he
was still speaking the other tribunes, with the
unbribed portion of the people, burst into the forum
armed. Caelius and Milo escaped disguised as

CAP.
III

δούλων ἐσθῆτας ὑποδύντες ἀπέδρασαν, πολὺς δὲ
τῶν ἄλλων ἐγίγνετο φόνος, οὐ τοὺς Μίλωνος ἔτι
φίλους ἐρευνώντων, ἀλλὰ τὸν ἐντυγχάνοντα ἀναι-
ρούντων, ἀστὸν ὁμοῦ καὶ ξένον καὶ μάλιστα ὅσοι
ταῖς ἐσθῆσιν ἢ σφραγῖσιν ἀπὸ χρυσοῦ διέφερον.
ὡς γὰρ ἐν ἀσυντάκτῳ πολιτείᾳ σὺν ὀργῇ καὶ
προφάσει τοῦδε τοῦ θορύβου προσπεσόντος θερά-
ποντές τε ὄντες οἳ πλείους καὶ ὡπλισμένοι κατὰ
ἀνόπλων ἐς ἁρπαγὰς ἐτράποντο· ἔργον τε οὐδὲν
αὐτοῖς ἀπῆν, ἀλλὰ καὶ ἐπ' οἰκίας ἐφέροντο καὶ
περιιόντες ἠρεύνων ἔργῳ μὲν τὰ εὔληπτα σφίσιν
ἅπαντα, λόγῳ δὲ τοὺς φίλους τοῦ Μίλωνος· πρό-
φασίς τε ἦν αὐτοῖς ἐπὶ πολλὰς ἡμέρας καὶ πυρὸς
καὶ λίθων καὶ παντὸς ἔργου Μίλων.

23. Ἡ βουλὴ δὲ συνήει μετὰ δέους καὶ ἐς τὸν
Πομπήιον ἀφεώρων ὡς αὐτίκα σφῶν ἐσόμενον
δικτάτορα· χρῄζειν γὰρ αὐτοῖς ἐφαίνετο τὰ
παρόντα τοιᾶσδε θεραπείας. Κάτωνος δ' αὐτοὺς
μεταδιδάξαντος ὕπατον εἵλοντο χωρὶς συνάρχου
ὡς ἂν ἔχοι τὴν μὲν ἐξουσίαν δικτάτορος, ἄρχων
μόνος, τὴν δ' εὔθυναν ὑπάτου. καὶ πρῶτος ὑπά-
των ὅδε ἔθνη τε δύο μέγιστα καὶ στρατιὰν ἔχων
καὶ χρήματα καὶ τὴν τῆς πόλεως μοναρχίαν διὰ
τὸ μόνος ὕπατος εἶναι Κάτωνα μὲν ἐψηφίσατο,
ἵνα μὴ παρὼν ἐνοχλοίη, Κύπρον ἀφελέσθαι
Πτολεμαίου βασιλέως, νενομοθετημένον ἤδη τοῦτο
ὑπὸ Κλωδίου, ὅτι οἵ ποτε ἁλόντι ὑπὸ λῃστῶν ὁ
Πτολεμαῖος ἐς λύτρα ὑπὸ σμικρολογίας δύο
τάλαντα ἐπεπόμφει. Κάτων μὲν δὴ καθίστατο
Κύπρον Πτολεμαίου τὰ χρήματα ῥίψαντος ἐς τὴν
θάλασσαν καὶ ἑαυτὸν ἐξαγαγόντος, ἐπεὶ τῶν

slaves, but there was a great slaughter of the others.
Search was not made for the friends of Milo, but all
who were met with, whether citizens or strangers,
were killed, and especially those who wore fine
clothes and gold rings. As the government was
without order, these ruffians, who were for the most
part slaves and were armed men against unarmed,
indulged their rage and, making an excuse of the
tumult that had broken out, they turned to pillage.
They abstained from no crime, but broke into houses,
looking for any kind of portable property, while pre-
tending to be searching for the friends of Milo. For
several days Milo was their excuse for burning,
stoning, and every sort of outrage.

23. The Senate assembled in consternation and
looked to Pompey, intending to make him dictator
at once, for they considered this necessary as a remedy
for the present evils; but at the suggestion of Cato
they appointed him consul without a colleague, so
that by ruling alone he might have the power of a
dictator with the responsibility of a consul. He was
the first of consuls who had two of the greatest
provinces, and an army, and the public money, and
autocratic power in the city, by virtue of being sole
consul. In order that Cato might not cause obstruc-
tion by his presence, he framed a decree that he should
go to Cyprus and take the island away from King
Ptolemy [1]—a law to that effect having been enacted
by Clodius because once, when he was captured by
pirates, the avaricious Ptolemy had contributed only
two talents for his ransom. When Ptolemy heard of
the decree he threw his money into the sea and killed
himself, and Cato settled the government of Cyprus.

[1] An error of date. Cato went in 58 and returned in 56.

CAP.
III

ἐψηφισμένων ἐπύθετο· ὁ δὲ Πομπήιος δίκας προυτίθει τῶν τε ἄλλων ἁμαρτημάτων καὶ μάλιστα δωροδοκίας καὶ δεκασμοῦ (ἐδόκει γὰρ ἐντεῦθεν αὐτῷ νοσεῖν τὰ κοινὰ ἀρξάμενα ἐν τούτῳ καὶ τὴν ἴασιν ἕξειν ταχεῖαν), νόμῳ τε ὥριζεν ἀπὸ τῆς ἑαυτοῦ τὸ πρῶτον ὑπατείας ἐς τὸ παρὸν εὐθύνειν τὸν ἐθέλοντα. καὶ ἦν ὁ χρόνος ὀλίγῳ μείων ἐτῶν εἴκοσιν, ἐν ᾧ καὶ ὁ Καῖσαρ γεγένητο ὕπατος. τῶν οὖν φίλων τοῦ Καίσαρος ὑπονοούντων ἐς ὕβριν ἢ ἐς ἐπήρειαν αὐτὸν τοῦ Καίσαρος ὧδε πολὺ τοῦ χρόνου προλαβεῖν καὶ παραινούντων τὸ παρὸν διορθοῦσθαι μᾶλλον ἢ τὸ παρελθὸν ἐνοχλεῖν ἐπ' ἀνδράσι τοσοῖσδε ἀξιολόγοις, ἐπονομαζόντων δὲ τοῖς ἄλλοις καὶ τὸν Καίσαρα, ὁ Πομπήιος ἀμφὶ μὲν τοῦ Καίσαρος ἠγανάκτει, ὡς ἀμείνονος ὄντος ὑποψίας, ἐπεὶ καὶ τὴν ἑαυτοῦ δευτέραν ὑπατείαν τῷ χρόνῳ περιλαμβάνεσθαι, πολὺ δὲ ἀναλαβεῖν ἔλεγεν ἐς ἀκριβῆ διόρθωσιν ἐπιτετριμμένης ἐκ πολλοῦ τῆς πολιτείας.

IV

CAP.
IV

24. Τοιαῦτα δ' εἰπὼν ἐκύρου τὸν νόμον, καὶ πλῆθος ἦν αὐτίκα δικῶν ποικίλων. ἵνα τε μὴ δείσειαν οἱ δικασταί, αὐτὸς αὐτοὺς ἐπώπτευε στρατιὰν περιστησάμενος. καὶ πρῶτοι μὲν ἀπόντες ἑάλωσαν Μίλων τε ἐπὶ τῷ Κλωδίου φόνῳ καὶ Γαβίνιος παρανομίας ὁμοῦ καὶ ἀσεβείας, ὅτι χωρὶς ψηφίσματος ἐς Αἴγυπτον μετὰ στρατιᾶς ἐσέβαλεν

Pompey then proposed the prosecution of offenders and especially of those guilty of bribery and corruption, for he thought that the seat of the public disorder was there, and that by beginning there he should effect a speedy cure. He brought forward a law, that any citizen who chose to do so might call for an account from anybody who had held office from the time of his own first consulship to the present. This embraced a period of a little less than twenty years, during which Caesar also had been consul; wherefore Caesar's friends suspected that he included so long a time in order to cast reproach and contumely on Caesar, and urged him to straighten out the present situation rather than stir up the past to the annoyance of so many distinguished men, among whom they named Caesar. Pompey pretended to be indignant at the mention of Caesar's name, as though he were above suspicion, and said that his own second consulship was embraced in the period, and that he had gone back a considerable time in order to effect a complete cure of the evils from which the republic had been so long wasting away.

IV

24. AFTER making this answer he passed his law, and straightway there ensued a great number and variety of prosecutions. In order that the jurors might act without fear Pompey superintended them in person, and stationed soldiers around them. The first defendants convicted were absentees: Milo for the murder of Clodius; Gabinius both for violation of law and for impiety, because he had invaded

CAP.
IV
ἀπαγορευόντων τῶν Σιβυλλείων, Ὑψαῖος δὲ καὶ
Μέμμιος καὶ Σέξστος καὶ ἕτεροι πλείονες ἐπὶ
δωροδοκίαις ἢ πλήθους δεκασμῷ. Σκαῦρον δὲ
τοῦ πλήθους παραιτουμένου ἐκήρυξεν ὁ Πομπήιος
ὑπακοῦσαι τῇ δίκῃ· καὶ πάλιν τοῦ δήμου τοὺς
κατηγόρους ἐνοχλοῦντος, σφαγή τις ἐκ τῶν
Πομπηίου στρατιωτῶν ἐπιδραμόντων ἐγένετο, καὶ
ὁ μὲν δῆμος κατεσιώπησεν, ὁ δὲ Σκαῦρος ἑάλω.
καὶ πάντων φυγῇ κατέγνωστο, Γαβινίου δὲ καὶ
δήμευσις ἦν ἐπὶ τῇ φυγῇ. καὶ τάδε ἡ βουλὴ
λαμπρῶς ἐπαινοῦσα δύο τε ἄλλα τέλη καὶ χρόνον
ἐς τὴν ἀρχὴν τῶν ἐθνῶν ἕτερον τῷ Πομπηίῳ προσ-
εψηφίσαντο. Μέμμιος δὲ ἁλοὺς ἐπὶ δεκασμῷ,
τοῦ νόμου τοῦ Πομπηίου διδόντος αὐτῷ φήναντι
ἕτερον ἀφεῖσθαι τῆς καταδίκης, τὸν πενθερὸν τοῦ
Πομπηίου Λεύκιον Σκιπίωνα προεκαλέσατο ἐς
ὁμοίαν δεκασμοῦ δίκην. καὶ ἐπὶ τῷδε τοῦ Πομ-
πηίου τὴν τῶν κρινομένων ἐσθῆτα μεταλαβόντος
πολλοὶ καὶ τῶν δικαστῶν μετελάμβανον. ὀλοφυ-
ράμενος οὖν ὁ Μέμμιος τὴν πολιτείαν διέλυσε τὴν
δίκην.

25. Καὶ ὁ Πομπήιος ὡς ἤδη τὰ χρῄζοντα τῆς
μοναρχίας διωρθωμένος τὸν Σκιπίωνα σύναρχον
ἐς τὸ λοιπὸν τοῦ ἔτους ἐποιεῖτο. καὶ μετὰ τοῦθ'
ἑτέρων ἐς τὴν ἀρχὴν καθισταμένων οὐδὲν ἧττον
ἐφεώρα καὶ ἐδυνάστευε, καὶ πάντ' ἦν ἐν Ῥώμῃ
τότε Πομπήιος· ἡ γὰρ εὔνοια τῆς βουλῆς μάλιστα
ἐς αὐτὸν ἐποίει, ζήλῳ τε τοῦ Καίσαρος ἐς οὐδὲν
αὐτῇ παρὰ τὴν ἰδίαν ὑπατείαν κεχρημένου καὶ ὅτι
νοσοῦσαν ὁ Πομπήιος τὴν πολιτείαν ὀξέως ἀναλά-
βοι καὶ οὐδενὶ σφῶν παρὰ τὴν ἀρχὴν φορτικὸς ἢ
ἐπαχθὴς γένοιτο.

Egypt without a decree of the Senate and contrary to the Sibylline books; Hypsaeus, Memmius, Sextius, and many others for taking bribes and for corrupting the populace. The people interceded for Scaurus, but Pompey made proclamation that they should submit to the decision of the court. When the crowd again interrupted the accusers, Pompey's soldiers made a charge and killed several. Then the people held their tongues and Scaurus was convicted. All the accused were banished, and Gabinius was fined in addition. The Senate praised Pompey highly for these proceedings, voted him two more legions, and extended the term of his provincial government. As Pompey's law offered impunity to any one who should turn state evidence, Memmius, who had been convicted of bribery, called Lucius Scipio, the father-in-law of Pompey himself, to trial for like participation in bribery. Thereupon Pompey put on mourning and many of the jurors did the same. Memmius took pity on the republic and withdrew the accusation.

25. Pompey, as though he had completed the reforms that made autocratic power necessary, now made Scipio his colleague in the consulship for the remainder of the year. At the expiration of his term, however, although others were invested with the consulship, he was none the less the supervisor, and ruler, and all-in-all in Rome. He enjoyed the good-will of the Senate, particularly because they were jealous of Caesar, who did not consult the Senate during his consulship, and because Pompey had so speedily restored the sick commonweath, and had not made himself offensive or troublesome to any of them during his term of office.

Τῶν δὲ φυγάδων ἐς τὸν Καίσαρα ἰόντων ἀθρόων
καὶ παραινούντων φυλάσσεσθαι τὸν Πομπήιον ὡς
τὸν νόμον τοῦ δεκασμοῦ μάλιστα θέμενον ἐπ'
ἐκείνῳ, τούσδε μὲν ὁ Καῖσαρ παρηγόρει καὶ τὸν
Πομπήιον εὐφήμει, τοὺς δὲ δημάρχους ἔπεισεν
εἰσηγήσασθαι νόμον ἐξεῖναι Καίσαρι δευτέραν
ὑπατείαν ἀπόντι μετιέναι. καὶ τοῦθ' ὑπατεύοντος
ἔτι τοῦ Πομπηίου καὶ οὐδὲν ἀντειπόντος ἐκεκύ-
ρωτο. ὁ δὲ Καῖσαρ ἀντιπράξειν τὴν βουλὴν
ὑπονοῶν ἐδεδοίκει μὲν ὑπὸ τοῖς ἐχθροῖς ἰδιώτης
γενέσθαι, ἐτέχναζε δὲ ἐπὶ δυνάμεως εἶναι, μέχρι
ὕπατος ἀποδειχθείη, καὶ τὴν βουλὴν ᾔτει χρόνον
ἄλλον ὀλίγον ἐς τὴν παροῦσάν οἱ τῆς Γαλατίας
ἡγεμονίαν ἢ ἐς μέρος αὐτῆς ἐπιλαβεῖν. διακωλύ-
σαντος δὲ Μαρκέλλου, ὃς ἐπὶ τῷ Πομπηίῳ ὕπατος
ἦν, φασὶ τὸν Καίσαρα τῷ μηνύοντι ἀποκρίνασθαι,
κόπτοντα τὴν λαβὴν τοῦ ξίφους· "ἥδε μοι
δώσει."

26. Πόλιν δὲ Νεόκωμον ὁ Καῖσαρ ἐς Λατίου
δίκαιον ἐπὶ τῶν Ἄλπεων ᾤκικει, ὧν ὅσοι κατ' ἔτος
ἦρχον, ἐγίγνοντο Ῥωμαίων πολῖται· τόδε γὰρ
ἰσχύει τὸ Λάτιον. τῶν οὖν Νεοκώμων τινά, ἄρ-
χοντά τε αὐτοῖς γενόμενον καὶ παρὰ τοῦτο
Ῥωμαῖον εἶναι νομιζόμενον, ὁ Μάρκελλος ἐφ'
ὕβρει τοῦ Καίσαρος ἔξηνε ῥάβδοις ἐφ' ὁτῳδή, οὐ
πασχόντων τοῦτο Ῥωμαίων· καὶ τὸν νοῦν ὑπὸ
ὀργῆς ἀνεκάλυπτε, τὰς πληγὰς εἶναι ξενίας σύμ-
βολον. καὶ φέρειν αὐτὰς ἐκέλευε καὶ δεικνύναι τῷ
Καίσαρι. οὕτω μὲν ὑβριστικῶς ὁ Μάρκελλος,
εἰσηγεῖτο δὲ ἤδη καὶ διαδόχους αὐτῷ πέμπειν ἐπὶ
τὰ ἔθνη, προαφαιρῶν τοῦ χρόνου· ἀλλὰ διεκώλυ-

All who were banished went to Caesar in crowds
and advised him to beware of Pompey, saying that his law about bribery was especially directed against himself. Caesar cheered them up and spoke well of Pompey. He also induced the tribunes to bring in a law to enable himself to stand for the consulship a second time while absent, and this was enacted while Pompey was still consul and without opposition from him. Caesar suspected that the Senate would resist this project and feared lest he should be reduced to the condition of a private citizen and exposed to his enemies. So he tried to retain his power until he should be elected consul, and asked the Senate to grant him a little more time in his present command of Gaul, or of a part of it. Marcellus, who succeeded Pompey as consul, forbade it. They say that when this was announced to Caesar, he clapped his hand on his sword-hilt and exclaimed, "This shall give it to me." Caesar authorized to stand for the consulship while absent B.C. 51

26. Caesar built the town of Novum Comum at the foot of the Alps and gave it the Latin rights, which included a provision that those who had exercised year by year the chief magistracy should become Roman citizens. One of these men, who had been in office and was consequently considered a Roman citizen, was beaten with rods for some reason by order of Marcellus in defiance of Caesar—a punishment that was never inflicted on Roman citizens. Marcellus in his passion revealed his real intention that the blows should be the brand of the alien, and he told the man to carry his scars and show them to Caesar. So insulting was Marcellus. Moreover, he proposed to send successors to take command of Caesar's provinces before his time had expired; Enmity of Marcellus

CAP.
IV

σεν ὁ Πομπήιος εὐπρεπείᾳ τε λόγου καὶ εὐνοίας
ὑποκρίσει, μὴ δεῖν ἄνδρα λαμπρὸν καὶ ἐς πολλὰ
χρήσιμον τῇ πατρίδι γενόμενον ὑβρίζειν βραχεῖ
διαστήματι χρόνου, καὶ δῆλον ἐποίησεν, ὅτι χρὴ
μετὰ τὸν χρόνον παραλύειν τῆς ἀρχῆς αὐτίκα τὸν
Καίσαρα.

Καὶ ἐπὶ τῷδε οἱ μάλιστα ἐχθροὶ τοῦ Καίσαρος
ἐς τοὐπιὸν ᾑρέθησαν ὕπατοι, Αἰμίλιός τε Παῦλος
καὶ Κλαύδιος Μάρκελλος, ἀνεψιὸς τοῦ προτέρου
Μαρκέλλου, δήμαρχός τε Κουρίων, ἐχθρὸς ὢν καὶ
ὅδε τῷ Καίσαρι καρτερὸς καὶ ἐς τὸν δῆμον εὐχα-
ριτώτατος καὶ εἰπεῖν ἱκανώτατος. τούτων ὁ Καῖ-
σαρ Κλαύδιον μὲν οὐκ ἴσχυσεν ὑπαγαγέσθαι
χρήμασι, Παῦλον δὲ χιλίων καὶ πεντακοσίων
ταλάντων ἐπρίατο μηδὲν αὐτῷ μήτε συμπράττειν
μήτε ἐνοχλεῖν, Κουρίωνα δὲ καὶ συμπράττειν ἔτι
πλειόνων, εἰδὼς ἐνοχλούμενον ὑπὸ χρεῶν πολλῶν.

Παῦλος μὲν δὴ τὴν Παύλου λεγομένην βασι-
λικὴν ἀπὸ τῶνδε τῶν χρημάτων ἀνέθηκε Ῥωμαίοις,
οἰκοδόμημα περικαλλές· 27. ὁ δὲ Κουρίων, ἵνα
μὴ ἄφνω μετατιθέμενος γίγνοιτο κατάφορος,
εἰσηγεῖτο βαρυτάτας ὁδῶν πολλῶν ἐπισκευάς τε
καὶ κατασκευὰς καὶ αὐτὸν ἐπιστάτην αὐτῶν ἐπὶ
πενταετὲς εἶναι, εἰδὼς μὲν οὐδὲν τούτων ἐσόμενον,
ἐλπίζων δὲ τοὺς Πομπηίου φίλους ἀντιλέξειν καὶ
αὐτὸς ἐς τὸν Πομπήιον ἕξειν τι τοῦτο πρόσκρουμα.
καὶ γενομένων τῶνδε, ὡς προσεδόκησεν, ὁ μὲν εἶχε
τὴν πρόφασιν τῆς διαφορᾶς, Κλαύδιος δ' εἰσηγεῖτο
πέμπειν Καίσαρι διαδόχους ἐπὶ τὰ ἔθνη· καὶ γὰρ
ἔληγεν ὁ χρόνος. καὶ Παῦλος ἐσιώπα. Κουρίων
δὲ νομιζόμενος ἀμφοτέροις διαφέρεσθαι, ἐπήνει
τὴν τοῦ Κλαυδίου γνώμην, ὡς δὲ ἐνδέον αὐτῇ

but Pompey interfered, making a pretence of fairness and good-will, saying that they ought not to put an indignity on a distinguished man who had been so extremely useful to his country, merely on account of a short interval of time ; but he made it plain that Caesar's command must come to an end immediately on its expiration.

CHAP.
IV

Attempts
to deprive
Caesar of his
command

B.C. 50

For this reason the bitterest enemies of Caesar were chosen consuls for the ensuing year : Aemilius Paulus and Claudius Marcellus, cousin of the Marcellus before mentioned. Curio, who was also a bitter enemy of Caesar, but extremely popular with the masses and a most accomplished speaker, was chosen tribune. Caesar was not able to influence Claudius with money, but he bought the neutrality of Paulus for 1500 talents and the assistance of Curio with a still larger sum, because he knew that the latter was heavily burdened with debt.

With the money thus obtained Paulus built and dedicated to the Roman people the Basilica that bears his name, a very beautiful structure, 27. while Curio, in order that he might not be detected changing sides too suddenly, brought forward vast plans for repairing and building roads, of which he was to be superintendent for five years. He knew that he could not carry any such measure, but he hoped that Pompey's friends would oppose him, so that he might have that as a grievance against Pompey. Things turned out as he had anticipated, so that he had a pretext for disagreement. Claudius proposed the sending of successors to take command of Caesar's provinces, as his term was now expiring. Paulus was silent. Curio, who was thought to differ from both, seconded the motion of Claudius, but

CAP.
IV

προσετίθει τὸ καὶ Πομπήιον ὁμοίως Καίσαρι ἀπο-
θέσθαι τὰ ἔθνη καὶ τὸν στρατόν· ὧδε γὰρ ἔσεσ-
θαι τῇ πόλει καθαρὰν καὶ πανταχόθεν ἀδεῆ τὴν
πολιτείαν. ἐνισταμένων δὲ πολλῶν ὡς οὐκ ἴσον
διὰ τὸ μήπω τὸν χρόνον ἐξήκειν τῷ Πομπηίῳ,
σαφέστερον ὁ Κουρίων ἤδη καὶ τραχύτερον ἀπεγύ-
μνου μὴ χρῆναι μηδὲ Καίσαρι πέμπειν διαδόχους,
εἰ μὴ καὶ Πομπηίῳ δοῖεν· ὄντων γὰρ αὐτῶν ἐς
ἀλλήλους ὑπόπτων οὔπω τῇ πόλει τὴν εἰρήνην
ἔσεσθαι βεβαίαν, εἰ μὴ πάντες ἰδιωτεύσειαν.
ἔλεγε δὲ ταῦτ' εἰδὼς οὐ μεθήσοντα τὴν ἀρχὴν τὸν
Πομπήιον καὶ τὸν δῆμον ὁρῶν ἤδη τι προσκοπτό-
μενον αὐτῷ διὰ τὰς τοῦ δεκασμοῦ δίκας. εὐπρε-
ποῦς δὲ τῆς γνώμης οὔσης ὁ δῆμος ἐπῄνει τὸν
Κουρίωνα ὡς μόνον ἀξίως τῆς πόλεως τὴν πρὸς
ἀμφοτέρους αἰρόμενον ἔχθραν, καί ποτε καὶ παρέ-
πεμψαν αὐτὸν ἀνθοβολοῦντες ὥσπερ ἀθλητὴν
μεγάλου καὶ δυσχεροῦς ἀγῶνος· οὐδὲν γὰρ ἐδόκει
τότε εἶναι φοβερώτερον τῆς Πομπηίου διαφορᾶς.

28. Ὁ δὲ Πομπήιος νοσηλευόμενος περὶ τὴν
Ἰταλίαν ἐπέστελλε τῇ βουλῇ σὺν τέχνῃ, τά τε
ἔργα τοῦ Καίσαρος ἐπαινῶν καὶ τὰ ἴδια ἐξ ἀρχῆς
καταλέγων ὅτι τε τῆς τρίτης ὑπατείας καὶ ἐθνῶν
τῶν ἐπ' αὐτῇ καὶ στρατοῦ δοθέντος οὐ μετιών,
ἀλλ' ἐς θεραπείαν τῆς πόλεως ἐπικληθεὶς ἀξιω-
θείη· ἃ δὲ ἄκων ἔφη λαβεῖν, " ἑκὼν ἀποθήσομαι
τοῖς ἀπολαβεῖν θέλουσιν, οὐκ ἀναμένων τοὺς

278

added that Pompey ought to resign his provinces CHAP. IV
and army just like Caesar, for in this way he said
the commonwealth would be made free and be
relieved from fear in all directions. Many opposed
this as unjust, because Pompey's term had not yet
expired. Then Curio came out more openly and Curio insists that Pompey shall lay down his command also
harshly against sending successors to Caesar unless
Pompey also should lay down his command; for since
they were both suspicious of each other, he con-
tended that there could be no lasting peace to the
commonwealth unless they should all be reduced to
the character of private citizens. He said this
because he knew that Pompey would not give up
his command and because he saw that the people
were incensed against Pompey on account of his
prosecutions for bribery. As Curio's position was
plausible, the plebeians praised him as the only one
who was willing to incur the enmity of both Pompey
and Caesar in order to fulfil worthily his duties as a
citizen; and once they escorted him home, scat-
tering flowers, as though he were an athlete and
had won the prize in some great and difficult contest;
for nothing was considered more perilous then than
to have a difference with Pompey.

28. Pompey, while lying sick in Italy, wrote an
artful letter to the Senate, praising Caesar's exploits
and also recounting his own from the beginning,
saying that he had been invested with a third
consulship, and with provinces and an army after-
ward; these he had not solicited, but he had received
them on being called upon to serve the state.
As for the powers which he had accepted unwill-
ingly, "I will gladly yield them," said he, "to those
who wish to take them back, and will not wait the

χρόνους τοὺς ὡρισμένους." ἡ μὲν δὴ τέχνη τῶν
γεγραμμένων εἶχεν εὐπρέπειάν τε τῷ Πομπηίῳ
καὶ ἐρέθισμα κατὰ τοῦ Καίσαρος, οὐκ ἀποδιδόντος
τὴν ἀρχὴν οὐδ' ἐν τῷ νεμομισμένῳ χρόνῳ· ἀφικό-
μενος δ' ἄλλα τε τούτοις ὅμοια ἔλεγε καὶ τὴν
ἀρχὴν καὶ τότε ὑπισχνεῖτο ἀποθήσεσθαι. ὡς δὲ
δὴ φίλος καὶ κηδεστὴς γενόμενος Καίσαρι, κἀκεῖ-
νον ἔλεγε μάλα χαίροντα ἀποθήσεσθαι· χρόνιόν
τε γὰρ αὐτῷ τὴν στρατείαν καὶ ἐπίπονον κατὰ
ἐθνῶν μαχιμωτάτων γεγονέναι καὶ πολλὰ τῇ
πατρίδι προσλαβόντα ἐπὶ τιμὰς καὶ θυσίας ἥξειν
καὶ ἀναπαύσεις. ἔλεγε δὲ ταῦθ' ὡς Καίσαρι μὲν
αὐτίκα δοθησομένων διαδόχων, αὐτὸς δ' ἐσόμενος
ἐν ὑποσχέσει μόνῃ. Κουρίων δὲ αὐτοῦ τὸ σό-
φισμα διελέγχων οὐχ ὑπισχνεῖσθαι δεῖν ἔφη
μᾶλλον ἢ αὐτίκα ἀποθέσθαι οὐδ' ἐξοπλίζειν
Καίσαρα τῆς στρατιᾶς, πρὶν καὶ αὐτὸν ἰδιωτεῦ-
σαι· οὔτε γὰρ ἐς τὴν ἰδίαν ἔχθραν ἐκείνῳ
λυσιτελεῖν οὔτε Ῥωμαίοις, ὑφ' ἑνὶ τηλικαύτην
ἀρχὴν γενέσθαι μᾶλλον ἢ τὸν ἕτερον αὐτῶν ἔχειν
ἐπὶ τὸν ἕτερον, εἴ τι τὴν πόλιν καταβιάζοιτο.
οὐδέν τε ἐπικρύπτων ἔτι ἀφειδῶς ἐς τὸν Πομ-
πήιον ἐβλασφήμει ὡς τυραννίδος ἐφιέμενον καί,
εἰ μὴ νῦν σὺν φόβῳ τῷ Καίσαρος ἀποθοῖτο τὴν
ἀρχήν, οὔποτε μεθήσοντα. ἠξίου δ', ἂν ἀπει-
θῶσιν, ἄμφω ψηφίζεσθαι πολεμίους καὶ στρατὸν

time fixed for their expiration." The artfulness of
this communication consisted in showing the fairness
of Pompey and in exciting prejudice against Caesar,
who did not seem likely to give up his command
even at the appointed time. When Pompey came
back to the city, he spoke to the senators in the
same way and then, also, promised to lay down his
command. In virtue, of course, of his friendship
and marriage connection with Caesar he said that
the latter would very cheerfully do the same, for his
had been a long and laborious contest against very
warlike peoples; he had added much to the Roman
power, and now he would come back to his
honours, his sacrificial duties, and his relaxations.
He said these things in order that successors to
Caesar might be sent at once, while he himself
should merely rest content with his promise. Curio
exposed his artifice, saying that promises were not
sufficient, and insisting that Pompey should lay
down his command now and that Caesar should not
be disarmed until Pompey himself had returned to
private life. On account of private enmity, he said,
it would not be advisable either for Caesar or for the
Romans that such great authority should be held by
one man. Rather should each of them have power
against the other, in case one should attempt violence
against the commonwealth. Now at last throwing
off all disguise, he denounced Pompey unsparingly
as one aiming at supreme power, and said that
unless he would lay down his command now, when
he had the fear of Caesar before his eyes, he would
never lay it down at all. He moved that, unless
they both obeyed, both should be voted public
enemies and military forces be levied against them.

CAP.
IV
ἀγείρειν ἐπ᾽ αὐτούς· ᾧ δὴ καὶ μάλιστα ἔλαθεν
ὑπὸ Καίσαρος ἐωνημένος.

29. Πομπήιος δ᾽ αὐτῷ χαλεψάμενός τε καὶ
ἀπειλήσας εὐθὺς ἐς τὰ προάστεια ἀγανακτῶν
ὑπεξήει. καὶ ἡ βουλὴ ὑπόπτως μὲν εἶχεν ἤδη
πρὸς ἀμφοτέρους, δημοτικώτερον δ᾽ ὅμως ἡγοῦντο
Πομπήιον καὶ τῷ Καίσαρι ἐδυσχέραινον τῆς
παρὰ τὴν ὑπατείαν ὑπεροψίας σφῶν· οἱ δὲ καὶ
τῷ ὄντι οὐκ ἀσφαλὲς ἡγοῦντο διαλύειν τὴν ὑπὸ
τῷ Πομπηίῳ δύναμιν, μέχρι πρότερον ἐκεῖνον
ἀποθέσθαι, ἔξω τε τῆς πόλεως ὄντα καὶ μεγαλο-
πραγμονέστερον. τὸ δ᾽ αὐτὸ καὶ ὁ Κουρίων
ἀνέστρεφεν, ὡς δέον ὑπάρχειν αὐτοῖς ἐπὶ τὸν
Πομπήιον Καίσαρα, ἢ ὁμοῦ πάντας καταλύειν.
οὐ πείθων δὲ διέλυε τὴν βουλὴν ἐπὶ ἀτελέσι
πᾶσι· δύναται δὲ τοῦθ᾽ ὁ δήμαρχος· ὅτε δὴ καὶ
μάλιστα τῷ Πομπηίῳ μετεμέλησε τὴν δημαρχίαν,
ἐς ἀσθενέστατον ὑπὸ Σύλλα καθῃρημένην, ἀναγα-
γόντι αὖθις ἐπὶ τὸ ἀρχαῖον. διαλυόμενοι δὲ ὅμως
τοσόνδε μόνον ἐψηφίσαντο, Καίσαρα καὶ Πομ-
πήιον τέλος ἓν στρατιωτῶν ἐς Συρίαν ἑκάτερον
πέμψαι φυλακῆς οὕνεκα διὰ τὴν Κράσσου συμ-
φοράν. καὶ τεχνάζων ὁ Πομπήιος ἀπῄτει τὸ
τέλος, ὃ ἔναγχος ἐπὶ συμφορᾷ στρατηγῶν δύο
Καίσαρος, Τιτυρίου τε καὶ Κόττα, Καίσαρι κε-
χρήκει. ὁ δ᾽ αὐτό, τιμήσας ἕκαστον ἄνδρα
δραχμαῖς πεντήκοντα καὶ διακοσίαις, ἀπέπεμπεν
ἐς Ῥώμην καὶ συνέπεμπεν ἄλλο παρ᾽ ἑαυτοῦ.

30. Οὐδενὸς δὲ δεινοῦ περὶ Συρίαν φανέντος
τάδε μὲν ἐχείμαζεν ἐν Καπύῃ· οἱ δ᾽ ἐπ᾽ αὐτὰ

In this way he concealed the fact that he had been bought by Caesar.

29. Pompey was angry with him and threatened him and at once withdrew indignantly to the environs. The Senate now had suspicions of both, but it considered Pompey the better republican of the two, and it hated Caesar because he had not shown it proper respect during his consulship. Some of the senators really thought that it would not be safe to the commonwealth to deprive Pompey of his power until after Caesar should lay down his, since the latter was outside of the city and was the man of more magnificent designs. Curio held the contrary opinion, that they had need of Caesar against the power of Pompey, or otherwise that both armies should be disbanded at the same time. As the Senate would not agree with him he dismissed it, leaving the whole business still unfinished, having the power to do so as tribune. Thus Pompey had occasion to regret that he had restored the tribunician power to its pristine vigour after it had been reduced to a mere shadow by Sulla. Nevertheless, one decree was voted before the session was ended, and that was that Caesar and Pompey should each send one legion of soldiers to Syria to defend the province on account of the disaster to Crassus. Pompey artfully recalled the legion that he had lately lent to Caesar on account of the disaster to Caesar's two generals, Titurius and Cotta. Caesar awarded to each soldier 250 drachmas and sent the legion to Rome together with another of his own.

30. As the expected danger did not show itself in Syria, these legions were sent into winter quarters at Capua. The persons who had been sent by

CAP.
IV
πεμφθέντες ὑπὸ τοῦ Πομπηίου πρὸς Καίσαρα
ἄλλα τε πολλὰ δυσχερῆ κατὰ τοῦ Καίσαρος
διεθρόουν καὶ ἰσχυρίζοντο τῷ Πομπηίῳ τὴν
στρατιὰν Καίσαρος, τετρυμένην τε πόνῳ καὶ
χρόνῳ καὶ τὰ οἴκοι ποθοῦσαν, μεταθήσεσθαι πρὸς
αὐτόν, ὅτε τὰ Ἄλπεια διέλθοιεν. καὶ οἱ μὲν
οὕτως ἔλεγον, εἴθ' ὑπὸ ἀγνοίας εἴτε διεφθαρμένοι,
Καίσαρι δ' ἔρρωτο πᾶς ἀνὴρ εἰς προθυμίαν καὶ
πόνους ὑπό τε ἔθους τῶν στρατειῶν καὶ ὑπὸ
κερδῶν, ὅσα πόλεμος τοῖς νικῶσιν ἐργάζεται καὶ
ὅσα παρὰ Καίσαρος ἄλλα ἐλάμβανον· ἐδίδου γὰρ
ἀφειδῶς, θεραπεύων εἰς ἃ ἐβούλευεν· οἱ δὲ καὶ
αὐτοὶ συνιέντες αὐτῶν ὅμως ὑπέμενον. ὁ δὲ
Πομπήιος τοῖς ἠγγελμένοις πίσυνος οὔτε στρα-
τιὰν οὔτε παρασκευὴν ὡς ἐς τοσοῦτον ἔργον
ἤγειρεν. ἡ βουλὴ δὲ γνώμην ἕκαστον ᾔτει· καὶ ὁ
Κλαύδιος πανούργως διῄρει καὶ ἐπυνθάνετο αὐτῶν
παρὰ μέρος, εἰ δοκεῖ Καίσαρι πέμπειν διαδόχους
καὶ εἰ Πομπήιον τὴν ἀρχὴν ἀφαιρεῖσθαι. οἱ δὲ
τοῦτο μὲν ἀνένευον οἱ πλείους, Καίσαρι δ' ἐπεψή-
φιζον τοὺς διαδόχους. ἐπανερομένου δὲ τοῦ Κου-
ρίωνος, εἰ ἀμφοτέρους δοκεῖ τὰ ἐν χερσὶν ἀπο-
θέσθαι, δύο μὲν καὶ εἴκοσιν ἀνδράσιν ἀπήρεσκε,
τριακόσιοι δὲ καὶ ἑβδομήκοντα ἐς τὸ συμφέρον
ἀπὸ τῆς ἔριδος ἐπὶ τὴν τοῦ Κουρίωνος γνώμην
ἀπέκλινον, ὅτε δὴ καὶ ὁ Κλαύδιος τὴν βουλὴν
διέλυσε βοῶν· " νικᾶτε δεσπότην ἔχειν Καίσαρα."

31. Λόγου δ' ἄφνω ψευδοῦς ἐμπεσόντος, ὅτι
τὰς Ἄλπεις ὁ Καῖσαρ ὑπερελθὼν ἐπὶ τὴν πόλιν
ἐλαύνοι, θόρυβός τε πολὺς ἦν καὶ φόβος ἁπάντων,
καὶ ὁ Κλαύδιος εἰσηγεῖτο τὴν ἐν Καπύῃ στρατιὰν

THE CIVIL WARS, BOOK II

Pompey to Caesar to bring these legions spread
many reports derogatory to Caesar and repeated
them to Pompey. They affirmed that Caesar's army
was wasted by protracted service, that the soldiers
longed for their homes and would change to the side
of Pompey as soon as they should cross the Alps.
They spoke in this way either from ignorance or
because they were corrupted. In fact, every soldier
was strongly attached to Caesar and laboured
zealously for him, under the force of discipline and
the influence of the gain which war usually brings
to victors and which they received from Caesar also;
for he gave with a lavish hand in order to mould them
to his designs. They knew what his designs were,
but they stood by him nevertheless. Pompey, how-
ever, believed what was reported to him and collected
neither soldiers nor apparatus suitable for so great a
contest. In the Senate the opinion of each member
was asked and Claudius craftily divided the question
and took the votes separately, thus: "Shall successors
be sent to Caesar?" and again, "Shall Pompey be
deprived of his command?" The majority voted
against the latter proposition, and it was decreed
that successors to Caesar should be sent. Then
Curio put the question whether both should lay
down their commands, and 22 senators voted in the
negative while 370 went back to the opinion of
Curio in order to avoid civil discord. Then Claudius
dismissed the Senate, exclaiming, "Enjoy your
victory and have Caesar for a master."

31. Suddenly a false rumour came that Caesar
had crossed the Alps and was marching on the city,
whereupon there was a great tumult and consterna-
tion on all sides. Claudius moved that the army at

CAP.
IV
ἀπαντᾶν ὡς πολεμίῳ Καίσαρι. ἐνισταμένου δὲ
ὡς ἐπὶ ψευδέσι τοῦ Κουρίωνος εἶπεν· "εἰ κωλύ-
ομαι ψήφῳ κοινῇ τὰ συμφέροντα διοικεῖν κατ'
ἐμαυτὸν ὡς ὕπατος διοικήσω." καὶ τάδε εἰπὼν
ἐξέδραμε τῆς βουλῆς ἐς τὰ προάστεια μετὰ τοῦ
συνάρχου ξίφος τε ὀρέγων τῷ Πομπηίῳ "κελεύω
σοι," ἔφη, "κἀγὼ καὶ ὅδε χωρεῖν ἐπὶ Καίσαρα ὑπὲρ
τῆς πατρίδος· καὶ στρατιὰν ἐς τοῦτό σοι δίδομεν,
ἥ τε νῦν ἀμφὶ Καπύην ἢ τὴν ἄλλην Ἰταλίαν ἐστὶ
καὶ ὅσην αὐτὸς ἐθέλοις ἄλλην καταλέγειν." ὁ δ'
ὑπήκουε μὲν ὡς κελευόμενος πρὸς ὑπάτων, ἐπε-
τίθει δ' ὅμως· "εἰ μή τι κρεῖσσον," ἀπατῶν ἢ
τεχνάζων καὶ τότε ἐς εὐπρέπειαν. Κουρίωνι δ'
οὐκ ἦν μὲν ὑπὲρ τὴν πόλιν ἐξουσία τις (οὐδὲ γὰρ
προϊέναι τῶν τειχῶν τοῖς δημάρχοις ἐφίεται),
ὠλοφύρετο δ' ἐν τῷ δήμῳ τὰ γιγνόμενα καὶ τοὺς
ὑπάτους ἠξίου κηρύσσειν μηδένα πω καταλέγοντι
πείθεσθαι Πομπηίῳ. οὐδὲν δὲ ἀνύων, ἐπεί οἱ καὶ
ὁ τῆς δημαρχίας χρόνος ἔληγε, δείσας ὑπὲρ
ἑαυτοῦ καὶ ἀπογνοὺς ἔτι δύνασθαι βοηθεῖν τῷ
Καίσαρι, κατὰ σπουδὴν ἐχώρει πρὸς αὐτόν.

V

CAP.
V
32. Ὁ δ' ἄρτι τὸν ὠκεανὸν ἐκ Βρεττανῶν διε-
πεπλεύκει καὶ ἀπὸ Κελτῶν τῶν ἀμφὶ τὸν Ῥῆνον
τὰ ὄρη τὰ Ἄλπεια διελθὼν σὺν πεντακισχιλίοις

Capua be turned against Caesar as a public enemy. When Curio opposed him on the ground that the rumour was false he exclaimed, "If I am prevented by the vote of the Senate from taking steps for the public safety, I will take such steps on my own responsibility as consul." After saying this he darted out of the Senate and proceeded to the environs with his colleague, where he presented a sword to Pompey, and said, "I and my colleague command you to march against Caesar in behalf of your country, and we give you for this purpose the army now at Capua, or in any other part of Italy, and whatever additional forces you yourself choose to levy." Pompey promised to obey the orders of the consuls, but he added, "unless we can do better," thus dealing in trickery and still making a pretence of fairness. Curio had no power outside the city (for it was not permitted to the tribunes to go beyond the walls), but he publicly deplored the state of affairs and demanded that the consuls should make proclamation that nobody need obey the conscription ordered by Pompey. As he could accomplish nothing, and as his term of office as tribune was about expiring, and he feared for his safety and despaired of being able to render any further assistance to Caesar, he hastily departed to join him.

The consuls invest Pompey with the defence of Italy

V

32. CAESAR had lately recrossed the straits from Britain and, after traversing the Gallic country along the Rhine, had passed the Alps with 5000 foot and

CAP. πεζοῖς καὶ ἱππεῦσι τριακοσίοις κατέβαινεν ἐπὶ
V Ῥαβέννης, ἣ συναφής τε ἦν τῇ Ἰταλίᾳ καὶ τῆς
Καίσαρος ἀρχῆς τελευταία. φιλοφρονησάμενος δὲ
τὸν Κουρίωνα καὶ χάριν ὑπὲρ τῶν γεγονότων
ὁμολογήσας ἐσκόπει περὶ τῶν παρόντων. Κου-
ρίωνι μὲν δὴ συγκαλεῖν ἐδόκει τὸν στρατὸν ἅπαντα
ἤδη καὶ ἄγειν ἐπὶ Ῥώμης, Καίσαρι δ' ἔτι πει-
ρᾶσθαι διαλύσεων. τοὺς οὖν φίλους ἐκέλευεν ὑπὲρ
αὑτοῦ συμβῆναι, τὰ μὲν ἄλλα αὐτὸν ἔθνη καὶ
στρατόπεδα ἀποθήσεσθαι, μόνα δ' ἕξειν δύο τέλη
καὶ τὴν Ἰλλυρίδα μετὰ τῆς ἐντὸς Ἄλπεων
Γαλατίας, ἕως ὕπατος ἀποδειχθείη. καὶ Πομπηίῳ
μὲν ἀρκεῖν ἐδόκει, κατακωλυόντων δὲ τῶν ὑπάτων
ὁ Καῖσαρ ἐπέστελλε τῇ βουλῇ, καὶ τὴν ἐπιστολὴν
ὁ Κουρίων, τρισὶν ἡμέραις τριακοσίους ἐπὶ
δισχιλίοις σταδίους διαδραμών, ἐπέδωκε τοῖς νέοις
ὑπάτοις ἐσιοῦσιν ἐς τὸ βουλευτήριον τῇ νουμηνίᾳ
τοῦ ἔτους. περιεῖχε δ' ἡ γραφὴ κατάλογόν τε
σεμνὸν ὧν ἐξ ἀρχῆς ὁ Καῖσαρ ἐπεπράχει, καὶ
πρόκλησιν, ὅτι θέλοι Πομπηίῳ συναποθέσθαι,
ἄρχοντος δ' ἔτι ἐκείνου οὔτε ἀποθήσεσθαι καὶ
τιμωρὸς αὐτίκα τῇ τε πατρίδι καὶ ἑαυτῷ κατὰ
τάχος ἀφίξεσθαι. ἐφ' ᾧ δὴ σφόδρα πάντες
ἀνέκραγον, ὡς ἐπὶ πολέμου καταγγελίᾳ, διάδοχον
εἶναι Λεύκιον Δομίτιον. καὶ ὁ Δομίτιος εὐθὺς
ἐξῄει μετὰ τετρακισχιλίων ἐκ καταλόγου.

33. Ἀντωνίου δὲ καὶ Κασσίου δημαρχούντοιν
μετὰ Κουρίωνα καὶ τὴν Κουρίωνος γνώμην
ἐπαινούντοιν, ἡ βουλὴ φιλονικότερον ἔτι τὴν
Πομπηίου στρατιὰν φύλακα σφῶν ἡγοῦντο εἶναι,
τὴν δὲ Καίσαρος πολεμίαν. καὶ οἱ ὕπατοι,

300 horse and arrived at Ravenna, which was con-
tiguous to Italy and the last town in his government.
After embracing Curio and returning thanks for what
he had done for him, he reviewed the situation.
Curio advised him to bring his whole army together
now and lead it to Rome, but Caesar thought it best
still to try to come to terms. So he directed his
friends to make an agreement in his behalf, that he
should deliver up all his provinces and soldiers,
except that he should retain two legions and Illyria
with Cisalpine Gaul until he should be elected
consul. This was satisfactory to Pompey, but the
consuls refused. Caesar then wrote a letter to the
Senate, which Curio carried a distance of 1300 stades
in three days and delivered to the newly-elected
consuls as they entered the senate-house on the first
of January.[1] The letter embraced a calm recital of
all that Caesar had done from the beginning of his
career and a proposal that he would lay down his
command at the same time with Pompey, but that if
Pompey should retain his command he would not lay
down his own, but would come quickly and avenge
his country's wrongs and his own. When this letter
was read, as it was considered a declaration of war, a
vehement shout was raised on all sides that Lucius
Domitius be Caesar's successor. Domitius took the
field immediately with 4000 men from the active
list.

33. Since Antony and Cassius, who succeeded
Curio as tribunes, agreed with him in opinion, the
Senate became more bitter than ever and declared
Pompey's army the protector of Rome, and that of
Caesar a public enemy. The consuls, Marcellus and

---

[1] Literally: "On the day of the new moon of the year."

CAP.
V

Μάρκελλός τε καὶ Λέντλος, ἐκέλευον τοῖς ἀμφὶ τὸν Ἀντώνιον ἐκστῆναι τοῦ συνεδρίου, μή τι καὶ δημαρχοῦντες ὅμως πάθοιεν ἀτοπώτερον. ἔνθα δὴ μέγα βοήσας ὁ Ἀντώνιος ἀνά τε ἔδραμε τῆς ἕδρας σὺν ὀργῇ καὶ περὶ τῆς ἀρχῆς ἐπεθείαζεν αὐτοῖς, ὡς ἱερὰ καὶ ἄσυλος οὖσα ὑβρίζοιτο, καὶ περὶ σφῶν, ὅτι γνώμην ἐσφέροντες, ἣν δοκοῦσι συνοίσειν, ἐξαλαύνοιντο σὺν ὕβρει, μήτε τινὰ σφαγὴν μήτε μύσος ἐργασάμενοι. ταῦτα δ᾽ εἰπὼν ἐξέτρεχεν ὥσπερ ἔνθους, πολέμους καὶ σφαγὰς καὶ προγραφὰς καὶ φυγὰς καὶ δημεύσεις καὶ ὅσα ἄλλα αὐτοῖς ἔμελλεν ἔσεσθαι, προθεσπίζων ἀράς τε βαρείας τοῖς τούτων αἰτίοις ἐπαρώμενος. συνεξέθεον δ᾽ αὐτῷ Κουρίων τε καὶ Κάσσιος· καὶ γάρ τις ἤδη στρατὸς ἑωρᾶτο ἐκ Πομπηίου περιιστάμενος τὸ βουλευτήριον. οἵδε μὲν δὴ τάχει πολλῷ πρὸς Καίσαρα, νυκτὸς αὐτίκα, λαθόντες ἐχώρουν ἐπὶ ὀχήματος μισθωτοῦ, θεραπόντων ἐσθῆτας ἐνδύντες. καὶ αὐτοὺς ἔτι ὧδε ἔχοντας ὁ Καῖσαρ ἐπεδείκνυ τῷ στρατῷ καὶ ἠρέθιζε λέγων, ὅτι καὶ σφᾶς τοσάδε ἐργασαμένους ἡγοῦνται πολεμίους καὶ τοιούσδε ἄνδρας ὑπὲρ αὐτῶν τι φθεγξαμένους οὕτως ἐξελαύνουσιν αἰσχρῶς.

34. Ὁ μὲν δὴ πόλεμος ἑκατέρωθεν ἀνέῳκτο καὶ κεκήρυκτο ἤδη σαφῶς, ἡ δὲ βουλὴ νομίζουσα Καίσαρι τὸν στρατὸν ἀπὸ Κελτῶν σὺν χρόνῳ παρέσεσθαι καὶ οὔποτε αὐτὸν ὁρμήσειν ἐπὶ τηλικοῦτον ἔργον σὺν ὀλίγοις προσέτασσε Πομπηίῳ τρισκαίδεκα μυριάδας Ἰταλῶν ἀγείρειν, καὶ μάλιστα αὐτῶν τοὺς ἐστρατευμένους ὡς ἐμπειροπολέμους, ξενολογεῖν δὲ καὶ ἐκ τῶν περιοίκων ἐθνῶν ὅσα ἄλκιμα. χρήματα δ᾽ ἐς τὸν

Lentulus, ordered Antony and his friends out of the
Senate lest they should suffer some harm, tribunes
though they were. Then Antony sprang from his
chair in anger and with a loud voice called gods and
men to witness the indignity put upon the sacred
and inviolable office of tribune, saying that while
they were expressing the opinion which they deemed
best for the public interest, they were driven out
with contumely though they had wrought no murder
or outrage. Having spoken thus he rushed out like
one possessed, predicting war, slaughter, proscrip-
tion, banishment, confiscation, and various other im-
pending evils, and invoking direful curses on the
authors of them. Curio and Cassius rushed out with
him, for a detachment of Pompey's army was already
observed standing around the senate-house. The
tribunes made their way to Caesar the next night
with the utmost speed, concealing themselves in a
hired carriage, and disguised as slaves. Caesar
showed them in this condition to his army, whom
he excited by saying that his soldiers, after all their
great deeds, had been stigmatized as public enemies
and that distinguished men like these, who had
dared to say a word for them, had been thus driven
out with ignominy.

34. The war had now been begun on both sides and
was already openly declared ; but the Senate, thinking
that Caesar's army would be slow in arriving from
Gaul and that he would not rush into so great an
adventure with a small force, directed Pompey to
assemble 130,000 Italian soldiers, chiefly veterans
who had had experience in war, and to recruit as
many able-bodied men as possible from the neigh-
bouring provinces. They voted him for the war all

CAP.
V

πόλεμον αὐτῷ τά τε κοινὰ πάντα αὐτίκα ἐψηφί-
ζοντο καὶ τὰ ἰδιωτικὰ σφῶν ἐπὶ τοῖς κοινοῖς, εἰ
δεήσειεν, εἶναι στρατιωτικά· ἔς τε τὰς πόλεις ἐφ'
ἕτερα περιέπεμπον σύν τε ὀργῇ καὶ φιλονικίᾳ,
σπουδῆς οὐδὲν ἀπολείποντες ὀξυτάτης. ὁ δὲ
Καῖσαρ ἐπὶ μὲν τὸν ἑαυτοῦ στρατὸν περιεπε-
πόμφει, χαίρων δ' ἀεὶ ταχυεργίας τε ἐκπλήξει καὶ
φόβῳ τόλμης μᾶλλον ἢ παρασκευῆς δυνάμει,
μετὰ τῶν πεντακισχιλίων ἔγνω προεπιχειρεῖν
τοσῷδε πολέμῳ καὶ φθάσαι τὰ εὔκαιρα τῆς
Ἰταλίας.

35. Τοὺς οὖν λοχαγοὺς αὐτῶν σὺν ὀλίγοις τοῖς
μάλιστα εὐτολμοτάτοις, εἰρηνικῶς ἐσταλμένοις,
προὔπεμπεν ἐσελθεῖν ἐς Ἀρίμινον καὶ τὴν πόλιν
ἄφνω καταλαβεῖν· ἡ δ' ἐστὶν Ἰταλίας πρώτη
μετὰ τὴν Γαλατίαν. αὐτὸς δὲ περὶ ἑσπέραν, ὡς
δὴ τὸ σῶμα ἐνοχλούμενος, ὑπεχώρησε τοῦ συμ-
ποσίου, τοὺς φίλους ἀπολιπὼν ἔτι ἑστιᾶσθαι·
καὶ ζεύγους ἐπιβὰς ἤλαυνεν ἐς τὸ Ἀρίμινον,
ἑπομένων οἱ τῶν ἱππέων ἐκ διαστήματος. δρόμῳ
δ' ἐλθὼν ἐπὶ τὸν Ῥουβίκωνα ποταμόν, ὃς ὁρίζει
τὴν Ἰταλίαν, ἔστη τοῦ δρόμου καὶ ἐς τὸ ῥεῦμα
ἀφορῶν περιεφέρετο τῇ γνώμῃ, λογιζόμενος
ἕκαστα τῶν ἐσομένων κακῶν, εἰ τόνδε τὸν ποτα-
μὸν σὺν ὅπλοις περάσειε. καὶ πρὸς τοὺς πα-
ρόντας εἶπεν ἀνενεγκών· "ἡ μὲν ἐπίσχεσις, ὦ
φίλοι, τῆσδε τῆς διαβάσεως ἐμοὶ κακῶν ἄρξει,
ἡ δὲ διάβασις πᾶσιν ἀνθρώποις." καὶ εἰπὼν
οἷά τις ἔνθους ἑτέρα σὺν ὁρμῇ, τὸ κοινὸν τόδε
ἐπειπών· "ὁ κύβος ἀνερρίφθω." δρόμῳ δ' ἐντεῦ-
θεν ἐπιὼν Ἀρίμινόν τε αἱρεῖ περὶ ἕω καὶ ἐς τὸ

the money in the public treasury at once, and their own private fortunes in addition if they should be needed for the pay of the soldiers. With the fury of party rage they levied additional contributions on the allied cities, which they collected with the greatest possible haste. Caesar had sent messengers to bring his own army, but as he was accustomed to rely upon the terror caused by the celerity and audacity of his movements, rather than on the magnitude of his preparations, he decided to take the aggressive in this great war with his 5000 men and to anticipate the enemy by seizing the advantageous positions in Italy.

35. Accordingly, he sent forward the centurions with a few of their bravest troops in peaceful garb to go inside the walls of Ariminum and take it by surprise. This was the first town in Italy after leaving Cisalpine Gaul. Toward evening Caesar himself rose from a banquet on a plea of indisposition, leaving his friends who were still feasting. He mounted his chariot and drove toward Ariminum, his cavalry following at a short distance. When his course brought him to the river Rubicon, which forms the boundary line of Italy, he stopped and, while gazing at the stream, revolved in his mind the evils that would result, should he cross the river in arms. Recovering himself, he said to those who were present, "My friends, to leave this stream uncrossed will breed manifold distress for me; to cross it, for all mankind." Thereupon, he crossed with a rush like one inspired, uttering the familiar phrase, "The die is cast: so let it be!" Then he resumed his hasty journey and took possession of Ariminum about daybreak, advanced beyond it, stationed guards

Caesar crosses the Rubicon

He seizes Ariminum

293

CAP.
V

πρόσθεν ἐχώρει, φρούρια τοῖς ἐπικαίροις ἐφιστὰς
καὶ τὰ ἐν ποσὶν ἢ βίᾳ χειρούμενος ἢ φιλανθρωπίᾳ.
φυγαί τε καὶ μεταναστάσεις ἦσαν ἐκ πάντων
χωρίων ὡς ἐν ἐκπλήξει καὶ δρόμος ἀσύντακτος
μετ' οἰμωγῆς, τό τε ἀκριβὲς οὐκ εἰδότες καὶ τὸν
Καίσαρα νομίζοντες μετ' ἀπείρου στρατοῦ κατὰ
κράτος ἐλαύνειν.

36. Ὧν οἱ ὕπατοι πυνθανόμενοι τὸν Πομπήιον
οὐκ εἴων ἐπὶ τῆς ἑαυτοῦ γνώμης ἐμπειροπολέμως
εὐσταθεῖν, ἀλλ' ἐξώτρυνον ἐκπηδᾶν ἐς τὴν
Ἰταλίαν καὶ στρατολογεῖν ὡς τῆς πόλεως κατα-
ληφθησομένης αὐτίκα. ἥ τε ἄλλη βουλή, παρὰ
δόξαν αὐτοῖς ὀξείας τῆς ἐσβολῆς τοῦ Καίσαρος
γενομένης, ἐδεδοίκεσαν ἔτι ὄντες ἀπαράσκευοι καὶ
σὺν ἐκπλήξει μετενόουν οὐ δεξάμενοι τὰς Καί-
σαρος προκλήσεις, τότε νομίζοντες εἶναι δικαίας,
ὅτε σφᾶς ὁ φόβος ἐς τὸ εὔβουλον ἀπὸ τοῦ φιλο-
νίκου μετέφερε. τέρατά τε αὐτοῖς ἐπέπιπτε
πολλὰ καὶ σημεῖα οὐράνια· αἷμά τε γὰρ ἔδοξεν
ὁ θεὸς ὗσαι καὶ ξόανα ἱδρῶσαι καὶ κεραυνοὶ
πεσεῖν ἐπὶ νεὼς πολλοὺς καὶ ἡμίονος τεκεῖν·
ἄλλα τε πολλὰ δυσχερῆ προεσήμαινε τὴν ἐς
ἀεὶ τῆς πολειτείας ἀναίρεσίν τε καὶ μεταβολήν.
εὐχαὶ δὲ ὡς ἐπὶ φοβεροῖς προυγράφοντο, καὶ ὁ
δῆμος ἐν μνήμῃ τῶν Μαρίου καὶ Σύλλα κακῶν
γιγνόμενος ἐκεκράγει Καίσαρα καὶ Πομπήιον
ἀποθέσθαι τὰς δυναστείας ὡς ἐν τῷδε μόνῳ τοῦ
πολέμου λυθησομένου, Κικέρων δὲ καὶ πέμπειν
ἐς Καίσαρα διαλλακτάς.

37. Ἀντιπραττόντων δ' ἐς ἅπαντα τῶν ὑπάτων,
Φαώνιος μὲν Πομπήιον ἐπισκώπτων τοῦ ποτὲ
λεχθέντος ὑπ' αὐτοῦ, παρεκάλει τὴν γῆν πατάξαι

at the commanding positions, and, either by force
by kindness, mastered all whom he fell in with. As
is usual in cases of panic, there was flight and
migration from all the country-side in disorder and
tears, the people having no exact knowledge, but
thinking that Caesar was pushing on with all his
might and with an immense army.

36. When the consuls learned the facts they did
not allow Pompey to act according to his own
judgment, experienced as he was in military affairs,
but urged him to traverse Italy and raise troops, as
though the city were on the point of being cap-
tured. The Senate also was alarmed at Caesar's
unexpectedly swift advance, for which it was still
unprepared, and in its panic repented that it had not
accepted Caesar's proposals, which it at last considered
fair, after fear had turned it from the rage of party to
the counsels of prudence. Many portents and signs
in the sky took place. It rained blood. Sweat
issued from the statues of the gods. Lightning
struck several temples. A mule foaled. There
were many other prodigies which betokened the
overturn and change for all time in the form of
government. Prayers were offered up in public as
was customary in times of danger, and the people
who remembered the evil times of Marius and Sulla,
clamoured that both Caesar and Pompey ought to lay
down their commands as the only means of averting
war. Cicero proposed to send messengers to Caesar
in order to come to an arrangement.

37. As the consuls opposed all accommodation,
Favonius, in ridicule of Pompey for something he
had said a little before, advised him to stamp on the

τῷ ποδὶ καὶ τὰ στρατόπεδα ἐξ αὐτῆς ἀναγαγεῖν·
ὁ δὲ "ἕξετε," εἶπεν, "ἂν ἐπακολουθῆτέ μοι καὶ
μὴ δεινὸν ἡγῆσθε τὴν Ῥώμην ἀπολιπεῖν, καὶ
εἰ τὴν Ἰταλίαν ἐπὶ τῇ Ῥώμῃ δεήσειεν." οὐ γὰρ
τὰ χωρία καὶ τὰ οἰκήματα τὴν δύναμιν ἢ τὴν
ἐλευθερίαν εἶναι τοῖς ἀνδράσιν, ἀλλὰ τοὺς ἄνδρας,
ὅπῃ ποτ᾽ ἂν ὦσιν, ἔχειν ταῦτα σὺν ἑαυτοῖς· ἀμυ-
νομένους δ᾽ ἀναλήψεσθαι καὶ τὰ οἰκήματα. ὁ
μὲν δὴ τοσάδε εἰπὼν καὶ ἀπειλήσας τοῖς ἐπι-
μένουσιν, εἰ φειδοῖ χωρίων ἢ κατασκευῆς ἀπο-
λελείψονται τῶν ὑπὲρ τῆς πατρίδος ἀγώνων,
ἐξῄει τῆς τε βουλῆς καὶ τῆς πόλεως αὐτίκα ἐς τὴν
ἐν Καπύῃ στρατιάν, καὶ οἱ ὕπατοι συνείποντο
αὐτῷ· τοὺς ἄλλους δ᾽ ἀπορία τε ἐς πολὺ κατεῖχε,
καὶ διενυκτέρευον ἐν τῷ βουλευτηρίῳ μετ᾽ ἀλλή-
λων. ἅμα δ᾽ ἡμέρᾳ τὸ πλέον ὅμως ἐξῄει καὶ
ἐδίωκε τὸν Πομπήιον.

VI

38. Ὁ δὲ Καῖσαρ ἐν Κορφινίῳ Λεύκιον Δο-
μίτιον τὸν ἐπιπεμφθέντα οἱ τῆς ἀρχῆς εἶναι διά-
δοχον καταλαβών, οὐ πάντας ἀμφ᾽ αὑτὸν ἔχοντα
τοὺς τετρακισχιλίους, ἐπολιόρκει· καὶ οἱ τὸ
Κορφίνιον οἰκοῦντες φεύγοντα τὸν Δομίτιον ἀμφὶ
τὰς πύλας καταλαβόντες τῷ Καίσαρι προσ-
ήγαγον. ὁ δὲ τὴν μὲν στρατιὰν αὐτοῦ προσ-
τιθεμένην οἱ προθύμως ἐδέχετο ἐς ἐρέθισμα τῶν
ἄλλων, Δομίτιον δ᾽ αὐτὸν ἀπαθῆ μετὰ τῶν ἑαυτοῦ
χρημάτων μεθῆκεν ὅποι βούλοιτο ἀπιέναι, ἐλ-
πίσας μὲν ἴσως διὰ τὴν εὐποιίαν παραμενεῖν, οὐ

ground with his foot and raise up from it the promised CHAP.
V
armies. "You can have them," replied Pompey, "if
you will follow me and not be horrified at the thought
of leaving Rome, and Italy also if need be. Places and
houses are not strength and freedom to men; but
men, wherever they may be, have these qualities
within themselves, and by defending themselves
will recover their homes also." After saying this
and threatening those who should remain behind
and desert their country's cause in order to save
their fields and their goods, he left the Senate and Pompey
departs to
the city immediately to take command of the army the army
at Capua
at Capua, and the consuls followed him. The other
senators remained undecided a long time and passed
the night together in the senate-house. At day-
break, however, most of them departed and hastened
after Pompey.

VI

38. At Corfinium Caesar came up with and be- CHAP.
VI
sieged Lucius Domitius, who had been sent to be his
successor in the command of Gaul, but who did not Caesar
captures
have all of his 4000 men with him. The inhabitants Corfinium
and Lucius
of Corfinium captured him at the gates, as he was Domitius
trying to escape, and brought him to Caesar. The
latter received the soldiers of Domitius, who offered
themselves to him, with kindness, in order to encour-
age others to join him, and he allowed Domitius to
go unharmed wherever he liked, and to take his own
money with him. He hoped perhaps that Domitius
would stay with him on account of this beneficence,

CAP.
VI

κωλύσας δ' ἐς Πομπήιον ἰόντα. γιγνομένων δὲ τούτων οὕτως ὀξέως, ὁ Πομπήιος ἐς Νουκερίαν ἐκ Καπύης καὶ ἐκ Νουκερίας ἐς Βρεντέσιον ἠπείγετο, ὡς τὸν Ἰόνιον διαβαλὼν ἐς Ἤπειρον καὶ τοῦ πολέμου τὴν παρασκευὴν συστήσων ἐν αὐτῇ. ἔθνεσί τε πᾶσι καὶ βασιλεῦσι καὶ πόλεσι καὶ στρατηγοῖς καὶ δυνάσταις ἔγραφε κατὰ σπουδήν, ὅ τι δύναιτο ἕκαστος, ἐς τὸν πόλεμον συμφέρειν. καὶ τάδε μὲν ἀθρόως ἐγίνετο, ὁ δ' ἴδιος αὐτοῦ Πομπηίου στρατὸς ἦν ἐν Ἰβηρίᾳ καὶ παρασκευῆς εἶχεν ὡς ὁρμήσων, ὅπῃ ποτ' ἂν αἱ χρεῖαι καλῶσιν.

39. Αὐτὸς δ' ὁ Πομπήιος τῶν ἀμφ' αὑτὸν ἤδη τελῶν τὰ μὲν ἔδωκε τοῖς ὑπάτοις προαπάγειν ἐς Ἤπειρον ἐκ Βρεντεσίου, καὶ διέπλευσαν οἵδε αὐτίκα ἀσφαλῶς ἐς Δυρράχιον· ἦν Ἐπίδαμνόν τινες εἶναι νομίζουσι διὰ τοιάνδε ἄγνοιαν. βασιλεὺς τῶν τῇδε βαρβάρων, Ἐπίδαμνος, πόλιν ᾤκισεν ἐπὶ θαλάσσης καὶ ἀφ' ἑαυτοῦ προσεῖπεν Ἐπίδαμνον. τούτου θυγατριδοῦς Δύρραχος, νομιζόμενος εἶναι Ποσειδῶνος, ἐπίνειον ᾤκισε τῇ πόλει καὶ Δυρράχιον ὠνόμασε. πολεμουμένῳ δ' ὑπὸ τῶν ἀδελφῶν τῷδε τῷ Δυρράχῳ συνεμάχησεν ὁ Ἡρακλῆς ἐπὶ μέρει τῆς γῆς, ἐξ Ἐρυθείας ἐπανιών· ὅθεν οἱ Δυρράχιοι τὸν Ἡρακλέα, ὡς μερίτην τῆς γῆς, οἰκιστὴν σφῶν τίθενται, οὐκ ἀρνούμενοι μὲν οὐδὲ τὸν Δύρραχον, φιλοτιμούμενοι δ' ὑπὲρ σφῶν ἐς τὸν Ἡρακλέα μᾶλλον ὡς ἐς θεόν. φασὶ δ' ἐν τῇ μάχῃ τῇδε Δυρράχου παῖδα Ἰόνιον ὑφ' Ἡρακλέους ἐξ ἀγνοίας ἀποθανεῖν καὶ τὸν Ἡρακλέα τὸ σῶμα θάψαντα ἐμβαλεῖν ἐς τὸ πέλαγος, ἵνα ἐπώνυμον αὐτοῦ γένοιτο. χρόνῳ δὲ

but he did not prevent him from joining Pompey.
While these transactions were taking place thus
swiftly, Pompey hastened from Capua to Nuceria and
thence to Brundusium in order to cross the Adriatic
to Epirus and complete his preparations for war there.
He wrote letters to all the provinces and the com-
manders thereof, to princes, kings, and cities to send
aid for carrying on the war with the greatest possible
speed, and this they did zealously. Pompey's own
army was in Spain ready to move wherever it might
be needed.

39. Pompey gave some of the legions he already
had in Italy to the consuls to be moved from
Brundusium to Epirus, and the consuls crossed safely
to Dyrrachium, which some persons, by reason of the
following error, consider the same as Epidamnus.
A barbarian king of the region, Epidamnus by name,
built a city on the sea-coast and named it after himself.
Dyrrachus, the son of his daughter and of Neptune
(as is supposed), added a dockyard to it which he
named Dyrrachium. When the brothers of this Dyr-
rachus made war against him, Hercules, who was
returning from Erythea, formed an alliance with him
for a part of his territory ; wherefore the men of
Dyrrachium claim Hercules as their founder because
he had a share of their land, not that they repudiate
Dyrrachus, but because they pride themselves on
Hercules even more as a god. In the battle which
took place it is said that Hercules killed Ionius,
the son of Dyrrachus, by mistake, and that after
raising a barrow he threw the body into the sea
in order that it might bear his name. At a later

τῆς τε χώρας καὶ πόλεως κατασχεῖν Βρίγας ἐκ
Φρυγῶν ἐπανελθόντας καὶ Ταυλαντίους ἐπ᾿ ἐκεί-
νοις, Ἰλλυρικὸν ἔθνος, ἐπὶ δὲ τοῖς Ταυλαντίοις
ἕτερον γένος Ἰλλυριῶν Λιβυρνούς, οἳ τὰ περίοικα
νηυσὶ ταχείαις ἐληίζοντο· καὶ Λιβυρνίδας ἐντεῦ-
θεν ἡγοῦνται Ῥωμαῖοι τὰς ναῦς τὰς ταχείας, ὧν
ἄρα πρῶτον ἐς πεῖραν ἦλθον. οἱ δ᾿ ἐκ τῶν
Λιβυρνῶν ἐξελαθέντες ἀπὸ τοῦ Δυρραχίου Κερκυ-
ραίους ἐπαγόμενοι θαλασσοκρατοῦντας ἐξέβαλον
τοὺς Λιβυρνούς· καὶ αὐτοῖς οἱ Κερκυραῖοι σφετέ-
ρους ἐγκατέμιξαν οἰκήτορας, ὅθεν Ἑλληνικὸν
εἶναι δοκεῖ τὸ ἐπίνειον. τὴν δ᾿ ἐπίκλησιν ὡς οὐκ
αἴσιον ἐναλλάξαντες οἱ Κερκυραῖοι καὶ τήνδε ἀπὸ
τῆς ἄνω πόλεως Ἐπίδαμνον ἐκάλουν, καὶ Θουκυ-
δίδης οὕτως ὠνόμαζεν· ἐκνικᾷ δ᾿ ὅμως τὸ ὄνομα,
καὶ Δυρράχιον κληίζεται.

40. Οἱ μὲν δὴ μετὰ τῶν ὑπάτων διεπεπλεύ-
κεσαν ἐς τὸ Δυρράχιον, ὁ δὲ Πομπήιος τὸν ὑπό-
λοιπον στρατὸν ἐς τὸ Βρεντέσιον ἀγαγὼν τάς τε
ναῦς ἀνέμενεν ἐπανελθεῖν, αἳ τοὺς ὑπάτους
διέφερον, καὶ τὸν Καίσαρα ἐπελθόντα ἀπὸ τῶν
τειχῶν ἠμύνετο τήν τε πόλιν διετάφρευε, μέχρι
καταπλεύσαντος αὐτῷ τοῦ στόλου περὶ δείλην
ἑσπέραν ἀπέπλευσε, τοὺς εὐτολμοτάτους ἐπὶ τῶν
τειχῶν ὑπολιπών· οἳ καὶ αὐτοὶ νυκτὸς ἐρχομένης
ἐξέπλεον οὐρίῳ πνεύματι.

Καὶ Πομπήιος μὲν ὧδε μετὰ τοῦ στρατοῦ
παντὸς ἐς Ἤπειρον ἐκλιπὼν τὴν Ἰταλίαν
διεπέρα· ὁ δὲ Καῖσαρ ἠπόρει μέν, ὅπῃ τρα-
πείη καὶ ὅθεν ἄρξαιτο τοῦ πολέμου, τὴν

period the Briges, returning from Phrygia, took
possession of the city and the surrounding coun-
try. They were supplanted by the Taulantii, an
Illyrian tribe, who were displaced in their turn by
the Liburnians, another Illyrian tribe, who were in
the habit of making piratical expeditions against
their neighbours with very swift ships. Hence the
Romans call swift ships *Liburnians* because these
were the first ones they came in conflict with. The
people who had been expelled from Dyrrachium by
the Liburnians procured the aid of the Corcyreans,
who then ruled the sea, and drove out the Liburnians.
The Corcyreans mingled their own colonists with
them and thus it came to be considered a Greek
port; but the Corcyreans changed its name, because
they considered it unpropitious, and called it
Epidamnus from the town just above it, and Thucy-
dides gives it that name also. Nevertheless, the former
name prevailed finally and it is now called
Dyrrachium.

40. A portion of Pompey's forces had crossed to
Dyrrachium with the consuls. Pompey led the
remainder to Brundusium, where he awaited the
return of the ships that had carried the others over.
Here Caesar advanced against him, and he defended
himself from behind the walls and dug trenches to
cut off the city until his fleet came back. Then he
took his departure in the early evening, leaving the
bravest of his troops on the walls. These also sailed
away after nightfall, with a favourable wind.

Thus Pompey and his whole army abandoned Italy
and passed over to Epirus. Caesar, seeing the
general drift of public opinion toward Pompey, was
at a loss which way to turn or from what point to

CAP.
VI
ὁρμὴν πανταχόθεν οὖσαν ἐς τὸν Πομπήιον
ὁρῶν, δείσας δὲ τοῦ Πομπηίου τὸν ἐν Ἰβηρίᾳ
στρατόν, πολύν τε ὄντα καὶ χρόνῳ γεγυμνα-
σμένον, μή οἱ διώκοντι τὸν Πομπήιον κατό-
πιν ἐπιγένοιτο, τόνδε μὲν αὐτὸς ἔγνω προκαθ-
ελεῖν ἐς Ἰβηρίαν ἐλάσας, τὴν δὲ δύναμιν ἐς πέντ'
ἐπιδιῄρει. καὶ τοὺς μὲν ἐν τῷ Βρεντεσίῳ, τοὺς
δ' ἐν Ὑδροῦντι κατέλιπε, τοὺς δ' ἐν Τάραντι,
φύλακας εἶναι τῆς Ἰταλίας. ἑτέρους δ' ἔπεμπεν
ἅμα Κοΐντῳ Οὐαλερίῳ, Σαρδὼ τὴν νῆσον κατα-
λαβεῖν πυροφοροῦσαν· καὶ κατέλαβον. Ἀσίνιός τε
Πολλίων ἐς Σικελίαν πεμφθείς, ἧς ἡγεῖτο Κάτων,
πυνθανομένῳ τῷ Κάτωνι, πότερα τῆς βουλῆς ἢ
τοῦ δήμου δόγμα φέρων ἐς ἀλλοτρίαν ἀρχὴν
ἐμβάλλοι, ὧδε ἀπεκρίνατο· "ὁ τῆς Ἰταλίας
κρατῶν ἐπὶ ταῦτά με ἔπεμψε."

Καὶ Κάτων μὲν τοσόνδε ἀποκρινάμενος, ὅτι
φειδοῖ τῶν ὑπηκόων οὐκ ἐνταῦθα αὐτὸν ἀμυνεῖται,
διέπλευσεν ἐς Κέρκυραν καὶ ἐκ Κερκύρας ἐς
Πομπήιον· 41. ὁ δὲ Καῖσαρ ἐς Ῥώμην ἐπειχθεὶς
τόν τε δῆμον, ἐκ μνήμης τῶν ἐπὶ Σύλλα καὶ Μαρίου
κακῶν πεφρικότα, ἐλπίσι καὶ ὑποσχέσεσι πολ-
λαῖς ἀνελάμβανε καὶ τοῖς ἐχθροῖς ἐνσημαινόμενος
φιλανθρωπίαν εἶπεν, ὅτι καὶ Λεύκιον Δομίτιον ἑλὼν
ἀπαθῆ μεθείη μετὰ τῶν χρημάτων· τὰ δὲ κλεῖθρα
τῶν δημοσίων ταμιείων ἐξέκοπτε καὶ τῶν δημάρ-
χων ἑνὶ Μετέλλῳ κωλύοντι θάνατον ἠπείλει. τῶν
τε ἀψαύστων ἐκίνει χρημάτων, ἅ φασιν ἐπὶ
Κελτοῖς πάλαι σὺν ἀρᾷ δημοσίᾳ τεθῆναι, μὴ
σαλεύειν ἐς μηδέν, εἰ μὴ Κελτικὸς πόλεμος ἐπίοι.

begin the war. As he had apprehensions of Pompey's CHAP.
VI army in Spain, which was large and well disciplined by long service (lest while he was pursuing Pompey it should fall upon his rear), he decided to march to Spain and destroy that army first. He now divided his forces into five parts, one of which he left at Brundusium, another at Hydrus, and another at Tarentum to guard Italy. Another he sent under command of Quintus Valerius to take possession of the grain-producing island of Sardinia, which was done. He sent Asinius Pollio to Sicily, which was then under the command of Cato. When Cato asked him whether he had brought the order of the Senate, or that of the people, to take possession of a government that had been assigned to another, Pollio replied, " The master of Italy has sent me on this business."

Cato answered that in order to spare the lives of those under his command he would not make resistance there. He then sailed away to Corcyra and from Corcyra to Pompey. 41. Caesar meanwhile hastened to Rome. He found the people shuddering with recollection of the horrors of Marius and Sulla, and he cheered them with the prospect and promise of clemency. In proof of his kindness to his enemies, he said that he had taken Lucius Domitius prisoner and allowed him to go away unharmed with his money. Nevertheless, he hewed down the bars of the Caesar takes public treasury, and when Metellus, one of the the money
from the tribunes, tried to prevent him from entering threatened public him with death. He took away money hitherto treasury untouched, which, they say, had been deposited there long ago, at the time of the Gallic invasion, with a public curse upon anybody who should take it out except in case of a war with the

CAP.
VI

ὁ δὲ ἔφη Κελτοὺς αὐτὸς ἐς τὸ ἀσφαλέστατον
ἑλὼν λελυκέναι τῇ πόλει τὴν ἀράν. Λέπιδον δὲ
Αἰμίλιον ἐφίστη τῇ πόλει καὶ τὸν δήμαρχον
Μᾶρκον Ἀντώνιον τῇ Ἰταλίᾳ καὶ τῷ περὶ αὐτὴν
στρατῷ. ἔς τε τὰ ἔξω Κουρίωνα μὲν ἀντὶ
Κάτωνος ᾑρεῖτο ἡγεῖσθαι Σικελίας, Κόιντον
δὲ Σαρδοῦς, καὶ ἐς τὴν Ἰλλυρίδα Γάιον
Ἀντώνιον ἔπεμπε καὶ τὴν ἐντὸς Ἄλπεων Γαλα-
τίαν ἐπέτρεπε Λικινίῳ Κράσσῳ. ἐκέλευσε δὲ
καὶ νεῶν στόλους δύο γίγνεσθαι κατὰ σπουδήν,
ἀμφί τε τὸν Ἰόνιον καὶ περὶ τὴν Τυρρηνίαν· καὶ
ναυάρχους αὐτοῖς ἔτι γιγνομένοις ἐπέστησεν
Ὀρτήσιόν τε καὶ Δολοβέλλαν.

42. Οὕτω κρατυνάμενος ὁ Καῖσαρ ἄβατον
Πομπηίῳ γενέσθαι τὴν Ἰταλίαν ἐς Ἰβηρίαν ᾔει,
ἔνθα Πετρηίῳ καὶ Ἀφρανίῳ τοῖς Πομπηίου
στρατηγοῖς συμβαλὼν ἧττον αὐτῶν ἐφέρετο τά
γε πρῶτα, μετὰ δὲ ἀγχωμάλως ἀλλήλοις ἐπολέ-
μουν ἀμφὶ πόλιν Ἰλέρτην. καὶ στρατοπεδεύων
ὁ Καῖσαρ ἐπὶ κρημνῶν ἐσιτολόγει διὰ γεφύρας
τοῦ Σικόριος ποταμοῦ. χειμάρρου δ᾽ ἄφνω τὴν
γέφυραν καταβαλόντος, ἀνδρῶν τε πλῆθος ἀπο-
ληφθὲν ἐν τῇ περαίᾳ διέφθειραν οἱ περὶ τὸν
Πετρήιον, καὶ ὁ Καῖσαρ αὐτὸς ἐμόχθει μετὰ τοῦ
ἄλλου στρατοῦ πάνυ καρτερῶς ὑπό τε δυσχωρίας
καὶ ὑπὸ λιμοῦ καὶ χειμῶνος ἤδη καὶ πολεμίων·
οὐδέν τε ἀλλ᾽ ἢ πολιορκίας ἔργον ἦν, μέχρι θέρους
ἐπελθόντος ὁ μὲν Ἀφράνιος καὶ ὁ Πετρήιος ἐς τὴν
ἐντὸς Ἰβηρίαν ἐχώρουν ἕτερον στρατὸν ἀθροί-
σοντες. καὶ ὁ Καῖσαρ ἀεὶ προλαμβάνων διετά-
φρευε τὰς παρόδους καὶ ἐκώλυεν ἐς τὸ πρόσθεν
ἰέναι καί τι καὶ μέρος αὐτῶν, προπεμπόμενον ἐς

Gauls. Caesar said that he had subjugated the
Gauls completely and thus released the common-wealth from the curse. He then placed Aemilius Lepidus in charge of the city, and the tribune, Marcus Antonius, in charge of Italy and of the army guarding it. Outside of Italy he chose Curio to take command of Sicily in place of Cato, and Quintus Valerius for Sardinia. He sent Gaius Antonius to Illyria and entrusted Cisalpine Gaul to Licinius Crassus. He ordered the building of two fleets with all speed, one in the Adriatic and the other in the Tyrrhenian sea, and appointed Hortensius and Dolabella their admirals while they were still under construction.

42. Having prevailed so far as to make Italy inaccessible to Pompey, Caesar went to Spain, where he encountered Petreius and Afranius, Pompey's lieutenants, and was worsted by them at first and afterward had an indecisive engagement with them near the town of Ilerta. He pitched his camp on some high ground and obtained his supplies by means of a bridge across the river Sicoris. Suddenly a spate carried way his bridge and cut off a great number of his men on the opposite side, who were destroyed by the forces of Petreius. Caesar himself, with the rest of his army, suffered very severely from the difficulty of the site, from hunger, from the weather, and from the enemy, his situation being in no wise different from that of a siege. Finally, on the approach of summer, Afranius and Petreius withdrew to the interior of Spain to recruit more soldiers, but Caesar continually anticipated them, blocked their passage, and prevented their advance. He also surrounded one of their divisions

CAP.
VI
στρατοπέδου κατάληψιν, ἐκυκλώσατο. οἱ δὲ ἐπέ-
θεσαν ταῖς κεφαλαῖς τὰς ἀσπίδας, ὅπερ ἐστὶ
σύμβολον ἑαυτοὺς παραδιδόντων. καὶ ὁ Καῖσαρ
οὔτε συνέλαβεν οὔτε κατηκόντισεν, ἀλλὰ μεθῆκεν
ἀπαθεῖς ἐς τοὺς περὶ τὸν Ἀφράνιον ἀπιέναι,
δημοκοπῶν ἐς τοὺς πολεμίους πανταχοῦ. ὅθεν
ἐν ταῖς στρατοπεδείαις ἐπιμιξίαι τε εἰς ἀλλήλους
ἐγίγνοντο συνεχεῖς καὶ λόγοι περὶ συμβάσεων
κατὰ τὸ πλῆθος.

43. Ἤδη δὲ καὶ τῶν ἡγεμόνων Ἀφρανίῳ μὲν καὶ
ἑτέροις ἐδόκει τῆς Ἰβηρίας ἐκστῆναι Καίσαρι καὶ
ἀπαθεῖς ἐς Πομπήιον ἀπιέναι, Πετρήιος δὲ ἀντέ-
λεγε καὶ περιθέων ἀνὰ τὸ στρατόπεδον ἔκτεινεν,
ὅσους εὑρίσκοι κατὰ τὴν ἐπιμιξίαν τῶν Καίσαρος,
τῶν τε ἰδίων ἡγεμόνων ἐνιστάμενόν τινα αὐτοχειρὶ
διεχρήσατο· ἐξ ὧν ἔτι μᾶλλον ἀχθόμενοι τῷ σκυ-
θρωπῷ τοῦ Πετρηίου, ἐς τὸ φιλάνθρωπον τοῦ
Καίσαρος ἐτρέποντο ταῖς γνώμαις. ἐπεὶ δέ που
καὶ τὴν ὑδρείαν αὐτῶν προύλαβεν ὁ Καῖσαρ, ἐν
ἀμηχάνῳ γενόμενος ὁ Πετρήιος ἐς λόγους τῷ
Καίσαρι συνῄει μετὰ Ἀφρανίου, ἐφορώντων αὐ-
τοὺς τῶν στρατῶν ἑκατέρωθεν. καὶ συνέβησαν ὁ
μὲν ἐκστῆναι τῆς Ἰβηρίας τῷ Καίσαρι, ὁ δὲ
Καῖσαρ αὐτοὺς ἀπαθεῖς ἐπὶ τὸν Οὐᾶρον ποταμὸν
διαγαγεῖν καὶ ἀπὸ τοῦδε χωροῦντας ἐς Πομπήιον
ἐᾶν. γενόμενος δ' ὁ Καῖσαρ ἐπὶ τοῦδε τοῦ ποτα-
μοῦ συνήγαγεν αὐτῶν ἐς ἐπήκοον, ὅσοι ἦσαν ἔκ τε
Ῥώμης καὶ Ἰταλίας, καὶ ἐδημηγόρησεν ὧδε·
" ὑμῶν, ὦ πολέμιοι (τῷδε γὰρ ἔτι τῷ ῥήματι
χρώμενος ἐναργεστέραν ὑμῖν τὴν ἐμαυτοῦ γνώμην
ποιήσω), οὔτε τοὺς προπεμφθέντας ἐς τὴν κατά-
ληψιν τοῦ στρατοπέδου, οἳ σφᾶς ἐμοὶ παρέδοσαν,

that had been sent forward to capture his camp.
They raised their shields over their heads in token of
surrender, but Caesar neither captured nor slaughtered
them, but allowed them to go back to Afranius
unharmed, after his usual manner of winning the
favour of his enemies. Hence it came to pass that
there was continual intercourse between the camps
and talk of reconciliation among the rank and file.

43. To Afranius and some of the other officers it
now seemed best to abandon Spain to Caesar, provided
they could go unharmed to Pompey. Petreius
opposed this and ran through the camp killing those
of Caesar's men whom he found holding communica-
tion with his own. He even slew with his own hand
one of his officers who tried to restrain him. Moved
by these acts of severity on the part of Petreius, the
minds of the soldiers were still more attracted to the
clemency of Caesar. Soon afterward Caesar managed
to cut off the enemy's access to water, and Petreius
was compelled by necessity to come with Afranius to
a conference with Caesar between the two armies.
Here it was agreed that they should abandon Spain
to Caesar, and that he should conduct them unharmed
to the other side of the river Varus and allow them
to proceed thence to Pompey. Arrived at this stream,
Caesar called a meeting of all those who were from
Rome or Italy and addressed them as follows : " My
enemies (for by still using this term I shall make my
meaning clearer to you), I did not destroy those of
you who surrendered to me when you had been

CAP.
VI
διέφθειρα οὔτε τὸν ἄλλον ὑμῶν στρατόν, λαβὼν τὰ ὑδρεύματα, Πετρηίου ἐκ τῶν ἐμῶν τοὺς ὑπὲρ τὸν Σίκοριν ποταμὸν ἀποληφθέντας προανελόντος. εἰ δή τις ἔστι μοι παρ' ὑμῶν ὑπὲρ τούτων χάρις, φράζετε αὐτὰ τοῖς Πομπηίου στρατιώταις ἅπασι." τοσάδε εἰπὼν τοὺς μὲν ἀπέλυεν ἀπαθεῖς, αὐτὸς δὲ τῆς Ἰβηρίας ἀπέφαινεν ἡγεῖσθαι Κάσσιον Κόιντον.

VII

CAP.
VII
Καὶ τάδε μὲν ἦν ἀμφὶ τὸν Καίσαρα· 44. Λιβύης δὲ Οὐᾶρος Ἄττιος ἐστρατήγει τῷ Πομπηίῳ, καὶ Ἰόβας ὁ τῶν Μαυρουσίων Νομάδων βασιλεὺς τῷ Οὐάρῳ συνεμάχει, Κουρίων δ' ὑπὲρ Καίσαρος αὐτοῖς ἐκ Σικελίας ἐπέπλει δύο τέλεσι στρατοῦ καὶ ναυσὶ δυώδεκα μακραῖς καὶ ὁλκάσι πολλαῖς. Ἰτύκῃ δὲ προσσχὼν ἐν μέν τινι βραχείᾳ περὶ αὐτὴν ἱππομαχίᾳ τρέπεταί τινας τῶν Νομάδων ἱππέας καὶ ὑπὸ τῆς στρατιᾶς ἐν τοῖς ὅπλοις ἔτι οὔσης αὐτοκράτωρ ὑπέστη προσαγορευθῆναι. ἔστι δὲ τιμὴ τοῖς στρατηγοῖς τόδε τὸ προσαγόρευμα παρὰ τῶν στρατῶν, καθάπερ αὐτοῖς ἐπιμαρτυρούντων ἀξίως σφῶν αὐτοκράτορας εἶναι· καὶ τήνδε τὴν τιμὴν οἱ στρατηγοὶ πάλαι μὲν ἐπὶ πᾶσι τοῖς μεγίστοις ἔργοις προσίεντο, νῦν δ' ὅρον εἶναι τῇδε τῇ εὐφημίᾳ πυνθάνομαι τὸ μυρίους πεσεῖν. ἔτι δὲ τοῦ Κουρίωνος ἐπὶ πλέοντος ἐκ Σικελίας, οἱ ἐν τῇ Λιβύῃ. νομίσαντες αὐτὸν διὰ δοξοκοπίαν ἀμφὶ τὸν χάρακα τὸν Σκιπίωνος κατὰ δόξαν τῆς ἐκείνου μεγαλουργίας στρατο-

sent to seize my camp, nor the rest of your army CHAP.
VI
when I had cut you off from water, although Petreius
had previously slaughtered those of my men who
were intercepted on the other side of the river Sicoris.
If there is any gratitude among you for these favours
tell them to all of Pompey's soldiers." After speaking
thus he dismissed them uninjured, and he appointed
Quintus Cassius governor of Spain.

VII

THESE were the operations of Caesar. 44. Mean- CHAP.
VII
while in Africa Attius Varus commanded the Pom-
peian forces, and Juba, king of the Numidians, was
in alliance with him. Curio sailed from Sicily against
them in behalf of Caesar with two legions, twelve
war vessels, and a number of ships of burden. He Campaign
of Curio
in Africa
landed at Utica and put to flight a body of Numidian
horse in a small cavalry engagement near that place,
and allowed himself to be saluted as Imperator by
the soldiers with their arms still in their hands. This
title is an honour conferred upon generals by their
soldiers, who thus testify that they consider them
worthy to be their commanders. In the olden times
the generals accepted this honour only for the
greatest exploits. At present I understand that the
distinction is limited to cases where at least 10,000
of the enemy have been killed. While Curio was
crossing from Sicily the inhabitants of Africa, thinking
that, in emulation of the glory of Scipio, he would
establish his quarters near the camp of the latter,

πεδεύσειν, τὸ ὕδωρ ἐφάρμαξαν. καὶ ἐλπίδος οὐ
διήμαρτον· ὅ τε γὰρ Κουρίων ἐστάθμευσεν ἐν-
ταῦθα, καὶ ὁ στρατὸς εὐθὺς ἐνόσει, πιοῦσί τε τὸ
βλέμμα ἀμαυρὸν ἦν ὥσπερ ἐν ὁμίχλῃ, καὶ ὕπνος
ἐπεγίγνετο σὺν κάρῳ, μετὰ δ' αὐτὸν ἔμετοι τροφῆς
ποικίλοι καὶ σπασμὸς ὅλου τοῦ σώματος. ὧν δὴ
χάριν ὁ Κουρίων παρ' αὐτὴν Ἰτύκην μετεστρατο-
πέδευε, δι' ἕλους ἰσχυροῦ τε καὶ μακροῦ τὸν
στρατόν, ἀσθενῆ διὰ τὴν ἀρρωστίαν γεγονότα,
ἄγων. ὡς δέ σφισιν ἡ νίκη Καίσαρος ἡ περὶ τὴν
Ἰβηρίαν ἀπηγγέλθη, ἀνεθάρρησάν τε καὶ παρετά-
ξαντο παρὰ τὴν θάλασσαν ἐν βραχεῖ χωρίῳ.
μάχης δὲ καρτερᾶς γενομένης Κουρίωνος μὲν εἷς
ἀνὴρ ἔπεσεν, Οὐάρου δὲ ἑξακόσιοι, καὶ κατετρώ-
θησαν ἔτι πλείονες.

45. Ἰόβα δ' ἐπιόντος δόξα ψευδὴς προεπή-
δησεν, ἀμφὶ τὸν Βαγράδαν ποταμὸν οὐ πολὺ
διεστῶτα ὑπεστροφέναι τὸν Ἰόβαν, πορθουμένης
αὐτῷ τῆς ἀρχῆς ὑπὸ τῶν γειτόνων, Σαβούρραν
στρατηγὸν σὺν ὀλίγοις ἐπὶ τοῦ ποταμοῦ καταλι-
πόντα. καὶ τῷδε τῷ λόγῳ πίσυνος ὁ Κουρίων
θέρους θερμοῦ περὶ τρίτην ὥραν ἡμέρας ἦγε τὸ
κράτιστον τῆς στρατιᾶς ἐπὶ τὸν Σαβούρραν, ὁδὸν
ψαμμώδη καὶ ἄνυδρον· εἰ γάρ τι καὶ νᾶμα
χειμέριον ἦν, ἐξήραντο ὑπὸ τῆς φλογὸς τοῦ ἡλίου,
καὶ ὁ ποταμὸς ὑπό τε Σαβούρρα καὶ ὑπ' αὐτοῦ
παρόντος κατείχετο τοῦ βασιλέως. σφαλεὶς οὖν
τῆς ἐλπίδος ὁ Κουρίων ἐς λόφους ἀνέδραμεν ὑπό
τε καμάτου καὶ πνίγους καὶ δίψης ἐνοχλούμενος.
ὡς δὲ αὐτὸν κατεῖδον οὕτως ἔχοντα οἱ πολέμιοι,
τὸν ποταμὸν ἐπέρων ἐς μάχην ἐσκευασμένοι· καὶ ὁ
Κουρίων κατέβαινεν ἀφρόνως μάλα καὶ κατα-

poisoned the water in the neighbourhood. Their expectation was fulfilled. Curio encamped there and his army immediately fell sick. When they drank the water their eyesight became dim as in a mist, and sleep with torpor ensued, and after that frequent vomiting and spasms of the whole body. For this reason Curio changed his camp to the neighbourhood of Utica itself, leading his enfeebled army through an extensive marshy region. But when they received the news of Caesar's victory in Spain they took courage and put themselves in order of battle in a narrow space along the seashore. Here a severe battle was fought in which Curio lost only one man, while Varus lost 600 killed, besides a still larger number wounded.

45. Meantime, while Juba was advancing, a false report preceded him, that he had turned back at the river Bagradas, which was not far distant, because his kingdom had been invaded by his neighbours, and that he had left Saburra, his general, with a small force at the river. Curio believed this report and about the third hour of a hot summer day led the greater part of his army against Saburra by a sandy road destitute of water; for even if there were any streams there in winter they were dried up by the heat of the sun. He found the river in possession of Saburra and of the king himself. Disappointed in his expectation Curio retreated to some hills, oppressed by fatigue, heat, and thirst. When the enemy beheld him in this condition they crossed the river prepared for fight. Curio despised the danger and very imprudently led his enfeebled army down to the plain,

CAP.
VII

φρονητικῶς, ἀσθενῆ τὸν στρατὸν ἄγων. κυκλω-
σαμένων δ' αὐτὸν τῶν Νομάδων ἱππέων ἐπὶ μέν
τινα χρόνον ὑπεχώρει καὶ ἐς βραχὺ συνεστέλλετο,
ἐνοχλούμενος δὲ ἀνέφευγεν αὖθις ἐς τοὺς λόφους.
Ἀσίνιος μὲν δὴ Πολλίων ἀρχομένου τοῦ κακοῦ
διέφυγεν ἐπὶ τὸ ἐν Ἰτύκῃ στρατόπεδον σὺν
ὀλίγοις, μή τις ἐξ Οὐάρου γένοιτο πρὸς τὴν δόξαν
τῆς ἐνταῦθα κακοπραγίας ἐπίθεσις· Κουρίων δὲ
φιλοκινδύνως μαχόμενος σὺν ἅπασι τοῖς παροῦσιν
ἔπεσεν, ὡς ἐπὶ τῷ Πολλίωνι μηδένα ἄλλον
ἐπανελθεῖν ἐς Ἰτύκην.

46. Τοιοῦτο μὲν δὴ τὸ τέλος τῆς ἀμφὶ τὸν
Βαγράδαν ποταμὸν μάχης ἐγένετο, καὶ ἡ κεφαλὴ
τοῦ Κουρίωνος ἀποτμηθεῖσα ἐς Ἰόβαν ἐφέρετο· ἐν
δὲ τῷ περὶ τὴν Ἰτύκην στρατοπέδῳ τοῦ κακοῦ
φανεροῦ γενομένου, Φλάμμας μὲν ὁ ναύαρχος
αὐτίκα ἔφευγεν αὐτῷ στόλῳ, πρίν τινα τῶν ἐπὶ
τῆς γῆς ἀναλαβεῖν, Ἀσίνιος δ' ἐς τοὺς παρορ-
μοῦντας ἐμπόρους ἀκατίῳ διαπλεύσας ἐδεῖτο
αὐτῶν ἐπιπλεῦσαί τε καὶ τὸν στρατὸν ἀναλαβεῖν.
καί τινες ἐς τοῦτο νυκτὸς ἐπέπλευσαν, ἀθρόων δ'
ἐσβαινόντων ἐκείνων τά τε σκάφη κατεδύετο, καὶ
τῶν ἀναχθέντων οἱ ἔμποροι τοὺς πολλοὺς χρήματα
φέροντας ἕνεκα τῶν χρημάτων ἐς τὴν θάλασσαν
ἐρρίπτουν. καὶ τάδε μὲν ἦν ἀμφὶ τοὺς ἀναχθέντας,
ἕτερα δ' ἐν τῇ γῇ, νυκτὸς ἔτι, περὶ τοὺς ὑπολειφ-
θέντας ἐγίγνετο ὅμοια. καὶ μεθ' ἡμέραν οἱ μὲν
τῷ Οὐάρῳ σφᾶς παρέδοσαν, ὁ δὲ Ἰόβας ἐπελθὼν
περιέστησεν αὐτοὺς περὶ τὸ τεῖχος καὶ ὡς λείψανα
τῆς ἑαυτοῦ νίκης κατηκόντισεν, οὐδέν τι φροντίσας
οὐδὲ Οὐάρου παρακαλοῦντος. οὕτω μὲν δὴ τὰ
σὺν Κουρίωνι ἐς Λιβύην ἐπιπλεύσαντα Ῥωμαίων

where he was surrounded by the Numidian horse.
Here for some time he sustained the attack by retir-
ing slowly and drawing his men together into a
small space, but being much distressed he retreated
again to the hills. Asinius Pollio, at the beginning
of the trouble, had retreated with a small force to
the camp at Utica lest Varus should make an attack
upon it as soon as he should hear the news of the
disaster at the river. Curio perished fighting bravely,
together with all his men, not one returning to Utica
to join Pollio.

46. Such was the result of the battle at the river
Bagradas. Curio's head was cut off and carried to
Juba. As soon as the news of this disaster reached
the camp at Utica, Flamma, the admiral, fled, fleet
and all, not taking a single one of the land forces on
board, but Pollio rowed out in a small boat to the
merchant ships that were lying at anchor near by
and besought them to come to the shore and take
the army on board. Some of them did so by night,
but the soldiers came aboard in such crowds that
some of the small boats were sunk. Of those who
were carried out to sea, and who had money with
them, many were thrown overboard by the merchants
for the sake of the money. So much for those who
put to sea, but similar calamities, while it was still
night, befell those who remained on shore. At day-
break they surrendered themselves to Varus, but Juba
came up and, having collected them under the walls,
put them all to the sword, claiming that they were
the remainder of his victory, and paying no attention
to the remonstrances of even Varus himself. Thus
the two Roman legions that sailed to Africa with

CAP.
VII
δύο τέλη διώλετο ἅπαντα καὶ ὅσοι μετ᾽ αὐτῶν
ἦσαν ἱππέες τε καὶ ψιλοὶ καὶ ὑπηρέται τοῦ
στρατοῦ· Ἰόβας δ᾽ ἐς τὰ οἰκεῖα ἀνέστρεφε,
μέγιστον ἔργον τόδε Πομπηΐῳ καταλογιζόμενος.

47. Καὶ τῶν αὐτῶν ἡμερῶν Ἀντώνιός τε περὶ
τὴν Ἰλλυρίδα ἡττᾶτο ὑπὸ Ὀκταουίου κατὰ Δολο-
βέλλα Πομπηΐῳ στρατηγοῦντος, καὶ στρατιὰ
Καίσαρος ἄλλη περὶ Πλακεντίαν στασιάσασα
τῶν ἀρχόντων κατεβόησεν, ὡς ἔν τε τῇ στρατείᾳ
βραδύνοντες καὶ τὰς πέντε μνᾶς οὐ λαβόντες, ἥν
τινα δωρεὰν αὐτοῖς ὁ Καῖσαρ ἔτι περὶ Βρεντέσιον
ὑπέσχητο. ὧν ὁ Καῖσαρ πυθόμενος ἐκ Μασ-
σαλίας ἐς Πλακεντίαν ἠπείγετο συντόμως καὶ ἐς
ἔτι στασιάζοντας ἐπελθὼν ἔλεγεν ὧδε· "τάχει
μὲν ὅσῳ περὶ ἕκαστα χρῶμαι, σύνιστέ μοι·
βραδύνει δ᾽ ὁ πόλεμος οὐ δι᾽ ἡμᾶς, ἀλλὰ διὰ τοὺς
πολεμίους ὑποφεύγοντας ἡμᾶς. ὑμεῖς δ᾽ ἔν τε
Γαλατίᾳ πολλὰ τῆς ἐμῆς ἀρχῆς ὀνάμενοι καὶ ἐς
τόνδε τὸν πόλεμον ὅλον, οὐκ ἐς μέρος αὐτοῦ μοι
συνομόσαντες ἐν μέσοις ἔργοις ἡμᾶς ἀπολείπετε
καὶ τοῖς ἄρχουσιν ἐπανίστασθε καὶ προστάττειν
ἀξιοῦτε, παρ᾽ ὧν χρὴ προστάγματα λαμβάνειν.
μαρτυράμενος οὖν ἐμαυτὸν τῆς ἐς ὑμᾶς μέχρι δεῦρο
φιλοτιμίας χρήσομαι τῷ πατρίῳ νόμῳ καὶ τοῦ
ἐνάτου τέλους, ἐπειδὴ μάλιστα τῆς στάσεως
κατῆρξε, τὸ δέκατον διακληρώσω θανεῖν." θρήνου
δὲ ἀθρόως ἐξ ἅπαντος τοῦ τέλους γενομένου, οἱ
μὲν ἄρχοντες αὐτοῦ προσπεσόντες ἱκέτευον, ὁ δὲ
Καῖσαρ μόλις τε καὶ κατ᾽ ὀλίγον ἐνδιδοὺς ἐς
τοσοῦτον ὅμως ὑφῆκεν, ὡς ἑκατὸν καὶ εἴκοσι
μόνους, οἳ κατάρξαι μάλιστα ἐδόκουν, διακληρω-

Curio were totally destroyed, together with the cavalry, the light-armed troops, and the servants belonging to the army. Juba, after vaunting his great exploit to Pompey, returned home.

47. About this time Antonius was defeated in Illyria by Pompey's lieutenant against Dolabella,[1] Octavius, and another army of Caesar mutinied at Placentia, crying out against their officers for prolonging the war and not paying them the five minae that Caesar had promised them as a donative while they were still at Brundusium. When Caesar heard of this he flew from Massilia to Placentia and coming before the soldiers, who were still in a state of mutiny, addressed them as follows: "You know what kind of speed I use in everything I undertake. This war is not prolonged by us, but by the enemy, who keep retiring from us. You reaped great advantages from my command in Gaul, and you took an oath to me for the whole of this war and not for a part only; and now you abandon us in the midst of our labours, you revolt against your officers, you propose to give orders to those from whom you are bound to receive orders. Being myself the witness of my liberality to you heretofore I shall now execute the law of our country by decimating the ninth legion, where this mutiny began." Straightway a cry went up from the whole legion, and the officers threw themselves at Caesar's feet in supplication. Caesar yielded little by little and so far remitted the punishment as to designate 120 only (who seemed to have been the leaders

---

[1] The Greek text is conjectural.

σαι καὶ δυώδεκα αὐτῶν τοὺς λαχόντας ἀνελεῖν.
τῶν δὲ δυώδεκα τῶνδε ἐφάνη τις οὐδ' ἐπιδημῶν,
ὅτε ἡ στάσις ἐγίγνετο· καὶ ὁ Καῖσαρ τὸν ἐμφή-
ναντα λοχαγὸν ἔκτεινεν ἀντ' αὐτοῦ.

48. Ἡ μὲν δὴ περὶ Πλακεντίαν στάσις οὕτως
ἐλέλυτο, ὁ δὲ Καῖσαρ ἐς Ῥώμην παρῆλθε, καὶ
αὐτὸν ὁ δῆμος πεφρικὼς ᾑρεῖτο δικτάτορα,
οὔτε τι τῆς βουλῆς ψηφιζομένης οὔτε προχειρο-
τονοῦντος ἄρχοντος. ὁ δέ, εἴτε παραιτησάμενος
τὴν ἀρχὴν ὡς ἐπίφθονον εἴτε οὐ χρῄζων, ἄρξας
ἐπὶ ἕνδεκα μόνας ἡμέρας (ὧδε γὰρ τισι δοκεῖ)
ὑπάτους ἐς τὸ μέλλον ἀπέφηνεν ἑαυτόν τε καὶ
Πούπλιον Ἰσαυρικόν. ἡγεμόνας τε ἐς τὰ ἔθνη
περιέπεμπεν ἢ ἐνήλλαττεν, ἐφ' ἑαυτοῦ καταλέγων.
ἐς μὲν Ἰβηρίαν Μάρκον Λέπιδον, ἐς δὲ Σικελίαν
Αὖλον Ἀλβῖνον, ἐς δὲ Σαρδὼ Σέξτον Πεδου-
καῖον, ἐς δὲ τὴν νεόληπτον Γαλατίαν Δέκμον
Βροῦτον. τῷ δὲ δήμῳ λιμώττοντι σῖτον ἐπέδωκε
καὶ τοὺς φυγάδας δεομένῳ καταγαγεῖν συνεχώ-
ρησε, χωρὶς Μίλωνος. αἰτοῦσι δ' αὐτοῖς καὶ
χρεῶν ἀποκοπὰς διά τε πολέμους καὶ στάσεις καὶ
τὴν ἐκ τῶνδε τοῖς πιπρασκομένοις ἐποῦσαν εὐων-
ίαν, τὰς μὲν ἀποκοπὰς οὐκ ἔδωκε, τιμητὰς δὲ τῶν
ὠνίων ἀπέφηνεν, ὧν ἔδει τοὺς χρήστας τοῖς
δανείσασιν ἀντὶ τῶν χρημάτων διδόναι. καὶ τάδε
πράξας περὶ χειμερίους τροπὰς περιέπεμπε τὸν
στρατὸν ἀπαντᾶν ἐς τὸ Βρεντέσιον αὐτός τε ἐξῄει
Δεκεμβρίου μηνὸς Ῥωμαίοις ὄντος, οὐκ ἀναμείνας
οὐδὲ τῆς ἀρχῆς ἕνεκα τὴν νουμηνίαν τοῦ ἔτους
πλησιάζουσαν. ὁ δὲ δῆμος εἵπετο παρακαλῶν
συμβῆναι Πομπηίῳ· οὐ γὰρ ἄδηλον ἦν ἐς μοναρ-
χίαν τὸν νικῶντα τρέψεσθαι.

of the revolt), and chose twelve of these by lot to be put to death. One of the twelve proved that he was absent when the conspiracy was formed, and Caesar put to death in his stead the centurion who had accused him.

48. After thus quelling the mutiny at Placentia Caesar proceeded to Rome, where the trembling people chose him dictator without any decree of the Senate and without the intervention of a magistrate. But he, either deprecating the office as likely to prove invidious or not desiring it, after holding it only eleven days (as some say) designated himself and Publius Isauricus as consuls. He appointed or changed the governors of provinces according to his own pleasure. He assigned Marcus Lepidus to Spain, Aulus Albinus to Sicily, Sextus Peducaeus to Sardinia, and Decimus Brutus to the newly acquired Gaul. He distributed corn to the starving people and at their petition he allowed the return of all exiles except Milo. When he was asked to decree an abolition of debts, on the ground that the wars and seditions had caused a fall of prices, he refused it, but appointed appraisers of saleable goods which debtors might give to their creditors instead of money. When this had been done, about the winter solstice, he sent for his whole army to rendezvous at Brundusium and he himself took his departure in the month of December, according to the Roman calendar, not waiting for the beginning of his consulship on the calends of the new year, which was close at hand. The people followed him to the city gates, urging him to come to an arrangement with Pompey, for it was evident that whichever of the two should conquer would assume sovereign power.

VIII

49. Καὶ ὁ μὲν ὤδευεν οὐδὲν ἐλλείπων δυνατῆς ἐπείξεως, ὁ δὲ Πομπήιος πάντα τὸν χρόνον τόνδε ναῦς ἐποιεῖτο καὶ στρατὸν αἰεὶ πλείονα καὶ χρήματα συνῆγε καὶ τὰς ἐν τῷ Ἰονίῳ Καίσαρος τεσσαράκοντα ναῦς ἑλὼν ἐφύλασσεν αὐτοῦ τὸν διάπλουν τόν τε στρατὸν ἐγύμναζε, συντρέχων καὶ συνιππεύων καὶ παντὸς ἐξάρχων πόνου παρ' ἡλικίαν· ὅθεν αὐτῷ ῥᾳδίως εὔνοιά τε ἦν, καὶ συνέθεον ἐπὶ τὰ γυμνάσια Πομπηίου πάντες ὡς ἐπὶ θέαν. ἦν δ' ἐς τότε Καίσαρι μὲν δέκα τέλη πεζῶν καὶ Κελτῶν ἱππέες μύριοι, Πομπηίῳ δὲ πέντε μὲν ἐξ Ἰταλίας, μεθ' ὧν τὸν Ἰόνιον διεπεπλεύκει, καὶ τούτοις ὅσοι συνετάσσοντο ἱππέες, ἐκ δὲ Παρθυαίων δύο, τῶν σὺν Κράσσῳ πεπολεμηκότων τὰ ὑπόλοιπα, ... καί τι μέρος ἄλλο τῶν ἐς Αἴγυπτον ἐσβαλόντων μετὰ Γαβινίου, σύμπαντα ἀνδρῶν Ἰταλῶν ἕνδεκα τέλη καὶ ἱππέες ἀμφὶ τοὺς ἑπτακισχιλίους. σύμμαχοι δ' ἐξ Ἰωνίας τε καὶ Μακεδονίας καὶ Πελοποννήσου καὶ Βοιωτίας τοξόται τε Κρῆτες καὶ σφενδονῆται Θρᾷκες καὶ ὅσοι περὶ τὸν Πόντον βέλεσι χρῶνται, ἱππέες τέ τινες Κελτῶν καὶ ἐκ Γαλατίας ἕτεροι τῆς ἑῴας Κομμαγηνοί τε ὑπ' Ἀντιόχου πεμφθέντες καὶ Κίλικες καὶ Καππαδόκαι καὶ ἐκ τῆς βραχυτέρας Ἀρμενίας τινὲς καὶ Παμφύλιοι καὶ Πισίδαι. ὧν οὐχ ἅπασιν ἐς μάχας, ἀλλ' ἐς φρούρια καὶ ταφρείας καὶ τὴν ἄλλην τοῦ Ἰταλικοῦ στρατοῦ χρῆσθαι διενοεῖτο, ἵνα μηδένα τῶν Ἰταλῶν τοῦ

VIII

49. CAESAR departed on his journey and travelled with all possible speed, but in the meantime Pompey was using all diligence to build ships and collect additional forces of men and money. He captured forty of Caesar's ships in the Adriatic and guarded against his crossing. He disciplined his army and took part in the exercises of both infantry and cavalry, and was foremost in everything, notwithstanding his age. In this way he readily gained the good-will of his soldiers; and the people flocked to see Pompey's military drills as to a spectacle. Caesar at that time had ten legions of infantry and 10,000 Gallic horse. Pompey had five legions from Italy, with which he had crossed the Adriatic, and the cavalry belonging to them; also the two surviving legions that had served with Crassus in the Parthian war [1] and a certain part of those who had made the incursion into Egypt with Gabinius, making altogether eleven legions of Italian troops and about 7000 horse. He had auxiliaries also from Ionia, Macedonia, Peloponnesus, and Boeotia, Cretan archers, Thracian slingers, and Pontic javelin-throwers. He had also some Gallic horse and others from eastern Galatia, together with Commageneans sent by Antiochus, Cilicians, Cappadocians, some troops from Lesser Armenia, also Pamphylians and Pisidians. Pompey did not intend to use all these for fighting. Some were employed in garrison duty, in building fortifications, and in other service for the Italian soldiers, so that none of the latter should be

---

[1] There is a small gap in the text here.

CAP.
VIII
πολέμου περισπῷη. καὶ τάδε μὲν ἦν αὐτῷ τὰ
πεζά, νῆες δὲ μακραὶ μὲν ἐντελεῖς τοῖς πληρώ-
μασιν ἑξακόσιαι, καὶ τούτων ἐς ἑκατὸν Ῥωμαίων
ἐπιβατῶν, αἳ καὶ μάλιστα προύχειν ἐδόκουν, πολὺ
δὲ ὁλκάδων καὶ σκευοφόρων ἄλλο πλῆθος.
ναύαρχοί τε πολλοὶ κατὰ μέρη, καὶ ἐπ' αὐτοῖς
Μᾶρκος Βύβλος.

50. Ὡς δέ οἱ πάντα ἦν ἕτοιμα, συναγαγὼν ὅσοι
τε ἦσαν ἀπὸ τῆς βουλῆς καὶ ἀπὸ τῶν καλουμένων
ἱππέων καὶ τὸν στρατὸν ἅπαντα ἐς ἐπήκοον,
ἔλεξεν ὧδε· "καὶ Ἀθηναῖοι τὴν πόλιν ἐξέλιπον,
ὦ ἄνδρες, ὑπὲρ ἐλευθερίας τοῖς ἐπιοῦσι πολε-
μοῦντες, οὐ τὰ οἰκήματα πόλιν, ἀλλὰ τοὺς ἄνδρας
εἶναι νομίζοντες· καὶ τόδε πράξαντες ὀξέως αὐτὴν
ἀνέλαβόν τε καὶ εὐκλεεστέραν ἀπέφηναν· καὶ
ἡμῶν αὐτῶν οἱ πρόγονοι Κελτῶν ἐπιόντων ἐξέλι-
πον τὸ ἄστυ, καὶ αὐτὸ ἀνεσώσατο ἐξ Ἀρδεατῶν
Κάμιλλος ὁρμώμενος. πάντες τε οἱ εὖ φρονοῦντες
τὴν ἐλευθερίαν, ὅπῃ ποτ' ἂν ὦσιν, ἡγοῦνται
πατρίδα. ὃ καὶ ἡμεῖς ἐνθυμούμενοι δεῦρο διε-
πλεύσαμεν, οὐ τὴν πατρίδα ἐκλιπόντες, ἀλλ' ὑπὲρ
αὐτῆς παρασκευασόμενοί τε καλῶς ἐνθάδε καὶ
ἀμυνούμενοι τὸν ἐκ πολλοῦ μὲν ἐπιβουλεύοντα
αὐτῇ, διὰ δὲ τοὺς δωροδοκοῦντας τὴν Ἰταλίαν
ἄφνω καταλαβόντα. ὃν ὑμεῖς μὲν ἐψηφίσασθε
εἶναι πολέμιον, ὁ δὲ καὶ νῦν ἡγεμόνας ἐς τὰ ἔθνη
τὰ ὑμέτερα περιπέμπει καὶ τῇ πόλει τινὰς
ἐφίστησι καὶ ἑτέρους ἀνὰ τὴν Ἰταλίαν· τοσῇδε

kept away from the battles. Such were Pompey's CHAP.
land forces. He had 600 war-ships perfectly equipped, VIII
of which about 100 were manned by Romans and
were understood to be much superior to the rest.
He also had a great number of transports and ships
of burden. There were numerous naval commanders
for the different divisions, and Marcus Bibulus had
the chief command over all.

50. When all was in readiness Pompey called the Pompey's
senators, the knights, and the whole army to an speech to
his army
assembly and addressed them as follows: "Fellow-
soldiers, the Athenians, too, abandoned their city
for the sake of liberty when they were fighting
against invasion, because they believed that it was
not houses that made a city, but men[1]; and after
they had done so they presently recovered it and
made it more renowned than even before. So, too,
our own ancestors abandoned the city when the
Gauls invaded it, and Camillus hastened from Ardea
and recovered it.[2] All men of sound mind think
that their country is wherever they can preserve
their liberty. Because we were thus minded we
sailed hither, not as deserters of our native land, but
in order to prepare ourselves to defend it gloriously
against one who has long conspired against it, and,
by means of bribe-takers, has at last seized Italy by
a sudden invasion. You have decreed him a public
enemy, yet he now sends governors to take charge
of your provinces. He appoints others over the
city and still others throughout Italy. With such
audacity has he deprived the people of their own

---

[1] Herodotus viii. 41. The latter part of the sentence was
a commonplace from Alcaeus downwards.
[2] B.C. 389 is a probable date.

APPIAN'S ROMAN HISTORY

τόλμῃ τὸν δῆμον ἀφαιρεῖται τὴν ἡγεμονίαν. καὶ
εἰ τάδε πολεμῶν ἔτι καὶ δεδιὼς καὶ δίκην σὺν θεῷ
δώσων ἐξεργάζεται, τί χρὴ νικήσαντα προσδοκᾶν
ἐκλείψειν ὠμότητος ἢ βίας; καὶ τάδε πράττοντι
κατὰ τῆς πατρίδος σύνεισίν τινες ἐωνημένοι
χρημάτων ὧν ἐκεῖνος ἀπὸ τῆς ὑμετέρας Γαλατίας
πεπόρισται, δουλεύειν ἀντὶ τῆς πρὸς αὐτὸν
ἐκεῖνον ἰσονομίας αἱρούμενοι.

51. Ἐγὼ δ᾽ οὐκ ἐξέλιπον οὐδ᾽ ἂν ἐκλίποιμι τὸν
μεθ᾽ ὑμῶν καὶ ὑπὲρ ὑμῶν ἀγῶνα, ἀλλὰ καὶ στρα-
τιώτην ἐμαυτὸν ὑμῖν καὶ στρατηγὸν ἐπιδίδωμι
καί, εἴ τις ἔστι μοι πολέμων ἐμπειρία καὶ τύχη
ἀηττήτῳ μέχρι νῦν γενομένῳ, καὶ τάδε μοι πάντα
τοὺς θεοὺς ἐς τὰ παρόντα συνενεγκεῖν εὔχομαι
καὶ γενέσθαι τῇ πατρίδι κινδυνευούσῃ καθὰ καὶ
περικτωμένῃ τὴν ἡγεμονίαν αἴσιος. θαρρεῖν δὲ
χρὴ τοῖς τε θεοῖς καὶ αὐτῷ τῷ λογισμῷ τοῦ
πολέμου, καλὴν καὶ δικαίαν ἔχοντι φιλοτιμίαν
ὑπὲρ πατρίου πολιτείας, ἐπὶ δὲ τούτῳ, τῷ πλήθει
τῆς παρασκευῆς τῷ τε νῦν ὄντι ἡμῖν κατὰ γῆν καὶ
κατὰ θάλασσαν καὶ τῷ γιγνομένῳ τε ἀεὶ καὶ
προσεσομένῳ μᾶλλον, ἐπειδὰν τῶν ἔργων ἀψώ-
μεθα. ὅσα γὰρ εἰπεῖν ἐπὶ τὴν ἕω καὶ τὸν
Εὔξεινον πόντον ἔθνη, πάντα, ἑλληνικά τε καὶ
βάρβαρα, ἡμῖν σύνεστι· καὶ βασιλέες, ὅσοι
Ῥωμαίοις ἢ ἐμοὶ φίλοι, στρατιὰν καὶ βέλη καὶ
ἀγορὰν καὶ τὴν ἄλλην παρασκευὴν χορηγοῦσιν.
ἴτε οὖν ἐπὶ τὸ ἔργον ἀξίως τῆς τε πατρίδος καὶ
ὑμῶν αὐτῶν καὶ ἐμοῦ, καὶ τῆς Καίσαρος ὕβρεως
μνημονεύοντες καὶ ὀξέως ἐς τὰ παραγγελλόμενα
χωροῦντες."

government.   If he does these things while the war CHAP. VIII
is still raging and while he is apprehensive of the
result and when we intend, with heaven's help, to
bring him to punishment, what cruelty, what violence
is he likely to abstain from if he wins the victory?
And while he is doing these things against the
fatherland certain men, who have been bought with
money that he obtained from our province of Gaul,
co-operate with him, choosing to be his slaves instead
of his equals.

51. "I have not failed and I never will fail to fight
with you and for you.   I give you my services both
as soldier and as general.   If I have any experience
in war, if it has been my good fortune to remain
unvanquished to this day, I pray the gods to continue
all these blessings in our present need, and that I may
become a man of happy destiny for my country in her
perils as I was in extending her dominion.   Surely
we may trust in the gods and in the righteousness of
the war, which has for its noble and just object the
defence of our country's constitution.   In addition
to this we may rely upon the magnitude of the
preparations which we behold on land and sea,
which are all the time growing and will be augmented
still more as soon as we come into action.   We may
say that all the nations of the East and around the
Euxine Sea, both Greek and barbarian, stand with
us; and kings, who are friends of the Roman people
or of myself, are supplying us soldiers, arms, pro-
visions, and other implements of war.   Come to
your task then with a spirit worthy of your country,
of yourselves, and of me, mindful of the wrongs you
have received from Caesar, and ready to obey my
orders promptly."

52. Ὁ μὲν ὧδε εἶπεν, ὁ δὲ στρατὸς ἅπας καὶ
ὅσοι ἦσαν ἀμφ' αὐτὸν ἀπὸ τῆς βουλῆς, πολὺ καὶ
γνωριμώτατον πλῆθος, εὐφήμουν ὁμοῦ καὶ ἐκέλευον
ἄγειν, ἐφ' ὅ τι χρήζοι. ὁ δέ (ἡγεῖτο γάρ, δυσχεροῦς
ἔτι τῆς ὥρας οὔσης καὶ τῆς θαλάσσης ἀλιμένου,
μετὰ χειμῶνα ἐπιπλευσεῖσθαι τὸν Καίσαρα
ὕπατόν τε ὄντα τὴν ἀρχὴν ἐν τοσῷδε διαθή-
σεσθαι) τοῖς μὲν ναυάρχοις προσέταττεν ἐπιτηρεῖν
τὴν θάλασσαν, τὸν δὲ στρατὸν ἐς χειμασίαν
ἐπιδιῄρει καὶ περιέπεμπεν ἔς τε Θεσσαλίαν καὶ
Μακεδονίαν.

Καὶ Πομπήιος μὲν οὕτω τοῦ μέλλοντος ἀμελῶς
ἐτεκμαίρετο, ὁ δὲ Καῖσαρ, ὥς μοι προείρητο, περὶ
χειμερίους τροπὰς ἐς τὸ Βρεντέσιον ἠπείγετο,
νομίζων τῷ ἀδοκήτῳ μάλιστα ἐκπλήξειν τοὺς
πολεμίους. οὔτε δὲ ἀγορὰν οὔτε παρασκευὴν
οὔτε τὸν στρατὸν τὸν ἑαυτοῦ πάντα ἠθροισμένον
ἐν τῷ Βρεντεσίῳ καταλαβών, τοὺς παρόντας
ὅμως ἐς ἐκκλησίαν συναγαγὼν ἔλεγεν·

53. "Οὔτε τῆς ὥρας τὸ χειμέριον, ὦ ἄνδρες, οἱ
περὶ τῶν μεγίστων ἐμοὶ συναίρεσθε, οὔθ' ἡ τῶν
ἄλλων βραδυτὴς ἢ ἔνδεια τῆς πρεπούσης παρα-
σκευῆς ἐφέξει με τῆς ὁρμῆς· ἀντὶ γὰρ πάντων
ἡγοῦμαί μοι συνοίσειν τὴν ταχυεργίαν. καὶ πρώ-
τους ἡμᾶς, οἳ πρῶτοι συνεδράμομεν ἀλλήλοις,
ἀξιῶ θεράποντας μὲν ἐνταῦθα καὶ ὑποζύγια καὶ
παρασκευὴν καὶ πάνθ' ὑπολιπέσθαι, ἵνα ἡμᾶς
αἱ παροῦσαι νῆες ὑποδέξωνται, μόνους δ' εὐθὺς
ἐμβάντας περᾶν, ἵνα τοὺς ἐχθροὺς διαλάθοιμεν,
τῷ μὲν χειμῶνι τύχην ἀγαθὴν ἀντιθέντες, τῇ δ'
ὀλιγότητι τόλμαν, τῇ δ' ἀπορίᾳ τὴν τῶν ἐχθρῶν
εὐπορίαν, ἧς ἔστιν ἡμῖν εὐθὺς ἐπιβαίνουσιν ἐπὶ

52. When Pompey had thus spoken the whole army, including the senators and a great many of the nobility who were with him, applauded him vociferously and told him to lead them to whatsoever task he would. Pompey thought that as the season was bad and the sea harbourless Caesar would not attempt to cross till the end of winter, but would be occupied in the meantime with his duties as consul. So he ordered his naval officers to keep watch over the sea, and then divided his army and sent it into winter quarters in Thessaly and Macedonia.

So heedlessly did Pompey form his judgment of Caesar at
Brundu-
sium what was about to take place. Caesar, as I have already said, hastened to Brundusium about the winter solstice, intending to strike terror into his enemies by taking them by surprise. Although he found neither provisions, nor apparatus, nor his whole army collected at Brundusium, he, nevertheless, called those who were present to an assembly and addressed them as follows :—

53. "Fellow soldiers—you who are joined with me He
addresses
his soldiers in the greatest of undertakings—neither the winter weather, nor the delay of our comrades, nor the want of suitable preparation shall check my onset. I consider rapidity of movement the best substitute for all these things. I think that we who are first at the rendezvous should leave behind us here our servants, our pack-animals, and all our apparatus in order that the ships which are here may hold us, and that we should embark alone and cross over at once without the enemy's knowledge. Let us oppose our good fortune to the winter weather, our courage to the smallness of our numbers, and to our want of supplies the abundance of the enemy, which will be

τὴν γῆν κρατεῖν, ἢν εἰδῶμεν, ὅτι μὴ κρατήσασιν
οὐδέν ἐστιν ἴδιον. ἴωμεν οὖν ἐπὶ θεράποντάς τε
καὶ σκεύη καὶ ἀγορὰν τὴν ἐκείνων, ἕως χειμά-
ζουσιν ἐν ὑποστέγοις. ἴωμεν, ἕως Πομπήιος
ἡγεῖται κἀμὲ χειμάζειν ἢ περὶ πομπὰς καὶ θυσίας
ὑπατικὰς εἶναι. εἰδόσι δ᾽ ὑμῖν ἐκφέρω δυνατώ-
τατον ἐν πολέμοις ἔργον εἶναι τὸ ἀδόκητον·
φιλότιμον δὲ καὶ πρώτιστον δόξαν ἀπενέγκασθαι
τῶν ἐσομένων καὶ τοῖς αὐτίκα διωξομένοις ἡμᾶς
ἀσφαλῆ τὰ ἐκεῖ προετοιμάσαι. ἐγὼ μὲν δὴ καὶ
τόνδε τὸν καιρὸν πλεῖν ἂν ἢ λέγειν μᾶλλον
ἐβουλόμην, ἵνα με Πομπήιος ἴδῃ, νομίζων ἔτι τὴν
ἀρχὴν ἐν Ῥώμῃ διατίθεσθαι· τὸ δὲ ὑμέτερον
εὐπειθὲς εἰδὼς ὅμως ἀναμένω τὴν ἀπόκρισιν."

54. Ἀναβοήσαντος δὲ σὺν ὁρμῇ τοῦ στρατοῦ
παντὸς ἄγειν σφᾶς, εὐθὺς ἐπὶ τὴν θάλασσαν ἦγεν
ἀπὸ τοῦ βήματος, πέντε πεζῶν τέλη καὶ ἱππέας
λογάδας ἑξακοσίους. καὶ ἐπ᾽ ἀγκυρῶν ἀπεσάλευε
κλυδωνίου διαταράσσοντος. χειμέριοι δ᾽ ἦσαν
τροπαί, καὶ τὸ πνεῦμα ἄκοντα καὶ ἀσχάλλοντα
κατεκώλυε, μέχρι καὶ τὴν πρώτην τοῦ ἔτους
ἡμέραν ἐν Βρεντεσίῳ διατρῖψαι. καὶ δύο τελῶν
ἄλλων ἐπελθόντων, ὁ δὲ καὶ τάδε προσλαβὼν
ἀνήγετο χειμῶνος ἐπὶ ὁλκάδων· αἱ γὰρ ἦσαν
αὐτῷ νῆες ὀλίγαι μακραί, Σαρδὼ καὶ Σικελίαν
ἐφρούρουν. ὑπὸ δὲ χειμώνων ἐς τὰ Κεραύνια
ὄρη περιαχθεὶς τὰ μὲν πλοῖα εὐθὺς ἐς Βρεντέσιον
ἐπὶ τὴν ἄλλην στρατιὰν περιέπεμπεν, αὐτὸς δ᾽
ᾔει νυκτὸς ἐπὶ πόλιν Ὤρικον διὰ τραχείας ἀτρα-
ποῦ καὶ στενῆς, ἐς μέρη πολλὰ διασπώμενος ὑπὸ

ours to take as soon as we touch the land, if we realize that unless we conquer nothing is our own. Let us go then and possess ourselves of their servants, their apparatus, their provisions, while they are spending the winter under cover. Let us go while Pompey thinks that I am spending my time in winter quarters also, or in processions and sacrifices appertaining to my consulship. It is needless to tell you that the most potent thing in war is unexpectedness. It will be glorious for us to carry off the first honours of the coming conflict and to make everything safe in advance yonder for those who will immediately follow us. For my part I would rather now be sailing than talking, so that I may come in Pompey's sight while he thinks me engaged in my official duties at Rome. I am certain that you agree with me, but yet I await your response."

54. The whole army cried out with enthusiasm that he should lead on. Caesar at once led, direct from the platform to the seashore, five legions of foot-soldiers and 600 chosen horse, but as a storm came up he was obliged to anchor off shore. It was now the winter solstice and the wind kept him back, chafing and disappointed, and held him in Brundusium until the first day of the new year. In the meantime two more legions arrived and Caesar embarked these also and started in the winter time on merchant ships, for he had only a few war-ships and these were guarding Sardinia and Sicily. The ships were driven by the winds to the Ceraunian Mountains and Caesar sent them back immediately to bring the rest of the army. He then marched by night against the town of Oricum by a rough and narrow path, with his force divided in several parts

τῆς δυσχωρίας, ὡς εὐεπιχείρητος ἄν, εἴ τις
ᾔσθετο, γενέσθαι. περὶ δὲ τὴν ἔω μόλις αὐτῷ
συνῄει τὸ πλῆθος, καὶ ὁ φρούραρχος ὁ τῆς
Ὠρίκου, τῶν ἔνδον αὐτῷ προειπόντων οὐ κωλύσειν
ἐπιόντα Ῥωμαίων ὕπατον, τάς τε κλεῖς παρέδωκε
τῷ Καίσαρι καὶ παρ' αὐτῷ κατέμεινε τιμῆς
ἀξιούμενος. Λουκρήτιος δὲ καὶ Μινούκιος ἐπὶ
θάτερα τῆς Ὠρίκου ναυσὶν ὀκτωκαίδεκα μακραῖς
Πομπηίῳ σῖτον ἐν πλοίοις φυλάσσοντες τά τε
πλοῖα κατέδυσαν, ἵνα μὴ ὁ Καῖσαρ αὐτὰ λάβοι,
καὶ ἐς Δυρράχιον διέφυγον. ἀπὸ δὲ τῆς Ὠρίκου
Καῖσαρ ἐς Ἀπολλωνίαν ἠπείγετο· καὶ τῶν
Ἀπολλωνιατῶν αὐτὸν δεχομένων, Σταβέριος ὁ
φρούραρχος ἐξέλιπε τὴν πόλιν.

55. Καὶ ὁ Καῖσαρ ἁλίσας τὸν ἑαυτοῦ στρατὸν
ἀνέμνησεν, ὅτι διὰ τὴν ταχυεργίαν τοῦ τε χει-
μῶνος σὺν τῇ τύχῃ περιγένοιντο καὶ θαλάσσης
τοσῆσδε χωρὶς νεῶν κρατήσειαν Ὤρικόν τε καὶ
Ἀπολλωνίαν ἀμαχεὶ λάβοιεν καὶ τὰ τῶν πολε-
μίων ἔχοιεν, καθάπερ εἶπεν, ἀγνοούντος ἔτι Πομ-
πηίου. " εἰ δὲ καὶ Δυρράχιον," ἔφη, " τὸ ταμιεῖον
τῆς Πομπηίου παρασκευῆς προλάβοιμεν, ἔσται
πάντα ἡμῖν, ἃ ἐκείνοις δι' ὅλου θέρους πεπονη-
μένοις." τοσαῦτα εἰπὼν ἦγε συντόμως ἐπὶ τὸ
Δυρράχιον αὐτοὺς ὁδὸν μακράν, οὔτε ἡμέρας οὔτε
νυκτὸς ἀναπαύων. Πομπήιος δὲ προμαθὼν
ἀντιπαρώδευεν ἐκ Μακεδονίας, σὺν ἐπείξει καὶ
ὅδε πολλῇ, κόπτων τε τὴν ὕλην, ἣν παρώδευεν,
ἵνα Καίσαρι δύσβατος εἴη, καὶ ποταμῶν γεφύρας
διαιρῶν καὶ ἀγορὰν τὴν ἐν μέσῳ πᾶσαν ἐμπιπράς,

on account of the difficulties of the road, so that if
anyone had observed it he might have been easily
beaten. With much trouble he got his detachments
together about daylight and the commander of the
garrison of Oricum, having been forbidden by the
townsmen to oppose the entrance of a Roman consul,
delivered the keys of the place to Caesar and
remained with him in a position of honour.
Lucretius and Minucius, who were on the other side
of Oricum with eighteen war-ships guarding mer-
chant ships loaded with corn for Pompey, sunk the
latter to prevent them from falling into Caesar's
hands, and fled to Dyrrachium. From Oricum Caesar
hastened to Apollonia, the inhabitants of which
received him. Straberius, the commander of the
garrison, abandoned the city.

55. Caesar assembled his army and congratulated
them on the success they had achieved by their
rapid movement in mid-winter, on conquering such
a sea without war-ships, on taking Oricum and
Apollonia without a fight, and on capturing the
enemy's supplies, as he had predicted, without
Pompey's knowledge. " If we can anticipate him in
reaching Dyrrachium, his military arsenal," he added,
" we shall be in possession of all the things they
have collected by the labours of a whole summer."
After speaking thus he led his soldiers directly He marches
towards
toward Dyrrachium over a long road, not stopping Dyrrachium
day or night. Pompey, being advised beforehand,
marched toward the same place from Macedonia
with extreme haste also, cutting down trees along
the road, in order to obstruct Caesar's passage,
destroying bridges, and setting fire to all the supplies
he met with, considering it at the same time of the

CAP.
VIII
ἐν μεγίστῳ, καθάπερ ἦν, καὶ ὅδε τιθέμενος τὴν
ἑαυτοῦ παρασκευὴν διαφυλάξαι. κονιορτὸν δ' ἢ
πῦρ ἢ καπνὸν εἴ ποτε μακρόθεν ἴδοιεν αὐτῶν
ἑκάτεροι, νομίζοντες εἶναι τὰ ἀλλήλων ἐφιλο-
νίκουν ὡς ἐν ἀγῶνι δρόμου. καὶ οὔτε τροφῇ
καιρὸν ἐδίδοσαν οὔτε ὕπνῳ· ἔπειξις δ' ἦν καὶ
σπουδὴ καὶ βοαὶ τῶν ἀγόντων αὐτοὺς ὑπὸ λαμ-
πτῆρσι, καὶ θόρυβος ἐκ τοῦδε πολὺς καὶ φόβος,
ὡς τῶν πολεμίων αἰεὶ πλησιαζόντων. ὑπὸ δὲ
καμάτου τινὲς ἀπερρίπτουν, ἃ ἔφερον, ἢ ἐν φά-
ραγξι διαλαθόντες ὑπελείποντο, τὴν αὐτίκα ἀνά-
παυσιν τοῦ παρὰ τῶν ἐχθρῶν φόβου διαλλασσό-
μενοι.

56. Τοιαῦτα δὲ ἑκατέρων κακοπαθούντων πρού-
λαβεν ὅμως ὁ Πομπήιος τὸ Δυρράχιον καὶ παρ'
αὐτὸ ἐστρατοπέδευσεν. ναῦς τε ἐπιπέμψας
Ὤρικον αὖθις εἷλε καὶ τὴν θάλασσαν ἀκριβε-
στέραις φρουραῖς ἐφύλασσεν. ὁ δὲ Καῖσαρ τοῦ
Πομπηίου τὸν Ἄλωρα ποταμὸν ἐν μέσῳ θέμενος
ἐστρατοπέδευσε. καὶ τὸν ποταμὸν διαβαίνοντες
ἱππομάχουν ἀλλήλοις ἀνὰ μέρη, ἀθρόοις δὲ τοῖς
στρατοῖς οὐ συνεπλέκοντο, Πομπήιος μὲν ἔτι
γυμνάζων τοὺς νεοστρατεύτους, ὁ δὲ Καῖσαρ τοὺς
ἐκ Βρεντεσίου περιμένων. νομίσας δ' ἔαρος μὲν
αὐτοὺς ἐπὶ ὁλκάδων διαπλέοντας οὐ λήσειν
τὰς τοῦ Πομπηίου τριήρεις θαμινὰ ἐς φυλακὴν
ἀναπλεούσας, χειμῶνος δ' εἰ παραβάλλοιντο,
ναυλοχούντων ἐς νήσους τῶν πολεμίων, λαθεῖν
ἂν αὐτοὺς ἴσως ἢ καὶ βιάσασθαι μεγέθει τε νεῶν
καὶ πνεύματι, μετεπέμπετο κατὰ σπουδήν. οὐκ
ἀναγομένων δ' ἐκείνων αὐτὸς ἔκρινεν ἐπὶ τὴν

greatest importance (as it was) to safeguard his CHAP.
own stores. If either army saw any dust, or VIII
fire, or smoke at a distance they thought it was
caused by the other, and they strove like athletes
in a race. They did not allow themselves time
for food or sleep. All was haste and eagerness
mingled with the shouts of guides who carried
torches, causing tumult and fear as the hostile
armies were ever drawing nearer and nearer to
each other. Some of the soldiers from fatigue
threw away their loads. Others hid themselves in
ravines and were left behind, exchanging their fear
of the enemy for the rest which the moment
craved.

56. In the midst of such distresses on either side He encamps
Pompey arrived first at Dyrrachium and encamped before it
near it. He sent a fleet and retook Oricum and
kept the strictest watch on the sea. Caesar pitched
his camp so that the river Alor [1] ran between himself
and Pompey. By crossing the stream they had
occasional cavalry skirmishes with each other, but
the armies did not come to a general engagement,
for Pompey was still exercising his new levies and
Caesar waited for the forces left at Brundusium.
The latter apprehended that if these should sail in
merchant ships in the spring they would not escape
Pompey's triremes, which would be patrolling the
sea, as guard ships, in great numbers, but if they
should cross in winter while the enemy were lying
inside among the islands they might perhaps be
unnoticed, or might force their way by the strength
of the wind and the size of their ships. So he sent
orders to them to hasten. As they did not start he

[1] Caesar and all other authorities say the river Apsus.

CAP.
VIII
στρατιὰν διαπλεῦσαι λαθών, ὡς οὔ τινος αὐτὴν ἄλλου ῥᾳδίως ἐπαξομένου. καὶ τὸ βούλευμα ἐπικρύψας ἔπεμπε τρεῖς θεράποντας ἐπὶ τὸν ποταμὸν ἀπὸ δυώδεκα σταδίων ὄντα, οἳ κελήτιον ὀξὺ καὶ κυβερνήτην τὸν ἄριστον ὡς δή τινι πεμπομένῳ πρὸς Καίσαρος ἔμελλον ἑτοιμάσειν.

IX

CAP.
IX
57. Αὐτὸς δ' ἀπὸ διαίτης ὑπεχώρησε μὲν ὡς κάμνων τῷ σώματι, τοὺς φίλους ἔτι ἑστιᾶσθαι κελεύσας, ἐπιθέμενος δ' ἐσθῆτα ἰδιώτου καὶ ὀχήματος εὐθὺς ἐπιβὰς ἐξήλασεν ἐπὶ τὴν ναῦν ὡς ὅδε ὢν ὁ πρὸς τοῦ Καίσαρος ἀπεσταλμένος· τά τε λοιπὰ διὰ τῶν θεραπόντων προσέτασσεν, ἐγκεκαλυμμένος τε καὶ ἐν νυκτὶ μάλιστα ἀγνοούμενος. χειμερίου δὲ τοῦ πνεύματος ὄντος θαρρεῖν ἐκέλευον οἱ θεράποντες τὸν κυβερνήτην ὡς τῷδε μάλιστα λησόμενοι τοὺς πολεμίους ἐγγὺς ὄντας. τὸν μὲν δὴ ποταμὸν ὁ κυβερνήτης εἰρεσίᾳ βιαζόμενος ἔπλει· ὡς δ' ἐπὶ τὰς ἐκβολὰς ἀφίκετο καὶ ἡ θάλασσα σὺν κλυδωνίῳ καὶ πνεύματι τὸ ῥεῦμα ἀνέκοπτεν, ὁ μὲν ἐπισπερχόντων αὐτὸν τῶν θεραπόντων ἐβιάζετο καὶ ὡς ἐς οὐδὲν προκόπτων ἀπέκαμνε καὶ ἀπεγίνωσκεν, ὁ δὲ Καῖσαρ ἀποκαλυψάμενος ἐνεβόησεν αὐτῷ· "θαρρῶν ἴθι πρὸς τὸν κλύδωνα· Καίσαρα φέρεις καὶ τὴν Καίσαρος τύχην." ἐκπλαγέντων δὲ τῶν ἐρετῶν καὶ τοῦ κυβερνήτου προθυμία τε πᾶσιν ἐνέπιπτε καὶ ἡ ναῦς ὑπὸ βίας ἐξέπιπτε τοῦ ποταμοῦ. τὸ πνεῦμα δ' αὐτὴν καὶ τὸ κῦμα μετέωρον ἐς τὰς ὄχθας

decided to cross over secretly to that army, because CHAP.
no one else could bring them so easily. He con- VIII
cealed his intention and sent three servants to the
river, a distance of twelve stades, to procure a fast-
sailing boat with a first rate pilot, saying that it was
for a messenger sent by Caesar.

IX

57. RISING from supper he pretended to be fatigued CHAP.
and told his friends to remain at the table. He put IX
on the clothing of a private person, stepped into a Caesar
carriage, and drove away to the ship, pretending to cross the
be the messenger sent by Caesar. He gave the rest Adriatic in
of his orders through his servants and remained a small boat
concealed by the darkness of the night and unrecog-
nized. As there was a severe wind blowing the
servants told the pilot to be of good courage and
seize this opportunity to avoid the enemy who were
in the neighbourhood. The pilot made his way
down the river by rowing, but when they came
toward the mouth they found it broken into surf by
the wind and the sea. The pilot, urged by the
servants, put forth all his efforts, but as he could
make no progress fatigue and despair came upon him.
Then Caesar threw off his disguise and called out to
him, "Brave the tempest with a stout heart, you
carry Caesar and Caesar's fortunes." Both the
rowers and the pilot were astounded and all took
fresh courage and gained the mouth of the river, but
the wind and waves violently tossed the ship high
on towards the bank. As the dawn was near and they

διερρίπτει, μέχρι πλησιαζούσης ἡμέρας οἱ μὲν
ἐδεδοίκεσαν ὡς ἐν φωτὶ κατάδηλοι τοῖς πολεμίοις
ἐσόμενοι, ὁ δὲ Καῖσαρ, τῷ δαιμονίῳ χαλεψάμενος
ὡς φθονερῷ, ἐφῆκε τὴν ναῦν ἐπανιέναι.

Ἡ μὲν δὴ πνεύματι ταχεῖ τὸν ποταμὸν ἀνέπλει,
58. Καίσαρα δ' οἱ μὲν ἐθαύμαζον τῆς εὐτολμίας,
οἱ δ' ἐπεμέμφοντο ὡς στρατιώτῃ πρέπον ἔργον
εἰργασμένῳ, οὐ στρατηγῷ. ὁ δ' οὐκέτι λήσεσθαι
προσδοκῶν Ποστούμιον ἀνθ' ἑαυτοῦ προσέταξε
διαπλεῦσαί τε καὶ φράσαι Γαβινίῳ τὸν στρατὸν
εὐθὺς ἄγειν διὰ θαλάσσης· ἂν δ' ἀπειθῇ ταῦτα
προστάσσειν Ἀντωνίῳ καὶ τρίτῳ μετὰ τὸν Ἀντώ-
νιον Καληνῷ. εἰ δ' οἱ τρεῖς ἀποκνοῖεν, ἐπιστολὴ
πρὸς τὸν στρατὸν αὐτὸν ἐγέγραπτο ἄλλη, τὸν
βουλόμενον αὐτῶν ἐπὶ τὰς ναῦς ἕπεσθαι τῷ
Ποστουμίῳ καὶ καταίρειν ἀναχθέντας ἐς χωρίον,
ἐς ὅ τι ὁ ἄνεμος ἐκφέρῃ, μηδὲν τῶν νεῶν φειδομέ-
νους· οὐ γὰρ νεῶν χρῄζειν Καίσαρα, ἀλλὰ ἀνδρῶν.

Οὕτω μὲν ἀντὶ λογισμῶν ὁ Καῖσαρ ἐπεποίθει
τῇ τύχῃ. τάδε οὖν ὁ Πομπήιος προλαβεῖν ἐπει-
γόμενος ἐς μάχην διεσκευασμένος ἐπῄει. καὶ δύο
αὐτοῦ στρατιωτῶν ἐν μέσῳ τὸν ποταμὸν ἐρευνω-
μένων, ᾗ μάλιστα εἴη διαβατός, τῶν τις Καί-
σαρος εἷς ἐπιδραμὼν τοὺς δύο ἀνεῖλε. καὶ ὁ
Πομπήιος ἀνεζεύξεν, οὐκ αἴσιον τὸ συμβὰν ἡγού-
μενος. αἰτίαν δ' εἶχε παρὰ πᾶσι καιρὸν ἄριστον
ἐκλιπεῖν.

59. Ποστούμιον δὲ διαπλεύσαντος ἐς τὸ Βρεν-
τέσιον, ὁ μὲν Γαβίνιος οὐχ ὑποστὰς τὸ πρόσ-
ταγμα ἦγε τοὺς βουλομένους διὰ τῆς Ἰλλυρίδος,
οὐδαμοῦ διαναπαύων· καὶ ἀνῃρέθησαν ὑπὸ τῶν
Ἰλλυριῶν σχεδὸν ἅπαντες, καὶ ὁ Καῖσαρ ἤνεγκεν

feared lest the enemy should discover them in the day-
light, Caesar, blaming the ill-will of his evil genius,
allowed the ship to return. So the ship sailed up the
river with a strong wind. 58. Some of Caesar's
friends were astonished at this act of bravery; while
others blamed him, saying that it was a deed
becoming a soldier but not a general. As Caesar
saw that he could not conceal a second attempt
he ordered Postumius to sail to Brundusium in
his place and tell Gabinius to cross over with
the army immediately, and if he did not obey,
to give the same order to Antony, and if he failed
then to give it to Calenus. Another letter was
written to the whole army in case all three should
hesitate, saying, " that everyone who was willing
to do so should follow Postumius on shipboard and
sail to any place where the wind might carry them,
and not to mind what happened to the ships, because
Caesar did not want ships but men."

Thus did Caesar put his trust in fortune rather
than in prudence. Pompey, in order to anticipate
Caesar's reinforcements, made haste and led his
army forward prepared for battle. While two of his
soldiers were searching in midstream for the best
place to cross the river, one of Caesar's men attacked
and killed them both, whereupon Pompey drew
back, as he considered this event inauspicious. All
of his friends blamed him for missing this capital
opportunity.

59. When Postumius arrived at Brundusium
Gabinius did not obey the order, but led those who
were willing to go with him by way of Illyria by
forced marches. Almost all of them were destroyed
by the Illyrians and Caesar was obliged to endure

CAP.
IX

ὑπ' ἀσχολίας. ὁ δ' Ἀντώνιος τοὺς ἑτέρους ἐπὶ τὰς ναῦς ἐπιβήσας Ἀπολλωνίαν μὲν παρέπλευσεν, ἱστίοις μεστοῖς ἐπιπνέοντος ἀνέμου· χαλάσαντος δὲ τοῦ πνεύματος περὶ μεσημβρίαν εἴκοσι τοῦ Πομπηίου νῆες, ἐπ' ἔρευναν τῆς θαλάσσης ἀναχθεῖσαι, καθορῶσι τοὺς πολεμίους καὶ ἐδίωκον. τοῖς δὲ ὡς ἐν γαλήνῃ δέος ἦν πολύ, μὴ σφᾶς ἀνατρήσειαν ἢ καταδύσειαν αἱ μακραὶ τοῖς ἐμβόλοις· καὶ τὰ εἰκότα παρεσκευάζοντο, σφενδόναι τε ἠφίεντο ἤδη καὶ βέλη. καὶ ὁ ἄνεμος ἄφνω μείζων ἢ πρότερον ἐπέρραξεν. αἱ μὲν δὴ μεγάλοις αὖθις ἱστίοις ἐξ ἀέλπτου τὸ πνεῦμα ἐδέχοντο καὶ διέπλεον ἀδεῶς· αἱ δ' ἀπελείποντο, ῥοθίῳ καὶ πνεύματι καὶ θαλάσσῃ κοίλῃ κακοπαθοῦσαι. καὶ μόλις ἐς ἀλίμενα καὶ πετρώδη διερρίφησαν, δύο τινὰς ἐς τέλμα τῶν Καίσαρος κατενεχθείσας ἑλοῦσαι. Ἀντώνιος δὲ ταῖς λοιπαῖς ἐς τὸ καλούμενον Νυμφαῖον κατήχθη.

60. Καὶ τῷ Καίσαρι σύμπας ὁ στρατὸς ἤδη παρῆν, παρῆν δὲ καὶ Πομπηίῳ. καὶ ἀντεστρατοπέδευον ἀλλήλοις ἐπὶ λόφων ἐν φρουρίοις πολλοῖς, πεῖραί τε ἦσαν περὶ ἕκαστον φρούριον πυκναὶ περιταφρευόντων καὶ περιτειχιζόντων ἀλλήλους καὶ γιγνομένων ὁμοῦ καὶ ποιούντων ἐν ἀπόροις. ἐν δὲ ταῖσδε ταῖς πείραις περί τι φρούριον ἡττωμένου τοῦ Καίσαρος στρατοῦ λοχαγός, ᾧ Σκεύας ὄνομα ἦν, πολλὰ καὶ λαμπρὰ δρῶν ἐς τὸν ὀφθαλμὸν ἐτρώθη βέλει καὶ προπηδήσας κατέσεισεν ὡς εἰπεῖν τι βουλόμενος. σιωπῆς δ' αὐτῷ γενομένης, Πομπηίου λοχαγὸν ἐπὶ ἀνδρίᾳ γνώριμον ἐκάλει· "σῷζε τὸν ὅμοιον

the outrage as he could not spare time for vengeance. Antony embarked the remainder of the army and sailed past Apollonia with a strong favouring wind. About noon the wind failed and twenty of Pompey's ships, that had put out to search the sea, discovered and pursued them. There was great fear on Caesar's vessels lest in this calm the warships of the enemy should ram them with their prows and sink them. They prepared themselves for battle and began to discharge stones and darts, when suddenly the wind sprang up stronger than before, filled their great sails unexpectedly, and enabled them to complete their voyage without fear. The pursuers were left behind and they suffered severely from the wind and waves in the narrow sea and were scattered along a harbourless and rocky coast. With difficulty they captured two of Caesar's ships that ran on a shoal. Antony brought the remainder to the port of Nymphaeum.

60. By this time Caesar had his whole army concentrated together and Pompey his. They encamped opposite each other on hills in numerous redoubts. There were frequent collisions around each of these redoubts while they were making lines of circumvallation and trying to cut off each other s supplies. In one of these fights in front of a redoubt Caesar's men were worsted, and a centurion, of the name of Scaeva, while performing many deeds of valour, was wounded in the eye with a dart. He advanced in front of his men beckoning with his hand as though he wished to say something. When silence was obtained he called out to one of Pompey's centurions, who was likewise distinguished for bravery, " Save your

CAP.
IX

σεαυτῷ, σῷζε τὸν φίλον καὶ πέμπε μοι τοὺς χει-
ραγωγήσοντας, ἐπεὶ τέτρωμαι." προσδραμόντων
δ' ὡς αὐτομολοῦντι δύο ἀνδρῶν, τὸν μὲν ἔφθασε
κτείνας, τοῦ δὲ τὸν ὦμον ἀπέκοψε. καὶ ὁ μὲν τάδε
ἔπρασσεν ἀπογιγνώσκων ἑαυτοῦ καὶ τοῦ φρουρίου.
τοῖς δ' ἄλλοις αἰδὼς ἐπὶ τῷ συμβεβηκότι καὶ ὁρμὴ
προσέπιπτε, καὶ τὸ φρούριον περιεσώθη, πολλὰ
καὶ τοῦ φρουράρχου Μινουκίου παθόντος, ᾧ γέ
φασι τὴν μὲν ἀσπίδα ἑκατὸν καὶ εἴκοσιν ἀναδέ-
ξασθαι βέλη, τὸ δὲ σῶμα ἐξ τραύματα καὶ τὸι
ὀφθαλμὸν ὁμοίως ἐκκοπῆναι. τούτους μὲν δὴ
Καῖσαρ ἀριστείοις πολλοῖς ἐτίμησεν, αὐτὸς δ',
ἐκ Δυρραχίου τινὸς αὐτῷ πρασσομένης προδοσίας,
ἧκε μέν, ὡς συνέκειτο, νυκτὸς σὺν ὀλίγοις ἐπὶ
πύλας καὶ ἱερὸν Ἀρτέμιδος . . .

Τοῦ δ' αὐτοῦ χειμῶνος ἄλλην στρατιὰν ἐκ
Συρίας ἦγε Πομπηίῳ Σκιπίων ὁ κηδεστής· καὶ
αὐτῷ Γάιος Καλουίσιος περὶ Μακεδονίαν συμ-
βαλὼν ἡττᾶτο, καὶ τέλος ἓν αὐτοῦ κατεκόπη
χωρὶς ὀκτακοσίων ἀνδρῶν.

61. Καίσαρι μὲν δὴ οὐδὲν ἦν ἐκ θαλάσσης διὰ
Πομπήιον ναυκρατοῦντα· ἐλίμαινεν οὖν ὁ στρατὸς
αὐτῷ καὶ τὴν πόαν ἠρτοποίουν, αὐτόμολοί τε
Πομπηίῳ τοιούσδε ἄρτους προσήνεγκαν ὡς
εὐφρανοῦντες ἰδόντα." ὁ δὲ οὐχ ἥσθη, ἀλλ' εἶπεν,
" οἴοις θηρίοις μαχόμεθα." ὁ μὲν δὴ Καῖσαρ ὑπ'
ἀνάγκης τὸν στρατὸν ἅπαντα συνῆγεν ὡς καὶ
ἄκοντα Πομπήιον βιασόμενος ἐς μάχην· ὁ δὲ
αὐτοῦ τὰ πολλὰ τῶν φρουρίων ἐκ τοῦδε κεκενω-
μένα προσλαβὼν ἡσύχαζε. καὶ τῷδε μάλιστα

comrade, your friend, and send somebody to lead
me by the hand, for I am wounded." Two soldiers
advanced to him thinking that he was a deserter.
One of these he killed before the stratagem was
discovered and he shore off the shoulder of the other.
This he did because he despaired of saving himself
and his redoubt. His men, moved by shame at this
act of self-devotion, rushed forward and saved the
redoubt. Minucius, the commander of the post,
also suffered severely. It is said that he received
120 missiles on his shield, was wounded six times,
and, like Scaeva, lost an eye. Caesar honoured them
both with many military gifts. He himself, as an offer
for the betrayal of the town had been made from
Dyrrachium, went by agreement with a small force
by night to the gates at the temple of Artemis. . . .[1]

The same winter Scipio, Pompey's father-in-law,
advanced with another army from Syria. Caesar's
general, Gaius Calvisius, had an engagement with
him in Macedonia, was beaten, and lost a whole
legion except 800 men.

61. As Caesar could obtain no supplies by sea, on Caesar attempts to surround Pompey
account of Pompey's naval superiority, his army
began to suffer famine and was compelled to make
bread from roots. When deserters brought loaves
of this kind to Pompey, thinking that he would be
gladdened by the spectacle, he was not at all
pleased, but said, "What wild beasts we are fighting
with!" Then Caesar, compelled by necessity, drew
his whole army together in order to force Pompey
to fight even against his will. The latter occupied
a number of the redoubts that Caesar had vacated

---

[1] There is a gap in the text at this place. The attempt
failed, as we learn from Dio Cassius (xli. 50).

ἀνιαθεὶς ὁ Καῖσαρ ἐπετόλμησεν ἔργῳ δυοχερεῖ
τε καὶ παραλόγῳ, πάντα Πομπηίου τὰ στρατό-
πεδα ἑνὶ τείχει περιλαβὼν ἐκ θαλάσσης ἐς θά-
λασσαν ἀποτειχίσαι, ὡς μεγάλην, εἰ καὶ διαμάρτοι,
δόξαν οἰσόμενος ἐπὶ τῷ τολμήματι· στάδιοι γὰρ
ἦσαν διακόσιοι καὶ χίλιοι. καὶ ὁ μὲν ἐνεχείρει
τοσῷδε ἔργῳ, Πομπήιος δ' αὐτὸν ἀνταπετάφρευε
καὶ ἀντῳκοδόμει· καὶ μάταια τὰ ἔργα ἀλλήλοις
ἐποίουν. γίγνεται δ' αὐτοῖς ἀγὼν εἷς μέγας ἐν
ᾧ Πομπήιος τρέπεταί τε τοὺς Καίσαρος πάνυ
λαμπρῶς καὶ ἐς τὸ στρατόπεδον ἐδίωκε φεύγοντας
σημεῖά τε πολλὰ εἷλεν αὐτῶν, καὶ τὸν αἰετόν,
ὃ δὴ κυριώτατόν ἐστι Ῥωμαίοις, μόλις ἔφθασεν
ὁ φέρων ὑπὲρ τὸ χαράκωμα τοῖς ἔνδον ῥῖψαι.

62. Γενομένης δὲ τῆς τροπῆς λαμπρᾶς ὁ Καῖσαρ
ἑτέρωθεν ἦγεν ἄλλον στρατόν, οὕτω δή τι καὶ
τοῦτον περίφοβον, ὡς Πομπηίου μακρόθεν ἐπι-
φανέντος μήτε στῆναι περὶ τὰς πύλας ὄντας ἤδη
μήτε ἐσελθεῖν ἐν κόσμῳ μήτε πεισθῆναι τοῖς
προστάγμασιν, ἀλλὰ φεύγειν ἕκαστον, ὅπῃ τύ-
χοιεν, ἀμεταστρεπτὶ χωρὶς αἰδοῦς καὶ παραγγέλ-
ματος καὶ λογισμοῦ. Καίσαρος δ' αὐτοὺς περι-
θέοντός τε καὶ σὺν ὀνείδει μακρὰν ἔτι τὸν Πομ-
πήιον ὄντα ἐπεδεικνύοντος, καὶ ἐφορῶντος τὰ
σημεῖα ἀπερρίπτουν καὶ ἔφευγον, οἱ δὲ μόλις ὑπ'
αἰδοῦς κατέκυπτον ἐς τὴν γῆν ἄπρακτοι· τοσοῦτος
αὐτοῖς τάραχος ἐνεπεπτώκει. εἷς δὲ καὶ στρέψας

and refused to move. Caesar was greatly vexed at CHAP. this and ventured upon an extremely difficult and IX chimerical task ; that is, to carry a line of circum-vallation around the whole of Pompey's positions from sea to sea, thinking that even if he should fail he would acquire great renown from the boldness of the enterprise. The circuit was 1200 stades.[1] Caesar actually began this great work, but Pompey built a corresponding line of trench and rampart. Thus they parried each other's efforts. Nevertheless, Battle of they fought one great battle in which Pompey Dyrrachium defeated Caesar in the most brilliant manner and pursued his men in headlong flight to his camp and took many of his standards. The eagle (the standard held in highest honour by the Romans) was saved with difficulty, the bearer having just time to throw it over the palisade to those within.

62. After this remarkable defeat Caesar brought Caesar up other troops from another quarter, but these also twice fell into a panic even when they beheld Pompey still far distant. Although they were already close to the gates they would neither make a stand, nor enter in good order, nor obey the commands given to them, but all fled pell-mell without shame, without orders, without reason. Caesar ran among them and with reproaches showed them that Pompey was still far distant, yet under his very eye some threw down their standards and fled, while others bent their gaze upon the ground in shame and did nothing ; so great consternation had befallen them. One of the standard bearers, with his standard reversed, dared

---

[1] The text here is probably corrupt. The distance men-tioned is equal to 133 miles. Caesar (iii. 63) says that it was 17 miles ; Florus (iv. 2) says 16 miles.

CAP.
IX
τὸ σημεῖον ἀνέτεινε τὸν οὐρίαχον ἐς τὸν αὐτοκρά-
τορα. καὶ τόνδε μὲν οἱ Καίσαρος ὑπασπισταὶ
κατέκοπτον, οἱ δ' ἐσελθόντες οὐδ' ἐπὶ τὰς φυλακὰς
ἀπήντων, ἀλλὰ μεθειμένα πάντα ἦν καὶ τὸ χαρά-
κωμα ἀφύλακτον, ὥστε αὐτὸ δοκεῖ συνεσπεσὼν
ἂν τότε ὁ Πομπήιος ἑλεῖν κατὰ κράτος καὶ τὸν
πόλεμον ἐνὶ τῷδε ἔργῳ πάντα ἐξεργάσασθαι,
εἰ μὴ Λαβιηνὸς αὐτόν, θεοῦ παράγοντος, ἐπὶ τοὺς
φεύγοντας ἔπειθε τραπῆναι· καὶ αὐτὸς ἅμα ὤ-
κνησεν, ἢ τὴν ἀφυλαξίαν τοῦ χαρακώματος ὡς
ἐνέδραν ὑφορώμενος ἢ ὡς ἤδη κεκριμένου τοῦ
πολέμου καταφρονήσας. ἐπὶ δὲ τοὺς ἔξω
τραπεὶς ἑτέρους τε ἔκτεινε πολλοὺς καὶ σημεῖα
τῆς ἡμέρας ἐκείνης ἔλαβεν ἐν ταῖς δύο μάχαις
ὀκτὼ καὶ εἴκοσιν καὶ δεύτερον τόνδε καιρὸν ἐν-
τελοῦς ἔργου μεθῆκεν. ὃ καὶ τὸν Καίσαρά
φασιν εἰπεῖν, ὅτι σήμερον ἂν ὁ πόλεμος ἐξείρ-
γαστο τοῖς πολεμίοις, εἰ τὸν νικᾶν ἐπιστά-
μενον εἶχον.

X

CAP.
X
63. Ὁ δὲ Πομπήιος τήν τε νίκην ὑπερεπαίρων
ἐπέστελλε βασιλεῦσι καὶ πόλεσι πάσαις καὶ
τὸν στρατὸν αὐτίκα τὸν Καίσαρος ἤλπιζε πρὸς
ἑαυτὸν μεταβαλεῖσθαι, λιμῷ τε πεπιεσμένον καὶ
ὑπὸ τῆς ἥττης καταπεπληγμένον, μάλιστα δὲ τοὺς
ἡγεμόνας αὐτοῦ, τὸ σφέτερον ἁμάρτημα φοβου-
μένους. οἱ δέ, θεοῦ σφᾶς ἐπὶ μετάνοιαν ἄγοντος,
τὸ ἁμάρτημα ᾐδοῦντο καὶ τοῦ Καίσαρος αὐτοῖς
ἐπιμεμφομένου τε πράως καὶ συγγνώμην διδόντος

to thrust the end of it at Caesar himself, but the chap. bodyguard cut him down. When the soldiers ^{IX} entered the camp they did not station any guards. All precautions were neglected and the fortification was left unprotected, so that it is probable that Pompey might then have captured it and brought the war to an end by that one engagement had not Labienus, in some heaven-sent lunacy, persuaded him to pursue the fugitives instead. Moreover Pompey himself hesitated, either because he suspected a stratagem when he saw the gates unguarded or because he contemptuously supposed the war already decided by this battle. So he turned against those outside of the camp and made a heavy slaughter and took twenty-eight standards in the two engagements of this day, but he here missed his second opportunity to give the finishing stroke to the war. It is reported that Caesar said, "The war would have been ended to-day in the enemy's favour if they had had a commander who knew how to make use of victory."

X

63. Pompey sent letters to all the kings and cities chap. magnifying his victory, and he expected that Caesar's ^X army would come over to him directly, conceiving that it was oppressed by hunger and cast down by defeat, and especially the officers through fear of punishment for their base conduct in the battle. But the latter, as though some god had brought them to repentance, were ashamed of their baseness, and as Caesar chided them gently and granted them pardon, they became still more angry with them-

CAP.
X

ἔτι μᾶλλον ἠρεθίζοντο καθ' ἑαυτῶν καὶ ἐκ παρα-
δόξου μεταβολῆς ἐκέλευον τῷ πατρίῳ νόμῳ δια-
κληρώσαντα αὐτοὺς τὸ δέκατον μέρος ἀναιρεῖν. οὐ
πειθομένου δὲ τοῦ Καίσαρος μᾶλλον ᾐδοῦντο
καὶ συνεγίνωσκον αὐτὸν οὐκ ἀξίως ὑπὸ σφῶν
ἠδικῆσθαι καὶ τοὺς φέροντας τὰ σημεῖα κτείνειν
ἐπεβόων, ὡς οὐκ ἂν αὐτοί ποτε φυγόντες, εἰ μὴ
τὰ σημεῖα προαπεστράφη. ὡς δὲ ὁ Καῖσαρ οὐδὲ
τοῦτ' ἀνασχόμενος ὀλίγους μόλις ἐκόλασεν,
αὐτίκα πᾶσιν αὐτοῦ πρὸς τὴν μετριοπάθειαν ὁρμὴ
τοσήδε ἐνέπιπτεν, ὡς εὐθὺς αὐτὸν ἄγειν ἀξιοῦν
ἐπὶ τοὺς πολεμίους· καὶ ἐνέκειντο σφόδρα προ-
θύμως, παρακαλοῦντές τε καὶ ὑπισχνούμενοι διορ-
θώσεσθαι τὸ ἁμάρτημα νίκῃ καλῇ· κατά τε
σφᾶς ἐπιστρεφόμενοι πρὸς ἀλλήλους ἰλαδὸν κατὰ
μέρη συνώμνυντο, ἐφορῶντος αὐτοῦ Καίσαρος,
μὴ ἐπανήξειν ἐκ τῆς μάχης, εἰ μὴ κρατοῖεν.

64. Ὅθεν αὐτὸν οἱ μὲν φίλοι παρεκάλουν ἀπο-
χρήσασθαι τοιᾷδε μετανοίᾳ καὶ προθυμίᾳ στρα-
τοῦ· ὁ δ' ἐς μὲν τὸ πλῆθος εἶπεν, ὅτι μετὰ
βελτιόνων καιρῶν αὐτοὺς ἐπὶ τοὺς πολεμίους
ἄξει, καὶ μεμνῆσθαι τῆσδε τῆς προθυμίας διεκε-
λεύσατο, τοὺς δὲ φίλους ἀνεδίδασκεν, ὅτι χρὴ
καὶ τῶνδε προεξελεῖν τὸν φόβον τῆς ἥττης πολὺν
αὐτοῖς ἐγγενόμενον καὶ τῶν πολεμίων τὸ φρόνημα
ἀκμάζον προκαθελεῖν. ὡμολόγει τε μεταγιγνώ-
σκειν πρὸς Δυρραχίῳ στρατοπεδεύσας, ἔνθα ἐστιν

selves and by a surprising revulsion of sentiment
demanded that they should be decimated according
to the traditional rule.   When Caesar did not agree
to this they were still more ashamed, and acknow-
ledged that they had done him a wrong which he
had little deserved at their hands.   They cried out
that he should at least put the standard-bearers
to death because they themselves would never have
run away unless the standards had first been turned
backwards in flight.   Caesar would not consent even
to this, but he reluctantly punished a few.   So great
was the zeal excited among all by his moderation
that they demanded to be led against the enemy
immediately.   They urged him vehemently, en-
couraging him and promising to wipe out their
disgrace by a splendid victory.   Of their own accord
they visited each other in military order and took an
oath by companies, under the eye of Caesar him-
self, that they would not leave the field of battle
except as victors.[1]

64. Caesar's friends, therefore, urged him to avail
himself of the army's repentance and eagerness
promptly, but he said in the hearing of the host that
he would take a better opportunity to lead them
against the enemy, and he exhorted them to be
mindful of their present zeal.   He privately ad-
monished his friends that it was necessary first for the
soldiers to recover from the very great alarm of their
recent defeat, and for the enemy to lose something
of their present high confidence.   He confessed also
that he had made a mistake in encamping before
Dyrrachium where Pompey had abundance of

[1] This agrees with the account given by Caesar himself of
what took place in his camp after his defeat at Dyrrachium.

CAP.
X

ἡ παρασκευὴ πᾶσα Πομπηίῳ, δέον ἀποσπᾶν
αὐτὸν ἑτέρωθι ἐς ὁμοίας ἀπορίας.

Καὶ τάδε εἰπὼν ἐς Ἀπολλωνίαν εὐθὺς μετῄει
καὶ ἀπ' αὐτῆς ἐς Θεσσαλίαν νυκτὸς ὑπεχώρει
λανθάνων· Γόμφους τε πόλιν μικρὰν οὐ δεχομένην
αὐτὸν ἐξεῖλεν ὑπὸ ὀργῆς καὶ ἐπέτρεψε τῷ στρατῷ
διαρπάσαι. οἱ δ' ὡς ἐκ λιμοῦ πάντων ἐνεπίμ-
πλαντο ἀθρόως καὶ ἐμεθύσκοντο ἀπρεπῶς, καὶ
μάλιστα αὐτῶν οἱ Γερμανοὶ γελοιότατοι κατὰ
τὴν μέθην ἦσαν, ὥστε δοκεῖ καὶ τότε ἂν ὁ
Πομπήιος ἐπελθὼν ἐργάσασθαί τι λαμπρόν, εἰ
μὴ διώκειν ὅλως ὑπερεῖδεν ἐκ καταφρονήσεως,
μέχρι Καῖσαρ ἑπτὰ συντόνως ἡμέραις ὁδεύσας
ἐστρατοπέδευσε περὶ Φάρσαλον. λέγεται δ' ἐν
τοῖς Γόμφοις γενέσθαι παθήματα γενναῖα καὶ
νεκροὺς τῶν ἐπιφανῶν γερόντων ἐν ἰατρείῳ
φανῆναι, κυλίκων αὐτοῖς παρακειμένων ἀτρώτοις,
εἴκοσι μὲν ὡς ἐκ μέθης κατακεκλιμένους ἐπὶ τὸ
ἔδαφος, ἕνα δ' ἐπὶ θρόνου παρακαθεζόμενον οἷα
ἰατρόν, ὃς τὸ φάρμακον αὐτοῖς ἄρα παρέσχε.

65. Πομπήιος δ' ἐπὶ τῇ Καίσαρος ἀναζεύξει
βουλὴν προυτίθει. καὶ Ἀφρανίῳ μὲν ἐδόκει τὸ
ναυτικόν, ᾧ δὴ καὶ πολὺ προὖχεν, ἐπιπέμπειν
Καίσαρι καὶ ἐνοχλεῖν θαλασσοκρατοῦντας ἀλω-
μένῳ καὶ ἀποροῦντι, τὸ δὲ πεζὸν αὐτὸν Πομπήιον
ἄγειν κατὰ σπουδὴν ἐς τὴν Ἰταλίαν εὔνουν τε
πρὸς αὐτὸν οὖσαν καὶ πολεμίων ἔρημον, κρατυνά-
μενον δ' αὐτήν τε καὶ Γαλατίαν καὶ Ἰβηρίαν ἐξ
οἰκείας καὶ ἡγεμονίδος γῆς αὖθις ἐπιχειρεῖν
Καίσαρι. ὁ δὲ καὶ ταῦτα ἄριστα ἂν οἱ γενόμενα

supplies, whereas he ought to have drawn him to some place where he would be subject to the same scarcity as themselves.

After saying this he marched directly to Apollonia and from there to Thessaly, advancing by night in order to conceal his movements. The small town of Gomphi, to which he came, refused to open its gates to him, and he took it by storm and gave it over to his army to plunder. The soldiers, who had suffered much from hunger, ate immoderately and drank wine to excess, the Germans among them being especially ridiculous under the influence of drink, so that it seems probable that Pompey might have attacked them then and gained another victory had he not disdainfully neglected a close pursuit. After seven days of rapid marching Caesar encamped near Pharsalus. It is said that among the notable calamities of Gomphi, the bodies of twenty venerable men of the first rank were found lying on the floor in an apothecary's shop, not wounded, and with goblets near them, as though they were drunk, but that one of them was seated in a chair like a physician, and had no doubt dealt out poison to them.

65. After Caesar had withdrawn Pompey called a council of war, at which Afranius advised that they should make use of their naval force, in which they were much superior, and being masters of the sea should harass Caesar, who was now wandering and destitute, and that Pompey himself should conduct his infantry with all haste to Italy, which was well disposed toward him and was now free from a hostile army. Having mastered it, together with Gaul and Spain, they could attack Caesar again from their own home, the seat of imperial power. Although this was

CAP.
X

παριδὼν ἐπείθετο τοῖς λέγουσιν αὐτίκα τὸν Καίσαρος στρατὸν μεταθήσεσθαι πρὸς αὐτὸν ὑπὸ τοῦ λιμοῦ, ἢ οὐ πολὺ σφίσιν ἔσεσθαι τὸ ἔτι λοιπὸν ἐπὶ τῇ κατὰ Δυρράχιον γενομένῃ νίκῃ· τὸ δ' ἐναντίον αἴσχιστον εἶναι, καταλιπεῖν φεύγοντα Καίσαρα καὶ τοῖς ἡττηθεῖσιν ὁμοίως τὸν νικῶντα φεύγειν. ὁ μὲν δὴ τοῖσδε προσθέμενος αἰδοῖ μάλιστα τῶν ἑῴων ἐθνῶν ἐς αὐτὸν ἀφορώντων καὶ φειδοῖ Λευκίου Σκιπίωνος, μή τι περὶ Μακεδονίαν ὢν ἔτι πάθοι, μάλιστα δ' ἐς ἀγῶνα χρήσασθαι θαρροῦντι τῷ στρατῷ διανοούμενος ἐπῆλθε καὶ ἀντεστρατοπέδευσε τῷ Καίσαρι περὶ Φάρσαλον, καὶ τριάκοντα σταδίους ἀλλήλων ἀπεῖχον.

66. Ἀγορὰ δὲ Πομπηίῳ μὲν ἦν πανταχόθεν· οὕτω γὰρ αὐτῷ προδιῴκητο καὶ ὁδοὶ καὶ λιμένες καὶ φρούρια, ὡς ἔκ τε γῆς αἰεὶ φέρεσθαι καὶ διὰ θαλάσσης πάντα ἄνεμον αὐτῷ φέρειν· Καῖσαρ δὲ μόνον εἶχεν, ὅ τι μόλις εὕροι καὶ λάβοι κακοπαθῶν. καὶ οὐδ' ὣς αὐτὸν ἀπέλιπεν οὐδείς, ἀλλὰ σπουδῇ δαιμονίῳ συνενεχθῆναι τοῖς πολεμίοις ὠρέγοντο καὶ ἡγοῦντο πολέμῳ μὲν εἶναι παρὰ πολὺ ἀμείνους νεοστρατεύτων ἔτι ὄντων δέκα ἔτεσιν ἠσκημένοι, εἰς δὲ ταφρείας ἢ περιτειχίσεις ἢ σιτολογίας ἐπιπόνους ἀσθενέστεροι διὰ γῆρας· ὅλως τε κάμνουσιν αὐτοῖς ἐδόκει δρᾶν τι . . . μετ' ἀργίας ἢ λιμῷ διαφθαρῆναι. ὧν ὁ Πομπήιος

the best possible advice Pompey disregarded it and allowed himself to be persuaded by those who said that Caesar's army would presently desert to him on account of hunger, or that there would not be much left of it anyway after the victory of Dyrrachium. They said it would be disgraceful to abandon the pursuit of Caesar when he was in flight, and for the victor to flee as though vanquished. Pompey sided with these advisers partly out of regard for the opinions of the eastern nations that were looking on, partly to prevent any harm befalling Lucius Scipio, who was still in Macedonia, but most of all because he thought that he ought to fight while his army was in high spirits. Accordingly he advanced and pitched his camp opposite to Caesar's near Pharsalus, so that they were separated from each other by a distance of thirty stades.

66. Pompey's supplies came from every quarter, for the roads, harbours, and strongholds had been so provided beforehand that food was brought to him at all times from the land, and every wind blew it to him from the sea. Caesar, on the other hand, had only what he could find with difficulty and seize by hard labour. Yet even so nobody deserted him, but all, by a kind of divine fury, longed to come to close quarters with the enemy. They considered that they, who had been trained in arms for ten years, were much superior to the new levies of Pompey in fighting, but that for digging ditches and building fortifications and for laborious foraging they were weaker by reason of their age. Tired as they were they altogether preferred to perform some deed of valour[1] rather than perish by hunger or inaction.

[1] A few words are wanting in the Greek.

CAP. αἰσθανόμενος ἐπικίνδυνον μὲν ἡγεῖτο γεγυμνασ-
X μένοις καὶ ἀπογινώσκουσιν αὐτῶν ἀνδράσι καὶ
τύχῃ Καίσαρος λαμπρᾷ περὶ τῶν ὅλων συνενεχ-
θῆναι δι᾽ ἑνὸς ἔργου, δυνατώτερον δὲ καὶ ἀκινδυνο-
τερον ἐκτρῦσαι ταῖς ἀπορίαις αὐτοὺς οὔτε γῆς
εὐπόρου κρατοῦντας οὔτε θαλάσσῃ χρωμένους
οὔτε ναῦς ἐς φυγὴν ταχεῖαν ἔχοντας.

Ὁ μὲν δὴ κρατίστῳ λογισμῷ τρίβειν τὸν
πόλεμον ἐγνώκει, καὶ ἐς λοιμὸν ἐκ λιμοῦ τοὺς
πολεμίους περιφέρειν· 67. πολὺ δ᾽ ἀμφ᾽ αὑτὸν
πλῆθος ἀνδρῶν ἀπό τε τῆς βουλῆς ὁμοτίμων οἱ καὶ
τῶν καλουμένων ἱππέων οἱ διαφανέστατοι βασι-
λέες τε πολλοὶ καὶ δυνάσται, οἱ μὲν ὑπ᾽ ἀπειρίας,
οἱ δ᾽ ἀμέτρως τοῖς περὶ τὸ Δυρράχιον εὐπραγήμα-
σιν ἐπηρμένοι, εἰσὶ δ᾽ οἳ καὶ τῷ πλέονες εἶναι τῶν
πολεμίων, οἱ δὲ καὶ κάμνοντες ὅλως τῷ πολέμῳ
τὴν κρίσιν ταχυτέραν μᾶλλον ἢ πρέπουσαν
ἐπειγόμενοι γενέσθαι, πάντες ἐξώτρυνον αὐτὸν ἐς
τὴν μάχην, ἐπιδεικνύοντες αἰεὶ τὸν Καίσαρα
παρατάττοντά τε καὶ προκαλούμενον. ὁ δ᾽ ἐξ
αὑτοῦ μάλιστα τοῦδε αὐτοὺς ἀνεδίδασκεν, ὅτι
Καίσαρι μὲν τοῦτ᾽ ἐξ ἀπορίας ἀναγκαῖον ἦν, σφίσι
δὲ καὶ διὰ τοῦτ᾽ εὔκαιρον ἡσυχάζειν, ὅτι Καῖσαρ
ὑπ᾽ ἀνάγκης ἐπείγοιτο. ἐνοχλούμενος δὲ ὑπό τε
τοῦ στρατοῦ παντὸς ἐπηρμένου τοῖς περὶ τὸ Δυρ-
ράχιον ἀμέτρως καὶ τῶν ἐπ᾽ ἀξιώσεως αὐτὸν
ἐπιτωθαζόντων ἐς φιλαρχίαν ὡς ἑκόντα βραδύ-
νοντα, ἵν᾽ ἀνδρῶν ὁμοτίμων τοσῶνδε ἄρχοι, καὶ
ἐπὶ τῷδε αὐτὸν βασιλέα τε βασιλέων καὶ Ἀγα-
μέμνονα καλούντων, ὅτι κἀκεῖνος βασιλέων διὰ
τὸν πόλεμον ἦρχεν, ἐξέστη τῶν οἰκείων λογισμῶν

Pompey perceived this and considered it dangerous CHAP.
to risk everything on a single battle with disciplined X
and desperate men, and against the brilliant good
fortune of Caesar. It would be easier and safer to
reduce them by want as they controlled no fertile
territory, and could get nothing by sea, and had no
ships for rapid flight.

So on the most prudent calculation he decided to Pompey
protract the war and drive the enemy from famine to prefers delay but
plague, 67. but he was surrounded by a great number is overruled
of senators, of equal rank with himself, by very dis- by his council
tinguished knights, and by many kings and princes.
Some of these, by reason of their inexperience
in war, others because they were too much elated by
the victory at Dyrrachium, others because they out-
numbered the enemy, and others because they were
quite tired of the war and preferred a quick decision
rather than a sound one—all urged him to fight,
pointing out to him that Caesar was always drawn
up for battle and challenging him. Pompey endea-
voured to shew them from this very fact that just as
Caesar was compelled to do so by his want of
supplies, so they had the more reason to remain
quiet because Caesar was being driven on by neces-
sity. Yet, harassed by the whole army, which was
unduly puffed up by the victories at Dyrrachium,
and by men of rank who accused him of being fond
of power and of delaying purposely in order to pro-
long his authority over so many men of his own rank
—and who for this reason called him derisively
"king of kings" and "Agamemnon," because he also
ruled over kings while the war lasted—he allowed
himself to be moved from his own purpose and gave
in to them, being even now under that same divine

CAP.
X

καὶ ἐνέδωκεν αὐτοῖς, θεοῦ βλάπτοντος ἤδη καὶ
τἆλλα παρ' ὅλον τόνδε τὸν πόλεμον. νωθής τε
γὰρ καὶ βραδὺς παρὰ τὴν αὑτοῦ φύσιν ἐν ἅπασι
γεγονὼς παρεσκευάζετο ἄκων ἐς μάχην ἐπὶ κακῷ
τε αὑτοῦ καὶ τῶν αὐτὸν ἀναπειθόντων.

68. Καίσαρι δὲ τῆς νυκτὸς ἐκείνης τρία μὲν
ἐπὶ σιτολογίαν ἐξῄει τέλη (τὸν γὰρ Πομπήιον
ἐπαινῶν τῆς βραδυτῆτος καὶ οὐδαμοῦ νομίζων
μεταθήσεσθαι τοῦ βουλεύματος περιέπεμπεν ἐπὶ
σῖτον), πυθόμενος δὲ τῆς παρασκευῆς ἥσθη τε τῆς
ἀνάγκης, ἣν εἴκαζεν ἠναγκάσθαι Πομπήιον ὑπὸ
τοῦ στρατοῦ, καὶ τὸν ἑαυτοῦ τάχιστα ἀνεκάλει
πάντα καὶ ἀντιπαρεσκευάζετο. θυόμενός τε νυκτὸς
μέσης τὸν Ἄρη κατεκάλει καὶ τὴν ἑαυτοῦ
πρόγονον Ἀφροδίτην (ἐκ γὰρ Αἰνείου καὶ Ἴλου
τοῦ Αἰνείου τὸ τῶν Ἰουλίων γένος παρενεχθέντος
τοῦ ὀνόματος ἡγεῖτο εἶναι), νεών τε αὐτῇ νικη-
φόρῳ χαριστήριον ἐν Ῥώμῃ ποιήσειν εὔχετο
κατορθώσας. ὡς δὲ καὶ σέλας ἐξ οὐρανοῦ
διαπτὰν ἀπὸ τοῦ Καίσαρος ἐς τὸ Πομπηίου
στρατόπεδον ἐσβέσθη, οἱ μὲν ἀμφὶ τὸν Πομπήιον
ἔσεσθαί τι λαμπρὸν αὐτοῖς ἔφασαν ἐκ τῶν πολεμ-
ίων, ὁ δὲ Καῖσαρ σβέσειν αὐτὸς ἐμπεσὼν τὰ
Πομπηίου. αὐτῷ δὲ τῷ Πομπηίῳ τῆς αὐτῆς
νυκτός τινα τῶν ἱερείων ἐκφυγόντα οὐ συνελήφθη,
καὶ μελισσῶν ἑσμὸς ἐπὶ τοῖς βωμοῖς ἐκάθισε,
ζῴου νωχελοῦς. μικρόν τε πρὸ ἕω πανικὸν
ἐνέπεσεν αὐτοῦ τῷ στρατῷ· καὶ τόδε περιδρα-
μὼν αὐτὸς καὶ καταστήσας ἀνεπαύετο σὺν ὕπνῳ
βαθεῖ· περιεγειράντων δ' αὐτὸν τῶν φίλων, ὄναρ

infatuation which led him astray during the whole of this war. He had now become, contrary to his nature, sluggish and dilatory in all things, and he prepared for battle against his will, to his own hurt and that of the men who had persuaded him.

68. That same night three of Caesar's legions started out to forage; for Caesar himself approved Pompey's dilatory proceedings, and had no idea that he would change, and accordingly sent them out to procure food. When he perceived that the enemy was preparing to fight he was delighted at the pressure which he conjectured had been put upon Pompey by his army, and he recalled all of his forces at once and made preparations on his own side. He offered sacrifice at midnight and invoked Mars and his own ancestress, Venus (for it was believed that from Aeneas and his son, Ilus, was descended the Julian race, with a slight change of name), and he vowed that he would build a temple in Rome as a thank-offering to her as the Bringer of Victory if everything went well. Thereupon a flame from heaven flew through the air from Caesar's camp to Pompey's, where it was extinguished. Pompey's men said that it signified a brilliant victory for them over their enemies, but Caesar interpreted it as a meaning that he should fall upon and extinguish the power of Pompey. When Pompey was sacrificing the same night some of the victims escaped and could not be caught, and a swarm of bees, torpid creatures, settled on the altar. Shortly before daylight a panic occurred in his army. He himself went around and quieted it and then fell into a deep sleep, and when his friends aroused him he said that he had

Prodigies before the battle

ἔφασκεν ἄρτι νεὼν ἐν Ῥώμῃ καθιεροῦν Ἀφροδίτῃ
νικηφόρῳ.

69. Καὶ τόδε μὲν ἀγνοίᾳ τῆς Καίσαρος εὐχῆς οἵ
τε φίλοι καὶ ὁ στρατὸς ἅπας πυθόμενοι ἥδοντο, καὶ
τἆλλα ἀλόγως σὺν ὁρμῇ καὶ καταφρονήσει χω-
ροῦντες ἐπὶ τὸ ἔργον ὡς ἐπὶ ἕτοιμον. ὧν γε πολλοὶ
καὶ τὰς σκηνὰς δάφναις ἀνέστεφον ἤδη, συμβόλῳ
νίκης· καὶ οἱ θεράποντες αὐτοῖς δαῖτα λαμπρο-
τάτην ἐπόρσυνον· εἰσὶ δ' οἳ καὶ περὶ τῆς Καίσα-
ρος ἀρχιερωσύνης ἐς ἀλλήλους ἤδη διῄριζον.
ἅπερ ὁ Πομπήιος οἷα πολέμων ἔμπειρος ἀπε-
στρέφετο καὶ νεμεσῶν ἐπ' αὐτοῖς ἐνεκαλύπτετο,
κατεσιώπα δ' ὅμως ὑπὸ ὄκνου καὶ δέους, ὥσπερ
οὐ στρατηγῶν ἔτι, ἀλλὰ στρατηγούμενος καὶ
πάντα πράσσων ὑπὸ ἀνάγκης παρὰ γνώμην.
τοσοῦτον ἀνδρὶ μεγαλουργῷ καὶ παρὰ πᾶν ἔργον
ἐς ἐκείνην τὴν ἡμέραν εὐτυχεστάτῳ γενομένῳ τὸ
δύσθυμον ἐνεπεπτώκει, εἴτε ὅτι τὰ συμφέροντα
κρίνων οὐκ ἔπειθεν, ἀλλ' ἐπὶ κύβον ἐχώρει πλή-
θους ἀνδρῶν τοσῶνδε σωτηρίας καὶ τῆς ἑαυτοῦ
δόξης ἐς τότε ἀηττήτου· εἴτε τι καὶ μαντικώτερον
αὐτὸν πλησιάζοντος ἤδη τοῦ κακοῦ συνετάρασσε,
μέλλοντα τῆς ἡμέρας ἐκείνης ἐκ δυναστείας
τοσῆσδε ἀθρόως ἐκπεσεῖσθαι. τοσοῦτον δ' οὖν
εἰπὼν τοῖς φίλοις, ὅτι ἥδε ἡ ἡμέρα, ὁπότερος ἂν
ἐπικρατήσῃ, μεγάλων ἐς ἀεὶ Ῥωμαίοις ἄρξει
κακῶν, παρέτασσεν ἐς τὴν μάχην. ᾧ δὴ καὶ
μάλιστα αὐτοῦ τὴν διάνοιαν προπεσεῖν τινες ἐν

just dreamed that he had dedicated a temple in CHAP.
Rome to Venus the Bringer of Victory.[1]   X

69. His friends and his whole army when they
heard of this were delighted, being in ignorance of
Caesar's vow, and in other respects too going to the
battle in an unreasoning, a reckless, and contemptuous
way as though it were already won.   Many of them
adorned their tents with laurel branches, the insignia
of victory, and their slaves prepared a magnificent
banquet for them.   Some, too, of them began already
to contend with each other for Caesar's office of
Pontifex Maximus.   Pompey, being experienced in
military affairs, turned away from these follies with
concealed indignation, but he remained altogether
silent through hesitancy and dread, as though he were
no longer commander but under command, and as
though he were doing everything under compulsion
and against his judgment; so deep the dejection
which had come over this man of great deeds (who,
until this day, had been most fortunate in every
undertaking), either because he had not carried his
point in deciding what was the best course, and was
about to cast the die involving the lives of so many
men and also involving his own reputation as in-
vincible; or because some presentiment of approach-
ing evil troubled him, presaging his complete down-
fall that very day from a position of such vast power.
Remarking merely to his friends that whichever
should conquer, that day would be the beginning of
great evils to the Romans for all future time, he
began to make arrangements for the battle.   In this
remark some people thought his real intentions
escaped him, involuntarily expressed in a moment of

[1] *Venus Victrix.*

CAP. τῷ φόβῳ νομίζοντες ἡγοῦντο οὐδ᾽ ἂν Πομπήιον
X κρατήσαντα μεθεῖναι τὴν μοναρχίαν.

70. Στρατιὰ δ᾽ ἦν, ὡς ἐμοὶ δοκεῖ, πολλῶν
ἀμφίλογα εἰπόντων ἑπομένῳ μάλιστα Ῥωμαίων
τοῖς τὰ πιθανώτατα γράφουσι περὶ τῶν ἐξ
Ἰταλίας ἀνδρῶν, οἷς δὴ καὶ μάλιστα θαρροῦντες
τὰ συμμαχικὰ οὐκ ἀκριβοῦσιν οὐδὲ ἀναγράφουσιν
ὡς ἀλλότρια καὶ ὀλίγην ἐν αὑτοῖς εἰς προσθήκην
χώραν ἔχοντα, Καίσαρι μὲν ἐς δισχιλίους ἐπὶ
δισμυρίοις, καὶ τούτων ἱππέες ἦσαν ἀμφὶ τοὺς
χιλίους, Πομπηίῳ δὲ ὑπὲρ τὸ διπλάσιον, καὶ τού-
των ἱππέες ἐς ἑπτακισχιλίους. ὧδε μὲν τοῖς τὰ
πιθανώτατα λέγουσι δοκεῖ μυριάδας ἑπτὰ ἀνδρῶν
Ἰταλῶν συμπεσεῖν ἀλλήλοις ἐς μάχην· οἱ δ᾽
ὀλιγωτέρους ἑξακισμυρίων φασίν, οἱ δ᾽ ὑπερεπαί-
ροντες τεσσαράκοντα μυριάδας γενέσθαι λέγουσι.
καὶ τούτων οἱ μὲν ἡμιόλιον, οἱ δὲ ἐκ τριῶν νομί-
ζουσιν ἀμφὶ τὰ δύο τῷ Πομπηίῳ γενέσθαι μέρη.
τοσάδε μὲν ἀμφιγνοοῦσι περὶ τοῦ ἀκριβοῦς· ὅπως
δ᾽ οὖν εἶχε, τοῖσδε μάλιστα τοῖς ἐξ Ἰταλίας
ἑκάτερος αὐτῶν ἐθάρρει. τὸ δὲ συμμαχικὸν ἦν
Καίσαρι μὲν ἱππέες τε Κελτοὶ . . . καὶ Κελτῶν
τῶν ὑπὲρ Ἄλπεις ἀριθμὸς ἄλλος· Ἑλλήνων δ᾽
ἐπέλταζον αὐτῷ Δόλοπες, Ἀκαρνᾶνες, Αἰτωλοί.
τοσοίδε μὲν τῷ Καίσαρι συνεμάχουν, Πομπηίῳ
δὲ πάντα τὰ ἑῷα ἔθνη κατὰ πλῆθος, οἱ μὲν ἐξ
ἵππων, οἱ δὲ πεζοί, ἀπὸ μὲν τῆς Ἑλλάδος Λάκωνες
ὑπὸ τοῖς ἰδίοις βασιλεῦσι τασσόμενοι, καὶ ἡ ἄλλη
Πελοπόννησος καὶ Βοιωτοὶ μετ᾽ αὐτῶν. ἐστρά-
τευον δὲ καὶ Ἀθηναῖοι, κηρυξάντων μὲν αὐτοὺς

fear, and they inferred that even if Pompey had been CHAP.
victorious he would not have laid down the supreme X
power.

70. Since many writers differ as to Caesar's army, The armies
I shall follow the most credible Roman authorities, at Pharsalus
who give the most careful enumeration of the
Italian soldiers, as the backbone of the army, but do
not make much account of the allied forces or record
them exactly, regarding them as mere foreigners
and as contributing little to the issue of the day.
The army, then, consisted of about 22,000 men and
of these about 1000 were cavalry. Pompey had more
than double that number, of whom about 7000 were
cavalry. Some of the most trustworthy writers say
that 70,000 Italian soldiers were engaged in this
battle. Others give the smaller number, 60,000.
Still others, grossly exaggerating, say 400,000. Of
the whole number some say Pompey's forces were
half as many again as Caesar's, others that they were
two-thirds of the total number engaged. So much
doubt is there as to the exact truth. However that
may be, each of them placed his chief reliance on
his Italian troops. In the way of allied forces
Caesar had cavalry from both Cisalpine [1] and Trans-
alpine Gaul, besides some light-armed Greeks, con-
sisting of Dolopians, Acarnanians, and Aetolians.
Such were Caesar's allies. Pompey had a great
number from all the eastern nations, part horse, part
foot. From Greece he had Lacedemonians marshalled
by their own kings, and others from Peloponnesus
and Boeotians with them. Athenians marched to his
aid also, although proclamation had been made that

---

[1] This is the simplest way to fill up the slight lacuna in
the Greek.

ΟΑΡ. ἑκατέρων μὴ ἀδικεῖν τὸν στρατὸν ὡς ἱεροὺς τῶν
Χ   Θεσμοφόρων, πρὸς δὲ τὴν δόξαν ἄρα τοῦ πολέμου
τραπέντες ὡς ὑπὲρ τῆς Ῥωμαίων ἡγεμονίας ἀγω-
νιούμενοι.

71. Ἐπὶ δὲ τοῖς Ἕλλησιν ὀλίγου πάντες, ὅσοι
περιιόντι τὴν ἐν κύκλῳ θάλασσαν ἐπὶ τὴν ἕω,
Θρᾷκές τε καὶ Ἑλλησπόντιοι καὶ Βιθυνοὶ καὶ
Φρύγες καὶ Ἴωνες, Λυδοί τε καὶ Παμφύλιοι καὶ
Πισίδαι καὶ Παφλαγόνες, καὶ Κιλικία καὶ Συρία
καὶ Φοινίκη καὶ τὸ Ἑβραίων γένος καὶ Ἄραβες
οἱ τούτων ἐχόμενοι Κύπριοί τε καὶ Ῥόδιοι καὶ
Κρῆτες σφενδονῆται καὶ ὅσοι ἄλλοι νησιῶται.
παρῆσαν δὲ καὶ βασιλέες καὶ δυνάσται στρατὸν
ἄγοντες, Δηίοταρος μὲν τετράρχης Γαλατῶν τῶν
ἑῴων, Ἀριαράθης δὲ Καππαδοκῶν βασιλεύς.
Ἀρμενίους δὲ ἦγε τοὺς ἐντὸς Εὐφράτου στρατηγὸς
Ταξίλης καὶ Ἀρμενίους τοὺς ὑπὲρ Εὐφράτην
Μεγαβάτης, ὕπαρχος Ἀρταπάτου βασιλέως·
ἄλλοι τε μικροὶ δυνάσται συνεπελαμβάνοντο τοῦ
πόνου. λέγονταί δὲ καὶ ἀπ' Αἰγύπτου νῆες
ἑξήκοντα αὐτῷ παραγενέσθαι παρὰ τῶν Αἰγύπτου
βασιλέων, Κλεοπάτρας τε καὶ τοῦ ἀδελφοῦ,
παιδὸς ἔτι ὄντος. ἀλλ' αἵδε μὲν οὐ συνεμάχησαν
οὐδὲ γὰρ τὸ ἄλλο ναυτικόν, ἀλλ' ἐπὶ ἀργίας ἐν
Κερκύρᾳ κατέμενε. καὶ δοκεῖ Πομπήιος τόδε
μάλιστα ἀφρόνως ἐργάσασθαι, τῶν μὲν νεῶν
καταφρονήσας, αἷς δὴ πολὺ προύχων ἐδύνατο
πανταχοῦ τὴν ἐπακτὸν ἀγορὰν τοὺς πολεμίους
ἀφαιρεῖσθαι, ἐν δὲ ἀγῶνι πεζῷ συνενεχθεὶς ἀνδρά-

they, being consecrated to the Thesmophori, should CHAP.
do no harm to the army of either party.[1] Neverthe- **X**
less, they wished to share in the glory of the war
because this was a contest for the Roman leadership.

71. Besides the Greeks almost all the nations of
the Levant sent aid to Pompey : Thracians, Helles-
pontines, Bithynians, Phrygians, Ionians, Lydians,
Pamphylians, Pisidians, Paphlagonians ; Cilicia, Syria,
Phoenicia, the Hebrews, and their neighbours the
Arabs ; Cyprians, Rhodians, Cretan slingers, and all
the other islanders. Kings and princes were there
leading their own troops : Deïotarus, the tetrarch of
Galatia, and Ariarathes, king of Cappadocia. Taxiles
commanded the Armenians from the hither side of
the Euphrates ; those from the other side were led
by Megabates, the lieutenant of King Artapates.
Some other small princes took part with Pompey in
the action. It was said that sixty ships from Egypt
were contributed to him by the sovereigns of that
country, Cleopatra and her brother, who was still a
boy. But these did not take part in the battle, nor
did any other naval force, but they remained idle at
Corcyra. Pompey seems to have acted very foolishly
in this respect both in disregarding the fleet, in
which he excelled so greatly that he could have
deprived the enemy of all the supplies brought to
them from abroad, and in risking a battle on land

[1] A difficult passage, of which the above is the most likely
interpretation. The *Thesmophori* were Demeter and Perse-
phone, goddesses of tillage and the arts of civilization.
Their festival was held yearly.

CAP.
X

σιν ἐκ πόνου πολλοῦ μεγαλαύχοις τε καὶ θηρι-
ώδεσιν ἐς μάχας γενομένοις. ἀλλ᾽ αὐτὸν αὐτοὺς
φυλαξάμενον περὶ Δυρράχιον θεοβλάβεια δοκεῖ
παραγαγεῖν, ἐν καιρῷ μάλιστα δὴ πάντων ἤδε τῷ
Καίσαρι γενομένη· διὰ γὰρ αὐτὴν ὁ στρατὸς ὁ τοῦ
Πομπηίου κουφόνως μάλα ἐπήρθη, καὶ τοῦ
στρατηγοῦ σφῶν κατεκράτησαν καὶ ἐς τὸ ἔργον
ἀπειροπολέμως ἐτράποντο.

XI

72. Ἀλλὰ τάδε μὲν ᾠκονόμει θεὸς ἐς ἀρχὴν
CAP.
XI
τῆσδε τῆς νῦν ἐπεχούσης τὰ πάντα ἡγεμονίας· τότε
δ᾽ αὐτῶν τὴν στρατιὰν ἑκάτερος συναγαγὼν ἐπώ-
τρυνε, Πομπήιος μὲν τοιάδε λέγων· "ὑμεῖς, ὦ
συστρατιῶται, στρατηγεῖτε τοῦ πόνου μᾶλλον ἢ
στρατηγεῖσθε· αὐτοὶ γὰρ ἐμοῦ τὰ Καίσαρος
ἐκτρύχειν ἔτι βουλομένου τὸν ἀγῶνα τόνδε πρου-
καλέσασθε. ὡς οὖν ἀγωνοθέται τῆς μάχης χρή-
σασθε μὲν ὡς ἐλάττοσι πολὺ πλείονες, κατα-
φρονεῖτε δὲ ὡς ἡττημένων νενικηκότες καὶ γερόντων
νέοι καὶ πολλὰ κεκμηκότων ἀκμῆτες ἄνδρες, οἷς
ὑπάρχει δύναμις τοσήδε καὶ παρασκευὴ καὶ τὸ
συνειδὸς αὐτὸ τῆς αἰτίας· ὑπὲρ γὰρ ἐλευθερίας καὶ
πατρίδος ἀγωνιζόμεθα μετὰ νόμων καὶ δόξης
ἀγαθῆς καὶ τοσῶνδε ἀνδρῶν, τῶν μὲν ἀπὸ βουλῆς,
τῶν δ᾽ ἱππέων, πρὸς ἄνδρα ἕνα ληστεύοντα τὴν
ἡγεμονίαν. ἴτε οὖν, ὡς ἠξιοῦτε, μετ᾽ ἀγαθῆς
ἐλπίδος, ἐν ὄψει τιθέμενοι τήν τε φυγὴν αὐτῶν
τὴν περὶ τὸ Δυρράχιον γενομένην καὶ ὅσα σημεῖα
μιᾶς ἡμέρας κρατοῦντες αὐτῶν ἐλάβομεν."

with men exulting in their recent labours, and thirsting like tigers for blood. Although he had been on his guard against them at Dyrrachium, a certain spell seems to have come over him, most opportunely for Caesar, with the result that Pompey's army became light-headed to a degree, taking entire charge of its commander, and rushing into action in a most unworkmanlike way.

XI

72. Such was the ordering of divine Providence to usher in the universal imperial power of our own day. Each of the commanders assembled his soldiers and made an appeal to them. Pompey spoke as follows : "You, my fellow soldiers, are the leaders in this task rather than the led, for you urged on this engagement while I was still desirous of wearing Caesar out by hunger. Since, therefore, you are the marshalls of the lists of battle, conduct yourselves like those who are greatly superior in numbers. Despise the enemy as victors do the vanquished, as young men do the old, as fresh troops do those who are wearied with many toils. Fight like those who have the power and the means, and the consciousness of a good cause. We are contending for liberty and country. On our side are the laws and honourable fame, and this great number of senators and knights, against one man who is piratically seizing supreme power. Go forward then, as you have desired to do, with good hope, keeping in your mind's eye the flight of the enemy at Dyrrachium, and the great number of their standards that we captured in one day when we defeated them there."

73. Ὁ μὲν δὴ Πομπήιος ὧδε ἔλεγεν, ὁ δὲ Καῖσαρ τοῖς ἰδίοις τοιάδε· "τὰ μὲν δυσχερέστερα ἤδη νενικήκαμεν, ὦ φίλοι· ἀντὶ γὰρ λιμοῦ καὶ ἀπορίας ἀνδράσι μαχούμεθα· ἤδε δὲ ἡ ἡμέρα κρινεῖ πάντα. μέμνησθέ μοι τῆς περὶ τὸ Δυρρά- χιον ἐπαγγελίας καὶ ὧν ἐφορῶντος ἐμοῦ συνώ- μνυσθε ἀλλήλοις, μὴ νικῶντες οὐδ' ἐπανήξειν. οἵδε εἰσίν, ὦ ἄνδρες, ἐφ' οὓς ἐξ Ἡρακλείων στηλῶν ἤλθομεν· οἵδε οἱ περιφυγόντες ἡμᾶς ἐξ Ἰταλίας, οἳ τοὺς δέκα ἔτεσιν ἀθλοῦντας ἡμᾶς καὶ πολέμους τοσούσδε καὶ νίκας δυσαριθμήτους ἀνύσαντας καὶ Ἰβήρων καὶ Κελτῶν καὶ Βρεττανῶν ἔθνη τετρα- κόσια περιποιήσαντας τῇ πατρίδι διέλυον ἀγε- ράστους ἄνευ θριάμβου τε καὶ δωρεᾶς, καὶ οὐδ' ἐς τὰ δίκαια αὐτοὺς ἐγὼ προκαλούμενος ἔπειθον οὐδὲ χάρισιν ἐξήνυον. ἴστε, οὓς μεθῆκα ἀπαθεῖς, ἐλπίσας ἡμῖν τι παρ' αὐτῶν ἔσεσθαι δίκαιον. τῶνδε οὖν μοι τήμερον ἀθρόον ἀνενέγκατε καὶ τῆς ἐμῆς πρὸς ὑμᾶς, εἴ τι σύνιστέ μοι, κηδεμονίας ἢ πίστεως ἢ δωρεῶν μεγαλοφροσύνης.

74. "Ἔστι δὲ οὐ δυσχερὲς νεοστρατεύτων καὶ ἀπειροπολέμων ἔτι πολυπόνους ἀγωνιστὰς περι- γενέσθαι, ἄλλως τε καὶ μειρακιωδῶς ἐς ἀταξίαν καὶ δυσπείθειαν τοῦ στρατηγοῦ τραπέντων, ὃν ἐγὼ πυνθάνομαι δεδιότα καὶ ἄκοντα χωρεῖν ἐπὶ τὸ ἔργον, τύχῃ τε παρακμάζοντα ἤδη καὶ νωθῆ καὶ βραδὺν ἐς ἅπαντα γεγενημένον καὶ οὐδὲ στρατηγοῦντα ἔτι μᾶλλον ἢ στρατηγούμενον. καὶ τάδε μοι περὶ μόνων ἐστὶ τῶν Ἰταλῶν, ἐπεὶ τῶν γε συμμάχων μηδὲ φροντίζετε μηδ' ἐν λόγῳ

73. Such was Pompey's speech. Caesar addressed
his men as follows: "My friends, we have already
overcome our more formidable enemies, and are now
about to encounter not hunger and want, but men.
This day will decide everything. Remember what
you promised me at Dyrrachium. Remember how
you swore to each other in my presence that you
would never leave the field except as conquerors.
These men, fellow-soldiers, are the same that we have
come to meet from the Pillars of Hercules, the same
men who gave us the slip from Italy. They are
the same who sought to disband us without
honours, without a triumph, without rewards, after
the toils and struggles of ten years, after we had
finished those great wars, after innumerable victories,
and after we had added 400 nations in Spain,
Gaul, and Britain to our country's sway. I have
not been able to prevail upon them by offering
fair terms, nor to win them by benefits. Some, you
know, I dismissed unharmed, hoping that we should
obtain some justice from them. Recall all these facts
to your minds to-day, and if you have any experience
of me recall also my care for you, my good faith,
and the generosity of my gifts to you.

74. "Nor is it difficult for hardy and veteran
soldiers to overcome new recruits who are without
experience in war, and who, moreover, like boys,
spurn the rules of discipline and of obedience to
their commander. I learn that he was afraid and
unwilling to come to an engagement. His star has
already passed its zenith; he has become slow and
hesitating in all his acts, and no longer commands,
but obeys the orders of others. I say these things
of his Italian forces only. As for his allies, do not
think about them, pay no attention to them, do not

CAP.
XI

τίθεσθε μηδὲ μάχεσθε ὅλως ἐκείνοις. ἀνδράποδα
ταῦτ᾽ ἐστὶ Σύρια καὶ Φρύγια καὶ Λύδια, φεύγειν
αἰεὶ καὶ δουλεύειν ἕτοιμα· οἷς ἐγὼ σαφῶς οἶδα,
καὶ ὑμεῖς δὲ αὐτίκα ὄψεσθε, οὐδὲ Πομπήιον αὐτὸν
τάξιν ἐγγυῶντα πολέμου. ἔχεσθε οὖν μοι τῶν
Ἰταλῶν μόνων, κἂν οἱ σύμμαχοι δίκην κυνῶν
περιθέωσιν ὑμᾶς καὶ θορυβοποιῶσι. τρεψάμενοι
δ᾽ αὐτοὺς τῶνδε μὲν ὡς συγγενῶν φειδώμεθα, τοὺς
δὲ συμμάχους ἐς τὴν τῶνδε κατάπληξιν ἐξεργά-
σασθε. πρὸ δὲ πάντων, ὡς ἂν εἰδείην ὑμᾶς ἔγωγε
ὧν συνετίθεσθε μεμνημένους τε καὶ νίκην πάντως
ἢ θάνατον αἱρουμένους, καθέλετέ μοι προϊόντες
ἐπὶ τὴν μάχην τὰ τείχη τὰ σφέτερα αὐτῶν καὶ
τὴν τάφρον ἐγχώσατε, ἵνα μηδὲν ἔχωμεν, ἂν μὴ
κρατῶμεν, ἴδωσι δ᾽ ἡμᾶς ἀσταθμεύτους οἱ πολέμιοι
καὶ συνῶσιν, ὅτι πρὸς ἀνάγκης ἐστὶν ἡμῖν ἐν τοῖς
ἐκείνων σταθμεῦσαι."

75. Ὁ μὲν τοσάδε εἰπὼν φυλακὴν ὅμως τῶν
σκηνῶν κατέπεμπε δισχιλίους τοὺς πάνυ γέρον-
τας· οἱ δ᾽ ἐξιόντες τὸ τεῖχος ἤρειπον μετὰ σιωπῆς
βαθυτάτης καὶ ἐς τὴν τάφρον αὐτὸ ἐνεχώννυον.
ὁρῶν δ᾽ ὁ Πομπήιος, ἡγουμένων τινῶν ἐς φυγὴν
αὐτοὺς συσκευάζεσθαι, συνίει τοῦ τολμήματος καὶ
ἔστενε καθ᾽ αὑτόν, ὅτι χωροῦσιν ἐς χεῖρας θηρίοις,
λιμὸν ἔχοντες, ἄξιον θηρίων φάρμακον. ἀλλ᾽ οὐ
γὰρ ἦν ἀναδῦναι ἔτι, τῶν πραγμάτων ὄντων ἐπὶ
ξυροῦ. διὸ δὴ καὶ τετρακισχιλίους τῶν Ἰταλῶν
φύλακας τοῦ στρατοπέδου καταλιπὼν παρέτασσε
τοὺς λοιποὺς ἐς τὸ μεταξὺ Φαρσάλου τε πόλεως
καὶ Ἐνιπέως ποταμοῦ, ἔνθα καὶ ὁ Καῖσαρ ἀντιδι-
εκόσμει, τοὺς μὲν Ἰταλοὺς ἑκάτερος αὐτῶν ἐς τρί-

fight with them at all. They are Syrian, Phrygian, and Lydian slaves, always ready for flight or servi-tude. I know very well, and you will presently see, that Pompey himself will not entrust to them any place in the ranks of war. Give your attention to the Italians only, even though these allies come running around you like dogs trying to frighten you. When you have put the enemy to flight let us spare the Italians as being our own kindred, but slaughter the allies in order to strike terror into the others. Before all else, in order that I may know that you are mindful of your promise to choose victory or death, throw down the walls of your camp as you go out to battle and fill up the ditch, so that we may have no place of refuge if we do not conquer, and so that the enemy may see that we have no camp and know that we are compelled to encamp in theirs."

75. Nevertheless, after he had thus spoken Caesar detailed 2,000 of his oldest men to guard the tents. The rest, as they passed out, demolished their forti-fication in the profoundest silence and filled up the ditch with the debris. When Pompey saw this, although some of his friends thought that it was a preparation for flight, he knew it was an exhibition of daring, and groaned in spirit, to think that they were now coming to grips with wild beasts, although they had on their side famine, the best tamer of wild beasts. But there was no drawing back now, when things were balanced on the razor's edge. Wherefore, leaving 4,000 of his Italian troops to guard his camp, Pompey drew up the remainder between the city of Pharsalus and the river Enipeus opposite the place where Caesar was marshalling his forces. Each of them ranged his Italians in front,

CAP.
XI
διαιρῶν ἐπὶ μετώπου, μικρὸν ἀλλήλων διεστῶτας,
καὶ τοὺς ἱππέας ἐπὶ τοῖς κέρασι τοῖς κατὰ μέρη
τάσσων. τοξόται δὲ πᾶσιν ἀναμεμίγατο καὶ
σφενδονῆται. καὶ τὸ μὲν Ἰταλικὸν οὕτω κεκό-
σμητο, ᾧ δὴ καὶ μάλιστα αὐτῶν ἑκάτερος ἐθάρρει·
τὰ συμμαχικὰ δ' ἦγον ἐφ' ἑαυτῶν ὡς ἐς ἐπίδειξιν.
πολύθρουν δὲ ἦν τὸ Πομπηίου συμμαχικὸν καὶ
πολύγλωσσον· καὶ αὐτῶν ὁ Πομπήιος Μακεδόνας
μὲν καὶ Πελοποννησίους καὶ Βοιωτοὺς καὶ Ἀθη-
ναίους, ἀποδεξάμενος τῆς εὐταξίας καὶ σιωπῆς,
παρεστήσατο τῇ φάλαγγι τῇ Ἰταλικῇ, τοὺς δὲ
ἄλλους, ὅπερ ὁ Καῖσαρ εἴκαζεν, ἔξω τάξεως
ἐκέλευσε κατὰ φυλὰς ἐφεδρεύοντας, ὅταν ἐν
χερσὶν ὁ ἀγὼν γένηται, κυκλοῦσθαι τοὺς πολε-
μίους καὶ διώκειν, ὅσα δύναιντο βλάπτοντας, καὶ
τὸ στρατόπεδον αὐτὸ Καίσαρος ἀχαράκωτον ὂν
διαρπάζειν.

76. Ἡγοῦντο δὲ τῆς φάλαγγος Πομπηίῳ μὲν ὁ
κηδεστὴς Σκιπίων ἐν μέσῳ καὶ ἐπὶ τοῦ λαιοῦ
Δομίτιος, ἐπὶ δὲ τοῦ δεξιοῦ Λέντλος· Ἀφράνιος δὲ
καὶ Πομπήιος τὸ στρατόπεδον ἐφύλαττον. Καί-
σαρι δ' ἐστρατήγουν μὲν Σύλλας καὶ Ἀντώνιος
καὶ Δομίτιος, αὐτὸς δ' ἐπὶ τοῦ δεξιοῦ κέρως
συνετάσσετο τῷ δεκάτῳ τέλει, καθάπερ ἦν ἔθος
αὐτῷ. καὶ τοῦτ' ἰδόντες οἱ πολέμιοι μετήγαγον
ἐπ' αὐτὸ τοὺς ἀρίστους τῶν ἱππέων, ἵνα πλέονες
ὄντες, εἰ δυνηθεῖεν, κυκλώσαιντο. συνεὶς δὲ ὁ
Καῖσαρ τρισχιλίους εὐτολμοτάτους πεζοὺς ἐνή-
δρευσεν, οἷς ἐκέλευσεν, ὅταν αἴσθωνται τοὺς
πολεμίους περιθέοντας, ἀναπηδᾶν καὶ τὰ δόρατα
ἐσπηδῶντας ἀνίσχειν ὀρθὰ ἐς τὰ πρόσωπα τῶν

divided into three lines with a moderate space
between them, and placed his cavalry on the wings
of each division. Archers and slingers were mingled
among all. Thus were the Italian troops disposed,
on which each commander placed his chief reliance.
The allied forces were marshalled by themselves
rather for show than for use. There was much
jargon and confusion of tongues among Pompey's
auxiliaries. Pompey stationed the Macedonians,
Peloponnesians, Boeotians, and Athenians near the
Italian legions, as he approved of their good order
and quiet behaviour. The rest, as Caesar had
anticipated, he ordered to lie in wait by tribes out-
side of the line of battle, and when the engagement
should become close to surround the enemy, to
pursue, to do what damage they could, and to
plunder Caesar's camp, which was without defences.

76. The centre of Pompey's formation was com-
manded by his father-in-law, Scipio, the left wing
by Domitius, and the right by Lentulus. Afranius
and Pompey guarded the camp.[1] On Caesar's side
the commanders were Sulla, Antony, and Domitius.
Caesar took his place in the tenth legion, on the right
wing, as was his custom. When the enemy saw this
they transferred, to face that legion, the best of their
horse, in order to surround it if they could, by their
superiority of numbers. When Caesar perceived
this movement he placed 3,000 of his bravest foot-
soldiers in ambush and ordered them, when they
should see the enemy trying to flank him, to rise,
dart forward, and thrust their spears directly in the
faces of the men because, as they were fresh and

[1] An error of some sort. Pompey commanded one wing
in person.

CAP.
XI

ἀνδρῶν· οὐ γὰρ οἴσειν ἀπείρους καὶ νέους, ὡραϊζομένους ἔτι, τὸν ἐς τὰ πρόσωπα κίνδυνον. οἱ μὲν δὴ τοιάδε κατ᾽ ἀλλήλων ἐμηχανῶντο καὶ περιῄεσαν ἑκάστους, καθιστάμενοί τε τὰ ἐπείγοντα καὶ ἐς εὐτολμίαν παρακαλοῦντες καὶ τὰ συνθήματα ἀναδιδόντες, ὁ μὲν Καῖσαρ Ἀφροδίτην νικηφόρον, ὁ δὲ Πομπήιος Ἡρακλέα ἀνίκητον.

77. Ὡς δὲ σφίσιν ἕτοιμα πάντα ἦν, ἐπὶ πολὺ καὶ ὡς ἀνέμενον ἐν βαθείᾳ σιωπῇ, μέλλοντες ἔτι καὶ ὀκνοῦντες καὶ ἐς ἀλλήλους ἀποβλέποντες, ὁπότερος ἄρξει τῆς μάχης. τό τε γὰρ πλῆθος ᾤκτειρον, οὐδενός πω τοσοῦδε Ἰταλοῦ στρατοῦ ἐς ἕνα κίνδυνον συνελθόντος, καὶ τὴν ἀρετὴν ἐκκρίτων ὄντων ἑκατέρων ἠλέουν, καὶ μάλιστα, ὅτε ἴδοιεν Ἰταλοὺς Ἰταλοῖς συμφερομένους. ἐγγύς τε τοῦ κακοῦ γιγνομένοις αὐτοῖς ἡ μὲν ἐκκαίουσα καὶ τυφλοῦσα πάντας φιλοτιμία ἐσβέννυτο καὶ μετέβαλλεν ἐς δέος, ὁ δὲ λογισμὸς ἐκαθάρευε δοξοκοπίας καὶ τὸν κίνδυνον ἐμέτρει καὶ τὴν αἰτίαν, ὅτι περὶ πρωτείων δύο ἄνδρε ἐρίζοντε ἀλλήλοιν αὑτώ τε κινδυνεύετον ἀμφὶ τῇ σωτηρίᾳ, μηδ᾽ ἐσχάτῳ πάντων ἡττηθέντε ἔτι εἶναι, καὶ τοσόνδε πλῆθος ἀνδρῶν ἀγαθῶν δι᾽ αὑτούς. ἐσῄει δὲ σφᾶς, ὅτι φίλοι καὶ κηδεσταὶ τέως ὄντες καὶ πολλὰ συμπράξαντες ἀλλήλοις ἐς ἀξίωμα καὶ δύναμιν, ξίφη νῦν φέρουσι κατ᾽ ἀλλήλων καὶ τοὺς ὑποστρατευομένους ἐς ὁμοίας ἀθεμιστίας ἄγουσιν, ὁμοεθνεῖς τε ὄντας ἀλλήλοις καὶ πολίτας καὶ φυλέτας καὶ συγγενεῖς, ἐνίους δὲ καὶ ἀδελφούς· οὐδὲ γὰρ ταῦτα ἐνέλειπεν ἐκείνῃ

inexperienced and still in the bloom of youth, they
would not endure injury to their faces. Thus they
laid their plans against each other, and each com-
mander passed through the ranks of his own troops,
attending to what was needful, exhorting his men to
courage, and giving them the watchword, which on
Caesar's side was "Venus the Victorious," and on
Pompey's "Hercules the Invincible."

77. When all was in readiness on both sides they
waited for some time in profound silence, hesitating,
looking steadfastly at each other, each expecting the
other to begin the battle. They were stricken with
sorrow for the great host, for never before had such
large Italian armies confronted the same danger
together. They had pity for the valour of these
men (the flower of both parties), especially because
they saw Italians embattled against Italians. As
the danger came nearer, the ambition that had
inflamed and blinded them was extinguished, and
gave place to fear. Reason purged the mad passion
for glory, estimated the peril, and laid bare the cause
of the war, showing how two men contending with
each other for supremacy were throwing into the
scale their own lives and fortunes—for defeat would
mean the lowest degradation—and those of so large
a number of the noblest citizens. The leaders
reflected also that they, who had lately been friends
and relatives by marriage, and had co-operated with
each other in many ways to gain rank and power,
had now drawn the sword for mutual slaughter and
were leading to the same impiety those serving
under them, men of the same city, of the same
tribe, blood relations, and in some cases brothers
against brothers. Even these circumstances were

CAP. τῇ μάχῃ, ἀλλ' ὡς ἐν τοσαῖσδε μυριάσιν ἐξ ἑνὸς
XI ἔθνους ἐπ' ἀλλήλας ἰούσαις πολλὰ τὰ παράδοξα
συνέπιπτεν. ὧν ἐνθυμούμενος ἑκάτερος μετανοίας
τε οὐ δυνατῆς ἔτι ἐν τῷ παρόντι ἐνεπίμπλατο καὶ
ὡς ἐσόμενος ἐκείνῃ τῇ ἡμέρᾳ τῶν ἐπὶ γῆς ἢ πρῶτος
ἢ τελευταῖος ὤκνει τοσῆσδε ἀμφιβολίας ἄρξαι.
καί φασιν αὐτῶν ἑκάτερον καὶ δακρῦσαι.

78. Μέλλουσι δ' ἔτι καὶ ἐς ἀλλήλους ἀποβλέ-
πουσιν ἡ ἡμέρα προύκοπτε. καὶ τὸ μὲν Ἰταλικὸν
ἅπαν εὐσταθῶς ἐφ' ἡσυχίας ἀκριβοῦς ἀνέμενε·
τὸ δὲ συμμαχικὸν ὁ Πομπήιος αὐτοῦ ταρασσό-
μενον ὁρῶν ὑπὸ τῆς μελλήσεως καὶ δείσας, μὴ
πρὸ τοῦ ἀγῶνος ἀταξίας κατάρξειεν, ὑπεσήμαινε
πρῶτος, καὶ ἀντήχησε Καῖσαρ, αὐτίκα δ' αἵ τε
σάλπιγγες αὐτοὺς ἐξώτρυνον ὀρθίοις κλαγγαῖς ὡς
ἐν τοσῷδε πλήθει πολλαὶ κατὰ μέρη, καὶ οἱ κήρυ-
κες καὶ οἱ ἐπιστάται περιθέοντες ἤπειγον. οἱ δὲ
σοβαρῶς ἀλλήλοις ἐπῇεσαν μετά τε θάμβους καὶ
σιωπῆς βαθυτάτης ὡς πολλῶν ἀγώνων τοιῶνδε
ἐμπειροπόλεμοι. πλησιάζουσι δ' αὐτοῖς ἤδη τόξα
καὶ λίθοι πρῶτον ἦν καὶ τῶν ἱππέων βραχὺ τὰ
πεζὰ προλαβόντων πεῖραί τε καὶ ἐπελάσεις ἐπ'
ἀλλήλους. καὶ προύχοντες οἱ τοῦ Πομπηίου τὸ
δέκατον τέλος ἐκυκλοῦντο. Καίσαρος δὲ τὸ
σημεῖον τοῖς ἐφεδρεύουσιν ἄραντος, οἱ μὲν ἐξανα-
στάντες ἐς τοὺς ἵππους ἐχώρουν, ὀρθοῖς ἄνω τοῖς
δόρασιν ἐς τὰ πρόσωπα τύπτοντες τοὺς ἐπικαθ-
ημένους, οἱ δ' οὐκ ἐνεγκόντες αὐτῶν οὔτε τὴν
ἀπόνοιαν οὔτε τὰς ἐπὶ στόμα καὶ κατ' ὀφθαλμοὺς
πληγὰς ἔφευγον ἀκόσμως. καὶ τὸ ἐνταῦθα πεζὸν

not wanting in this battle; because many unnatural things must happen when thousands of the same nation come together in the clash of arms. Reflecting on these things each of them was seized with unavailing repentance, and since this day was to decide for each whether he should be the highest or the lowest of the human race, they hesitated to begin so critical a battle. It is said that both of them even wept.

78. When they were waiting and looking at each other the day was advancing. All the Italian troops stood motionless in their places, but when Pompey saw that his allied forces were falling into confusion by reason of the delay he feared lest the disorder should spread from them before the beginning of the battle. So he sounded the signal first and Caesar echoed it back. Straightway the trumpets, of which there were many distributed among the divisions of so great a host, aroused the soldiers with their inspiring blasts, and the standard-bearers and officers put themselves in motion and exhorted their men. They all advanced confidently to the encounter, but with stupor and deepest silence, like men who had had experience in many similar engagements. And now, as they came nearer together, there was first a discharge of arrows and stones. Then, as the cavalry were a little in advance of the infantry, they charged each other. Those of Pompey prevailed and began to outflank the tenth legion. Caesar then gave the signal to the cohorts in ambush and these, starting up suddenly, advanced to meet the cavalry, and with spears elevated aimed at the faces of the riders, who could not endure the enemy's savagery, nor the blows on their mouths and eyes, but fled in disorder. There-

CAP. εὐθὺς ἱππέων ἔρημον γενόμενον ἐκυκλοῦντο
XI οἱ τοῦ Καίσαρος ἱππέες, αὐτοὶ δείσαντες περι-
κύκλωσιν.

79. Πομπήιος δὲ πυθόμενος ἐκέλευε τοῖς πεζοῖς
μήτ' ἐπεκθεῖν ἔτι μήτ' ἐκτρέχειν ἐκ τῆς φάλαγγος
μηδ' ἀκοντίζειν, ἀλλ' ἐν προβολῇ διαστάντας
ἀμύνεσθαι διὰ χειρὸς τοῖς δόρασι τοὺς ἐπιόντας.
καὶ τόδε τινὲς αὐτοῦ τὸ στρατήγημα ἐπαινοῦσιν
ὡς ἄριστον ἐν περικυκλώσει, ὁ δὲ Καῖσαρ ἐν ταῖς
ἐπιστολαῖς καταμέμφεται· τάς τε γὰρ πληγὰς
ὑπὸ τῆς βολῆς εὐτονωτέρας γίνεσθαι καὶ τοὺς
ἄνδρας ὑπὸ τοῦ δρόμου προθυμοτέρους· ἑστῶτας
δ' ἀποψύχεσθαί τε καὶ τοῖς ἐπιθέουσιν εὐβλήτους
δι' ἀτρεμίαν οἷα σκοποὺς εἶναι. ὃ καὶ τότε
γενέσθαι· τὸ γὰρ δέκατον τέλος σὺν αὐτῷ περι-
δραμεῖν τὰ λαιὰ τοῦ Πομπηίου ἔρημα ἱππέων
γενόμενα καὶ πανταχόθεν ἀτρεμοῦντας ἐς τὰ
πλευρὰ ἐσακοντίζειν, μέχρι θορυβουμένοις ἐμπε-
σόντας βίᾳ τρέψασθαι καὶ τῆς νίκης κατάρξαι.
κατὰ δὲ τὸ ἄλλο πλῆθος ἦν ἔτι τραυμάτων καὶ
φόνων ἔργα πολλὰ καὶ ποικίλα· βοὴ δὲ οὐδεμία
ἐκ τοσῆσδε φάλαγγος τοιάδε δρώσης οὐδ' οἰμωγαὶ
τῶν ἀναιρουμένων ἢ πλησσομένων, ἀλλὰ βρυχή-
ματα μόνα καὶ στόνοι πιπτόντων, ἔνθα συνε-
τάχθησαν, εὐσχημόνως. οἱ σύμμαχοι δέ, καθάπερ
ἀγῶνα πολέμου θεώμενοι, κατεπλήσσοντο τὴν
εὐταξίαν καὶ οὔτε ἐς τὰς σκηνὰς τοῦ Καίσαρος
ἐτόλμων ὑπὸ θαύματος, ὀλίγων αὐτὰς καὶ

upon Caesar's men,[1] who had just now been afraid of
being surrounded, fell upon the flank of Pompey's
infantry which was denuded of its cavalry supports.

79. When Pompey learned this he ordered his
infantry not to advance farther, not to break the
line of formation, and not to hurl the javelin, but to
open their ranks, bring their spears to rest, and so
ward off the onset of the enemy. Some persons
praise this order of Pompey as the best in a case
where one is attacked in flank, but Caesar criticises
it in his letters. He says that the blows are de-
livered with more force, and that the spirits of the
men are raised, by running, while those who stand
still lose courage by reason of their immobility and
become excellent targets for those charging against
them. So, he says, it proved in this case, for the
tenth legion, with Caesar himself, surrounded Pom-
pey's left wing, now deprived of cavalry, and assailed
it with javelins in flank, where it stood immovable;
until, finally, the assailants threw it into disorder,
routed it, and this was the beginning of the victory.
In the rest of the field slaughter and wounding of all
kinds were going on, but no cry came from the
scene of carnage, no lamentation from the wounded
or the dying, only sighs and groans from those who
were falling honourably in their tracks. The allies,
who were looking at the battle as at a spectacle,
were astonished at the discipline of the combatants.
So dumbfounded were they that they did not dare
attack Caesar's tents, although they were guarded

---

[1] The text says "Caesar's horse," but Schweighäuser
considers this a manifest error since Appian, in § 79, says
that it was the tenth legion that struck Pompey's left flank.
Caesar himself says (B.C. 3. 93. 5) that the six cohorts in
reserve executed this decisive movement.

πρεσβυτέρων ἀνδρῶν φυλασσόντων, περιδραμεῖν
οὔτε τι ἄλλο ἢ ἑστῶτες ἐθάμβουν.

80. Ὡς δὲ ἐνέδωκε τὸ λαιὸν τοῦ Πομπηίου,
αὐτοὶ μὲν καὶ τότε βάδην ὑπεχώρουν ἅμα
καὶ συνεπλέκοντο, οἱ δὲ σύμμαχοι προτροπάδην
ἔφευγον ἄπρακτοι, βοῶντες· "ἡσσήμεθα." καὶ
τὰς σκηνὰς σφῶν αὐτοὶ καὶ τὰ χαρακώματα
ὡς ἀλλότρια προλαβόντες διέσπων καὶ διήρπαζον
ἐς τὴν φυγὴν ὅ τι δύναιντο ἐπάγεσθαι. ἤδη δὲ
καὶ τὸ ἄλλο τῶν Ἰταλῶν ὁπλιτικὸν τῆς ἐπὶ
τάδε ἥσσης αἰσθανόμενον ὑπεχώρει κατὰ πόδα,
πρῶτον ἐν κόσμῳ καὶ ἔτι ἐκ τῶν δυνατῶν ἀμυνό-
μενοι· ἐπικειμένων δ' αὐτοῖς ὡς ἐν εὐπραξίᾳ
τῶν πολεμίων ἐστράφησαν ἐς φυγήν. καὶ ὁ
Καῖσαρ εὐμηχάνως δὴ τότε μάλιστα, ἵνα μὴ
συνέλθοιεν αὖθις μηδὲ τὸ ἔργον γένοιτο μάχης
μιᾶς, ἀλλὰ παντὸς τοῦ πολέμου, κήρυκας ἐς τὰς
τάξεις πανταχοῦ περιέπεμπεν, οἳ τοῖς νικῶσιν
ἐκέλευον ἀψαυστεῖν τῶν ὁμοεθνῶν, ἐπὶ δὲ τοὺς
συμμάχους μόνους χωρεῖν. καὶ τοῖς ἡττωμένοις
προσεπέλαζον παραινοῦντες ἀδεῶς ἑστάναι. ἀνήρ
τε παρ' ἀνδρὸς ἐκμανθάνων τὸ κήρυγμα εἱστήκει·
καὶ σύμβολον ἤδη τοῦτο τῶν Πομπηίου στρατιω-
τῶν ἦν, τὸ ἀδεῶς ἑστάναι, τὰ ἄλλα ὡς Ἰταλῶν
ὁμοιοτρόπως ἐσκευασμένων τε καὶ φωνὴν ὁμοίαν
ἀφιέντων. διεκθέοντες δ' αὐτοὺς οἱ τοῦ Καίσαρος
τοὺς συμμάχους οὐ δυναμένους ἀντέχειν ἀνήρουν·
καὶ ὁ πλεῖστος ἐνταῦθα ἐγίγνετο φόνος.

81. Πομπήιος δ' ἐπεὶ τὴν τροπὴν εἶδεν, ἔκφρων
αὐτοῦ γενόμενος ἀπήει βάδην ἐς τὸ στρατόπεδον
καὶ παρελθὼν ἐς τὴν σκηνὴν ἐκαθέζετο ἄναυδος,

only by a few old men. Nor did they accomplish CHAP.
XI anything else, but stood in a kind of stupor.

80. As Pompey's left wing began to give way his men even still retired step by step and in perfect order, but the allies who had not been in the fight, fled with headlong speed, shouting, "We are vanquished," dashed upon their own tents and fortifications as though they had been the enemy's, and pulled down and plundered whatever they could carry away in their flight. Then the rest of Pompey's Italian legions, perceiving the disaster to the left wing, retired slowly at first, in good order, and still resisting as well as they could; but when the enemy, flushed with victory, pressed upon them they turned in flight. Thereupon Caesar, in order that they might not rally, and that this might be the end of the whole war and not of one battle merely, with greater prudence than he had ever shewn before, sent heralds everywhere among the ranks to order the victors to spare their own countrymen and to smite only the auxiliaries. The heralds drew near to the retreating enemy and told them to stand still and fear not. As this proclamation was passed from man to man they halted, and the phrase "stand and fear not" began to be passed as a sort of watch-word among Pompey's soldiers; for, being Italians, they were clad in the same style as Caesar's men and spoke the same language. Accordingly, the latter passed by them and fell upon the auxiliaries, who were not able to resist, and made a very great slaughter among them.

81. When Pompey saw the retreat of his men he Total defeat
of the
Pompeians became bereft of his senses and retired at a slow pace to his camp, and when he reached his tent he

375

οἷόν τι καὶ τὸν Τελαμῶνος Αἴαντά φασιν ἐν Ἰλίῳ
παθεῖν, ἐν μέσοις πολεμίοις ὑπὸ θεοβλαβείας.
τῶν δ' ἄλλων ὀλίγοι πάνυ ἐσῄεσαν ἐς τὸ στρατό-
πεδον· τὸ γὰρ κήρυγμα τοῦ Καίσαρος ἑστάναι τε
ἀκινδύνως ἐποίει, καὶ παραδραμόντων τῶν
πολεμίων διεσκίδνη κατὰ μέρος. ληγούσης δὲ
τῆς ἡμέρας ὁ Καῖσαρ τὸν στρατὸν ἀσχέτως που
περιθέων ἱκέτευε προσπονῆσαι, μέχρι καὶ τὸν
χάρακα τοῦ Πομπηίου λάβοιεν, ἐκδιδάσκων, ὅτι,
εἰ συσταῖεν αὖθις οἱ πολέμιοι, μίαν ἡμέραν
ἔσονται νενικηκότες, εἰ δὲ τὸ στρατόπεδον αὐτῶν
ἕλοιεν, τὸν πόλεμον ἑνὶ τῷδε ἔργῳ κατωρθωκότες
ἂν εἶεν. τάς τε οὖν χεῖρας αὐτοῖς ὤρεγε καὶ
πρῶτος ἐξῆρχε δρόμου. τοῖς δὲ τὰ μὲν σώματα
ἔκαμνε, τὴν δὲ ψυχὴν ὅ τε λογισμὸς καὶ ὁ αὐτο-
κράτωρ συντρέχων ἐκούφιζεν. ἠώρει δὲ καὶ ἡ
τῶν γεγονότων εὐπραξία καὶ ἐλπίς, ὅτι καὶ τὸν
χάρακα αἱρήσουσι καὶ πολλὰ τὰ ἐν αὐτῷ· ἥκιστα
δ' ἐν ἐλπίσιν ἢ εὐτυχίαις ἄνθρωποι καμάτων
αἰσθάνονται. οἱ μὲν δὴ καὶ τῷδε προσπεσόντες
ἐπεχείρουν σὺν πολλῇ πρὸς τοὺς ἀπομαχομένους
καταφρονήσει, ὁ δὲ Πομπήιος μαθὼν ἐξ ἀλλοκότου
σιωπῆς τοσοῦτον ἀπέρρηξεν· "οὐκοῦν καὶ ἐπὶ τὸν
χάρακα ἡμῶν;" καὶ εἰπὼν τήν τε στολὴν
ἐνήλλαξε καὶ ἵππου ἐπιβὰς σὺν φίλοις τέσσαρσιν
οὐκ ἀνέσχε δρόμου, πρὶν ἀρχομένης ἡμέρας ἐν
Λαρίσσῃ γενέσθαι. ὁ δὲ Καῖσαρ, ὡς ἐπηπείλησε
παρατάσσων, ἐν τῷ Πομπηίου χάρακι ἐστά-
θμευσε, καὶ αὐτός τε τὴν ἐκείνου βρῶμην καὶ ὁ
στρατὸς ἅπας τὴν τῶν πολεμίων ἐδαίσαντο.

82. Ἀπέθανον δὲ ἑκατέρων, τῶν γε Ἰταλῶν
(οὐ γὰρ δὴ τῶν γε συμμάχων οὐδ' ἐξαρίθμησις

sat down speechless, resembling Ajax, the son of Telamon, who, they say, suffered in like manner in the midst of his enemies at Troy, being deprived of his senses by some god. Very few of the rest returned to the camp, for Caesar's proclamation caused them to remain unharmed, and as their enemies had passed beyond them they dispersed in groups. As the day was declining Caesar ran hither and thither among his troops and besought them to continue their exertions till they should capture Pompey's camp, telling them that if they allowed the enemy to rally they would be the victors for only a single day, whereas if they should take the enemy's camp they would finish the war with this one blow. He stretched out his hands to them and took the lead in person. Although they were weary in body, the words and example of their commander lightened their spirits. Their success so far, and the hope of capturing the enemy's camp and the contents thereof, excited them; for in the midst of hope and prosperity men feel fatigue least. So they fell upon the camp and assaulted it with the utmost disdain for the defenders. When Pompey learned this he started up from his strange silence, exclaiming, "What! in our very camp?" Having spoken thus he changed his clothing, mounted a horse, and fled with four friends, and did not draw rein until he reached Larissa early the next morning. So Caesar established himself in Pompey's camp as he had promised to do when he was preparing for the battle, and ate Pompey's supper, and the whole army feasted at the enemy's expense.

82. The losses of Italians on each side—for there was no report of the losses of auxiliaries, either

Flight of Pompey

Losses on both sides

CAP.
XI
ἐγένετο ὑπὸ πλήθους καὶ καταφρονήσεως) ἐκ μὲν τοῦ Καίσαρος στρατοῦ τριάκοντα λοχαγοὶ καὶ ὁπλῖται διακόσιοι, ἤ, ὡς ἑτέροις δοκεῖ, χίλιοι καὶ διακόσιοι, ἐκ δὲ τῶν Πομπηίου βουλευταὶ μὲν δέκα, ὧν ἦν καὶ Λεύκιος Δομίτιος, ὁ αὐτῷ Καίσαρι πεμφθεὶς ἐπὶ τὴν Γαλατίαν διάδοχος, τῶν δὲ καλουμένων ἱππέων ἀμφὶ τεσσαράκοντα τῶν ἐπιφανῶν· ἐκ δὲ τῆς ἄλλης στρατιᾶς οἱ μὲν ἐπαίροντές φασι δισμυρίους ἐπὶ πεντακισχιλίοις, Ἀσίνιος δὲ Πολλίων, ὑπὸ Καίσαρι τῆς μάχης ἐκείνης στρατηγῶν, ἑξακισχιλίους ἀναγράφει νεκροὺς εὑρεθῆναι τῶν Πομπηίου.

Τοῦτο τέλος ἦν τῆς ἀοιδίμου περὶ Φάρσαλον μάχης. ἀριστεῖα δ' ὁ μὲν Καῖσαρ αὐτὸς καὶ πρῶτα καὶ δεύτερα ἐκ πάντων ἐφέρετο, ὁμολογούμενος ἀριστεῦσαι, καὶ σὺν αὐτῷ τὸ τέλος τὸ δέκατον· τὰ δὲ τρίτα Κρασσίνιος λοχαγός, ὃν Καῖσαρ μὲν ἐξιὼν ἐπὶ τὴν μάχην ἤρετο, ὅ τι προσδοκῴη, ὁ δὲ λαμπρῶς ἀνεβόησε· "νικήσομεν, ὦ Καῖσαρ, κἀμὲ τήμερον ἢ ζῶντα ἢ νεκρὸν ἀποδέξῃ"· ἡ στρατιὰ δ' ἐμαρτύρει καθάπερ ἔνθουν ἐς ἑκάστην τάξιν μεταθέοντα πολλὰ καὶ λαμπρὰ δρᾶσαι. ἐπεὶ δὲ ζητούμενος ἐν τοῖς νεκροῖς εὑρέθη, τὰ ἀριστεῖα ὁ Καῖσαρ αὐτῷ περιέθηκε καὶ συνέθαψε καὶ τάφον ἐξαίρετον ἀνέστησεν ἐγγὺς τοῦ πολυανδρίου.

XII

CAP.
XII
83. Ὁ δὲ Πομπήιος ἐκ Λαρίσσης ὁμοίῳ δρόμῳ μέχρι θαλάσσης ἐπειχθεὶς σκάφους ἐπέβη σμικροῦ

because of their multitude or because they were
despised—were as follows: in Caesar's army, thirty centurions and 200 legionaries, or, as some authorities have it, 1200; on Pompey's side ten senators, among whom was Lucius Domitius, the same who had been sent to succeed Caesar himself in Gaul, and about forty distinguished knights. Some exaggerating writers put the loss in the remainder of his forces at 25,000, but Asinius Pollio, who was one of Caesar's officers in this battle, records the number of dead Pompeians found as 6000.

Such was the result of the famous battle of Pharsalus. Caesar himself carries off the palm for first and second place by common consent, and with him the tenth legion. The third place is taken by the centurion Crassinius, whom Caesar asked at the beginning of the battle what result he anticipated, and who responded proudly, "We shall conquer, O Caesar, and you will thank me either living or dead." The whole army testifies that he darted through the ranks like one possessed and did many brilliant deeds. When sought for he was found among the dead, and Caesar bestowed military honours on his body and buried it, and erected a special tomb for him near the common burial-place of the others.

XII

83. From Larissa Pompey continued his flight to
the sea where he embarked in a small boat, and

CAP.
XII
καὶ νεὼς παραπλεούσης ἐπιτυχὼν ἐς Μιτυλήνην
διέπλευσεν· ὅθεν τὴν γυναῖκα Κορνηλίαν ἀναλα-
βὼν καὶ τριήρων τεσσάρων ἐπιβάς, αἱ αὐτῷ παρά
τε Ῥοδίων καὶ Τυρίων ἀφίκοντο, Κερκύρας μὲν καὶ
τότε καὶ Λιβύης ὑπερεῖδεν, ἔνθα αὐτῷ στρατὸς
ἦν ἄλλος πολὺς καὶ ναυτικὸν ἀκραιφνές, ἐπὶ δὲ
τὴν ἔω φερόμενος ἐπὶ τὸν Παρθυαῖον ὡς δι᾽
ἐκείνου πάντα ἀναληψόμενος τὸ ἐνθύμημα ἐπέ-
κρυπτε, μέχρι περὶ τὴν Κιλικίαν μόλις ἐξέφερε
τοῖς φίλοις. οἱ δὲ αὐτὸν ἠξίουν φυλάσσεσθαι
τὸν Παρθυαῖον, ἐπιβεβουλευμένον τε ἔναγχος
ὑπὸ Κράσσου καὶ θυμούμενον ἔτι τῇ Κράσσου
συμφορᾷ, μηδ᾽ ἐς ἀκρατεῖς βαρβάρους ἄγειν
εὐπρεπῆ γυναῖκα Κορνηλίαν, Κράσσου μάλιστα
γεγενημένην. δεύτερα δ᾽ αὐτοῦ προθέντος περί
τε Αἰγύπτου καὶ Ἰόβα, Ἰόβα μὲν ὑπερεώρων
ὡς ἀδόξου, ἐς δὲ τὴν Αἴγυπτον αὐτῷ συνεφρό-
νουν, ἐγγύς τε οὖσαν καὶ μεγάλην ἀρχήν, ἔτι
δὲ καὶ εὐδαίμονα καὶ δυνατὴν ναυσὶ καὶ σίτῳ
καὶ χρήμασι· τούς τε βασιλεύοντας αὐτῆς, εἰ
καὶ παῖδές εἰσι, πατρικοὺς εἶναι τῷ Πομπηίῳ
φίλους.

84. Ὁ μὲν δὴ διὰ τάδε ἐς τὴν Αἴγυπτον ἔπλει·
ἄρτι δ᾽ ἐκπεσούσης ἀπ᾽ Αἰγύπτου Κλεοπάτρας,
ἣ τῷ ἀδελφῷ συνῆρχε, καὶ στρατὸν ἀμφὶ τὴν
Συρίαν ἀγειρούσης, Πτολεμαῖος ὁ τῆς Κλεο-
πάτρας ἀδελφὸς ἀμφὶ τὸ Κάσσιον τῆς Αἰγύπτου
ταῖς Κλεοπάτρας ἐσβολαῖς ἐφήδρευε, καί πως
κατὰ δαίμονα ἐς τὸ Κάσσιον τὸ πνεῦμα τὸν
Πομπήιον κατέφερε. θεασάμενος δὲ στρατὸν
ἐπὶ τῆς γῆς πολὺν ἔστησε τὸν πλοῦν καὶ εἴκασεν,

meeting a ship by chance he sailed to Mitylene.
There he joined his wife, Cornelia, and they embarked
with four triremes which had come to him from
Rhodes and Tyre. He decided not to sail for
Corcyra and Africa, where he had other large
military and naval forces as yet untouched, but
intended to push on eastward to the king of the
Parthians, expecting to receive every assistance from
him. He concealed his intention until he arrived
at Cilicia, where he revealed it hesitatingly to his
friends; but they advised him to beware of the
Parthian, against whom Crassus had lately led an
expedition, and who was puffed up by his victory
over the latter, and especially not to put in the
power of these barbarians the beautiful Cornelia,
who had formerly been the wife of Crassus.[1] Then
he made a second proposal respecting Egypt and
Juba.[2] The latter they despised as not sufficiently
distinguished, but they all agreed about going to
Egypt, which was near and was a great kingdom,
still prosperous and powerful in ships, provisions, and
money. Its sovereigns, too, although children, were
allied to Pompey by their father's friendship.

84. For these reasons he sailed to Egypt, whence
Cleopatra, who had previously reigned with her
brother, had been lately expelled, and was collect-
ing an army in Syria. Ptolemy, her brother, was
at Casium in Egypt, lying in wait for her in-
vasion, and, as Providence would have it, the wind
carried Pompey thither. Seeing a large army on
the shore he stopped his ship, rightly judging that
the king was there. So he sent messengers to tell

[1] The younger Crassus.　　　[2] King of Numidia.

CAP. ὅπερ ἦν, παρεῖναι τὸν βασιλέα. πέμψας τε
XII ἔφραζε περὶ ἑαυτοῦ καὶ τῆς τοῦ πατρὸς φιλίας.
ὁ δὲ ἦν μὲν περὶ τρισκαίδεκα ἔτη μάλιστα
γεγονώς, ἐπετρόπευον δ' αὐτῷ τὴν μὲν στρατιὰν
Ἀχιλλᾶς, τὰ δὲ χρήματα Ποθεινὸς εὐνοῦχος·
οἳ βουλὴν προυτίθεντο περὶ τοῦ Πομπηίου. καὶ
παρὼν ὁ Σάμιος Θεόδοτος ὁ ῥήτωρ, διδάσκαλος
ὢν τοῦ παιδός, ἀθέμιστον εἰσηγεῖτο ἔργον, ἐνε-
δρεῦσαι καὶ κτεῖναι Πομπήιον ὡς χαριουμένους
Καίσαρι. κυρωθείσης δὲ τῆς γνώμης σκάφος
εὐτελὲς ἐπ' αὐτὸν ἐπέμπετο, ὡς τῆς θαλάσσης
οὔσης ἁλιτενοῦς καὶ μεγάλαις ναυσὶν οὐκ εὐχεροῦς,
ὑπηρέται τέ τινες τῶν βασιλικῶν ἐνέβαινον ἐς
τὸ σκάφος. καὶ Σεμπρώνιος, ἀνὴρ Ῥωμαῖος
τότε μὲν τῷ βασιλεῖ, πάλαι δὲ αὐτῷ Πομπηίῳ
στρατευσάμενος, δεξιὰν ἔφερε παρὰ τοῦ βασιλέως
τῷ Πομπηίῳ καὶ ἐκέλευεν ὡς ἐς φίλον τὸν παῖδα
διαπλεῦσαι. ἅμα δὲ ταῦτ' ἐγίγνετο, καὶ ὁ στρατὸς
ὥσπερ ἐπὶ τιμῇ τοῦ Πομπηίου παρὰ τὸν αἰγιαλὸν
ἐξετάσσετο ἅπας, καὶ ὁ βασιλεὺς ἐν μέσῳ τῇ
φοινικίδι κατάδηλος ἦν περικειμένῃ.

85. Ὁ δὲ Πομπήιος ὑπώπτευε μὲν ἅπαντα,
καὶ τὴν παράταξιν τοῦ στρατοῦ καὶ τὴν τοῦ
σκάφους εὐτέλειαν καὶ τὸ μὴ τὸν βασιλέα αὐτόν
οἱ παραγενέσθαι μηδὲ τῶν ἐπιφανῶν τινας πέμ-
ψαι· τοσοῦτο δ' ἐκ τῶν Σοφοκλέους ἰαμβείων
πρὸς ἑαυτὸν ἀνενεγκών· " ὅστις γὰρ ὡς τύραννον
ἐμπορεύεται, κείνου 'στὶ δοῦλος, κἂν ἐλεύθερος
μόλῃ," ἐνέβαινεν ἐς τὸ σκάφος. καὶ ἐν τῷ
διάπλῳ σιωπώντων ἁπάντων ἔτι μᾶλλον ὑπώ-

of his arrival and to speak of his father's friendship. CHAP
The king was then about thirteen years of age and XII
was under the tutelage of Achillas, who commanded
his army, and the eunuch Pothinus, who had charge
of his treasury. These took counsel together con-
cerning Pompey. There was present also Theodotus,
a rhetorician of Samos, the boy's tutor, who offered
the infamous advice that they should lay a trap for
Pompey and kill him in order to curry favour with
Caesar. His opinion prevailed. So they sent a
miserable skiff to bring him, pretending that the
sea was shallow and not adapted to large ships.
Some of the king's attendants came in the skiff,
among them a Roman, named Sempronius,[1] who was
then serving in the king's army and had formerly
served under Pompey himself. He gave his hand to
Pompey in the king's name and directed him to take
passage in the boat to the young man as to a friend.
At the same time the whole army was marshalled
along the shore as if to do honour to Pompey, and
the king was conspicuous in the midst of them by
the purple robe he wore.

85. Pompey's suspicions were aroused by all that
he observed—the marshalling of the army, the mean-
ness of the skiff, and the fact that the king himself
did not come to meet him nor send any of his high
dignitaries. Nevertheless, he entered the skiff, re-
peating to himself these lines of Sophocles,[2] " Whoso
resorts to a tyrant becomes his slave, even if he be
free when he goes." While rowing to the shore all
were silent, and this made him still more suspicious.

---

[1] Caesar, Plutarch, Florus, and Dio Cassius, give this
miscreant the name of Septimus.
[2] Nauck. *Trag. Graec. fr.*², p. 316, n. 789.

πτευε· καὶ τὸν Σεμπρώνιον εἴτε ἐπιγινώσκων
Ῥωμαῖον ὄντα καὶ ἐστρατευμένον ἑαυτῷ, εἴτε
τοπάζων ἐκ τοῦ μόνον ἑστάναι, κατὰ δὴ τὴν
στρατιωτικὴν ἄρα διδασκαλίαν οὐ συνεδρεύοντα
αὐτοκράτορι, ἐπιστραφεὶς ἐς αὐτὸν εἶπεν· "ἆρά
σε γινώσκω, συστρατιῶτα;" καὶ ὃς αὐτίκα μὲν
ἐπένευσεν, ἀποστραφέντα δ᾽ εὐθὺς ἐπάταξε πρῶ-
τος, εἶθ᾽ ἕτεροι. καὶ τὸ μὲν γύναιον τοῦ Πομπηίου
καὶ οἱ φίλοι ταῦτα μακρόθεν ὁρῶντες ἀνῴμωζόν
τε καὶ χεῖρας ἐς θεοὺς ἐκδίκους σπονδῶν ἀνίσχ-
οντες ἀπέπλεον τάχιστα ὡς ἐκ πολεμίας.

86. Πομπηίου δὲ τὴν μὲν κεφαλὴν ἀποτεμόντες
οἱ περὶ Ποθεινὸν ἐφύλασσον Καίσαρι ὡς ἐπὶ
μεγίσταις ἀμοιβαῖς (ὁ δὲ αὐτοὺς ἠμύνατο ἀξίως
τῆς ἀθεμιστίας), τὸ δὲ λοιπὸν σῶμά τις ἔθαψεν
ἐπὶ τῆς ἠϊόνος καὶ τάφον ἤγειρεν εὐτελῆ· καὶ
ἐπίγραμμα ἄλλος ἐπέγραψε· "τῷ ναοῖς βρίθοντι
πόσῃ σπάνις ἔπλετο τύμβου."

Χρόνῳ δὲ τὸν τάφον τόνδε ἐπικρυφθέντα ὅλον
ὑπὸ ψάμμου καὶ εἰκόνας, ὅσας ἀπὸ χαλκοῦ τῷ
Πομπηίῳ περὶ τὸ Κάσσιον ὕστερον οἱ προσ-
ήκοντες ἀνέθηκαν, λελωβημένα πάντα καὶ ἐς
τὸ ἄδυτόν του ἱεροῦ κατενεχθέντα ἐζήτησε καὶ
εὗρεν ἐπ᾽ ἐμοῦ Ῥωμαίων βασιλεὺς Ἀδριανὸς
ἐπιδημῶν, καὶ τὸν τάφον ἀνεκάθηρε γνώριμον
αὖθις εἶναι καὶ τὰς εἰκόνας αὐτοῦ Πομπηίου
διωρθώσατο.

Finally, either recognizing Sempronius as a Roman soldier who had served under him or guessing that he was such because he alone remained standing (for, according to military discipline, a soldier does not sit in the presence of his commander), he turned to him and said, " Do I not know you, comrade ? " The other nodded and, as Pompey turned away, he immediately gave him the first stab and the others followed his example. Pompey's wife and friends who saw this at a distance cried out and, lifting their hands to heaven, invoked the gods, the avengers of violated faith. Then they sailed away in all haste as from an enemy's country.

86. The servants of Pothinus cut off Pompey's head and kept it for Caesar, in expectation of a large reward, but he visited condign punishment on them for their nefarious deed. The remainder of the body was buried by somebody on the shore, and a small monument was erected over it, on which somebody else wrote this inscription :—

" How pitiful a tomb for one so rich in temples." [1]

In the course of time the monument was wholly covered with sand, and the bronze images that had been erected to Pompey by his kinsfolk at a later period near Mount Cassius had all been outraged and afterwards removed to the secret recess of the temple, but in my time they were sought for and found by the Roman emperor Hadrian, while making a journey thither, who cleared away the rubbish from the monument and made it again conspicuous, and placed Pompey's images in their proper places.

[1] The point is not obvious, but Pompey seems credited with the possession of such temples as were in territories which he had conquered.

Τόδε μὲν δὴ τοῦ βίου τέλος ἦν Πομπηίῳ τῷ με-
γίστους πολέμους ἀνύσαντι καὶ μέγιστα τὴν Ῥω-
μαίων ἀρχὴν ὠφελήσαντι καὶ Μεγάλῳ διὰ ταῦτα
ὀνομασθέντι καὶ οὐχ ἡττηθέντι ποτὲ πρότερον,
ἀλλὰ ἀηττήτῳ καὶ εὐτυχεστάτῳ ἐξέτι νέου γενο-
μένῳ· ἀπὸ γὰρ τριῶν καὶ εἴκοσιν ἐτῶν οὐ διέλιπεν
ἐς ὀκτὼ καὶ πεντήκοντα τῇ μὲν ἰσχύι μοναρχικῶς
δυναστεύων, τῇ δὲ δόξῃ διὰ τὸν Καίσαρος ζῆλον
δημοτικῶς νομιζόμενος ἄρχειν.

87. Λεύκιος δὲ Σκιπίων, ὁ κηδεστὴς τοῦ Πομ-
πηίου, καὶ ὅσοι ἄλλοι τῶν ἐπιφανῶν ἐκ τοῦ κατὰ
Φάρσαλον ἔργου διεπεφεύγεσαν, ἐπὶ Κερκύρας
ἠπείγοντο πρὸς Κάτωνα, ἑτέρου στρατοῦ καὶ
τριακοσίων τριήρων ἄρχειν ὑπολελειμμένον, εὐ-
βουλότερον οἵδε τοῦ Πομπηίου. καὶ αὐτῶν οἱ
περιφανέστατοι νειμάμενοι τὸ ναυτικόν, Κάσσιος
μὲν ἐς τὸν Πόντον ἔπλει πρὸς Φαρνάκην ὡς ἀνα-
στήσων αὐτὸν ἐπὶ Καίσαρα, Σκιπίων δὲ καὶ Κά-
των ἐς Λιβύην ἔπλεον, Οὐάρῳ τε πίσυνοι καὶ τῷ
μετὰ Οὐάρου στρατῷ καὶ Ἰόβα Νομάδων βασιλεῖ
συμμαχοῦντι. Πομπήιος δ', ὁ τοῦ Πομπηίου πρεσ-
βύτερος υἱός, καὶ Λαβιηνὸς σὺν αὐτῷ καὶ Σκάπλας
τὸ μέρος ἔχοντες ἠπείγοντο ἐς Ἰβηρίαν καὶ αὐτὴν
ἀποστήσαντες ἀπὸ τοῦ Καίσαρος στρατὸν ἄλλον
ἐξ αὐτῶν Ἰβήρων τε καὶ Κελτιβήρων καὶ θερα-
πόντων συνέλεγον ἔν τε παρασκευῇ μείζονι ἐγί-
γνοντο. τηλικαῦται δυνάμεις τῆς Πομπηίου πα-
ρασκευῆς ἦσαν ὑπόλοιποι, καὶ αὐτῶν ὑπὸ θεο-
βλαβείας ὑπεριδὼν ὁ Πομπήιος ἔφυγε. τῶν δ'

Such was the end of Pompey, who had successfully
carried on the greatest wars and had made the greatest additions to the empire of the Romans, and had acquired by that means the title of Great. He had never been defeated before,[1] but had remained unvanquished and most fortunate from his youth up. From his twenty-third to his fifty-eighth year he had not ceased to exercise power which as regards its strength was that of an autocrat, but by the inevitable contrast with Caesar had an almost democratic appearance.[2]

87. Lucius Scipio, Pompey's father-in-law, and the other notables who had escaped from the battle of Pharsalus, more prudent than Pompey, hurried to Corcyra and joined Cato, who had been left there with another army and 300 triremes. The leaders apportioned the fleet among themselves, and Cassius sailed to Pharnaces in Pontus to induce him to take up arms against Caesar. Scipio and Cato embarked for Africa, relying on Varus and his army and his ally, Juba, king of Numidia. The elder son of Pompey, together with Labienus and Scapula, each with his own part of the army, hastened to Spain and, having detached it from Caesar, collected a new army of Spaniards, Celtiberians, and slaves, and made formidable preparations for war. So great were the forces still remaining which Pompey had prepared, and which Pompey himself overlooked and ran away from in his infatuation. Cato had been chosen

---

[1] This is an error. Pompey was defeated by Sertorius in Spain ; see the preceding book § 110 : ὁ δὲ Σερτώριος ἐνίκα Πομπήϊον.

[2] The sentence is both confused and pleonastic. ζῆλος is almost certainly Pompey's rivalry with Caesar, which caused them to be regularly contrasted.

CAP.
XII
ἐν Λιβύῃ Κάτωνα σφῶν στρατηγεῖν αἱρουμένων,
ὁ Κάτων οὐχ ὑπέστη παρόντων ἀνδρῶν ὑπάτων,
οἳ κατ' ἀξίωσιν ἐπρέσβευον αὐτοῦ μόνην ἀρχὴν
ἄρξαντος ἐν Ῥώμῃ τὴν στρατηγίδα. γίγνεται
μὲν δὴ Λεύκιος Σκιπίων αὐτοκράτωρ, καὶ στρατὸς
κἀνταῦθα πολὺς ἠθροίζετο καὶ ἐγυμνάζετο. καὶ
δύο αἵδε μάλιστα ἀξιόλογοι παρασκευαί, περὶ
Λιβύην καὶ Ἰβηρίαν, ἐπὶ Καίσαρα συνεκρο-
τοῦντο.

XIII

CAP.
XIII
88. Αὐτὸς δ' ἐπὶ τῇ νίκῃ δύο μὲν ἡμέρας ἐν
Φαρσάλῳ διέτριψε θύων καὶ τὸν στρατὸν ἐκ τῆς
μάχης ἀναλαμβάνων· ἔνθα καὶ Θεσσαλοὺς ἐλευ-
θέρους ἠφίει συμμαχήσαντάς οἱ καὶ Ἀθηναίοις
αἰτήσασι συγγνώμην ἐπεδίδου καὶ ἐπεῖπε· "πο-
σάκις ὑμᾶς ὑπὸ σφῶν αὐτῶν ἀπολλυμένους ἡ
δόξα τῶν προγόνων περισώσει;" τῇ τρίτῃ δ' ἐξή-
λαυνεν ἐπὶ τὴν ἕω κατὰ πύστιν τῆς Πομπηίου
φυγῆς καὶ τὸν Ἑλλήσποντον ἀπορίᾳ τριήρων
σκάφεσιν ἐπεραιοῦτο μικροῖς. Κάσσιος δὲ σὺν
τῷ μέρει τῶν τριήρων ἐπιφαίνεται μεσοποροῦντι,
πρὸς Φαρνάκην ἐπειγόμενος. καὶ δυνηθεὶς ἂν
πολλαῖς τριήρεσι κατὰ σκαφῶν μικρῶν, ὑπὸ δέους
τῆς Καίσαρος εὐτυχίας περιπύστου δὴ καὶ ἐπι-
φόβου τότε οὔσης ἐξεπλάγη καὶ νομίσας οἱ τὸν
Καίσαρα ἐπίτηδες ἐπιπλεῖν τὰς χεῖρας ὤρεγεν ἐς
αὐτόν, ἀπὸ τριήρων ἐς σκάφη, καὶ συγγνώμην
ᾔτει καὶ τὰς τριήρεις παρεδίδου. τοσοῦτον ἴσχυεν
ἡ δόξα τῆς Καίσαρος εὐπραγίας· οὐ γὰρ ἔγωγε
αἰτίαν ἑτέραν ὁρῶ οὐδὲ ἔργον ἕτερον ἡγοῦμαι

commander of the forces in Africa, but he declined CHAP.
the appointment since there were consulars present XII
who outranked him, he having held only the praetor-
ship in Rome. So Lucius Scipio was made the
commander and he collected and drilled a large
army there. Thus two armies of considerable magni-
tude were brought together against Caesar, one in
Africa and the other in Spain.

XIII

88. CAESAR remained two days at Pharsalus after CHAP.
the victory, offering sacrifice and giving his army XIII
a respite from fighting. Then he set free his Thes- Caesar
salian allies and granted pardon to the suppliant pursues
Athenians, and said to them, "How often will the Pompey
glory of your ancestors save you from self-destruc-
tion?" On the third day he marched eastward,
having learned that Pompey had fled thither, and for
want of triremes he essayed to cross the Hellespont
in skiffs. Here Cassius came upon him in mid-
stream, with a part of his fleet, as he was hastening
to Pharnaces. Although he might have mastered
these small boats with his numerous triremes he was
panic-stricken by Caesar's astounding success, which
was then heralded with consternation everywhere,
and he thought that Caesar had sailed purposely
against him. So he extended his hands in entreaty
from his trireme toward the skiff, begged for pardon,
and surrendered his fleet. So great was the power
of Caesar's prestige. I can see no other reason
myself, nor can I think of any other instance where

CAP.
XIII

τύχης ἐν ἀπόρῳ καιρῷ γενέσθαι μᾶλλον ἢ Κάσ-
σιον τὸν πολεμικώτατον ἐπὶ τριήρων ἑβδομήκοντα
ἀπαρασκεύῳ Καίσαρι συντυχόντα μηδ' ἐς χεῖρας
ἐλθεῖν ὑποστῆναι. ὁ δ' οὕτως ἑαυτὸν αἰσχρῶς
ὑπὸ φόβου μόνου παραπλέοντι παραδοὺς ὕστερον
ἐν Ῥώμῃ δυναστεύοντα ἤδη κατέκανεν· ᾧ καὶ
αὐτῷ δῆλόν ἐστι τὸν ἕτερον τῷ Κασσίῳ φόβον
ὑπὸ τύχης ἐγγενέσθαι τὸν Καίσαρα ἐπαιρούσης.

89. Διασωθεὶς δ' οὕτω παραδόξως ὁ Καῖσαρ
καὶ τὸν Ἑλλήσποντον περαιωθεὶς Ἴωσι μὲν καὶ
Αἰολεῦσι καὶ ὅσα ἄλλα ἔθνη τὴν μεγάλην χερ-
ρόνησον οἰκοῦσι (καὶ καλοῦσιν αὐτὰ ἑνὶ ὀνόματι
Ἀσίαν τὴν κάτω), συνεγίγνωσκε πρεσβευομένοις
ἐς αὑτὸν καὶ παρακαλοῦσι, πυθόμενος δὲ Πομ-
πήιον ἐπ' Αἰγύπτου φέρεσθαι διέπλευσεν ἐς
Ῥόδον. καὶ οὐδ' ἐνταῦθα τὸν στρατὸν αὑτοῦ
κατὰ μέρη προσιόντα περιμείνας ἐς τὰς Κασσίου
καὶ Ῥοδίων τριήρεις ἐνέβη σὺν τοῖς παροῦσιν·
οὐδενί τε ἐκφήνας, ὅπῃ τὸν πλοῦν ποιήσεται, περὶ
ἑσπέραν ἀνήγετο, ἐπαγγείλας τοῖς λοιποῖς κυ-
βερνήταις πρὸς τὸν λαμπτῆρα τῆς ἑαυτοῦ νεὼς
καὶ μεθ' ἡμέραν πρὸς τὸ σημεῖον εὐθύνειν· τῷ δ'
αὑτοῦ κυβερνήτῃ, πολὺ τῆς γῆς ἀποσχών, προσ-
έταξεν ἐς Ἀλεξάνδρειαν φέρεσθαι. καὶ ὁ μὲν
τρισὶν ἡμέραις πελάγιος ἀμφὶ τὴν Ἀλεξάνδρειαν
ἦν· ἐσδέχονται δ' αὐτὸν οἱ τοῦ βασιλέως ἐπι-

---

[1] This is a dubious tale. Caesar tells us (iii. 101) that
Cassius was in Sicily with a fleet when the news of Pharsalus
arrived; that when the first news of the battle came the
Pompeians considered it a fiction invented by Caesar's
friends, but that when they were convinced that it was true,
Cassius departed with his fleet. Then Caesar describes his

fortune was more propitious in a trying emergency CHAP.
XIII than when Cassius, a most valiant man, with seventy triremes, fell in with Caesar when he was unprepared, but did not venture to come to blows with him. And yet he who thus, through fear alone, disgracefully surrendered to Caesar when he was crossing the straits, afterward murdered him in Rome when he was at the height of his power; by which fact it is evident that the panic which then seized Cassius was due to the fortune by which Caesar was uplifted.[1]

89. Being thus unexpectedly saved, Caesar passed He passes
through
Asia-Minor
and sails
for Egypt the Hellespont and granted pardon to the Ionians, the Aeolians, and the other peoples who inhabit the great peninsula called by the common name of Lower Asia, and who sent ambassadors to him to ask it. Learning that Pompey was making for Egypt he sailed for Rhodes. He did not wait even there for his army, which was coming forward by detachments, but embarked with those he had on the triremes of Cassius and the Rhodians. Letting nobody know whither he intended to go he set sail toward evening, telling the other pilots to steer by the torch of his own ship by night and by his signal in the daytime; his own pilot, after they had proceeded a long way from the land, he ordered to steer for Alexandria. After a three days' sail he arrived there, and was received by the king's

own movements, saying that he considered it necessary to drop everything else and pursue Pompey, and that he pushed on every day as far as his cavalry could go, having ordered one legion to follow by shorter marches. He must have passed the Hellespont before Cassius sailed from Sicily. Suetonius (*Jul.* 63) says that it was Lucius Cassius whom Caesar met in the Hellespont.

τροπεύοντες, ἔτι τοῦ βασιλέως ἀμφὶ τὸ Κάσσιον
ὄντος. καὶ πρῶτα μὲν ἀπραγμοσύνην τινὰ διὰ
τὴν ὀλιγότητα τῶν συνόντων ὑπεκρίνετο φιλο-
φρόνως τε τοὺς ἐντυγχάνοντας ἐξεδέχετο καὶ τὴν
πόλιν περιιὼν τοῦ κάλλους ἐθαύμαζε καὶ τῶν
φιλοσόφων μετὰ τοῦ πλήθους ἑστὼς ἠκροᾶτο·
ὅθεν αὐτῷ χάρις τε καὶ δόξα ἀγαθὴ ὡς ἀπράγμονι
παρὰ τοῖς Ἀλεξανδρεῦσιν ἐφύετο.

90. Ἐπεὶ δ᾽ ὁ στρατὸς αὐτῷ κατέπλευσε, Πο-
θεινὸν μὲν καὶ Ἀχιλλᾶν ἐκόλασε θανάτῳ τῆς ἐς
τὸν Πομπήιον παρανομίας, Θεόδοτον δὲ διαδράντα
Κάσσιος ὕστερον ἐκρέμασεν, εὑρὼν ἐν Ἀσίᾳ.
θορυβούντων δ᾽ ἐπὶ τῷδε τῶν Ἀλεξανδρέων καὶ
τῆς στρατιᾶς τῆς βασιλικῆς ἐπ᾽ αὐτὸν ἰούσης,
ἀγῶνες αὐτῷ ποικίλοι περὶ τὸ βασίλειον ἐγένοντο
καὶ ἐν τοῖς παρ᾽ αὐτὸ αἰγιαλοῖς, ἔνθα καὶ φεύγων
ἐς τὴν θάλατταν ἐξήλατο καὶ ἐς πολὺ ἐν τῷ βυθῷ
διενήξατο· καὶ τὴν χλαμύδα αὐτοῦ λαβόντες οἱ
Ἀλεξανδρεῖς περὶ τρόπαιον ἐκρέμασαν. τελευ-
ταῖον δ᾽ ἀνὰ τὸν Νεῖλον αὐτῷ γίνεται πρὸς τὸν
βασιλέα ἀγών, ᾧ δὴ καὶ μάλιστα ἐκράτει. καὶ ἐς
ταῦτα διετρίφθησαν αὐτῷ μῆνες ἐννέα, μέχρι
Κλεοπάτραν ἀντὶ τοῦ ἀδελφοῦ βασιλεύειν ἀπέ-
φηνεν Αἰγύπτου. καὶ τὸν Νεῖλον ἐπὶ τετρακο-
σίων νεῶν, τὴν χώραν θεώμενος, περιέπλει μετὰ
τῆς Κλεοπάτρας, καὶ τἆλλα ἡδόμενος αὐτῇ. ἀλλὰ
τάδε μὲν ἕκαστα ὅπως ἐγένετο, ἀκριβέστερον ἡ
περὶ Αἰγύπτου συγγραφὴ διέξεισι· τὴν δὲ κε-
φαλὴν τοῦ Πομπηίου προσφερομένην οὐχ ὑπέστη,
ἀλλὰ προσέταξε ταφῆναι, καί τι αὐτῇ τέμενος
βραχὺ πρὸ τῆς πόλεως περιτεθὲν Νεμέσεως τέ-
μενος ἐκαλεῖτο· ὅπερ ἐπ᾽ ἐμοῦ κατὰ Ῥωμαίων

guardians, the king himself being still at Casium. CHAP.
At first, on account of the smallness of his forces, XIII
he pretended to take his ease, receiving visitors
in a friendly way, traversing the city, admiring
its beauty, and listening to the lectures of the
philosophers while he stood among the crowd. Thus
he gained the good-will and esteem of the
Alexandrians as one who had no designs against
them.

90. When his soldiers arrived by sea he punished The
Pothinus and Achillas with death for their crime Alexan-
against Pompey. (Theodotus escaped and was after- drian war
ward crucified by Cassius, who found him wandering
in Asia.) The Alexandrians thereupon rose in tumult,
and the king's army marched against Caesar and
various battles took place around the palace and on the
neighbouring shores. In one of these Caesar escaped
by leaping into the sea and swimming a long distance
in deep water. The Alexandrians captured his cloak
and hung it up as a trophy. He fought the last
battle against the king on the banks of the Nile, in
which he won a decisive victory. He consumed B.C. 47
nine months in this strife, at the end of which he
established Cleopatra on the throne of Egypt in
place of her brother. He ascended the Nile with
400 ships, exploring the country in company with
Cleopatra and generally enjoying himself with her.
The details, however, of these events are related more
particularly in my Egyptian history. Caesar could
not bear to look at the head of Pompey when it was
brought to him, but ordered that it be buried, and
set apart for it a small plot of ground near the city
which was dedicated to Nemesis, but in my time,
while the Roman emperor Trajan was exterminating

393

αὐτοκράτορα Τραϊανόν, ἐξολλύντα τὸ ἐν Αἰγύπτῳ
Ἰουδαίων γένος, ὑπὸ τῶν Ἰουδαίων ἐς τὰς τοῦ
πολέμου χρείας κατηρείφθη.

91. Τοσάδε μὲν δὴ Καῖσαρ ἐργασάμενος ἐν
Ἀλεξανδρείᾳ διὰ Συρίας ἐπὶ Φαρνάκην ἠπείγετο.
ὁ δὲ ἤδη μὲν εἴργαστο πολλὰ καὶ περιεσπάκει
τινὰ Ῥωμαίων χωρία καὶ Δομιτίῳ Καίσαρος
στρατηγῷ συνενεχθεὶς ἐς μάχην ἐνενικήκει πάνυ
λαμπρῶς, καὶ τῷδε μάλιστα ἐπαρθεὶς Ἀμισὸν
πόλιν ἐν τῷ Πόντῳ ῥωμαΐζουσαν ἐξηνδραπόδιστο
καὶ τοὺς παῖδας αὐτῶν τομίας ἐπεποίητο πάντας·
προσιόντος δὲ τοῦ Καίσαρος ἐταράσσετο καὶ
μετεγίγνωσκε καὶ ἀπὸ σταδίων διακοσίων γενο-
μένῳ πρέσβεις ἔπεμπεν ὑπὲρ εἰρήνης, στέφανόν
τε χρύσειον αὐτῷ φέροντας καὶ ἐς γάμον ὑπ'
ἀνοίας ἐγγυῶντας Καίσαρι τὴν Φαρνάκους θυγα-
τέρα. ὁ δ' αἰσθόμενος ὧν φέρουσι, προῆλθε μετὰ
τοῦ στρατοῦ καὶ ἐς τὸ πρόσθεν ἐβάδιζε λεσχ-
ηνεύων τοῖς πρέσβεσι, μέχρι προσπελάσας τῷ
χάρακι τοῦ Φαρνάκους καὶ τοσόνδε εἰπών· "οὐ
γὰρ αὐτίκα δώσει δίκην ὁ πατροκτόνος;" ἐπὶ
τὸν ἵππον ἀνεπήδησε καὶ εὐθὺς ἐκ πρώτης βοῆς
τρέπεταί τε τὸν Φαρνάκην καὶ πολλοὺς ἔκτεινε,
σὺν χιλίοις που μάλιστα ὢν ἱππεῦσιν τοῖς πρώ-
τοις αὐτῷ συνδραμοῦσιν· ὅτε καί φασιν αὐτὸν
εἰπεῖν· "ὦ μακάριε Πομπήιε, τοιούτοις ἄρα κατὰ
Μιθριδάτην τὸν τοῦδε πατέρα πολεμῶν ἀνδράσι
μέγας τε ἐνομίσθης καὶ μέγας ἐπεκλήθης." ἐς δὲ
Ῥώμην περὶ τῆσδε τῆς μάχης ἐπέστελλεν· "ἐγὼ
δὲ ἦλθον, εἶδον, ἐνίκησα."

92. Μετὰ δὲ τοῦτο Φαρνάκης μὲν ἀγαπῶν ἐς
τὴν ἀρχὴν Βοσπόρου, τὴν δεδομένην οἱ παρὰ

the Jewish race in Egypt, it was devastated by them
in the exigencies of the war.

91. After Caesar had performed these exploits in
Alexandria he hastened by way of Syria against
Pharnaces. The latter had already accomplished
many of his aims, had seized some of the Roman
countries, had fought a battle with Caesar's lieu-
tenant, Domitius, and won a very brilliant victory
over him. Being much elated by this affair he had
subjugated the city of Amisus in Pontus, which
adhered to the Roman interest, sold their inhabitants
into slavery, and made all their boys eunuchs. On
the approach of Caesar he became alarmed and
repented of his deeds, and when Caesar was within
200 stades he sent ambassadors to him to treat for
peace. They bore a golden crown and foolishly
offered him the daughter of Pharnaces in marriage.
When Caesar learned what they were bringing he
moved forward with his army, walking in advance
and chatting with the ambassadors until he arrived
at the camp of Pharnaces, when he merely said,
" Why should I not take instant vengeance on this
parricide?" Then he sprang upon his horse and at
the first shout put Pharnaces to flight and killed
a large number of the enemy, although he had with
him only about 1000 of his own cavalry who had
accompanied him in the advance. Here it is said
that he exclaimed, " O fortunate Pompey, who wast
considered and named the Great for warring against
such men as these in the time of Mithridates, the
father of this man." Of this battle he wrote to
Rome the words, " I came, I saw, I conquered."

92. After this, Pharnaces was glad to escape to
the kingdom which Pompey had assigned to him on

CAP.
XIII

Πομπηίου, συνέφυγεν· ὁ δὲ Καῖσαρ, οὐ σχολὴν
ἄγων περὶ μικρὰ τρίβεσθαι τοσῶνδε πολέμων
αὐτὸν περιμενόντων, ἐς τὴν Ἀσίαν μετῆλθε καὶ
παροδεύων αὐτὴν ἐχρημάτιζε ταῖς πόλεσιν ἐνοχ-
λουμέναις ὑπὸ τῶν μισθουμένων τοὺς φόρους, ὥς
μοι κατὰ τὴν Ἀσιανὴν συγγραφὴν δεδήλωται.
πυθόμενος δ' ἐν Ῥώμῃ στάσιν εἶναι καὶ Ἀντώνιον
τὸν ἵππαρχον αὐτοῦ τὴν ἀγορὰν στρατιᾷ φυλάσ-
σειν, πάντα μεθεὶς ἐς Ῥώμην ἠπείγετο. ὡς δ'
ἦλθεν, ἡ μὲν στάσις ἡ πολιτικὴ κατεπαύετο, ἑτέρα
δ' ἐπ' αὐτὸν ἀνίστατο τοῦ στρατοῦ, ὡς οὔτε τὰ
ἐπηγγελμένα σφίσιν ἐπὶ τῷ κατὰ Φάρσαλον ἔργῳ
λαβόντες οὔτε ἐννόμως ἔτι βραδύνοντες ἐν τῇ
στρατείᾳ· ἀφεθῆναί τε πάντες ἐπὶ τὰ αὑτῶν
ἠξίουν. ὁ δ' ἐπηγγέλλετο μὲν αὐτοῖς ἀόριστά
τινα ἐν Φαρσάλῳ, καὶ ἕτερα ἀόριστα, ὅταν ὁ ἐν
Λιβύῃ πόλεμος ἐκτελεσθῇ· τότε δ' ἔπεμπεν
ἄλλας ὁρίζων ἑκάστῳ χιλίας δραχμάς. οἱ δὲ
αὐτὸν οὐχ ὑπισχνεῖσθαι μᾶλλον ἢ αὐτίκα διδόναι
πάντα ἐκέλευον· καὶ περὶ τῶνδε Σαλούστιον
Κρίσπον πεμφθέντα πρὸς αὐτοὺς ὀλίγου καὶ
διέφθειραν, εἰ μὴ διέφυγε. πυθόμενος δ' ὁ Καῖ-
σαρ τέλος μὲν ἄλλο στρατιωτῶν, οἳ τὴν πόλιν ἐξ
Ἀντωνίου παρεφύλασσον, περιέστησε τῇ οἰκίᾳ
καὶ ταῖς τῆς πόλεως ἐξόδοις, δείσας περὶ ἁρπαγῆς·
αὐτὸς δέ, πάντων δεδιότων καὶ παραινούντων

the Bosporus. As Caesar had no time to waste on small matters while such great wars were still unfinished elsewhere, he returned to the province of Asia and while passing through it transacted public business in the cities, which were oppressed by the farmers of the revenue, as I have shown in my Asiatic history.[1] Learning that a sedition had broken out in Rome and that Antony, his master of horse, had occupied the forum with soldiers, he laid aside everything else and hastened to the city. When he arrived there the civil sedition had been quieted, but another one sprang up against himself in the army because the promises made to them after the battle of Pharsalus had not been kept, and because they had been held in service beyond the term fixed by law. They demanded that they should all be dismissed to their homes. Caesar had made them certain indefinite promises at Pharsalus, and others equally indefinite after the war in Africa should be finished. Now he sent them a definite promise of 1000 drachmas more to each man. They answered him that they did not want any more promises but prompt payment in full, and Salustius Crispus,[2] who had been sent to them on this business, had a narrow escape, for he would have been killed if he had not fled. When Caesar learned of this he stationed the legion with which Antony had been guarding the city around his own house and the city gates, as he apprehended attempts at plunder. Then, notwithstanding all his friends were alarmed and cautioned him against the

---

[1] Our author does not mention any Asiatic history in his preface. Photius in his enumeration of the works of Appian extant in his time speaks of the "tenth book, Grecian and Ionian." Schweighäuser thinks that this is here referred to.

[2] The historian.

αὐτῷ τὴν ὁρμὴν τοῦ στρατοῦ φυλάξασθαι, μάλα
θρασέως αὐτοῖς ἔτι στασιάζουσιν ἐς τὸ Ἄρειον
πεδίον ἐπῆλθεν οὐ προμηνύσας καὶ ἐπὶ βήματος
ὤφθη.

93. Οἱ δὲ σὺν θορύβῳ τε ἄνοπλοι συνέτρεχον καί,
ὡς ἔθος, ἄφνω φανέντα σφίσιν ἠσπάζοντο αὐτο-
κράτορα. κελεύσαντος δ᾽ ὅ τι θέλοιεν εἰπεῖν, περὶ
μὲν τῶν δωρεῶν ἐς ὄψιν εἰπεῖν αὐτοῦ παρόντος
οὐδὲ ἐτόλμησαν ὑπὸ τῆς αὐτῆς ἐκπλήξεως, ὡς δὲ
μετριώτερον, ἀφεθῆναι τῆς στρατείας ἀνεβόησαν,
ἐλπίσαντες στρατοῦ δεόμενον ἐς τοὺς ὑπολοίπους
πολέμους αὐτὸν ἐρεῖν τι καὶ περὶ τῶν δωρεῶν. ὁ
δὲ παρὰ τὴν ἁπάντων δόξαν οὐδὲ μελλήσας
ἀπεκρίνατο· "ἀφίημι." καταπλαγέντων δ᾽ αὐτῶν
ἔτι μᾶλλον καὶ σιωπῆς βαθυτάτης γενομένης
ἐπεῖπε· "καὶ δώσω γε ὑμῖν τὰ ἐπηγγελμένα
ἅπαντα, ὅταν θριαμβεύσω μεθ᾽ ἑτέρων." ἀδοκήτου
δ᾽ αὐτοῖς ἅμα καὶ τοῦδε καὶ φιλανθρώπου φανέν-
τος, αἰδὼς αὐτίκα πᾶσιν ἐνέπιπτεν καὶ λογισμὸς
μετὰ ζήλου, εἰ δόξουσι μὲν αὐτοὶ καταλιπεῖν
σφῶν τὸν αὐτοκράτορα ἐν μέσοις τοσοῖσδε πολε-
μίοις, θριαμβεύσουσι δ᾽ ἀνθ᾽ αὑτῶν ἕτεροι καὶ
σφεῖς τῶν ἐν Λιβύῃ κερδῶν ἐκπεσοῦνται, μεγάλων
ἔσεσθαι νομιζομένων, ἐχθροί τε ὁμοίως αὐτοῦ τε
Καίσαρος ἔσονται καὶ τῶν πολεμίων. δείσαντες
οὖν ἔτι μᾶλλον ἡσύχαζον ἐξ ἀπορίας, ἐλπίζοντες
ἐνδώσειν τι καὶ τὸν Καίσαρα καὶ μεταγνώσεσθαι
διὰ τὴν ἐν χερσὶ χρείαν. ὁ δ᾽ ἀνθησύχαζε καὶ
τῶν φίλων αὐτὸν παρακαλούντων ἐπιφθέγξασθαί
τι πρὸς αὐτοὺς ἄλλο καὶ μὴ βραχεῖ καὶ αὐστηρῷ

fury of the soldiers, he went boldly among them CHAP
while they were still riotous in the Campus Martius, XIII
without sending word beforehand, and showed
himself on the platform.

93. The soldiers ran together tumultuously with-
out arms, and, as was their custom, saluted their
commander who had suddenly appeared among them.
When he bade them tell what they wanted they
were so surprised that they did not even venture to
speak openly of the donative in his presence, but
they adopted the more moderate course of de-
manding their discharge from service, hoping that,
since he needed soldiers for the unfinished wars,
he would speak about the donative himself. But, Caesar
contrary to the expectation of all, he replied without disbands
hesitation, "I discharge you." Then, to their still their
greater astonishment, and while the silence was request
most profound, he added, "And I shall give you all
that I have promised when I triumph with other
soldiers." At this expression, as unexpected as it
was kind, shame immediately took possession of all,
and the consideration, mingled with jealousy, that
while they would be thought to be abandoning their
commander in the midst of so many enemies, others
would join in the triumph instead of themselves, and
they would lose the gains of the war in Africa, which
were expected to be great, and become hateful to
Caesar himself as well as to the opposite party.
Moved by these fears they remained still more silent
and embarrassed, hoping that Caesar would yield and
change his mind on account of his immediate neces-
sity. But he remained silent also, until his friends
urged him to say something more to them and not
leave his old comrades of so many campaigns with a

CAP.
XIII

λόγῳ πολλὰ συνεστρατευμένους ἐγκαταλιπεῖν, ἀρχόμενος λέγειν πολίτας ἀντὶ στρατιωτῶν προσεῖπεν· ὅπερ ἐστὶ σύμβολον ἀφειμένων τῆς στρατείας καὶ ἰδιωτευόντων.

94. Οἱ δ' οὐκ ἐνεγκόντες ἔτι ἀνέκραγον μετανοεῖν καὶ παρεκάλουν αὐτῷ συστρατεύεσθαι. ἀποστρεφομένου τε τοῦ Καίσαρος καὶ ἀπιόντος ἀπὸ τοῦ βήματος, οἱ δὲ σὺν ἐπείξει πλέονι βοῶντες ἐνέκειντο παραμεῖναί τε αὐτὸν καὶ κολάζειν σφῶν τοὺς ἁμαρτόντας. ὁ δ' ἔτι μέν τι διέτριψεν, οὔτε ἀπιὼν οὔτε ἐπανιών, ὑποκρινόμενος ἀπορεῖν· ἐπανελθὼν δ' ὅμως ἔφη κολάσειν μὲν αὐτῶν οὐδένα, ἄχθεσθαι δ', ὅτι καὶ τὸ δέκατον τέλος, ὃ προετίμησεν αἰεί, τοιαῦτα θορυβεῖ. "καὶ τόδε," ἔφη, "μόνον ἀφίημι τῆς στρατείας· δώσω δὲ καὶ τῷδε ὅμως τὰ ὑπεσχημένα ἅπαντα, ἐπανελθὼν ἐκ Λιβύης. δώσω δὲ καὶ γῆν ἅπασιν ἐκτελεσθέντων τῶν πολέμων, οὐ καθάπερ Σύλλας, ἀφαιρούμενος ἑτέρων ἣν ἔχουσι καὶ τοῖς ἀφαιρεθεῖσι τοὺς λαβόντας συνοικίζων καὶ ποιῶν ἀλλήλοις ἐς αἰεὶ πολεμίους, ἀλλὰ τὴν τοῦ δήμου γῆν ἐπινέμων καὶ τὴν ἐμαυτοῦ, καὶ τὰ δέοντα προσωνούμενος." κρότου δὲ καὶ εὐφημίας παρὰ πάντων γενομένης, τὸ δέκατον ὑπερήλγει τέλος, ἐς μόνον αὐτὸ τοῦ Καίσαρος ἀδιαλλάκτου φανέντος· καὶ σφᾶς αὐτὸν ἠξίουν διακληρῶσαί τε καὶ τὸ μέρος θανάτῳ ζημιῶσαι. ὁ δὲ οὐδὲν αὐτοὺς ὑπερεθίζειν ἔτι δεόμενος ἀκριβῶς μετανοοῦντας, συνηλλάσσετο ἅπασι καὶ εὐθὺς ἐπὶ τὸν ἐν Λιβύῃ πόλεμον ἐξῄει.

short and austere word. Then he began to speak,
addressing them first as "citizens," not "fellow-
soldiers," which implied that they were already dis-
charged from the army and were private individuals.

94. They could endure it no longer, but cried out
that they repented of what they had done, and
besought him to keep them in his service. But
Caesar turned away and was leaving the platform
when they shouted with greater eagerness and urged
him to stay and punish the guilty among them.
He delayed a while longer, not going away and not
turning back, but pretending to be undecided. At
length he came back and said that he would not
punish any of them, but that he was grieved that
even the tenth legion, to which he had always
given the first place of honour, should join in such
a riot. "And this legion alone," he continued, "I
will discharge from the service. Nevertheless, when
I return from Africa I will give them all that I have
promised. And when the wars are ended I will give
lands to all, not as Sulla did by taking it from the
present holders and uniting present and past owners
in a colony, and so making them everlasting enemies
to each other, but I will give the public land, and
my own, and will purchase as well the necessary
implements." There was clapping of hands and
joyful acclaim on all sides, but the tenth legion was
plunged in grief because to them alone Caesar
appeared inexorable. They begged him to choose
a portion of their number by lot and put them to
death. But Caesar, seeing that there was no need
of stimulating them any further when they had
repented so bitterly, became reconciled to all, and
departed straightway for the war in Africa.

XIV

95. Διαβαλὼν δ' ἐκ Ῥηγίου τὸν **πορθμὸν** ἐπὶ Μεσσήνης ἐς Λιλύβαιον ἦλθε. καὶ πυθόμενος Κάτωνα μὲν τὴν παρασκευὴν τοῦ πολέμου **ναυσὶ** καὶ πεζῶν τινι μέρει φρουρεῖν ἐν Ἰτύκῃ μετὰ τῶν τριακοσίων, οὓς ἀπὸ σφῶν ἐκ πολλοῦ προβούλους ἐπεποίηντο τοῦ πολέμου καὶ σύγκλητον ἐκάλουν, τὸν δ' αὐτοκράτορα Λεύκιον Σκιπίωνα καὶ τοὺς ἀρίστους ἐν Ἀδρυμητῷ στρατοπεδεύειν, διέπλευσεν ἐπὶ τὸν Σκιπίωνα. καὶ αὐτὸν οἰχόμενον ἐς Ἰόβαν καταλαβὼν παρέτασσεν ἐς μάχην παρ' αὐτὸ τοῦ Σκιπίωνος τὸ στρατόπεδον, ὡς ἐν καιρῷ συνοισόμενος τοῖς πολεμίοις χωρὶς αὐτοκράτορος οὖσιν. ἀντεπῇεσαν δ' αὐτῷ Λαβιηνός τε καὶ Πετρήιος, οἱ τοῦ Σκιπίωνος ὑποστράτηγοι, καὶ ἐκράτουν τῶν Καίσαρος παρὰ πολὺ καὶ τραπέντας ἐδίωκον σοβαρῶς μετὰ καταφρονήσεως, μέχρι Λαβιηνὸν μὲν ὁ ἵππος ἐς τὴν γαστέρα πληγεὶς ἀπεσείσατο καὶ αὐτὸν οἱ παρασπισταὶ συνήρπαζον, ὁ δὲ Πετρήιος, ὡς ἀκριβῆ τοῦ στρατοῦ λαβὼν πεῖραν καὶ νικήσων, ὅτε βούλεται, διέλυε τὸ ἔργον ἐπειπὼν τοῖς ἀμφ' αὐτόν· "μὴ ἀφελώμεθα τὴν νίκην τὸν αὐτοκράτορα ἡμῶν Σκιπίωνα." καὶ τὸ μὲν ἄλλο μέρος τῆς Καίσαρος τύχης ἔργον ἐφαίνετο κρατησάντων ἄν, ὡς ἐδόκει, τῶν πολεμίων ἄφνω τὴν μάχην ὑπὸ τῶν νικώντων διαλυθῆναι· αὐτὸς δὲ λέγεται παρὰ τὴν φυγὴν ἐγχρίμπτων ἅπασιν ἐπιστρέφειν αὐτοὺς καί τινα τῶν τὰ μέγιστα σημεῖα, τοὺς **ἀετούς**, φερόντων

XIV

95. CAESAR crossed the strait from Rhegium to
Messana and went to Lilybaeum. Here, learning that
Cato was guarding the enemy's magazines with a fleet
and a part of the land forces at Utica, and that he had
with him the 300 men who had for a long time
constituted their council of war and were called the
Senate, and that the commander, L. Scipio, and the
flower of the army were at Adrumetum, he sailed
against the latter. He arrived at a time when
Scipio had gone away to meet Juba, and he drew
up his forces for battle near Scipio's very camp in
order to come to an engagement with the enemy at
a time when their commander was absent. Labienus
and Petreius, Scipio's lieutenants, attacked him,
defeated him badly, and pursued him in a haughty
and disdainful manner until Labienus' horse was
wounded in the belly and threw him, and his
attendants carried him off, and Petreius, thinking
that he had made a thorough test of the army and
that he could conquer whenever he liked, drew off
his forces, saying to those around him, " Let us not
deprive our general, Scipio, of the victory." In the
rest of the battle[1] it appeared to be a matter of
Caesar's luck that the victorious enemy abandoned
the field when they might have won ; but it is said
that in the flight Caesar dashed up to his whole line[2]
and turned it back and seizing one of those who

[1] μέρος is probably inserted by error of a copyist, but even
its removal does not wholly smooth the sentence.

[2] ἐγχριμπτῶν ἅπασιν. How could he dash up to all of
them at once? Mendelssohn suggests ἀποδρᾶσιν, i.e. he
dashed up to the runaways.

τῇ ἑαυτοῦ χειρὶ περισπάσας μετενεγκεῖν ἀπὸ τῆς
φυγῆς ἐς τὸ πρόσθεν, ἕως Πετρήιος ἀνέζευξε καὶ
ὁ Καῖσαρ ἀσπασίως ὑπεχώρει.

Τοῦτο μὲν δὴ τῆς πρώτης ἐν Λιβύῃ Καίσαρι
μάχης τέλος ἦν· 96. οὐ πολὺ δὲ ὕστερον, αὐτοῦ
τε Σκιπίωνος ὀκτὼ τέλεσι πεζῶν καὶ ἱππέων δύο
μυριάσιν, ὧν οἱ πολλοὶ Λίβυες ἦσαν, πελτασταῖς
τε πολλοῖς καὶ ἐλέφασιν ἐς τριάκοντα προσδοκω-
μένου παρέσεσθαι σὺν Ἰόβᾳ τῷ βασιλεῖ, καὶ
τῷδε ἄγοντι πεζοὺς ἄλλους ἀμφὶ τρισμυρίους
καὶ ἱππέας Νομάδας ἐς δισμυρίους καὶ ἀκοντιστὰς
πολλοὺς καὶ ἐλέφαντας ἑξήκοντα ἑτέρους, ἡ
στρατιὰ τοῦ Καίσαρος ἐδείμαινε καὶ ἐν σφίσιν
αὐτοῖς ἐθορυβοῦντο κατά τε πεῖραν ὧν ἤδη
πεπόνθεσαν καὶ κατὰ δόξαν τῶν ἐπιόντων τοῦ τε
πλήθους καὶ ἀρετῆς, μάλιστα τῶν Νομάδων
ἱππέων. ὅ τε τῶν ἐλεφάντων πόλεμος ἀήθης
σφίσιν ὢν ἐξέπλησσε. Βόκχου δ' ἑτέρου Μαυ-
ρουσίων δυνάστου Κίρταν, ἢ βασίλειον ἦν Ἰόβα,
καταλαβόντος, ὁ μὲν Ἰόβας, ἐξαγγελθέντος αὐτῷ
τοῦδε, ἐς τὰ οἰκεῖα μάλιστα ἀνεζεύγνυ μετὰ τοῦ
ἰδίου στρατοῦ, τριάκοντα ἐξ αὐτοῦ μόνους ὑπο-
λιπὼν ἐλέφαντας τῷ Σκιπίωνι, ἡ δὲ στρατιὰ τοῦ
Καίσαρος ἐς τοσοῦτον ἀνεθάρρησεν, ὡς τὸ
πέμπτον τέλος αἰτῆσαν ἀντιταχθῆναι τοῖς ἐλέφασι
κρατῆσαι πάνυ καρτερῶς· καὶ νῦν ἀπ' ἐκείνου
τῷδε τῷ τέλει ἐλέφαντες ἐς τὰ σημεῖα ἐπίκεινται.

97. Μακρᾶς δὲ καὶ ἐπιπόνου κατὰ πάντα τὰ μέρη
τῆς μάχης καὶ πολυτρόπου γενομένης, περὶ ἑσπέραν
μόλις ὁ Καῖσαρ ἐνίκα καὶ τὸ στρατόπεδον εὐθὺς
ἐξῄρει τὸ τοῦ Σκιπίωνος, οὐδὲν ἀνιεὶς οὐδ' ἐν
νυκτὶ τῆς νίκης, μέχρι τὸ σύμπαν ἐξεργάσασθαι.

carried the principal standards (the eagles) dragged CHAP. him to the front. Finally, Petreius retired and XIV Caesar was glad to do the same.

Such was the result of Caesar's first battle in The forces Africa. 96. Not long afterward it was reported that arrayed against him Scipio himself was advancing with eight legions of foot, 20,000 horse (of which most were Africans), and a large number of light-armed troops, and thirty elephants; together with King Juba, who had some 30,000 foot-soldiers in addition, raised for this war, and 20,000 Numidian cavalry, besides a large number of spearmen and sixty elephants. Caesar's army began to be alarmed and a tumult broke out among them on account of the disaster they had already experienced and of the reputation of the forces advancing against them, and especially of the numbers and bravery of the Numidian cavalry. War with elephants, to which they were unaccustomed, also frightened them. But Bocchus, another Mauritanian prince, seized Cirta, which was the capital of Juba's kingdom, and when this news reached Juba he started for home at once with his army, leaving thirty of his elephants only with Scipio. Thereupon Caesar's men plucked up courage to such a degree that the fifth legion begged to be drawn up opposite the elephants, and it overcame them valiantly. From that day to the present this legion has borne the figure of an elephant on its standards.

97. The battle was long, severe, and doubtful in Battle of all parts of the field until toward evening, when Thapsus victory declared itself on the side of Caesar, who went straight on and captured Scipio's camp and did not desist, even in the night, from reaping the fruits of his victory until he had made a clean sweep.

οἱ δ' ἐχθροὶ κατ' ὀλίγους, ὅπῃ δύναιντο, διέφευγον·
καὶ ὁ Σκιπίων αὐτός, ἅμα Ἀφρανίῳ πάντα
μεθείς, ἔφευγεν ἀνὰ τὸ πέλαγος ἐπὶ δώδεκα
ἀφράκτων.

Ὧδε μὲν δὴ καὶ ὅδε ὁ στρατός, ἐς ὀκτὼ μυ-
ριάδας μάλιστα συνελθὼν ἔκ τε πολλοῦ γεγυμνα-
σμένος καὶ ἐκ τῆς προτέρας μάχης ἐν ἐλπίδι καὶ
θάρσει γενόμενος, δευτέρᾳ τῇδε συμβολῇ συνε-
τρίβετο ἀθρόως. καὶ τὸ τοῦ Καίσαρος κλέος ἐς
ἄμαχον εὐτυχίαν ἐδοξάζετο, οὐδὲν ἔτι τῶν ἡσσω-
μένων ἐς ἀρετὴν αὐτοῦ μεριζόντων, ἀλλὰ καὶ τὰ
σφέτερα αὐτῶν ἁμαρτήματα τῇ Καίσαρος τύχῃ
προστιθέντων· ἐδόκει γὰρ δὴ καὶ ὅδε ὁ πόλεμος
ἀβουλίᾳ τῶν στρατηγῶν, οὔτε διατριψάντων
αὐτόν, ἕως ἀπορήσειεν ὁ Καῖσαρ ὡς ἐν ἀλλοτρίᾳ,
οὔτε τὴν πρώτην νίκην ἐς τέλος προαγαγόντων,
συντριφθεὶς οὕτως ὀξέως διαλυθῆναι.

98. Ἐξαγγελθέντων δὲ τούτων ἐς Ἰτύκην
τρίτῃ μάλιστα ἡμέρᾳ καὶ τοῦ Καίσαρος εὐθὺς
ἐπὶ τὴν Ἰτύκην ἰόντος ἐγίγνετο φυγὴ πάντων.
καὶ οὐδένα κατεῖχεν ὁ Κάτων, ἀλλὰ καὶ ναῦς
ἐδίδου τοῖς αἰτοῦσι τῶν ἐπιφανῶν· αὐτὸς δ' εὐ-
σταθῶς ὑπέμενε καὶ τοῖς Ἰτυκαίοις ὑπισχνουμένοις
πρὸ ἑαυτῶν ὑπὲρ ἐκείνου δεήσεσθαι ἐπιμειδιῶν
ἀπεκρίνατο οὐ δεήσειν αὐτῷ πρὸς Καίσαρα
διαλλακτῶν καὶ τοῦτο εἰδέναι καὶ τὸν Καίσαρα
καλῶς. σημηνάμενος δὲ τοὺς θησαυροὺς ἅπαντας
καὶ συγγραφὰς ὑπὲρ ἑκάστου τοῖς Ἰτυκαίων
ἄρχουσιν ἐπιδοὺς περὶ ἑσπέραν ἀμφὶ λουτρὰ καὶ
δεῖπνον ἦν καθεζόμενός τε ἐγένετο, ὥσπερ εἴθιστο,
ἐξ οὗ Πομπήιος ἀνῄρητο· οὐδέν τε τῶν συνήθων

The enemy scattered in small bodies wherever they
could. Scipio himself, abandoning everything to Afranius, fled by sea with twelve open ships.

Thus was this army also, composed of nearly 80,000 men who had been under long training and were inspired with hope and courage by the previous battle, completely annihilated in the second engagement. And now Caesar's fame began to be celebrated as of a man of invincible fortune, and those who were vanquished by him attributed nothing to his merit, but ascribed everything, including their own blunders, to "Caesar's fortune." For in fact it seemed that it was through the bad generalship of the commanders who, as in Thessaly, neglected their opportunity to wear out Caesar by delay until his supplies were exhausted, in this foreign land, and in like manner failed to reap the fruits of their first victory, that this war was also foreshortened and thus sharply brought to a finish.

98. When these facts became known at Utica some
three days later, and as Caesar was marching right against that place, a general flight began. Cato did not detain anybody. He gave ships to all the nobility who asked for them, but himself adhered firmly to his post. When the inhabitants of Utica promised to intercede for him before doing so for themselves, he answered with a smile that he did not need any intercessors with Caesar, and that Caesar knew it very well. Then he placed his seal on all the public property and gave the accounts of each kind to the magistrates of Utica. Toward evening he bathed and dined. He ate in a sitting posture,[1] as had been his custom since Pompey's

---

[1] Instead of reclining.

CAP.
XIV

ἐναλλάσσων οὐδ' ἐλάσσω προσφερόμενος ἢ πλείω,
συνελεσχήνευε τοῖς παροῦσι περὶ τῶν ἐκπεπλευ-
κότων καὶ ἠρώτα περὶ τοῦ πνεύματος, εἰ κατὰ
πρύμνην ἔσοιτο αὐτοῖς, καὶ τοῦ διαστήματος, εἰ
φθάσουσι πόρρω γενέσθαι, πρὶν ἐς ἔω Καίσαρα
ἐπελθεῖν. οὐ μὴν οὐδ' ἐς ὕπνον ἀπιὼν ἐνήλλαξέ
τι τῶν συνήθων, πλὴν ὅτι υἱὸν ἠσπάσατο φιλο-
φρονέστερον. τὸ δὲ ξιφίδιον τῇ κλίνῃ τὸ σύνηθες
οὐχ εὑρὼν παρακείμενον ἐξεβόησεν, ὅτι προδιδοῖτο
ὑπὸ τῶν οἰκείων τοῖς πολεμίοις· τίνι γὰρ ἔφη
χρήσεσθαι προσιόντων, ἂν νυκτὸς ἐπίωσι; τῶν
δὲ αὐτὸν παρακαλούντων μηδὲν ἐφ' ἑαυτὸν βου-
λεύειν, ἀλλ' ἀναπαύεσθαι χωρὶς ξιφιδίου, ἀξιο-
πιστότερον ἔτι εἶπεν· "οὐ γὰρ ἔστι μοι θέλοντι
καὶ δι' ἐσθῆτος ἐμαυτὸν ἀποπνῖξαι καὶ ἐς τὰ
τείχη τὴν κεφαλὴν ἀπαράξαι καὶ ἐς τράχηλον
κυβιστῆσαι καὶ τὸ πνεῦμα κατασχόντα ἐκτρῖψαι;"
πολλά τε ὅμοια εἰπὼν παρήγαγεν αὐτοὺς παρα-
θεῖναι τὸ ξιφίδιον. ὡς δὲ ἐτέθη, Πλάτωνος
αἰτήσας τὴν περὶ ψυχῆς συγγραφὴν ἀνεγίνωσκε.

99. Καὶ ἐπεὶ τέλος εἶχε τῷ Πλάτωνι ὁ λόγος,
ἀναπαύεσθαι τοὺς περὶ θύρας ὑπολαβὼν ἔτρωσεν
αὐτὸν ὑπὸ τὰ στέρνα· προπεσόντων δ' αὐτῷ τῶν
σπλάγχνων καὶ στόνου τινὸς ἐξακουσθέντος ἐσέ-
δραμον οἱ περὶ θύρας· καὶ οἱ ἰατροὶ τὰ σπλάγχνα
ἔτι σῶα ὄντα ἐνέθηκαν ἔνδον καὶ τὰς πληγὰς
ἐπιρράψαντες ἐπέδησαν. ὁ δὲ ἀνενεγκὼν αὖθις
ὑπεκρίνετο καὶ κατεμέμφετο μὲν ἑαυτῷ πληγῆς
ἀσθενοῦς, χάριν δ' ὡμολόγει τοῖς περισώσασι καὶ
καταδαρθεῖν ἔφη δεῖσθαι. οἱ μὲν δὴ τὸ ξίφος

death. He changed his habits in no respect. He partook of the dinner, neither more nor less than usual. He conversed with the others present concerning those who had sailed away and inquired whether the wind was favourable and whether they would make sufficient distance before Caesar should arrive the next morning. Nor did he alter any of his habits when he retired to rest, except that he embraced his son rather more affectionately than usual. As he did not find his dirk in its accustomed place by his couch, he exclaimed that he had been betrayed by his servants to the enemy. "What weapon" he asked, "shall I use if I am attacked in the night?" When they besought him to do no violence to himself but to go to sleep without his dirk, he replied still more plausibly, "Could I not strangle myself with my clothing if I wished to, or knock my brains out against the wall, or throw myself headlong to the ground, or destroy myself by holding my breath?" Much more he said to the same purport until he persuaded them to bring back his dirk. When it had been put in its place he called for Plato's treatise on the soul and began to read.

99. When Plato's dialogue had come to an end He commits suicide and when he thought that those who were stationed at the doors were asleep, he stabbed himself under the breast. His intestines protruded and the attendants heard a groan and rushed in. Physicians replaced his intestines, which were still uninjured, in his body, and after sewing up the wound tied a bandage around it. When Cato came to himself he dissembled again. Although he blamed himself for the insufficiency of the wound, he expressed thanks

ἔχοντες ᾤχοντο καὶ τὰς θύρας ὡς ἠρεμοῦντι
ἐπέκλεισαν· ὁ δ' ὕπνου δόξαν αὐτοῖς παρασχὼν
τὰ δεσμὰ ταῖς χερσὶ μετὰ σιγῆς ἀπερρήγνυ καὶ
τὰς ῥαφὰς τοῦ τραύματος ἀνέπτυσσεν, οἷα θηρίον
τό τε τραῦμα καὶ τὴν γαστέρα εὐρύνων ὄνυξι καὶ
δακτύλοις ἐρευνῶν καὶ τὰ σπλάγχνα διαρρίπτων,
μέχρι ἐτελεύτησεν, ἔτη μὲν ἀμφὶ πεντήκοντα
γεγονώς, ὁμολογούμενος δὲ τήν τε γνώμην, ἐς ὅ
τι κρίνειε, πάντων ἀνδρῶν ἐπιμονώτατος φῦναι
καὶ τὸ δίκαιον ἢ πρέπον ἢ καλὸν οὐκ ἔθεσι
μᾶλλον ἢ μεγαλοψύχοις λογισμοῖς ὁρίσαι. Μαρ-
κίᾳ γέ τοι τῇ Φιλίππου συνὼν ἐκ παρθένου καὶ
ἀρεσκόμενος αὐτῇ μάλιστα καὶ παῖδας ἔχων ἐξ
ἐκείνης ἔδωκεν ὅμως αὐτὴν Ὁρτησίῳ τῶν φίλων
τινί, παίδων τε ἐπιθυμοῦντι καὶ τεκνοποιοῦ γυναι-
κὸς οὐ τυγχάνοντι, μέχρι κἀκείνῳ κυήσασαν ἐς
τὸν οἶκον αὖθις ὡς χρήσας ἀνεδέξατο. τοιόσδε
μὲν δὴ Κάτων ἦν, καὶ αὐτὸν οἱ Ἰτυκαῖοι λαμπρῶς
ἔθαπτον· ὁ δὲ Καῖσαρ ἔφη μέν οἱ φθονῆσαι
Κάτωνα καλῆς ἐπιδείξεως, Κικέρωνος δὲ ποιή-
σαντος ἐγκώμιον ἐς αὐτὸν ἐπιγράψαντος Κάτων,
ἀντέγραψε κατηγορίαν ὁ Καῖσαρ καὶ ἐπέγραψεν
Ἀντικάτων.

100. Ἰόβας δὲ καὶ Πετρήιος τῶν γιγνομένων
πυνθανόμενοι καὶ οὐδεμίαν σφίσιν οὔτε φυγὴν
οὔτε σωτηρίαν ἐπινοοῦντες, ἐπὶ τῇ διαίτῃ ξίφεσι
διεχρήσαντο ἀλλήλους· καὶ τὴν ἀρχὴν τὴν Ἰόβα

to those who had saved him and said that he only needed sleep. The attendants then retired, taking the dirk with them, and closed the door, thinking that he had become quiet. Cato after feigning sleep, tore off the bandage with his hands without making any noise, opened the suture of the wound, enlarged it with his nails like a wild beast, plunged his fingers into his stomach, and tore out his entrails until he died, being then about fifty years of age. He was considered the most steadfast of all men in upholding any opinion that he had once espoused and in adhering to justice, rectitude, and morality, not as a matter of custom merely, but rather from a high-souled philosophy. He had married Marcia, the daughter of Philippus, as a girl; was extremely fond of her, and she had borne him children. Nevertheless, he gave her to Hortensius, one of his friends, —who desired to have children but was married to a childless wife,—until she bore a child to him also, when Cato took her back to his own house as though he had merely lent her. Such a man was Cato, and the Uticans gave him a magnificent funeral. Caesar said that Cato had grudged him the opportunity for a deed of honour,[1] but when Cicero pronounced an encomium on him which he styled *the Cato*, Caesar wrote an answer to it which he called *the Anti-Cato*.

100. Juba and Petreius, in view of the circum- Juba and Petreius kill one another stances, perceiving no chance of flight or safety, slew each other with swords at a banquet. Caesar made Juba's kingdom tributary to the Romans and

---

[1] That is, an opportunity to pardon him. According to Plutarch (*Cato* c. 72) Caesar said: "O Cato, I envy thee thy death because thou did'st envy me my safety."

CAP.
XIV

Καῖσαρ ὑποτελῆ Ῥωμαίοις ἐποίησεν, αὐτῇ Σαλού-
στιον Κρίσπον ἐγκαταστήσας. Ἰτυκαίοις δὲ καὶ
τῷ Κάτωνος υἱῷ συνεγίνωσκε· καὶ τὴν θυγατέρα
τοῦ Πομπηίου μετὰ δύο παίδων αὐτῆς ἐν Ἰτύκῃ
καταλαβὼν ἐξέπεμπε σώους τῷ νέῳ Πομπηίῳ.
τῶν δὲ τριακοσίων ὅσους εὗρε διέφθειρεν. Λεύκιος
δὲ Σκιπίων ὁ αὐτοκράτωρ χειμαζόμενος ἐν τῇ
θαλάσσῃ καὶ πολεμίαις ναυσὶν ἐντυχὼν ἐφέρετο
γενναίως, μέχρι καταλαμβανόμενος αὑτόν τε διε-
χρήσατο καὶ τὸ σῶμα μεθῆκεν ἐς τὸ πέλαγος.

XV

CAP.
XV

101. Τοῦτο μὲν δὴ καὶ τῷ περὶ Λιβύην Καί-
σαρος πολέμῳ τέλος ἐγίγνετο, αὐτὸς δ' ἐπανελθὼν
ἐς Ῥώμην ἐθριάμβευε τέσσαρας ὁμοῦ θριάμβους,
ἐπί τε Γαλάταις, ὧν δὴ πολλὰ καὶ μέγιστα ἔθνη
προσέλαβε καὶ ἀφιστάμενα ἄλλα ἐκρατύνατο, καὶ
Ποντικὸν ἐπὶ Φαρνάκει καὶ Λιβυκὸν ἐπὶ Λιβύων
τοῖς συμμαχήσασι τῷ Σκιπίωνι· ἔνθα καὶ Ἰόβα
παῖς, Ἰόβας ὁ συγγραφεύς, βρέφος ὢν ἔτι παρή-
γετο. παρήγαγε δέ τινα καὶ τῆς ἀνὰ τὸν Νεῖλον
ναυμαχίας θρίαμβον Αἰγύπτιον, μεταξὺ τοῦ Γα-
λατῶν καὶ Φαρνάκους. τὰ δὲ Ῥωμαίων φυλαξά-
μενος ἄρα, ὡς ἐμφύλια οὐκ ἐοικότα τε αὑτῷ καὶ
Ῥωμαίοις αἰσχρὰ καὶ ἀπαίσια, ἐπιγράψαι θρι-
άμβῳ, παρήνεγκεν ὅμως αὐτῶν ἐν τοῖσδε τὰ

appointed Salustius Crispus its governor. He pardoned the Uticans and the son of Cato. He captured the daughter of Pompey together with her two children in Utica and sent them safe to the younger Pompeius. Of the 300 he put to death all that he found.[1] Lucius Scipio, the general-in-chief was overtaken by a storm, and met a hostile fleet and bore himself bravely until he was overpowered, when he stabbed himself and leaped into the sea.

XV

101. This was the end of Caesar's war in Africa, and when he returned to Rome he had four triumphs together: one for his Gallic wars, in which he had added many great nations to the Roman sway and subdued others that had revolted ; one for the Pontic war against Pharnaces ; one for the war in Africa against the African allies of L. Scipio, in which the historian Juba (the son of King Juba), then an infant, was led a captive. Between the Gallic and the Pontic triumphs he introduced a kind of Egyptian triumph, in which he led some captives taken in the naval engagement on the Nile. Although he took care not to inscribe any Roman names in his triumph (as it would have been unseemly in his eyes and base and inauspicious in those of the Roman people to triumph over fellow-citizens), yet all these mis-

---

[1] The 300 are those mentioned in § 95. Suetonius (*Jul.* 75) says that only three of Caesar's enemies lost their lives, except in battle, viz.: Afranius, Faustus Sulla, and young Lucius Caesar, and that it was thought that even these were put to death without Caesar's consent.

παθήματα ἅπαντα καὶ τοὺς ἄνδρας ἐν εἴκοσι καὶ
ποικίλαις γραφαῖς, χωρίς γε Πομπηίου· τοῦτον
γὰρ δὴ μόνον ἐφυλάξατο δεῖξαι, σφόδρα ἔτι πρὸς
πάντων ἐπιποθούμενον. ὁ δὲ δῆμος ἐπὶ μὲν τοῖς
οἰκείοις κακοῖς, καίπερ δεδιώς, ἔστενε, καὶ μάλιστα,
ὅτε ἴδοι Λεύκιόν τε Σκιπίωνα τὸν αὐτοκράτορα
πλησσόμενον ἐς τὰ στέρνα ὑφ' ἑαυτοῦ καὶ μεθιέ-
μενον ἐς τὸ πέλαγος, ἢ Πετρήιον ἐπὶ διαίτῃ διαχρώ-
μενον ἑαυτόν, ἢ Κάτωνα ὑφ' ἑαυτοῦ διασπώμενον
ὡς θηρίον· Ἀχιλλᾷ δ' ἐφήσθησαν καὶ Ποθεινῷ καὶ
τὴν Φαρνάκους φυγὴν ἐγέλασαν.

102. Χρήματα δ' ἐν τοῖς θριάμβοις φασὶ παρε-
νεχθῆναι μυριάδας ἓξ καὶ ἥμισυ ταλάντων καὶ
στεφάνους δύο καὶ εἴκοσι καὶ δισχιλίους ἐπὶ τοῖς
ὀκτακοσίοις ἀπὸ χρυσοῦ, ἕλκοντας ἐς δισμυρίας
καὶ δεκατέσσαρας καὶ τετρακοσίας λίτρας. ἀφ'
ὧν εὐθὺς ἐπὶ τῷ θριάμβῳ διένειμε, τὰ ὑπεσχη-
μένα πάνθ' ὑπερβάλλων, στρατιώτῃ μὲν ἀνὰ
πεντακισχιλίας δραχμὰς Ἀττικάς, λοχαγῷ δ'
αὐτοῦ τὸ διπλάσιον καὶ χιλιάρχῃ καὶ ἱππάρχῃ
τὸ ἔτι διπλάσιον καὶ τοῖς δημόταις ἑκάστῳ μνᾶν
Ἀττικήν. ἐπέδωκε δὲ καὶ θέας ποικίλας ἵππων
τε καὶ μουσικῆς καὶ πεζομαχίας ἀνδρῶν χιλίων
πρὸς ἑτέρους χιλίους καὶ ἱππομαχίαν διακοσίων
πρὸς ἴσους καὶ ἀναμὶξ ἄλλων πεζῶν τε καὶ
ἱππέων ἀγῶνα ἐλεφάντων τε μάχην εἴκοσι πρὸς
εἴκοσι καὶ ναυμαχίαν ἐρετῶν τετρακισχιλίων,
ἐπιβεβηκότων ἐς μάχην χιλίων ἑκατέρωθεν. ἀνέ-
στησε καὶ τῇ Γενετείρᾳ τὸν νεών, ὥσπερ εὔξατο

fortunes were represented in the processions and the CHAP. XV
men also by various images and pictures, all except
Pompey, whom alone he did not venture to exhibit,
since he was still greatly regretted by all. The
people, although restrained by fear, groaned over
their domestic ills, especially when they saw the
picture of Lucius Scipio, the general-in-chief,
wounded in the breast by his own hand, casting
himself into the sea, and Petreius committing self-
destruction at the banquet, and Cato torn open
by himself like a wild beast. They applauded the
death of Achillas and Pothinus, and laughed at the
flight of Pharnaces.

102. It is said that money to the amount of 60,500
[silver] talents [1] was borne in the procession and 2822
crowns of gold weighing 20,414 pounds, from which
wealth Caesar made apportionments immediately
after the triumph, paying the army all that he had
promised and more. Each soldier received 5000
Attic drachmas, each centurion double, and each
tribune of infantry and prefect of cavalry fourfold
that sum. To each plebeian citizen also was given
an Attic mina. He gave also various spectacles with
horses and music, a combat of foot-soldiers, 1000 on
each side, and a cavalry fight of 200 on each side.
There was also another combat of horse and foot
together. There was a combat of elephants, twenty
against twenty, and a naval engagement of 4000
oarsmen, where 1000 fighting men contended on each
side. He erected the temple to Venus, his ances-

---

[1] No reasonable modern estimate can be given of these
sums (which are suspiciously large) owing to our ignorance
of the purchasing power of money at that period ; but the
silver talent is generally reckoned about £235 and the Attic
mina £4 ; the drachma was a franc.

CAP.
XV

μέλλων ἐν Φαρσάλῳ μαχεῖσθαι· καὶ τέμενος τῷ νεῴ περιέθηκεν, ὃ Ῥωμαίοις ἔταξεν ἀγορὰν εἶναι, οὐ τῶν ὠνίων, ἀλλ' ἐπὶ πράξεσι συνιόντων ἐς ἀλλήλους, καθὰ καὶ Πέρσαις ἦν τις ἀγορὰ ζητοῦσιν ἢ μανθάνουσι τὰ δίκαια. Κλεοπάτρας τε εἰκόνα καλὴν τῇ θεῷ παρεστήσατο, ἣ καὶ νῦν συνέστηκεν αὐτῇ. τὸ δὲ τοῦ δήμου πλῆθος ἀναγραψάμενος ἐς ἥμισυ λέγεται τῶν πρὸ τοῦδε τοῦ πολέμου γενομένων εὑρεῖν· ἐς τοσοῦτο καθεῖλεν ἡ τῶνδε φιλονικία τὴν πόλιν.

103. Αὐτὸς δὲ ἤδη τέταρτον ὑπατεύων ἐπὶ τὸν νέον Πομπήιον ἐστράτευεν ἐς Ἰβηρίαν, ὅσπερ αὐτῷ λοιπὸς ἦν ἔτι πόλεμος ἐμφύλιος, οὐκ εὐκαταφρόνητος· τῶν τε γὰρ ἀρίστων ὅσοι διεπεφεύγεσαν ἐκ Λιβύης, ἐκεῖ συνέδραμον, καὶ στρατὸς ὁ μὲν ἐξ αὐτῆς Λιβύης τε καὶ Φαρσάλου τοῖς ἡγεμόσι συνῆλθεν, ὁ δὲ ἐξ Ἰβήρων τε καὶ Κελτιβήρων, ἔθνους ἀλκίμου καὶ χαίροντος ἀεὶ μάχαις. πολὺς δὲ καὶ δούλων ὅμιλος ἐστρατεύετο τῷ Πομπηίῳ· καὶ τέταρτον ἔτος εἶχον ἐν τοῖς γυμνασίοις καὶ γνώμην ἕτοιμον ἀγωνίσασθαι μετὰ ἀπογνώσεως. ᾧ δὴ καὶ μάλιστα σφαλεὶς ὁ Πομπήιος οὐκ ἀνεβάλλετο τὴν μάχην, ἀλλ' εὐθὺς ἐλθόντι τῷ Καίσαρι συνεμάχετο, καίτοι τῶν πρεσβυτέρων αὐτῷ παραινούντων ἐκ πείρας ὧν ἀμφί τε Φάρσαλον καὶ Λιβύην ἐπεπόνθεσαν, ἐκτρίβειν τῷ χρόνῳ τὸν Καίσαρα καὶ ἐς ἀπορίαν ὡς ἐν ἀλλοτρίᾳ γῇ περιφέρειν. ὁ δὲ Καῖσαρ ἧκε μὲν ἀπὸ Ῥώμης ἑπτὰ καὶ εἴκοσιν ἡμέραις, βαρυτάτῳ στρατῷ μακροτάτην ὁδὸν ἐπελθών· δέος δ'

tress, as he had vowed to do when he was about to begin the battle of Pharsalus, and he laid out ground around the temple which he intended to be a forum for the Roman people, not for buying and selling, but a meeting-place for the transaction of public business, like the public squares of the Persians, where the people assemble to seek justice or to learn the laws. He placed a beautiful image of Cleopatra by the side of the goddess, which stands there to this day. He caused an enumeration of the people to be made, and it is said that it was found to be only one half of the number existing before this war. To such a degree had the rivalry of these two men reduced the city.

103. Caesar, now in his fourth consulship, marched against the younger Pompeius in Spain. This was all that was left of the civil war, but it was not to be despised, for such of the nobility as had escaped from Africa had assembled here. The army was composed of soldiers from Pharsalus and Africa itself, who had come hither with their leaders, and of Spaniards and Celtiberians, a strong and warlike race. There was also a great number of emancipated slaves in Pompeius' camp, who had all been under discipline four years and were ready to fight with desperation. Pompeius was misled by this appearance of strength and did not postpone the battle, but engaged Caesar straightway on his arrival, although the older men, who had learned by experience at Pharsalus and Africa, advised him to wear Caesar out by delay and reduce him to want, as he was in a hostile country. Caesar made the journey from Rome in twenty-seven days, though he was moving, with a heavily-laden army, by a very

οἷον οὐ πρότερον ἐνέπιπτεν αὐτοῦ τῷ στρατῷ κατὰ
δόξαν τῶν πολεμίων τοῦ τε πλήθους καὶ ἀσκήσεως
καὶ ἀπογνώσεως.

104. Δι' ἃ καὶ ὁ Καῖσαρ αὐτὸς ἐβράδυνεν, ἔστε
πού τι αὐτῷ κατασκεπτομένῳ προσπελάσας ὁ
Πομπήιος ὠνείδισεν ἐς δειλίαν. καὶ τὸ ὄνειδος
οὐκ ἐνεγκὼν ὁ Καῖσαρ ἐξέτασσε παρὰ πόλιν
Κορδύβην, σύνθημα καὶ τότε δοὺς 'Αφροδίτην·
ἔδωκε δὲ καὶ ὁ Πομπήιος Εὐσέβειαν. ὡς δὲ καὶ
συνιόντων ἤδη τοῦ Καίσαρος στρατοῦ τὸ δέος
ἥπτετο καὶ ὄκνος ἐπεγίγνετο τῷ φόβῳ, θεοὺς
πάντας ὁ Καῖσαρ ἱκέτευε, τὰς χεῖρας ἐς τὸν
οὐρανὸν ἀνίσχων, μὴ ἑνὶ πόνῳ τῷδε πολλὰ καὶ
λαμπρὰ ἔργα μιῆναι, καὶ τοὺς στρατιώτας ἐπι-
θέων παρεκάλει τό τε κράνος τῆς κεφαλῆς ἀφαι-
ρῶν ἐς πρόσωπον ἐδυσώπει καὶ προύτρεπεν. οἱ δὲ
οὐδ' ὣς τι μετέβαλλον ἀπὸ τοῦ δέους, ἕως ὁ
Καῖσαρ αὐτὸς ἁρπάσας τινὸς ἀσπίδα καὶ τοῖς
ἀμφ' αὑτὸν ἡγεμόσιν εἰπών· "ἔσται τοῦτο τέλος
ἐμοί τε τοῦ βίου καὶ ὑμῖν τῶν στρατειῶν," πρού-
δραμε τῆς τάξεως ἐς τοὺς πολεμίους ἐπὶ τοσοῦτον,
ὡς μόνους αὐτῶν ἀποσχεῖν δέκα πόδας καὶ διακό-
σια αὐτῷ δόρατα ἐπιβληθῆναι καὶ τούτων τὰ μὲν
αὐτὸν ἐκκλῖναι, τὰ δὲ ἐς τὴν ἀσπίδα ἀναδέξασθαι.
τότε γὰρ δὴ τῶν τε ἡγεμόνων προθέων ἕκαστος
ἵστατο παρ' αὐτόν, καὶ ὁ στρατὸς ἅπας ἐμπεσὼν
μετὰ ὁρμῆς ὅλην ἠγωνίζετο τὴν ἡμέραν, προύχων
τε καὶ ἡττώμενος αἰεὶ παρὰ μέρος, μέχρις ἐς
ἑσπέραν μόλις ἐνίκησεν, ὅτε καὶ φασὶν αὐτὸν
εἰπεῖν, ὅτι πολλάκις μὲν ἀγωνίσαιτο περὶ νίκης,
νῦν δὲ καὶ περὶ ψυχῆς.

105. Φόνου δὲ πολλοῦ γενομένου καὶ φυγῆς

long route, but fear fell upon his soldiers as never
before, in consequence of the reports received of the
numbers, the discipline, and the desperate valour of
he enemy.

104. For this reason Caesar himself also was slow
in movement, until Pompeius approached him at
a certain place where he was reconnoitring and
accused him of cowardice. Caesar could not endure
this reproach. He drew up his forces for battle near
Corduba, and then, too, gave *Venus* for his watch-
word. Pompeius, on the other hand, gave *Piety* for
his. When battle was joined fear seized upon
Caesar's army and hesitation was joined to fear.
Caesar, lifting his hands toward heaven, implored all
the gods that his many glorious deeds be not stained
by this single disaster. He ran up and encouraged
his soldiers. He took his helmet off his head and
shamed them to their faces and exhorted them. As
they abated nothing of their fear he seized a shield
from a soldier and said to the officers around him,
"This shall be the end of my life and of your military
service." Then he sprang forward in advance of his
line of battle toward the enemy so far that he was
only ten feet distant from them. Some 200 missiles
were aimed at him, some of which he evaded while
others were caught on his shield. Then each of the
tribunes ran toward him and took position by his
side, and the whole army rushed forward and fought
the entire day, advancing and retreating by turns
until, toward evening, Caesar with difficulty won the
victory. It was reported that he said that he had
often fought for victory, but that this time he had
fought even for existence.

105. After a great slaughter the Pompeians fled

CAP.
XV

τῶν Πομπηίου στρατιωτῶν ἐς τὴν Κορδύβην,
ὁ μὲν Καῖσαρ, ἵνα μὴ διαφυγόντες οἱ πολέμιοι
πάλιν ἐς μάχην παρασκευάσαιντο, ἐκέλευε τὸν
στρατὸν ἐκτειχίσαι τὴν Κορδύβην, οἱ δὲ κάμνοντες
τοῖς γεγονόσι τά τε σώματα καὶ τὰ ὅπλα τῶν
ἀνηρημένων ἐπεφόρουν ἀλλήλοις καὶ δόρασιν αὐτὰ
διαπηγνύντες ἐς τὴν γῆν ἐπὶ τοιοῦδε τείχους
ηὐλίσαντο. τῆς δ' ἐπιούσης ἑάλω μὲν ἡ πόλις,
τῶν δὲ ἡγεμόνων τοῦ Πομπηίου Σκάπλας μὲν
νήσας πυρὰν ἑαυτὸν ἐνέπρησεν, Οὐάρου δὲ καὶ
Λαβιηνοῦ καὶ ἑτέρων ἀνδρῶν ἐπιφανῶν ἐκομί-
σθησαν αἱ κεφαλαὶ Καίσαρι. Πομπήιος δ' αὐτὸς
διέφυγε μὲν ἀπὸ τῆς ἥττης σὺν ἑκατὸν καὶ
πεντήκοντα ἱππεῦσιν ἐπὶ Καρθαίας, ἔνθα αὐτῷ
νεῶν στόλος ἦν, καὶ παρῆλθεν ἐς τὰ νεώρια λαθὼν
ὥς τις ἰδιώτης, φορείῳ κομιζόμενος· ὁρῶν δὲ καὶ
τούτους ἀπογιγνώσκοντας ἑαυτῶν ἔδεισε περὶ
ἐκδόσεως καὶ ἔφευγεν αὖθις, ἐπιβαίνων σκάφους.
ἐμπλακέντα δ' αὐτοῦ τὸν πόδα καλῳδίῳ, κόπτων
τις τὸ καλῴδιον ξιφιδίῳ, τὸν ταρσὸν ἔτεμεν ἀντὶ
τοῦ καλῳδίου τοῦ ποδός· καὶ διαπλεύσας ἔς τι
χωρίον ἐθεραπεύετο. ζητούμενος δὲ κἀνταῦθα
ἔφευγε διὰ δυσβάτου καὶ ἀκανθώδους ὁδοῦ, τὸ
τραῦμα περικεντούμενος, μέχρι κάμνων ὑπό τι
δένδρον ἐκαθέζετο καὶ τῶν ζητητῶν ἐπιπεσόντων
οὐκ ἀγεννῶς αὐτοὺς ἀμυνόμενος κατεκόπη. τοῦδε
μὲν δὴ τὴν κεφαλὴν ὁ Καῖσαρ ἐνεχθεῖσάν οἱ
προσέταξέ τινι θάψαι, καὶ ὁ πόλεμος ἐνὶ ἔργῳ
καὶ ὅδε παρὰ δόξαν ἐλέλυτο· τοὺς δ' ἐξ αὐτοῦ
διαφυγόντας ἤθροιζεν ὁ τοῦδε τοῦ Πομπηίου
νεώτερος ἀδελφός, Πομπήιος μὲν καὶ ὅδε ὤν,
Σέξστος δὲ καλούμενος τῷ προτέρῳ τῶν ὀνομάτων.

to Corduba, and Caesar, in order to prevent the fugitives from preparing for another battle, ordered a siege of that place. The soldiers, wearied with toil, piled the bodies and arms of the slain together, fastened them to the earth with spears, and encamped behind this ghastly wall. On the following day the city was taken. Scapula, one of the Pompeian leaders, erected a funeral pile on which he consumed himself. The heads of Varus, Labienus, and other distinguished men were brought to Caesar. Pompeius himself fled from the scene of his defeat with 150 horsemen toward Carteia, where he had a fleet, and entered the dockyard secretly as a private individual borne in a litter. When he saw that the men here despaired of their safety he feared lest he should be delivered up, and took to flight again. While going on board a small boat his foot was caught by a rope, and a man who attempted to cut the rope with his sword cut the sole of his foot instead. So he sailed to a certain place and received medical treatment. Being pursued thither he fled by a rough and thorny road that aggravated his wound, until fagged out he took a seat under a tree. Here his pursuers came upon him and he was cut down while defending himself bravely. His head was brought to Caesar who gave orders for its burial. Thus this war also, contrary to expectation, was brought to an end in one battle. A younger brother of this Pompeius, also named Pompeius but called by his first name, Sextus, collected those who escaped from this fight.

Flight and
death of the
younger
Pompeius

CAP.
XVI
106. Ἀλλ' ὅδε μὲν ἔτι λανθάνων καὶ διαδιδρά-
σκων ἐλῄστευεν, ὁ δὲ Καῖσαρ ἐς Ῥώμην ἠπείγετο,
τὰ ἐμφύλια πάντα καθελών, ἐπὶ φόβου καὶ δόξης,
οἵας οὔ τις πρὸ τοῦ· ὅθεν αὐτῷ τιμαὶ πᾶσαι, ὅσαι
ὑπὲρ ἄνθρωπον, ἀμέτρως ἐς χάριν ἐπενοοῦντο,
θυσιῶν τε πέρι καὶ ἀγώνων καὶ ἀναθημάτων ἐν
πᾶσιν ἱεροῖς καὶ δημοσίοις χωρίοις, ἀνὰ φυλὴν
ἑκάστην καὶ ἐν ἔθνεσιν ἅπασι, καὶ ἐν βασιλεῦσιν,
ὅσοι Ῥωμαίοις φίλοι. σχήματά τε ἐπεγράφετο
ταῖς εἰκόσι ποικίλα, καὶ στέφανος ἐκ δρυὸς ἦν ἐπ'
ἐνίαις ὡς σωτῆρι τῆς πατρίδος, ᾧ πάλαι τοὺς
ὑπερασπίσαντας ἐγέραιρον οἱ περισωθέντες.
ἀνερρήθη δὲ καὶ πατὴρ πατρίδος, καὶ δικτάτωρ
ἐς τὸν ἑαυτοῦ βίον ᾑρέθη καὶ ὕπατος ἐς δέκα ἔτη,
καὶ τὸ σῶμα ἱερὸς καὶ ἄσυλος εἶναι καὶ χρηματί-
ζειν ἐπὶ θρόνων ἐλεφαντίνων τε καὶ χρυσέων, καὶ
θύειν μὲν αὐτὸν αἰεὶ θριαμβικῶς ἠμφιεσμένον, τὴν
δὲ πόλιν ἀνὰ ἔτος ἕκαστον, αἷς αὐτὸς ἡμέραις ἐν
παρατάξεσιν ἐνίκα, ἱερέας δὲ καὶ ἱερείας ἀνὰ
πενταετὲς εὐχὰς δημοσίας ὑπὲρ αὐτοῦ τίθεσθαι,
καὶ τὰς ἀρχὰς εὐθὺς καθισταμένας ὀμνύναι μηδενὶ
τῶν ὑπὸ Καίσαρος ὁριζομένων ἀντιπράξειν. ἔς τε
τιμὴν τῆς γενέσεως αὐτοῦ τὸν Κυϊντίλιον μῆνα
Ἰούλιον ἀντὶ Κυϊντιλίου μετωνόμασαν εἶναι.
καὶ νεὼς ἐψηφίσαντο πολλοὺς αὐτῷ γενέσθαι
καθάπερ θεῷ καὶ κοινὸν αὐτοῦ καὶ Ἐπιεικείας,
ἀλλήλους δεξιουμένων· οὕτως ἐδεδοίκεσαν μὲ
ὡς δεσπότην, εὔχοντο δὲ σφίσιν ἐπιεικῆ γενέσθαι.

XVI

106. Sextus for the present kept hid and lived CHAP.
by piracy, but Caesar having ended the civil wars XVI
hastened to Rome, honoured and feared as no one Unex-
had ever been before. All kinds of honours were ampled
devised for his gratification without stint, even such on Caesar
as were divine—sacrifices, games, statues in all the
temples and public places, by every tribe, by all the
provinces, and by the kings in alliance with Rome.
He was represented in different characters, and in
some cases crowned with oak as the saviour of his
country, for by this crown those whose lives had
been saved used formerly to reward those to whom
they owed their safety. He was proclaimed the
Father of his Country and chosen dictator for life
and consul for ten years, and his person was declared
sacred and inviolable. It was decreed that he
should transact business on a throne of ivory and
gold ; that he should himself sacrifice always in
triumphal costume ; that each year the city should
celebrate the days on which he had won his victories ;
that every five years priests and Vestal virgins should
offer up public prayers for his safety ; and that the
magistrates immediately upon their inauguration
should take an oath not to oppose any of Caesar's
decrees. In honour of his birth the name of the
month Quintilis was changed to July. Many
temples were decreed to him as to a god, and one
was dedicated in common to him and the goddess
Clemency, who were represented as clasping hands.
Thus whilst they feared his power they besought his
clemency.

107. Εἰσὶ δ' οἳ καὶ βασιλέα προσειπεῖν
ἐπενόουν, μέχρι μαθὼν αὐτὸς ἀπηγόρευσε καὶ
ἠπείλησεν ὡς ἀθέμιστον ὄνομα μετὰ τὴν τῶν
προγόνων ἀράν. σπεῖραι δ' ὅσαι στρατηγίδες
αὐτὸν ἐκ τῶν πολέμων ἔτι ἐσωματοφυλάκουν,
ἀπέστησε τῆς φυλακῆς καὶ μετὰ τῆς δημοσίας
ὑπηρεσίας ἐπεφαίνετο μόνης. ὧδε δ' ἔχοντι καὶ
χρηματίζοντι πρὸ τῶν ἐμβόλων, τὸ ψήφισμα τῶν
προλελεγμένων τιμῶν ἡ βουλή, τῶν ὑπάτων
ἡγουμένων, ἐν κόσμῳ τῷ πρέποντι ἑκάστῳ
προσέφερον. ὁ δὲ αὐτοὺς ἐδεξιοῦτο μέν, οὐχ
ὑπανέστη δὲ προσιοῦσιν οὐδ' ἐπιμένουσιν, ἀλλὰ
τοῖς διαβάλλουσιν αὐτὸν ἐς τὴν ἐπιθυμίαν τῆς
βασιλικῆς προσηγορίας καὶ τόδε παρέσχε. τὰς
δὲ ἄλλας τιμὰς χωρὶς τῆς δεκαετοῦς ὑπατείας
προσέμενος ὑπάτους ἐς τὸ μέλλον ἀπέφηνεν
αὐτόν τε καὶ Ἀντώνιον, τὸν ἵππαρχον ἑαυτοῦ,
Λεπίδῳ προστάξας ἱππαρχεῖν ἀντὶ τοῦ Ἀντωνίου,
ἄρχοντι μὲν Ἰβηρίας, ἡγεμονεύοντι δ' αὐτῆς διὰ
φίλων. κατεκάλει δὲ καὶ τοὺς φεύγοντας ὁ
Καῖσαρ, πλὴν εἴ τις ἐπὶ ἀνηκέστοις ἔφευγε· καὶ
τοῖς ἐχθροῖς διηλλάσσετο καὶ τῶν πεπολεμηκότων
οἱ πολλοὺς προῆγεν ἀθρόως ἐς ἐτησίους ἀρχὰς ἢ
ἐς ἐθνῶν ἢ στρατοπέδων ἡγεμονίας. ᾧ δὴ καὶ
μάλιστα ὑπαχθεὶς ὁ δῆμος ἤλπιζε καὶ τὴν
δημοκρατίαν αὐτὸν αὐτοῖς ἀποδώσειν, καθάπερ
Σύλλας ἐς ἴσον αὐτῷ δυναστεύσας ἐποίησεν.

108. Ἀλλὰ τοῦδε μὲν ἐσφάλησαν, εἰκόνα δ'
αὐτοῦ τις τῶν ὑπερεθιζόντων τὸ λογοποίημα τῆς
βασιλείας ἐστεφάνωσε δάφναις, ἀναπεπλεγμένης
ταινίας λευκῆς· καὶ αὐτὸν οἱ δήμαρχοι Μάρυλλός

107. There were some who proposed to give him the title of king, but when he learned of their purpose he forbade it with threats, saying that it was an inauspicious name by reason of the curse of their ancestors. He dismissed the praetorian cohorts that had served as his bodyguard during the wars, and showed himself with the ordinary civil escort only. While he was thus transacting business in front of the rostra, the Senate, preceded by the consuls, each one in his robes of office, brought the decree awarding him the honours aforesaid. He extended his hand to them, but did not rise when they approached nor while they remained there, and this, too, afforded his slanderers a pretext for accusing him of wishing to be greeted as a king. He accepted all the honours conferred upon him except the ten-year consulship. As consuls for the ensuing year he designated himself and Antony, his master of horse, and he appointed Lepidus, who was then governor of Spain, but was administering it by his friends, master of horse in place of Antony. Caesar also recalled the exiles, except those who were banished for some very grave offence. He pardoned his enemies and forthwith advanced many of those who had fought against him to the yearly magistracies, or to the command of provinces and armies. Wherefore the people was chiefly induced to hope that he would restore the republic to them as Sulla did after he had attained the same power.

108. In this they were disappointed, but some person among those who wished to spread the report of his desire to be king placed a crown of laurel on his statue, bound with a white fillet. The tribunes, Marullus and Caesetius, sought out this person and

CAP.
XVI
τε καὶ Καισήτιος ἀνευρόντες ἐς τὴν φυλακὴν
ἐσέβαλον, ὑποκρινάμενοί τι καὶ τῷ Καίσαρι
χαρίζεσθαι, προαπειλήσαντι τοῖς περὶ βασιλείας
λέγουσιν. ὁ δὲ τοῦτο μὲν ἤνεγκεν εὐσταθῶς,
ἑτέρων δ' αὐτὸν ἀμφὶ τὰς πύλας ἰόντα ποθὲν
βασιλέα προσειπόντων καὶ τοῦ δήμου στενά-
ξαντος, εὐμηχάνως εἶπε τοῖς ἀσπασαμένοις·
" οὐκ εἰμὶ Βασιλεύς, ἀλλὰ Καῖσαρ," ὡς δὴ περὶ
τὸ ὄνομα ἐσφαλμένοις. οἱ δ' ἀμφὶ τὸν Μάρυλλον
καὶ τῶνδε τῶν ἀνδρῶν τὸν ἀρξάμενον ἐξεῦρον καὶ
τοῖς ὑπηρέταις ἐκέλευον ἄγειν ἐς δίκην ἐπὶ τὸ
ἀρχεῖον αὐτῶν. καὶ ὁ Καῖσαρ οὐκέτι ἐνεγκὼν
κατηγόρησεν ἐπὶ τῆς βουλῆς τῶν περὶ τὸν
Μάρυλλον ὡς ἐπιβουλευόντων οἱ μετὰ τέχνης ἐς
τυραννίδος διαβολήν, καὶ ἐπήνεγκεν ἀξίους μὲν
αὐτοὺς εἶναι θανάτου, μόνης δ' αὐτοὺς ἀφαιρεῖσθαι
καὶ παραλύειν τῆς τε ἀρχῆς καὶ τοῦ βουλευτηρίου.
ὃ δὴ καὶ μάλιστα αὐτὸν διέβαλεν ὡς ἐπιθυμοῦντα
τῆς ἐπικλήσεως καὶ τὰς ἐς τοῦτο πείρας καθιέντα
καὶ τυραννικὸν ὅλως γεγονότα· ἥ τε γὰρ πρόφασις
τῆς κολάσεως περὶ τῆς βασιλικῆς ἐπωνυμίας ἦν,
ἥ τε τῶν δημάρχων ἀρχὴ ἱερὰ καὶ ἄσυλος ἦν ἐκ
νόμου καὶ ὅρκου παλαιοῦ· τήν τε ὀργὴν ὀξεῖαν
ἐποίει τὸ μηδ' ἀναμεῖναι τῆς ἀρχῆς τὸ ὑπόλοιπον.

109. Ὧν καὶ αὐτὸς αἰσθανόμενος καὶ μετανοῶν
καὶ τόδε πρῶτον ἡγούμενος ἄνευ πολεμικῆς ἀρχῆς
ἐν εἰρήνῃ βαρὺ καὶ δυσχερὲς διαπεπρᾶχθαι,
λέγεται τοῖς φίλοις αὐτὸν ἐντείλασθαι φυλάσσειν
ὡς δεδωκότα τοῖς ἐχθροῖς λαβὴν ζητοῦσι καθ'
αὑτοῦ. πυθομένων δ' ἐκείνων, εἰ συγχωρεῖ πάλιν
αὐτὸν σωματοφυλακεῖν τὰς Ἰβηρικὰς σπείρας,

put him in prison, pretending to gratify Caesar also by this, as he had threatened any who should talk about making him king. Caesar put up with their action, and when some others who met him at the city gates as he was returning from some place greeted him as king, and the people groaned, he said with happy readiness to those who had thus saluted him, " I am not King, I am Caesar," as though they had mistaken his name. The attendants of Marullus again found out which man began the shouting and ordered the officers to bring him to trial before his tribunal. Caesar at last put up with it no longer and accused the faction of Marullus before the Senate of artfully conspiring to cast upon him the odium of royalty. He added that they were deserving of death, but that it would be sufficient if they were deprived of their office and expelled from the Senate. Thus he confirmed the suspicion that he desired the title, and that he was privy to the attempts to confer it upon him, and that his tyranny was already complete ; for the cause of their punishment was their zeal against the title of king, and, moreover, the office of tribune was sacred and inviolable according to law and the ancient oath. By not even waiting for the expiration of their office he sharpened the public indignation.

109. When Caesar perceived this he repented, and, reflecting that this was the first severe and arbitrary act that he had done without military authority and in time of peace, it is said that he ordered his friends to protect him, since he had given his enemies the handle they were seeking against him. But when they asked him if he would bring together again his Spanish cohorts as a body-

"οὐδὲν ἀτυχέστερον," ἔφη, "διηνεκοῦς φυλακῆς·
ἔστι γὰρ αἰεὶ δεδιότος." οὐ μὴν αἵ γε περὶ τῆς
βασιλείας πεῖραι κατεπαύοντο οὐδ' ὥς, ἀλλὰ
θεώμενον αὐτὸν ἐν ἀγορᾷ τὰ Λουπερκάλια ἐπὶ
θρόνου χρυσέου, πρὸ τῶν ἐμβόλων, Ἀντώνιος
ὑπατεύων σὺν αὐτῷ Καίσαρι καὶ διαθέων τότε
γυμνὸς ἀληλιμμένος, ὥσπερ εἰώθασιν οἱ τῆσδε
τῆς ἑορτῆς ἱερέες, ἐπὶ τὰ ἔμβολα ἀναδραμὼν
ἐστεφάνωσε διαδήματι. κρότου δὲ πρὸς τὴν
ὄψιν παρ' ὀλίγων γενομένου καὶ στόνου παρὰ τῶν
πλειόνων, ὁ Καῖσαρ ἀπέρριψε τὸ διάδημα. καὶ
ὁ Ἀντώνιος αὖθις ἐπέθηκε, καὶ ὁ Καῖσαρ αὖθις
ἀπερρίπτει. καὶ ὁ δῆμος διεριζόντων μὲν ἔτι
ἡσύχαζε, μετέωρος ὤν, ὅπῃ τελευτήσειε τὸ
γιγνόμενον, ἐπικρατήσαντος δὲ τοῦ Καίσαρος
ἀνεβόησαν ἥδιστον καὶ αὐτὸν ἅμα εὐφήμουν οὐ
προσέμενον.

110. Ὁ δέ, εἴτε ἀπογνούς, εἴτε κάμνων καὶ
ἐκκλίνων ἤδη τήνδε τὴν πεῖραν ἢ διαβολήν, εἴτε
τισὶν ἐχθροῖς τῆς πόλεως ἀφιστάμενος, εἴτε
νόσημα τοῦ σώματος θεραπεύων, ἐπιληψίαν καὶ
σπασμὸν αἰφνίδιον ἐμπίπτοντα αὐτῷ μάλιστα
παρὰ τὰς ἀργίας, ἐπενόει στρατείαν μακρὰν ἔς τε
Γέτας καὶ Παρθυαίους, Γέταις μὲν αὐστηρῷ καὶ
φιλοπολέμῳ καὶ γείτονι ἔθνει προεπιβουλεύων,
Παρθυαίους δὲ τινύμενος τῆς ἐς Κράσσον
παρασπονδήσεως. στρατιὰν δὴ προύπεμπεν ἤδη
τὸν Ἰόνιον περᾶν, ἑκκαίδεκα τέλη πεζῶν καὶ
ἱππέας μυρίους. καὶ λόγος ἄλλος ἐφοίτα,
Σιβύλλειον εἶναι προαγόρευμα μὴ πρὶν ὑπακού-
σεσθαι Ῥωμαίοις Παρθυαίους, εἰ μὴ βασιλεὺς
αὐτοῖς ἐπιστρατεύσειε. καί τινες ἀπὸ τοῦδε

guard, he said, " There is nothing more unlucky CHAP.
than perpetual watching; that is the part of one XVI
who is always afraid." Nor were the attempts to
claim royal honours for him brought to an end even
thus, for while he was in the forum looking at the
games of the Lupercal, seated on his golden chair
before the rostra, Antony, his colleague in the con-
sulship, who was running naked and anointed, as
was the priests' custom at that festival, sprang upon
the rostra and put a diadem on his head. At this Antony
sight some few clapped their hands, but the greater crowns him
number groaned, and Caesar threw off the diadem. Lupercalia
Antony again put it on him and again Caesar threw
it off. While they were thus contending the people
remained silent, being in suspense to see how it
would end. When they saw that Caesar prevailed
they shouted for joy, and at the same time applauded
him because he did not accept it.

110. And now Caesar, either renouncing his hope, Caesar plans
or being tired out, and wishing by this time to avoid a campaign
this plot and odium, or deliberately giving up the Parthians
city to certain of his enemies, or hoping to cure his
bodily ailment of epilepsy and convulsions, which
came upon him suddenly and especially when he was
inactive, conceived the idea of a long campaign
against the Getae and the Parthians. The Getae, a
hardy, warlike, and neighbouring nation, were to be
attacked first. The Parthians were to be punished
for their perfidy toward Crassus. He sent across the
Adriatic in advance sixteen legions of foot and 10,000
horse. And now another rumour gained currency that
the Sibylline books had predicted that the Parthians
would never submit to the Romans until the latter
should be commanded by a king. For this reason

ἐτόλμων λέγειν, ὅτι χρὴ Ῥωμαίων μὲν αὐτόν,
ὥσπερ ἦν, δικτάτορα καὶ αὐτοκράτορα καλεῖν καὶ
ὅσα ἄλλα ἐστὶν αὐτοῖς ἀντὶ βασιλείας ὀνόματα,
τῶν δὲ ἐθνῶν, ὅσα Ῥωμαίοις ὑπήκοα, ἄντικρυς
ἀνειπεῖν βασιλέα. ὁ δὲ καὶ τόδε παρῃτεῖτο καὶ
τὴν ἔξοδον ὅλως ἐπετάχυνεν, ἐπίφθονος ὢν ἐν τῇ
πόλει.

111. Ἐξιέναι δ' αὐτὸν μέλλοντα πρὸ τετάρτης
ἡμέρας οἱ ἐχθροὶ κατέκανον ἐν τῷ βουλευτηρίῳ,
εἴτε διὰ ζῆλον εὐτυχίας τε καὶ δυνάμεως ὑπερ-
όγκου πάνυ γενομένης, εἴθ', ὡς ἔφασκον αὐτοί,
τῆς πατρίου πολιτείας ἐπιθυμίᾳ, εὖ γὰρ ᾔδεσαν
αὐτόν, μὴ καὶ τάδε τὰ ἔθνη προσλαβὼν ἀναμ-
φιλόγως γένοιτο βασιλεύς. ταύτης δὲ σκοπῶν
ἡγοῦμαι τῆς προσθήκης ἀφορμὴν λαβεῖν ἐγχει-
ρήσεως, ἐς ὄνομα μόνον αὐτοῖς διαφερούσης, ἔργῳ
δὲ καὶ τοῦ δικτάτορος ὄντος ἀκριβῶς βασιλέως.
συνεστήσαντο δὲ τὴν ἐπιβουλὴν μάλιστα δύο
ἄνδρε, Μάρκός τε Βροῦτος, ὁ Καιπίων ἐπίκλην,
Βρούτου τοῦ κατὰ Σύλλαν ἀνῃρημένου παῖς αὐτῷ
τε Καίσαρι προσφυγὼν ἐκ τοῦ κατὰ Φάρσαλον
ἀτυχήματος, καὶ Γάιος Κάσσιος, ὁ τὰς τριήρεις
κατὰ τὸν Ἑλλήσποντον ἐγχειρίσας τῷ Καίσαρι,
οἵδε μὲν ἄμφω τῆς Πομπηίου μοίρας γεγονότε,
τῶν δ' αὐτῷ Καίσαρι φιλτάτων Δέκμος Βροῦτος
Ἀλβῖνος, ἅπαντες αἰεὶ παρὰ Καίσαρι τιμῆς καὶ
πίστεως χρηματίζοντες ἄξιοι· οἷς γε καὶ πράξεις
ἐνεχείρισε μεγίστας καὶ ἐπὶ τὸν ἐν Λιβύῃ πόλε-
μον ἀπιὼν στρατεύματα ἔδωκε καὶ τὴν Κελτικὴν

some people ventured to say that Caesar ought to be CHAP. called dictator and emperor of the Romans, as he XVI was in fact, or whatever other name they might prefer to that of king, but that he ought to be distinctly named king of the nations that were subject to the Romans. Caesar declined this also, and was wholly engaged in hastening his departure from the city in which he was exposed to such envy.

111. Four days before his intended departure he Conspiracy was slain by his enemies in the senate-house, either against Caesar from jealousy of his fortune and power, now grown to enormous proportions, or, as they themselves alleged, from a desire to restore the republic of their fathers; for they feared (and in this they knew their man) that if he should conquer these nations also he would indeed be indisputably king. On mature consideration, I conclude that they did actually find an excuse for the conspiracy in the prospect of this additional title, though the difference it could make to them turned on a mere quibble, since in plain fact " dictator " is exactly the same as " king." Chief among the conspirators were two men, Marcus Brutus, surnamed Caepio (son of the Brutus who was put to death during the Sullan revolution), who had sided with Caesar after the disaster of Pharsalus, and Gaius Cassius, the one who had surrendered his triremes to Caesar in the Hellespont, both having been of Pompey's party. Among the conspirators also was Decimus Brutus Albinus, one of Caesar's dearest friends. All of them had been held in honour and trust by Caesar at all times. He had employed them in the greatest affairs. When he went to the war in Africa he gave them the command of armies, putting Decimus Brutus in charge

ἐπέτρεψε, τὴν μὲν ὑπὲρ Ἄλπεων Δέκμῳ, τὴν δ'
ἐντὸς Ἄλπεων Βρούτῳ.

112. Μέλλοντες δὲ ὁμοῦ τότε τῆς πόλεως
στρατηγήσειν ὁ Βροῦτος καὶ ὁ Κάσσιος ἐς
ἀλλήλους διήριζον περὶ τῆς καλουμένης πολιτικῆς
στρατηγίας, ἣ τῶν ἄλλων προτιμᾶται, εἴτε τῷ
ὄντι φιλοτιμούμενοι περὶ αὐτήν, εἴθ' ὑπόκρισις
ἦν τοῦ μὴ πάντα συμπράσσειν ἀλλήλοις νομί-
ζεσθαι. καὶ ὁ Καῖσαρ αὐτοῖς διαιτῶν λέγεται
πρὸς τοὺς φίλους εἰπεῖν, ὡς τὰ μὲν δίκαια
Κάσσιος ἀποφαίνοι, Βρούτῳ δ' αὐτὸς χαρίζοιτο·
τοσῇδε ἐν ἅπασιν εὐνοίᾳ καὶ τιμῇ πρὸς τὸν
ἄνδρα ἐχρῆτο. καὶ γὰρ αὐτῷ καὶ παῖς ἐνομίζετο
εἶναι, Σερουιλίας τῆς Κάτωνος ἀδελφῆς ἐρασ-
θείσης τοῦ Καίσαρος, ὅτε ὁ Βροῦτος ἐγίγνετο.
διὸ καὶ νικῶν ἐν Φαρσάλῳ μετὰ σπουδῆς λέγεται
τοῖς ἡγεμόσιν εἰπεῖν Βροῦτον, ὅπῃ δύναιντο,
περισῴζειν. ἀλλ' εἴτε ἀχάριστος ὢν ὁ Βροῦτος,
εἴτε τὰ τῆς μητρὸς ἁμαρτήματα ἀγνοῶν ἢ ἀπι-
στῶν ἢ αἰδούμενος, εἴτε φιλελεύθερος ὢν ἄγαν
καὶ τὴν πατρίδα προτιμῶν, εἴθ' ὅτι ἔκγονος
ὢν Βρούτου τοῦ πάλαι τοὺς βασιλέας ἐξελά-
σαντος ἐρεθιζόμενος καὶ ὀνειδιζόμενος μάλιστα
ἐς τοῦτο ὑπὸ τοῦ δήμου (πολλὰ γὰρ τοῖς ἀνδριᾶσι
τοῦ πάλαι Βρούτου καὶ τῷ δικαστηρίῳ τοῦδε
τοῦ Βρούτου τοιάδε ἐπεγράφετο λάθρᾳ· " Βροῦτε
δωροδοκεῖς; Βροῦτε νεκρὸς εἶ;" ἢ " ὠφελές γε
νῦν περιεῖναι" ἢ " ἀνάξιά σου τὰ ἔκγονα" ἢ
" οὐδ' ἔκγονος εἶ σὺ τοῦδε"), ταῦτα καὶ τοιου-

of Transalpine, and Marcus Brutus of Cisalpine,
Gaul.

112. Brutus and Cassius, who had been designated
as praetors at the same time, had a controversy with
each other as to which of them should be the city
praetor, this being the place of highest honour,
either because they were really ambitious of the
distinction or as a pretence, so that they might not
seem to have a common understanding with each
other. Caesar, who was chosen umpire between
them, is reported to have said to his friends that
justice seemed to be on the side of Cassius, but that
he must nevertheless favour Brutus. He exhibited
the same affection and preference for this man in all
things. It was even thought that Brutus was his
son, as Caesar was the lover of his mother, Servilia
(Cato's sister) about the time of his birth, for which
reason, when he won the victory at Pharsalus, it is
said that he gave an immediate order to his officers
to save Brutus by all means. Whether Brutus was
ungrateful, or ignorant of his mother's fault, or dis-
believed it, or was ashamed of it; whether he was
such an ardent lover of liberty that he preferred
his country to everything, or whether, because he
was a descendant of that Brutus of the olden time
who expelled the kings, he was aroused and shamed
to this deed principally by the people, (for there
were secretly affixed to the statues of the elder Brutus
and also to Brutus' own tribunal such writings as,
" Brutus, are you bribed ? " " Brutus, are you dead ? "
" Thou should'st be living at this hour ! " " Your
posterity is unworthy of you," or, " You are not *his*
descendant,")—at any rate these and many like

CAP.
XVI
τότροπα ἄλλα πολλὰ τὸν νεανίαν ἐξέκαυσεν ἐπὶ
τὸ ἔργον ὡς ἑαυτοῦ προγονικόν.

113. Ἀκμάζοντος δ' ἔτι τοῦ περὶ βασιλείας
λόγου καὶ συνόδου μελλούσης ἔσεσθαι τῆς βουλῆς
μετ' ὀλίγον, ὁ Κάσσιος ἐμβαλὼν τὴν χεῖρα τῷ
Βρούτῳ "τί ποιήσομεν," ἔφη, "παρὰ τὸ βου-
λευτήριον, ἂν οἱ κόλακες τοῦ Καίσαρος γνώμην
περὶ βασιλείας προθῶσι;" καὶ ὁ Βροῦτος οὐκ
ἔφη παρέσεσθαι τῷ βουλευτηρίῳ. ἐπανερομένου
δὲ τοῦ Κασσίου· "τί δ', ἂν ἡμᾶς καλῶσιν ὡς
στρατηγούς, τί ποιήσομεν, ὦ ἀγαθὲ Βροῦτε";
"ἀμυνῶ τῇ πατρίδι," ἔφη, "μέχρι θανάτου."
καὶ ὁ Κάσσιος αὐτὸν ἀσπασάμενος "τίνα δ',"
ἔφη, "οὐ προσλήψῃ τῶν ἀρίστων οὕτω φρονῶν;
ἢ σοι δοκοῦσιν οἱ χειροτέχναι καὶ κάπηλοι
καταγράφειν σου τὸ δικαστήριον ἀσήμως μᾶλλον
ἢ οἱ Ῥωμαίων ἄριστοι, παρὰ μὲν τῶν ἄλλων
στρατηγῶν θέας αἰτοῦντες ἵππων ἢ θηρίων,
παρὰ δὲ σοῦ τὴν ἐλευθερίαν ὡς σὸν προγονικὸν
ἔργον;" οἱ μὲν δὴ τάδε ἄρα ἐκ πολλοῦ διανοού-
μενοι τότε πρῶτον ἐς τὸ φανερὸν ἀλλήλοις πρού-
φερον καὶ τῶν ἰδίων ἑκάτερος φίλων ἀπεπειρῶντο
καὶ τῶν αὐτοῦ Καίσαρος, οὓς εὐτολμοτάτους
ἑκατέρων ᾔδεσαν. καὶ συνήγειραν ἐκ μὲν τῶν
σφετέρων ἀδελφὼ δύο, Καικίλιόν τε καὶ Βου-
κολιανόν, καὶ ἐπὶ τούτοις Ῥούβριον Ῥῆγα καὶ
Κόιντον Λιγάριον καὶ Μᾶρκον Σπόριον καὶ
Σερουίλιον Γάλβαν καὶ Σέξστιον Νάσωνα καὶ
Πόντιον Ἀκύλαν, τούσδε μὲν ἐκ τῶν οἰκείων
σφίσιν, ἐκ δὲ τῶν αὐτοῦ φίλων Καίσαρος Δέκμον
τε, περὶ οὗ μοι προείρηται, καὶ Γάιον Κάσκαν

incentives fired the young man to a deed like that of his ancestor.

113. While the talk about the kingship was at its height, and just before there was to be a meeting of the Senate, Cassius met Brutus, and, seizing him by the hand, said, " What shall we do in the senate-house if Caesar's flatterers propose a decree making him king?" Brutus replied that he would not be there. Then Cassius asked him further, " What if we are summoned there as praetors, what shall we do then, my good Brutus?" "I will defend my country to the death," he replied. Cassius embraced him, saying, " If this is your mind, whom of the nobility will you not rally to your standard? Do you think it is artisans and shopkeepers who have written those clandestine messages on your tribunal, or is it rather the noblest Romans, who, though they ask from the other praetors games, horse-races, and combats of wild beasts, ask from you liberty, a boon worthy of your ancestry?" Thus did they disclose to each other what they had been privately thinking about for a long time. Each of them tested those of their own friends, and of Caesar's also, whom they considered the most courageous of either faction. Of their own friends they inveigled two brothers, Caecilius and Bucolianus, and besides these Rubrius Ruga, Quintus Ligarius, Marcus Spurius, Servilius Galba, Sextius Naso, and Pontius Aquila. These were of their own faction. Of Caesar's friends they secured Decimus Brutus, whom I have already men-

CAP.
XVI
καὶ Τρεβώνιον καὶ Τίλλιον καὶ **Κίμβρον** καὶ
Μινούκιον καὶ Βάσιλον.

114. Ὡς δὲ σφίσιν ἐδόκουν ἅλις ἔχειν καὶ
πλέοσιν ἐκφέρειν οὐκ ἐδοκίμαζον, συνέθεντο μὲν
ἀλλήλοις ἄνευ τε ὅρκων καὶ ἄνευ σφαγίων, καὶ
οὐδεὶς μετέθετο οὐδὲ προύδωκε, καιρὸν δ' ἐζήτουν
καὶ τόπον· ὁ μὲν δὴ καιρὸς ὑπερήπειγεν ὡς
Καίσαρος ἐς τετάρτην ἡμέραν ἐξιόντος ἐπὶ τὰς
στρατείας, καὶ φυλακῆς αὐτὸν αὐτίκα περι-
εξούσης στρατιωτικῆς· χωρίον δ' ἐπενόουν τὸ
βουλευτήριον ὡς τῶν βουλευτῶν, εἰ καὶ μὴ προ-
μάθοιεν, προθύμως, ὅτε ἴδοιεν τὸ ἔργον, συνεπι-
ληψομένων, ὃ καὶ περὶ Ῥωμύλον τυραννικὸν ἐκ
βασιλικοῦ γενόμενον ἐλέγετο συμβῆναι. δόξειν
τε τὸ ἔργον, ὥσπερ ἐκεῖνο καὶ τόδε ἐν βουλευτηρίῳ
γενόμενον, οὐ κατ' ἐπιβουλήν, ἀλλ' ὑπὲρ τῆς
πόλεως πεπρᾶχθαι ἀκίνδυνόν τε, ὡς κοινόν, ἔσε-
σθαι παρὰ τῷ Καίσαρος στρατῷ· καὶ τὴν τιμὴν
σφίσι μενεῖν, οὐκ ἀγνοουμένοις, ὅτι ἦρξαν. διὰ
μὲν δὴ ταῦτα τὸ βουλευτήριον ἐπελέγοντο πάντες
ὁμαλῶς· περὶ δὲ τοῦ τρόπου διεφέροντο, οἱ μὲν
καὶ Ἀντώνιον συναναιρεῖν ἀξιοῦντες, ὕπατόν τε
ὄντα σὺν τῷ Καίσαρι καὶ φίλον αὐτοῦ δυνατώ-
τατον καὶ τοῖς στρατιώταις γνωριμώτατον· ὁ δὲ
Βροῦτος ἔλεγεν ἐπὶ μὲν τῷ Καίσαρι μόνῳ δόξαν
οἴσεσθαι τυραννοκτόνων ὡς βασιλέα ἀναιροῦντες,
ἐπὶ δὲ τοῖς φίλοις αὐτοῦ ἐχθρῶν ὡς Πομπηίου
στασιῶται.

115. Καὶ οἱ μὲν τῷδε μάλιστα ἀναπεισθέντες

tioned, also Gaius Casca, Trebonius, Tillius Cimber,
and Minucius Basilus.

114. When they thought that they had a sufficient
number, and that it would not be wise to divulge
the plot to any more, they pledged each other
without oaths or sacrifices, yet no one changed his
mind or betrayed the secret. They then sought time
and place. Time was pressing because Caesar was to
depart on his campaign four days hence and then a
body-guard of soldiers would surround him. They
chose the Senate as the place, believing that, even
though the senators did not know of it beforehand,
they would join heartily when they saw the deed;
and it was said that this happened in the case of
Romulus when he changed from a king to a tyrant.
They thought that this deed, like that one of old,
taking place in open Senate, would seem to be not
in the way of a private conspiracy, but in behalf of
the country, and that, being in the public interest,
there would be no danger from Caesar's army. At
the same time they thought the honour would remain
theirs because the public would not be ignorant that
they took the lead. For these reasons they unani-
mously chose the Senate as the place, but they were
not agreed as to the mode. Some thought that
Antony ought to be killed also because he was consul
with Caesar, and was his most powerful friend, and
the one of most repute with the army; but Brutus
said that they would win the glory of tyrannicide
from the death of Caesar alone, because that would
be the killing of a king. If they should kill his
friends also, the deed would be imputed to private
enmity and to the Pompeian faction.

115. They listened to this reasoning and awaited the

CAP.
XVI

τὴν προσιοῦσαν αὐτίκα τῆς βουλῆς σύνοδον
ἐφύλασσον· ὁ δὲ Καῖσαρ πρὸ μιᾶς τοῦδε τοῦ
βουλευτηρίου χωρῶν ἐπὶ δεῖπνον ἐς Λέπιδον τὸν
ἵππαρχον, ἐπήγετο Δέκμον Βροῦτον 'Αλβῖνον ἐς
τὸν πότον καὶ λόγον ἐπὶ τῇ κύλικι προύθηκε, τίς
ἄριστος ἀνθρώπῳ θάνατος· αἱρουμένων δὲ ἕτερα
ἑτέρων αὐτὸς ἐκ πάντων ἐπήνει τὸν αἰφνίδιον.
καὶ ὁ μὲν ὧδε προυμαντεύετο ἑαυτῷ καὶ ἐλεσ-
χήνευε περὶ τῶν ἐς τὴν αὔριον ἐσομένων· ἐπὶ δὲ
τῷ πότῳ νυκτὸς αὐτῷ τὸ σῶμα νωθρὸν ἐγίγνετο,
καὶ ἡ γυνὴ Καλπουρνία ἐνύπνιον αἵματι πολλῷ
καταρρεόμενον ἰδοῦσα κατεκώλυε μὴ προελθεῖν.
θυομένῳ τε πολλάκις ἦν τὰ σημεῖα φοβερά. καὶ
πέμπειν ἔμελλεν 'Αντώνιον διαλύσοντα τὴν βου-
λήν. ἀλλὰ Δέκμος παρὼν ἔπεισε μὴ λαβεῖν
ὑπεροψίας διαβολήν, αὐτὸν δὲ αὐτὴν ἐπελθόντα
διαλῦσαι. καὶ ὁ μὲν ἐπὶ τοῦτο ἐκομίζετο φορείῳ,
θέαι δ' ἦσαν ἐν τῷ Πομπηίου θεάτρῳ, καὶ βουλευ-
τήριον ἔμελλε τῶν τις περὶ αὐτὸ οἴκων ἔσεσθαι,
εἰωθὸς ἐπὶ ταῖς θέαις ὧδε γίγνεσθαι. οἱ δ' ἀμφὶ
τὸν Βροῦτον ἕωθεν κατὰ τὴν στοὰν τὴν πρὸ τοῦ
θεάτρου τοῖς δεομένοις σφῶν ὡς στρατηγῶν εὐστα-
θέστατα ἐχρημάτιζον, πυνθανόμενοι δὲ περὶ τῶν
γιγνομένων ἱερῶν τῷ Καίσαρι καὶ τῆς ἀναθέσεως
τοῦ βουλευτηρίου πάνυ ἠποροῦντο. καὶ τις,
αὐτῶν ὧδε ἐχόντων, τῆς Κάσκα χειρὸς λαβόμενος
εἶπε· "σὺ μὲν ὄντα με φίλον ἀπέκρυψας, Βροῦτος
δ' ἀνήνεγκέ μοι." καὶ ὁ μὲν Κάσκας ὑπὸ τοῦ
συνειδότος ἄφνω τεθορύβητο, ὁ δ' ἐπιμειδιάσας

438

next meeting of the Senate, and the day before the
meeting Caesar went to dine with Lepidus, his master
of horse, taking Decimus Brutus Albinus with him
to drink wine after dinner, and while the wine went
round the conversation Caesar proposed the question,
"What is the best kind of death?" Various opinions
were given, but Caesar alone expressed preference
for a sudden death. In this way he foretold his own
end, and conversed about what was to happen on the
morrow. After the banquet a certain bodily faintness
came over him in the night, and his wife, Calpurnia,
had a dream, in which she saw him streaming with
blood, for which reason she tried to prevent him
from going out in the morning. When he offered
sacrifice there were many unfavourable signs. He
was about to send Antony to dismiss the Senate
when Decimus, who was with him, persuaded him,
in order not to incur the charge of disregard for the
Senate, to go there and dismiss it himself. Accord-
ingly he was borne thither in a litter. Games were
going on in Pompey's theatre, and the Senate was
about to assemble in one of the adjoining buildings,
as was the custom when the games were taking
place. Brutus and Cassius were early at the portico
in front of the theatre, very calmly engaging in
public business as praetors with those seeking their
services. When they heard of the bad omens at
Caesar's house and that the Senate was to be dis-
missed, they were greatly disconcerted. While they
were in this state of mind a certain person took
Casca by the hand and said, "You kept the secret
from me, although I am your friend, but Brutus has
told me all." Casca was suddenly conscience-stricken
and shuddered, but his friend, smiling, continued,

ἔφη· "πόθεν οὖν ἔσται σοι τὰ χρήματα τῆς ἀγο-
ρανομίας;" καὶ ὁ Κάσκας ἀνήνεγκεν. αὐτὸν δὲ
Βροῦτον καὶ Κάσσιον σύννους τε ὄντας καὶ
συλλαλοῦντας ἀλλήλοις τῶν τις βουλευτῶν ἐπι-
σπάσας, Ποπίλιος Λαίνας, ἔφη συνεύχεσθαι περὶ
ὧν ἔχουσι κατὰ νοῦν, καὶ παρῄνει ἐπιταχύνειν.
οἱ δὲ ἐθορυβήθησαν μέν, ὑπὸ δὲ ἐκπλήξεως
ἐσιώπων.

116. Φερομένου δὲ ἤδη τοῦ Καίσαρος, τῶν
οἰκείων τις αὐτῷ περὶ τῆσδε τῆς ἐπιβουλῆς
μαθὼν ἔθει μηνύσων, ὃ ἔμαθεν. καὶ ὁ μὲν ἐς
Καλπουρνίαν ἦλθε καὶ τοσόνδε μόνον εἰπών, ὅτι
χρῄζοι Καίσαρος ὑπὲρ ἔργων ἐπειγόντων, ἀνέ-
μενεν αὐτὸν ἐπανελθεῖν ἀπὸ τοῦ βουλευτηρίου,
οὐκ εἰς τέλος ἄρα τὰ γιγνόμενα πάντα πεπυ-
σμένος. ὁ δ' ἐν Κνίδῳ γεγονὼς αὐτῷ ξένος
Ἀρτεμίδωρος ἐς τὸ βουλευτήριον ἐσδραμὼν εὗρεν
ἄρτι ἀναιρούμενον. ὑπὸ δ' ἄλλου καὶ βιβλίον
περὶ τῆς ἐπιβουλῆς ἐπιδοθὲν αὐτῷ προθυμένῳ
τοῦ βουλευτηρίου καὶ εὐθὺς ἐσιόντι, μετὰ χεῖρας
εὑρέθη τεθνεῶτος. ἄρτι δ' ἐκβαίνοντι τοῦ φορείου
Λαίνας, ὁ τοῖς ἀμφὶ τὸν Κάσσιον πρὸ ὀλίγου
συνευξάμενος, ἐντυχὼν διελέγετο ἰδίᾳ μετὰ σπου-
δῆς. καὶ τοὺς μὲν ἥ τε ὄψις αὐτίκα τοῦ γιγνο-
μένου κατέπληξε καὶ τὸ μῆκος τῆς ἐντεύξεως,
καὶ διένευον ἀλλήλοις διαχρήσασθαι σφᾶς αὐτοὺς
πρὸ συλλήψεως· προϊόντος δὲ τοῦ λόγου τὸν
Λαίναν ὁρῶντες οὐ μηνύοντι μᾶλλον ἢ περὶ του
δεομένῳ καὶ λιπαροῦντι ἐοικότα, ἀνέφερον, ὡς δ'

" Where shall you get the money to stand for the aedileship?" Then Casca recovered himself. While Brutus and Cassius were conferring and talking together, Popilius Laena, one of the senators, drew them aside and said that he joined them in his prayers for what they had in mind, and he urged them to make haste. They were confounded, but remained silent from terror.

116. While Caesar was actually being borne to the Senate one of his intimates, who had learned of the conspiracy, ran to his house to tell what he knew. When he arrived there and found only Calpurnia he merely said that he wanted to speak to Caesar about urgent business, and then waited for him to come back from the Senate, because he did not know all the particulars of the affair. Meantime Artemidorus, whose hospitality Caesar had enjoyed at Cnidus, ran to the Senate and found him already in the death-throes. A tablet informing him of the conspiracy was put into Caesar's hand by another person while he was sacrificing in front of the senate-house, but he went in immediately and it was found in his hand after his death. Directly after he stepped out of the litter Popilius Laena, who a little before had joined his prayers with the party of Cassius, accosted Caesar and engaged him aside in earnest conversation. The sight of this proceeding and especially the length of the conversation struck terror into the hearts of the conspirators, and they made signs to each other that they would kill themselves rather than be captured. As the conversation was prolonged they saw that Laena did not seem to be revealing anything to Caesar, but rather to be urging some petition. They recovered themselves and when

CAP.
XVI

ἐπὶ τῷ λόγῳ καὶ ἀσπασάμενον εἶδον, ἀνεθάρρησαν.
ἔθος δ' ἐστὶ τοῖς ἄρχουσιν ἐς τὴν βουλὴν ἐσιοῦσιν
οἰωνίζεσθαι προσιοῦσι. καὶ πάλιν τῶν ἱερῶν
ἦν τῷ Καίσαρι τὸ μὲν πρῶτον ἄνευ καρδίας ἤ,
ὡς ἕτεροι λέγουσιν, ἡ κεφαλὴ τοῖς σπλάγχνοις
ἔλειπε. καὶ τοῦ μάντεως εἰπόντος θανάτου τὸ
σημεῖον εἶναι, γελάσας ἔφη τοιοῦτον αὐτῷ καὶ
περὶ Ἰβηρίαν γενέσθαι πολεμοῦντι Πομπηίῳ.
ἀποκριναμένου δὲ τοῦ μάντεως, ὅτι καὶ τότε
κινδυνεύσειε λαμπρῶς καὶ νῦν ἐπιθανατώτερον
εἴη τὸ σημεῖον, αὖθις αὐτὸν ὁ Καῖσαρ ἐκέλευε
θύεσθαι. καὶ οὐδενὸς οὐδ' ὡς καλλιερουμένου,
τὴν βουλὴν βραδύνουσαν αἰδούμενος καὶ ὑπὸ
τῶν ἐχθρῶν ὡς φίλων ἐπειγόμενος ἐσῄει τῶν
ἱερῶν καταφρονήσας· χρῆν γὰρ ἃ ἐχρῆν Καίσαρι
γενέσθαι.

117. Οἱ δ' Ἀντώνιον μὲν πρὸ θυρῶν ἀποδια-
τρίβειν ἐν ὁμιλίᾳ Τρεβώνιον ἐξ ἑαυτῶν ὑπελί-
ποντο, Καίσαρα δ' ἐπὶ τοῦ θρόνου προκαθίσαντα
περιέστησαν οἷα φίλοι σὺν λεληθόσι ξιφιδίοις.
καὶ αὐτῶν Τίλλιος μὲν Κίμβερ, ἐντυχὼν ἐς
πρόσωπον, ἀδελφῷ φυγάδι κάθοδον ᾔτει· ἀνατι-
θεμένου δὲ καὶ ἀντιλέγοντος ὅλως τοῦ Καί-
σαρος, ὁ μὲν Κίμβερ αὐτοῦ τῆς πορφύρας ὡς
ἔτι δεόμενος ἐλάβετο καὶ τὸ εἷμα περισπάσας
ἐπὶ τὸν τράχηλον εἷλκε, βοῶν· "τί βραδύνετε
ὦ φίλοι;" Κάσκας δ' ἐφεστὼς ὑπὲρ κεφαλῆς ἐπὶ
τὴν σφαγὴν τὸ ξίφος ἤρεισε πρῶτος, παρολισθὼν
δὲ ἐνέτεμε τὸ στῆθος. καὶ ὁ Καῖσαρ τό τε ἱμάτιον
ἀπὸ τοῦ Κίμβερος ἐπισπάσας καὶ τῆς χειρὸς τοῦ

they saw him return thanks to Caesar after the con-
versation they took new courage. It was the custom
of the magistrates, when about to enter the Senate,
to take the auspices at the entrance. Here again
Caesar's first victim was without a heart, or, as some
say, the upper part of the entrails was wanting. The
soothsayer said that this was a sign of death. Caesar,
laughing, said that the same thing had happened to
him when he was beginning his campaign against
Pompeius in Spain. The soothsayer replied that he
had been in very great danger then and that now
the omen was more deadly. So Caesar ordered
him to sacrifice again. None of the victims were
more propitious; but being ashamed to keep the
Senate waiting, and being urged by his enemies
in the guise of friends, he went on disregarding the
omens. For it was fated that Caesar should meet
his fate.

117. The conspirators had left Trebonius, one of
their number, to engage Antony in conversation
at the door. The others, with concealed daggers,
stood around Caesar like friends as he sat in his
chair. Then one of them, Tillius Cimber, came up
in front of him and petitioned him for the recall of
his brother, who had been banished. When Caesar
answered that the matter must be deferred, Cimber
seized hold of his purple robe as though still urging
his petition, and pulled it away so as to expose his
neck, exclaiming, "Friends, what are you waiting
for?" Then first Casca, who was standing over
Caesar's head, drove his dagger at his throat, but
swerved and wounded him in the breast. Caesar
snatched his toga from Cimber, seized Casca's hand,
sprang from his chair, turned around, and hurled

CAP. Κάσκα λαβόμενος καὶ καταδραμὼν ἀπὸ τοῦ
XVI θρόνου καὶ ἐπιστραφεὶς τὸν Κάσκαν εἴλκυσε σὺν
βίᾳ πολλῇ. οὕτω δ' ἔχοντος αὐτοῦ τὸ πλευρὸν
ἕτερος, ὡς ἐπὶ συστροφῇ τεταμένον, διελαύνει
ξιφιδίῳ· καὶ Κάσσιος ἐς τὸ πρόσωπον ἔπληξε
καὶ Βροῦτος ἐς τὸν μηρὸν ἐπάταξε καὶ Βουκο-
λιανὸς ἐς τὸ μετάφρενον, ὥστε τὸν Καίσαρα ἐπὶ
μέν τι σὺν ὀργῇ καὶ βοῇ καθάπερ θηρίον ἐς
ἕκαστον αὐτῶν ἐπιστρέφεσθαι, μετὰ δὲ τὴν
Βρούτου πληγήν, ... εἴτε ἀπογινώσκοντα ἤδη,
τὸ ἱμάτιον περικαλύψασθαι καὶ πεσεῖν εὐσχη-
μόνως παρὰ ἀνδριάντι Πομπηίου· οἱ δὲ καὶ
ὡς ἐνύβριζον αὐτῷ πεσόντι, μέχρι τριῶν ἐπὶ
εἴκοσι πληγῶν· πολλοί τε διωθιζόμενοι μετὰ τῶν
ξιφῶν ἀλλήλους ἔπληξαν.

XVII

CAP. 118. Ἐκτελεσθέντος δὲ τοῖς φονεῦσι τοσοῦδε
XVII ἄγους ἐν ἱερῷ χωρίῳ καὶ ἐς ἄνδρα ἱερὸν καὶ
ἄσυλον, φυγή τε ἦν ἀνὰ τὸ βουλευτήριον αὐτίκα
καὶ ἀνὰ τὴν πόλιν ὅλην, καὶ ἐτρώθησάν τινες τῶν
βουλευτῶν ἐν τῷδε τῷ θορύβῳ καὶ ἀπέθανον
ἕτεροι. πολὺς δὲ καὶ ἄλλος ἀστῶν τε καὶ ξένων
ἐγίγνετο φόνος, οὐ προβεβουλευμένος, ἀλλ' οἷος ἐκ
θορύβου πολιτικοῦ καὶ ἀγνωσίας τῶν ἐπιλα-
βόντων, οἵ τε γὰρ μονομάχοι, ὡπλισμένοι ἕωθεν
ὡς ἐπὶ δή τινα θέας ἐπίδειξιν, ἐκ τοῦ θεάτρου
διέθεον ἐς τὰ τοῦ βουλευτηρίου παραφράγματα,

Casca with great violence. While he was in this position another one stabbed him with a dagger in the side, which was stretched tense by his strained position.[1] Cassius wounded him in the face, Brutus smote him in the thigh, and Bucolianus in the back. With rage and outcries Caesar turned now upon one and now upon another like a wild animal, but, after receiving the wound from Brutus [2] he at last despaired and, veiling himself with his robe, composed himself for death and fell at the foot of Pompey's statue. They continued their attack after he had fallen until he had received twenty-three wounds. Several of them while thrusting with their swords wounded each other.

XVII

118. WHEN the murderers had perpetrated their gloomy crime, in a sacred place, on one whose person was sacred and inviolable, there was an immediate flight throughout the curia and throughout the whole city. Some senators were wounded in the tumult and others killed. Many other citizens and strangers were murdered also, not designedly, but as such things happen in public commotions, by the mistakes of those into whose hands they fell. Gladiators, who had been armed early in the morning for that day's spectacles, ran out of the theatre to the screens [3] of

---

[1] Literally, "by reason of twisting."
[2] There is a gap in the text.
[3] Some sort of barrier at the entrance (*cancelli*).

καὶ τὸ θέατρον ὑπὸ ἐκπλήξεως σὺν φόβῳ καὶ
δρόμῳ διελύετο, τά τε ὤνια ἡρπάζετο· καὶ τὰς
θύρας ἅπαντες ἀπέκλειον καὶ ἀπὸ τῶν τεγῶν ἐς
ἄμυναν ἡτοιμάζοντο, Ἀντώνιός τε τὴν οἰκίαν
ὠχύρου, τεκμαιρόμενος συνεπιβουλεύεσθαι τῷ
Καίσαρι. καὶ Λέπιδος ὁ ἵππαρχος ἐν ἀγορᾷ μὲν
ὢν ἐπύθετο τοῦ γεγονότος, ἐς δὲ τὴν ἐν τῷ ποταμῷ
νῆσον διαδραμών, ἔνθα ἦν αὐτῷ τέλος στρατιωτῶν,
ἐς τὸ πεδίον αὐτοὺς μετεβίβαζεν ὡς ἑτοιμοτέρους
ἕξων ἐς τὰ παραγγελλόμενα ὑπ' Ἀντωνίου·
Ἀντωνίῳ γὰρ ἐξίστατο, φίλῳ τε τοῦ Καίσαρος
ὄντι μᾶλλον καὶ ὑπάτῳ. καὶ αὐτοῖς σκεπτομένοις
ὁρμὴ μὲν ἦν ἀμύνειν τῷ Καίσαρι τοιάδε παθόντι,
τὴν δὲ βουλὴν πρὸς τῶν ἀνδροφόνων ἐσομένην
ἐδεδοίκεσαν καὶ τὸ μέλλον ἔτι περιεσκόπουν.
ἀμφὶ δὲ αὐτῷ Καίσαρι στρατιωτικὸν μὲν οὐκ ἦν,
οὐ γὰρ δορυφόροις ἠρέσκετο, ἡ δὲ τῆς ἡγεμονίας
ὑπηρεσία μόνη καὶ αἱ πλέονες ἀρχαὶ καὶ πολὺς
ὅμιλος ἄλλος ἀστῶν καὶ ξένων καὶ πολὺς θεράπων
καὶ ἐξελεύθερος αὐτὸν ἐπὶ τὸ βουλευτήριον ἐκ τῆς
οἰκίας παρεπεπόμφεισαν, ὧν ἀθρόως διαφυγόντων
τρεῖς θεράποντες μόνοι παρέμειναν, οἳ τὸ σῶμα ἐς
τὸ φορεῖον ἐνθέμενοι διεκόμισαν οἴκαδε ἀνωμάλως,
οἷα τρεῖς, τὸν πρὸ ὀλίγου γῆς καὶ θαλάττης
προστάτην.

119. Οἱ δὲ σφαγεῖς ἐβούλοντο μέν τι εἰπεῖν ἐν
τῷ βουλευτηρίῳ, οὐδενὸς δὲ παραμείναντος τὰ
ἱμάτια ταῖς λαιαῖς ὥσπερ ἀσπίδας περιπλεξάμενοι
καὶ τὰ ξίφη μετὰ τοῦ αἵματος ἔχοντες ἐβοη-
δρόμουν βασιλέα καὶ τύραννον ἀνελεῖν. καὶ πῖλον

THE CIVIL WARS, BOOK II

the senate-house. The theatre itself was emptied in CHAP. haste and panic terror, and the markets were plun- XVII dered. All citizens closed their doors and prepared for defence on their roofs. Antony fortified his house, apprehending that the conspiracy was against him as well as Caesar. Lepidus, the master of the horse, being in the forum at the time, learned what had been done and ran to the island in the river where he had a legion of soldiers, which he transferred to the Field of Mars in order to be in greater readiness to execute Antony's orders; for he yielded to Antony as a closer friend of Caesar and also as consul. While pondering over the matter they were strongly moved to avenge the death of Caesar, but they feared lest the Senate should espouse the side of the murderers and so they concluded to await events. There had been no military guard around Caesar, for he did not like guards; but the usual attendants of the magistracy, most of the officers, and a large crowd of citizens and strangers, of slaves and freed-men, had accompanied him from his house to the Senate. These had fled *en masse*, all except three slaves, who placed the body in the litter and, unsteadily enough, as three bearers would, bore homeward him who, a little before, had been master of the earth and sea.

119. The murderers wished to make a speech in the Senate, but as nobody remained there they wrapped their togas around their left arms to serve as shields, and, with swords still reeking with blood, ran, crying out that they had slain a king and tyrant. One of them bore a cap[1] on the end of a spear as

---

[1] The cap (*pileus*) was given to enfranchised slaves and ransomed captives as a sign of liberty.

CAP.
XVII
τις ἐπὶ δόρατος ἔφερε, σύμβολον ἐλευθερώσεως
ἐπί τε τὴν πάτριον πολιτείαν παρεκάλουν καὶ
Βρούτου τοῦ πάλαι καὶ τῶν τότε σφίσιν ὁμωμος-
μένων ἐπὶ τοῖς πάλαι βασιλεῦσιν ἀνεμίμνησκον.
συνέθεον δὲ αὐτοῖς τινες χρησάμενοι ξιφίδια,
οἳ τοῦ ἔργου μὴ μετασχόντες προσεποιοῦντο τὴν
δόξαν, Λέντλος τε ὁ Σπινθὴρ καὶ Φαώνιος καὶ
Ἀκουῖνος καὶ Δολοβέλλας καὶ Μοῦρκος καὶ
Πατίσκος· οἳ τῆς μὲν δόξης οὐ μετέσχον, τῆς
δὲ τιμωρίας τοῖς ἁμαρτοῦσι συνέτυχον. τοῦ δήμου
δὲ αὐτοῖς οὐ προσθέοντος ἠπόρουν καὶ ἐδεδοίκεσαν,
τῇ μὲν βουλῇ, καὶ εἰ αὐτίκα ὑπ’ ἀγνοίας καὶ
θορύβου διέφυγε, θαρροῦντες ὅμως, συγγενέσι τε
σφῶν καὶ φίλοις οὖσι βαρυνομένοις τε τὴν τυραν-
νίδα ὁμοίως, τὸν δὲ δῆμον ὑφορώμενοι καὶ τοὺς
ἐστρατευμένους τῷ Καίσαρι πολλοὺς ἐν τῇ πόλει
τότε παρόντας, τοὺς μὲν ἄρτι τῆς στρατείας ἀφει-
μένους καὶ ἐς κληρουχίας διατεταγμένους, τοὺς
δὲ προαπῳκισμένους μέν, ἐς δὲ παραπομπὴν τοῦ
Καίσαρος ἐξιόντος ἀφιγμένους. Λέπιδόν τε ἐδεδοί-
κεσαν καὶ τὸν ὑπὸ τῷ Λεπίδῳ στρατὸν ἐν τῇ πόλει
καὶ Ἀντώνιον ὑπατεύοντα, μὴ ἀντὶ τῆς βουλῆς τῷ
δήμῳ μόνῳ χρώμενος ἐργάσαιτό τι δεινὸν αὐτούς.

120. Οὕτω δ’ ἔχοντες τὸ Καπιτώλιον σὺν τοῖς
μονομάχοις ἀνέθορον. καὶ αὐτοῖς βουλευομένοις
ἔδοξεν ἐπὶ τὰ πλήθη μισθώματα περιπέμπειν·
ἤλπιζον γάρ, ἀρξαμένων τινῶν ἐπαινεῖν τὰ
γεγενημένα, καὶ τοὺς ἄλλους συνεπιλήψεσθαι
λογισμῷ τε τῆς ἐλευθερίας καὶ πόθῳ τῆς
πολιτείας. ἔτι γὰρ ᾤοντο τὸν δῆμον εἶναι Ῥωμαῖον
ἀκριβῶς, οἷον ἐπὶ τοῦ πάλαι Βρούτου τὴν τότε

a symbol of freedom, and exhorted the people to CHAP.
restore the government of their fathers and recall the XVII
memory of the elder Brutus and of those who took
the oath together against the ancient kings. With
them ran some with drawn swords who had not
participated in the deed, but wanted to share the
glory, among whom were Lentulus Spinther,
Favonius, Aquinus, Dolabella, Murcus, and Patiscus.
These did not share the glory, but they suffered
punishment with the guilty. As the people did not
flock to them they were disconcerted and alarmed.
Although the Senate had at first fled through ignor-
ance and alarm, they had confidence in it never-
theless as consisting of their own relatives and
friends, and oppressed equally with themselves by the
tyranny; but they were suspicious of the plebeians
and of Caesar's soldiers, many of whom were then
present in the city, some lately dismissed from the
service, to whom lands had been allotted; others who
had been already settled, but had come in to serve
as an escort for Caesar on his departure from the
city. The assassins had fears of Lepidus, too, and of
the army under him in the city, and also of Antony
in his character as consul, lest he should consult the
people alone, instead of the Senate, and bring some
fearful punishment upon them.

120. In this frame of mind they hastened up to The
the Capitol with their gladiators. There they took murderers
counsel and decided to bribe the populace, hoping possession
that if some would begin to praise the deed others Capitol
would join in from love of liberty and longing for the
republic. They thought that the genuinely Roman
people were still as they had learned that they were
when the elder Brutus expelled the kings. They did

449

CAP.
XVII

βασιλείαν καθαιροῦντος ἐπυνθάνοντο γενέσθαι·
καὶ οὐ συνίεσαν δύο τάδε ἀλλήλοις ἐναντία
προσδοκῶντες, φιλελευθέρους ὁμοῦ καὶ μισθωτοὺς
σφίσιν ἔσεσθαι χρησίμως τοὺς παρόντας. ὧν
θάτερον εὐχερέστερον ἦν, διεφθαρμένης ἐκ πολλοῦ
τῆς πολιτείας. παμμιγές τε γάρ ἐστιν ἤδη τὸ
πλῆθος ὑπὸ ξενίας, καὶ ὁ ἐξελεύθερος αὐτοῖς
ἰσοπολίτης ἐστὶ καὶ ὁ δουλεύων ἔτι τὸ σχῆμα τοῖς
δεσπόταις ὅμοιος· χωρὶς γὰρ τῆς βουλευτικῆς ἡ
ἄλλη στολὴ τοῖς θεράπουσίν ἐστιν ἐπίκοινος. τό
τε σιτηρέσιον τοῖς πένησι χορηγούμενον ἐν μόνῃ
Ῥώμῃ τὸν ἀργὸν καὶ πτωχεύοντα καὶ ταχυεργὸν
τῆς Ἰταλίας λεὼν ἐς τὴν Ῥώμην ἐπάγεται. τό
τε πλῆθος τῶν ἀποστρατευομένων, οὐ διαλυόμενον
ἐς τὰς πατρίδας ἔτι ὡς πάλαι καθ' ἕνα ἄνδρα δέει
τοῦ μὴ δικαίους πολέμους ἐνίους πεπολεμηκέναι,
κοινῇ δὲ ἐς κληρουχίας ἀδίκους ἀλλοτρίας τε γῆς
καὶ ἀλλοτρίων οἰκιῶν ἐξιόν, ἄθρουν τότε ἐστάθ-
μευεν ἐν τοῖς ἱεροῖς καὶ τεμένεσιν ὑφ' ἑνὶ σημείῳ
καὶ ὑφ' ἑνὶ ἄρχοντι τῆς ἀποικίας, τὰ μὲν ὄντα
σφίσιν ὡς ἐπὶ ἔξοδον ἤδη διαπεπρακότες, εὔωνοι δ'
ἐς ὅ τι μισθοῖντο.

121. Ὅθεν οὐ δυσχερῶς ἐκ τοσῶνδε καὶ τοιῶνδε
ἀνδρῶν πλῆθός τι τοῖς ἀμφὶ τὸν Κάσσιον ἐς τὴν
ἀγορὰν εὐθὺς ἀγήγερτο· οἳ καίπερ ὄντες ἔμμισθοι
τὰ μὲν γενόμενα ἐπαινεῖν οὐκ ἐθάρρουν, δεδιότες
τὴν Καίσαρος δόξαν καὶ τὸ πρὸς τῶν ἑτέρων
ἐσόμενον, ὡς δ' ἐπὶ συμφέροντι κοινῷ τὴν εἰρήνην
ἐπεβόων καὶ θαμινὰ τοὺς ἄρχοντας ὑπὲρ αὐτῆς
παρεκάλουν, τέχνασμα τοῦτο ἐς τὴν τῶν ἀνδρο-
φόνων σωτηρίαν ἐπινοοῦντες· οὐ γὰρ ἔσεσθαι

not perceive that they were counting on two incompatible things, namely, that people could be lovers of liberty and bribe-takers at the same time. The latter class were much easier to find of the two, because the government had been corrupt for a long time. For the plebeians are now much mixed with foreign blood, freedmen have equal rights of citizenship with them, and slaves are dressed in the same fashion as their masters. Except in the case of the senatorial rank the same costume is common to slaves and to free citizens. Moreover the distribution of corn to the poor, which takes place in Rome only, draws thither the lazy, the beggars, the vagrants of all Italy. The multitude, too, of discharged soldiers who were no longer dispersed one by one to their native places as formerly, through fear lest some of them might have engaged in unjustifiable wars, but were sent in groups to unjust allotments of lands and confiscated houses, was at this time encamped in temples and sacred enclosures under one standard, and one person appointed to lead them to their colony, and as they had already sold their own belongings preparatory to their departure they were in readiness to be bought for any purpose.

CHAP.
XVII
Corruption
of Roman
society

Con-
spirators
distribute
bribes

121. From so many men of this kind a considerable crowd was drawn speedily and without difficulty to the party of Cassius in the forum. These, although bought, did not dare to praise the murder, because they feared Caesar's reputation and doubted what course the rest of the people might take. So they shouted for peace as being for the public advantage, and with one accord recommended this policy to the magistrates, intending by this device to secure the safety of the murderers; for there could be no peace

CAP.
XVII

τὴν εἰρήνην μὴ γενομένης αὐτοῖς ἀμνηστίας. ὧδε
δὲ αὐτοῖς ἔχουσι πρῶτος ἐπιφαίνεται Κίννας
στρατηγός, οἰκεῖος ὢν ἐξ ἐπιγαμίας τῷ Καίσαρι,
καὶ παρὰ δόξαν ἐπελθὼν ἐς μέσους τήν τε ἐσθῆτα
τὴν στρατηγικὴν ἀπεδύσατο, ὡς παρὰ τυράννου
δεδομένης ὑπερορῶν, καὶ τὸν Καίσαρα τύραννον
ἐκάλει καὶ τοὺς ἀνελόντας τυραννοκτόνους, καὶ τὸ
πεπραγμένον ἐσέμνυνεν ὡς ὁμοιότατον μάλιστα
τῷ προγονικῷ καὶ τοὺς ἄνδρας ὡς εὐεργέτας καλεῖν
ἐκέλευεν ἐκ τοῦ Καπιτωλίου καὶ γεραίρειν. καὶ
Κίννας μὲν οὕτως ἔλεξεν, οἱ δὲ τὸ καθαρὸν τοῦ
πλήθους οὐχ ὁρῶντες ἐπιμιγνύμενον αὐτοῖς οὐκ
ἐκάλουν τοὺς ἄνδρας οὐδέ τι πλέον ἢ περὶ τῆς
εἰρήνης μόνης αὖθις παρεκάλουν.

122. Ἐπεὶ δὲ καὶ Δολοβέλλας, νέος ἀνὴρ καὶ
περιώνυμος, ὑπατεύειν ὑπ' αὐτοῦ Καίσαρος ἐς τὸ
ἐπίλοιπον τοῦ ἔτους ᾑρημένος, ὅτε ὁ Καῖσαρ
ἐξορμήσειε τῆς πόλεως, τὴν μὲν ὕπατον ἐσθῆτα
ἠμφιέσατο καὶ τὰ σημεῖα τῆς ἀρχῆς περιεστήσατο,
τὸν δὲ ταῦτά οἱ παρασχόντα δεύτερος ὅδε ἐλοιδό-
ρει καὶ συνεγνωκέναι τοῖς ἐπ' αὐτῷ βεβουλευ-
μένοις ὑπεκρίνετο καὶ μόνης ἄκων τῆς χειρὸς
ἀπολειφθῆναι (εἰσὶ δ' οἳ καὶ λέγουσιν αὐτὸν
εἰσηγήσασθαι τὴν ἡμέραν θέσθαι τῇ πόλει γενέθ-
λιον), τότε δὴ καὶ οἱ μεμισθωμένοι ἀνεθάρρουν ὡς
καὶ στρατηγοῦ καὶ ὑπάτου σφίσι συγγνωμόνων
ὄντων καὶ τοὺς ἀμφὶ τὸν Κάσσιον ἐκ τοῦ ἱεροῦ
κατεκάλουν. οἱ δὲ ἥδοντο μὲν τῷ Δολοβέλλᾳ καὶ
ἐνόμιζον ἄνδρα νέον καὶ γνώριμον καὶ ὕπατον
ἕξειν ἐς ἐναντίωσιν Ἀντωνίου, κατῄεσαν δὲ αὐτῶν
μόνοι Κάσσιός τε καὶ Βροῦτος ὁ Μᾶρκος, ᾑμαγ-
μένος τὴν χεῖρα· συγκατήνεγκαν γὰρ δὴ τὰς

without amnesty to them. While they were thus
engaged the praetor Cinna, a relative of Caesar by
marriage, made his appearance, advanced unexpect-
edly into the middle of the forum, laid aside his
praetorian robe, as if disdaining the gift of a tyrant,
and called Caesar a tyrant and his murderers tyranni-
cides. He extolled their deed as exactly like that
of their ancestors, and ordered that the men them-
selves should be called from the Capitol as bene-
factors and rewarded with public honours. So spake
Cinna, but when the hirelings saw that the unbought
portion of the crowd did not agree with them they
did not call for the men in the Capitol, nor did they
do anything else but continually demand peace.

122. But after Dolabella, a young man of noble
family who had been chosen by Caesar as consul for
the remainder of his own year when he was about to
leave the city, and who had put on the consular garb
and taken the other insignia of the office, came for-
ward next and railed against the man who had
advanced him to this dignity and pretended that he
was privy to the conspiracy against him, and that
his hand alone was unwillingly absent—some say that
he even proposed a decree that this day should be
consecrated as the birthday of the republic—then in-
deed the hirelings took new courage, seeing that they
had both a praetor and a consul on their side, and
demanded that Cassius and his friends be summoned
from the Capitol. They were delighted with Dola-
bella and thought that now they had a young
optimate, who was also consul, to oppose against
Antony. Only Cassius and Marcus Brutus came Brutus and
Cassius
down, the latter with his hand still bleeding from come down
the wound he had received when he and Cassius from the
Capitol

CAP.
XVII

πληγὰς ἐπὶ τὸν Καίσαρα Κάσσιός τε καὶ Βροῦτος.
ἐπεὶ δὲ παρῆλθον ἐς τὸ μέσον, οὐδὲν ταπεινὸν
οὐδέτερος εἶπεν, ἀλλ' ὡς ἐπὶ καλοῖς ὁμολογου-
μένοις ἀλλήλους ἐπῄνουν καὶ τὴν πόλιν ἐμακάρι-
ζον καὶ Δέκμῳ μάλιστα ἐμαρτύρουν, ὅτι τοὺς
μονομάχους σφίσιν ἐν καιρῷ παράσχοι. τόν τε
δῆμον ἐξώτρυνον ὅμοια τοῖς προγόνοις ἐργάσασθαι
τοῖς καθελοῦσι τοὺς βασιλέας, οὐκ ἐκ βίας ἄρχον-
τας ὥσπερ ὁ Καῖσαρ, ἀλλ' ᾑρημένους ὑπὸ νόμοις·
Σέξστον τε Πομπήιον, τὸν Πομπηίου Μάγνου,
τοῦ Καίσαρι περὶ τῆς δημοκρατίας πεπολεμηκό-
τος, καλεῖν ἠξίουν, πολεμούμενον ἔτι πρὸς τῶν
Καίσαρος στρατηγῶν ἐν Ἰβηρίᾳ, καὶ τοὺς δημάρ-
χους Καισήτιον καὶ Μάρυλλον, οἳ τὴν ἀρχὴν ὑπὸ
τοῦ Καίσαρος ἀφαιρεθέντες ἡλῶντο.

123. Τοιάδε μὲν εἶπον οἱ περὶ τὸν Κάσσιον καὶ
ἐπανῆλθον αὖθις ἐς τὸ Καπιτώλιον· οὐ γὰρ
ἐθάρρουν πω τοῖς παροῦσι. τῶν δ' οἰκείων σφίσι
καὶ συγγενῶν τότε πρῶτον ἐς τὸ ἱερὸν ἐλθεῖν πρὸς
αὐτοὺς δυνηθέντων ᾑρέθησαν οἱ πρεσβεύσοντες
ὑπὲρ αὐτῶν ἐς Λέπιδόν τε καὶ Ἀντώνιον ὁμονοίας
πέρι καὶ προνοίας τῆς ἐλευθερίας καὶ φειδοῦς
τῶν ἐσομένων τῇ πατρίδι κακῶν, εἰ μὴ συμ-
φρονοῖεν. καὶ ἐδέοντο οἱ πεμφθέντες, οὐκ ἐπαι-
νοῦντες μὲν τὸ πεπραγμένον (οὐ γὰρ ἐθάρρουν
ἐν φίλοις Καίσαρος), γενόμενον δ' ἐνεγκεῖν
ἀξιοῦντες ἐλέῳ τε τῶν δεδρακότων αὐτὸ οὐ
κατὰ μῖσος, ἀλλ' ἐπ' εὐνοίᾳ τῆς πατρίδος καὶ

were dealing blows at Caesar. When they reached
the forum neither of them said anything which betokened humility. On the contrary, they praised each other, as though the deed were something confessedly honourable, congratulated the city, and bore special testimony to the merits of Decimus Brutus because he had furnished them gladiators at a critical moment. They exhorted the people to be like their ancestors, who had expelled the kings, although the latter were exercising the government not by violence like Caesar, but had been chosen according to law. They advised the recall of Sextus Pompeius (the son of Pompey the Great, the defender of the republic against Caesar), who was still warring against Caesar's lieutenants in Spain. They also recommended that the tribunes, Caesetius and Marullus, who had been deposed by Caesar, should be recalled from exile.

123. After they had thus spoken Cassius and
Brutus returned directly to the Capitol, because they had not yet entire confidence in the present posture of affairs. As their friends and relatives were then first enabled to come to them in the temple, they chose from among them messengers to treat on their behalf with Lepidus and Antony for conciliation and the preservation of liberty, and for warding off the evils that would befall the country if they should not come to an agreement. This the messengers besought, not, however, extolling the deed that had been done, for they did not dare to do this in the presence of Caesar's friends, but asking that it be tolerated now that it was done, out of pity for the perpetrators, (who had been actuated, not by hatred towards Caesar, but by love of country), and out of compassion

οἴκτῳ τῆς πόλεως κεκενωμένης στάσεσιν ἤδη
συνεχέσιν, εἰ καὶ τοὺς ὑπολοίπους ἀγαθοὺς
ἄνδρας ἡ μέλλουσα στάσις διολέσει. οὐδὲ γὰρ
ὅσιον, εἴ τις αὐτοῖς ἔστιν ἔχθρα πρὸς ἐνίους, ἐν
τοῖς δημοσίοις κινδύνοις ἐξερίζειν, πολὺ δὲ μᾶλλον
ἐν τοῖς κοινοῖς καὶ τὰ ἴδια καταθέσθαι ἤ, εἴ τις
ἀνηκέστως ἔχει, τὰ ἴδια ἐν τῷ παρόντι ἀναθέσθαι.

124. Ἀντώνιος δὲ καὶ Λέπιδος ἐβούλοντο μὲν
ἀμύνειν Καίσαρι, ὥς μοι προείρηται, εἴτε φιλίας
ἕνεκα εἴτε τῶν ὀμωμοσμένων, εἴτε καὶ ἀρχῆς
ὀρεγόμενοι καὶ νομίζοντες εὐμαρέστερα σφίσιν
ἅπαντα ἔσεσθαι τοιῶνδε καὶ τοσῶνδε ἀνδρῶν
ἀθρόως ἐκποδὼν γενομένων· τοὺς δὲ φίλους καὶ
συγγενεῖς αὐτῶν ἐδεδοίκεσαν καὶ τὴν ἄλλην
βουλὴν ἐπιρρέπουσαν ἐς ἐκείνους, Δέκμον τε
μάλιστα, τῆς ὁμόρου Κελτικῆς ᾑρημένον ὑπὸ
Καίσαρος ἄρχειν, στρατὸν πολὺν ἐχούσης. ἐδόκει
δὴ καραδοκεῖν ἔτι τὰ γενησόμενα καὶ τεχνάζειν
εἰ δύναιντο περισπάσαι πρὸς ἑαυτοὺς τὴν στρα-
τιὰν τὴν Δέκμου, ἄθυμον ἤδη τοῖς ἀτρύτοις
πόνοις γεγενημένην. οὕτω δὲ δόξαν αὐτοῖς ὁ
Ἀντώνιος τοὺς εἰπόντας ἠμείψατο· "κατὰ μὲν
ἔχθραν ἰδίαν οὐδὲν ἐργασόμεθα· ἕνεκα δὲ τοῦ
μύσους καὶ ὧν Καίσαρι πάντες ὠμόσαμεν,
φύλακες αὐτῷ τοῦ σώματος ἢ τιμωροὶ παθόντι τι
ἔσεσθαι, εὔορκον ἦν τὸ ἄγος ἐξελαύνειν καὶ μετ᾽
ὀλιγωτέρων καθαρῶν βιοῦν μᾶλλον ἢ πάντας
ἐνόχους ὄντας ταῖς ἀραῖς. ἀλλὰ δι᾽ ὑμᾶς οἷς οὕτω
δοκεῖ, σκεψόμεθα μεθ᾽ ὑμῶν ἐν τῷ βουλευτηρίῳ

for the city exhausted by long-continued civil **strife,**
which a new sedition might deprive of the **good**
men still remaining. " If enmity is **entertained**
against certain persons," they said, " it will be an
act of impiety to gratify it in a time of public danger.
It is far preferable to merge private animosity
in the public welfare, or, if anybody were irrecon-
cilable, at least to postpone his private grievances for
the present."

124. Antony and Lepidus wished to **avenge**
Caesar, as I have already said, either on the **score**
of friendship, or of the oaths they had sworn, **or**
because they were aiming at the supreme **power**
themselves and thought that their course would be
easier if so many men of such rank were put out of
the way at once. But they feared the friends and
relatives of these men and the leaning of the rest of
the Senate toward them, and especially they feared
Decimus Brutus, who had been chosen by Caesar
governor of Cisalpine Gaul, which had a large army.
So they decided to watch a future opportunity and
to try if possible to draw over to themselves the army
of Decimus, which was already disheartened by its
protracted labours. Having come to this decision,
Antony replied to the messengers, " We shall do
nothing from private enmity, yet in consequence of
the crime and of the oaths we have all sworn to Caesar,
that we would either protect his person or avenge
his death, a solemn regard for our oath requires us
to drive out the guilty and to live with a smaller
number of innocent men rather than that all should
be liable to the divine curse. Yet for our own part,
although this seems to us the proper course, we will
consider the matter with you in the Senate and we

καὶ νομιοῦμεν εὐαγὲς ἔσεσθαι τῇ πόλει, ὅ τι ἂν κοινῇ δοκιμάσητε."

125. Ὁ μὲν ἀσφαλῶς οὕτως ἀπεκρίνατο. οἱ δὲ χάριν τε ᾔδεσαν καὶ ἀπεχώρουν ἐν ἐλπίδι βεβαίῳ τὰ πάντα θέμενοι· τὴν γὰρ βουλὴν σφίσι συμπράξειν ἐς πάντα ἐπεποίθεσαν. ὁ δὲ Ἀντώνιος τὰς μὲν ἀρχὰς ἐκέλευσε νυκτοφυλακεῖν τὴν πόλιν, ἐκ διαστήματος ἐν μέσῳ προκαθημένας ὥσπερ ἐν ἡμέρᾳ· καὶ ἦσαν πυραὶ πανταχοῦ κατὰ τὸ ἄστυ καὶ δι᾽ αὐτῶν ἔθεον ἀνὰ τὴν νύκτα πᾶσαν ἐς τὰς τῶν βουλευτῶν οἰκίας οἱ τῶν ἀνδροφόνων οἰκεῖοι, παρακαλοῦντες ὑπὲρ αὐτῶν καὶ ὑπὲρ τῆς πατρίου πολιτείας· ἀντιπαρέθεον δὲ καὶ οἱ τῶν κληρούχων ἡγεμόνες ἀπειλοῦντες, εἰ μή τις αὐτοῖς φυλάξει τὰς κληρουχίας τάς τε ἤδη δεδομένας καὶ τὰς ἐπηγγελμένας. ἤδη δὲ καὶ τῶν ἀστῶν ὁ καθαρώτατος λεὼς ἀνεθάρρει, τὴν ὀλιγότητα τῶν δεδρακότων πυθόμενοι· καὶ ἐς μνήμην τοῦ Καίσαρος ὑπεφέροντο καὶ ταῖς γνώμαις διῃροῦντο. τῆς δ᾽ αὐτῆς νυκτὸς καὶ τὰ χρήματα τοῦ Καίσαρος καὶ τὰ ὑπομνήματα τῆς ἀρχῆς ἐς τὸν Ἀντώνιον μετεκομίζετο, εἴτε τῆς γυναικὸς αὐτὰ τῆς Καίσαρος ἐξ ἐπικινδύνου τότε οἰκίας ἐς ἀκινδυνοτέραν τὴν Ἀντωνίου μεταφερούσης, εἴτε τοῦ Ἀντωνίου κελεύσαντος.

XVIII

126. Γιγνομένων δὲ τούτων διάγραμμα νυκτὸς ἀνεγινώσκετο Ἀντώνιον τὴν βουλὴν συγκαλοῦντος ἔτι πρὸ ἡμέρας ἐς τὸ τῆς Γῆς ἱερόν, ἀγχοτάτω

will consider as propitious for the city whatever you may approve in common.''

125. Thus did Antony make a safe answer. The messengers returned their thanks and went away full of hope, for they had entire confidence that the Senate would co-operate with them. Antony ordered the magistrates to have the city watched by night, stationing guards at intervals as in the daytime, and there were fires throughout the city. By their aid the friends of the murderers were enabled to traverse the city the whole night, going to the houses of the senators and beseeching them in behalf of these men and of the republic. On the other hand, the leaders of the colonised soldiers ran about uttering threats in case they should fail to hold the lands set apart, either already assigned or promised to them. And now the more honest citizens began to recover courage when they learned how small was the number of the conspirators, and when they remembered Caesar's merits they became much divided in opinion. That same night Caesar's money and his official papers were transferred to Antony's house, either because Calpurnia thought that they would be safer there or because Antony ordered it.

XVIII

126. WHILE these things were taking place Antony, by means of a notice sent round by night, called the Senate to meet before daybreak at the temple

CAP.
XVIII

μάλιστα ὂν τῆς οἰκίας 'Αντωνίου· οὔτε γὰρ ἐς τὸ βουλευτήριον ἐθάρρει κατελθεῖν, ὑποκειμειου τῷ Καπιτωλίῳ, τῶν μονομάχων ὄντων ἐκείνοις συνεργῶν, οὔτε στρατιὰν ἐσαγαγὼν ἐς τὴν πόλιν διαταράξαι· Λέπιδος δὲ ὅμως εἰσήγαγε. πλησιαζούσης δὲ τῆς ἡμέρας οἵ τε ἄλλοι βουλευταὶ συνέθεον ἐς τὸ τῆς Γῆς ἱερὸν καὶ Κίννας ὁ στρατηγός, αὖθις ἐπικείμενος τὴν στρατηγικὴν ἐσθῆτα, ἣν ἐχθὲς ὡς τυράννου δόντος ἐξερρίφει. θεασάμενοι δ' αὐτόν τινες τῶν ἀδεκάστων καὶ τῶν ἐστρατευμένων τῷ Καίσαρι, δι' ὀργῆς ἔχοντες ὅτι πρῶτος ἐπὶ τῷ Καίσαρι, καίπερ οἰκεῖος ὢν αὐτοῦ, βλασφήμως ἐδημηγόρησε, λίθοις ἔβαλλον καὶ ἐδίωκον· καὶ ἐς οἰκίαν τινὰ συμφυγόντα, ξύλα συμφέροντες, ἐμπρήσειν ἔμελλον, εἰ μὴ Λέπιδος μετὰ στρατιᾶς ἐπελθὼν ἐκώλυσε.

Τοῦτο μὲν δὴ πρῶτον ἔργον παρρησίας ἦρξεν ἐπὶ τῷ Καίσαρι, καὶ αὐτὸ κατέδεισαν οἵ τε μισθωτοὶ καὶ οἱ σφαγεῖς αὐτοί· 127. ἐν δὲ τῷ βουλευτηρίῳ βραχὺ μὲν ἦν τὸ καθαρεῦον σπουδῆς βιαίου καὶ ἀγανακτοῦν, οἱ δὲ πλέονες σὺν παρασκευῇ ποικίλῃ τοῖς ἀνδροφόνοις συνήργουν. καὶ πρῶτα μὲν αὐτοὺς ἀξιοπίστως ἠξίουν καὶ παρεῖναι σφίσι καὶ συνεδρεύειν, ἐξ ὑπευθύνων ἐς κριτὰς μεταφέροντες. καὶ ὁ 'Αντώνιος οὐκ ἐκώλυεν, εἰδὼς οὐκ ἐλευσομένους· οὐδὲ ἦλθον. εἶτα ἐπὶ διαπείρᾳ τῆς βουλῆς οἱ μὲν αὐτῶν μάλα θρασέως τὸ πεπραγμένον ἐπῄνουν ἄντικρυς καὶ τοὺς ἄνδρας ἐκάλουν τυραννοκτόνους καὶ γεραίρειν ἐκέλευον, οἱ δὲ τὰ μὲν γέρα περιῄρουν, ὡς οὐδὲ

of Tellus, which was very near his own house, because he did not dare to go to the senate-house situated just below the Capitol, where the gladiators were aiding the conspirators, nor did he wish to disturb the city by bringing in the army. Lepidus, however, did that. As daylight was approaching the senators assembled at the temple of Tellus, including the praetor Cinna, clothed again in the robe of office which he had cast off the previous day as the gift of a tyrant. Some of the unbribed people and some of Caesar's veterans, when they saw him were indignant that he, although a relative of Caesar, should have been the first to slander him in a public speech, threw stones at him, pursued him, and when he had taken refuge in a house brought fagots and were about to set it on fire when Lepidus came up with his soldiers and stopped them.

This was the first decided expression of opinion in favour of Caesar. The hirelings, and the murderers themselves, were alarmed by it. 127. In the Senate, however, only a small number were free from sympathy with the act of violence and indignant at the murder, while most of them sought to aid the murderers in various ways. They proposed first to invite them to be present under a pledge of safety and sit in council with them, thus changing them from criminals to judges. Antony did not oppose this because he knew they would not come; and they did not come. Then, in order to test the feeling of the Senate, some senators extolled the deed openly and without disguise, called the men tyrannicides, and proposed that they should be rewarded. Others were opposed to giving rewards, saying that the men did not want them and had not done the

CAP. ἐκείνων δεομένων οὐδὲ ἐπὶ τῷδε αὐτὰ πραξάντων.
XVIII
εὐφημεῖν δὲ μόνον αὐτοὺς ἐδικαίουν ὡς εὐεργέτας·
οἱ δὲ καὶ τὴν εὐφημίαν ὑπανῄρουν καὶ φείδεσθαι
μόνον αὐτῶν ἠξίουν.

Καὶ οἱ μὲν τάδε ἐτέχναζον καὶ περιεώρων, ὅ τι
πρῶτον αὐτῶν ἐνδεξαμένη μάλιστα ἡ βουλὴ πρὸς
τὰ λοιπὰ κατ' ὀλίγον εὐεπιχείρητος αὐτοῖς ἔσοιτο·
οἱ δὲ καθαρώτεροι τὸ μὲν ἔργον ὡς ἄγος ἀπεστρέ-
φοντο, αἰδοῖ δὲ μεγάλων οἴκων περισῴζειν αὐτοὺς
οὐκ ἐκώλυον, ἠγανάκτουν δέ, εἰ καὶ τιμήσουσιν
ὡς εὐεργέτας. οἱ δὲ ἀντέλεγον μὴ χρῆναι περισῴ-
ζοντας φθονεῖν τῶν περισσῶν ἐς ἀσφάλειαν. ὡς
δέ τις εἶπε τὴν τούτων τιμὴν ὕβριν Καίσαρι
φέρειν, οὐκ εἴων ἔτι τὸν τεθνεῶτα τῶν περιόντων
προτιθέναι. ἑτέρου δὲ ἐγκρατῶς εἰπόντος, ὅτι χρὴ
δύο τῶνδε πάντως τὸ ἕτερον, ἢ Καίσαρα τύραννον
προαποφαίνειν ἢ τούτους ἐξ ἐλέου περισῴζειν,
τούτου μόνου δεξάμενοι τὸ λεχθὲν οἱ ἕτεροι ᾔτουν
σφίσι ψῆφον ἀναδοθῆναι περὶ τοῦ Καίσαρος ἐπὶ
ὅρκῳ, καὶ εἰ καθαρῶς ἐθέλουσι κρῖναι, μηδέν'
αὐτοῖς ἐπιθεᾶσαι τὰ ἐξ ἀνάγκης ἐψηφισμένα
ἄρχοντι ἤδη, ὧν οὐδὲν ἑκόντας οὐδὲ πρὶν ἢ δεῖσαι
περὶ σφῶν αὐτῶν. ἀνῃρημένου τε Πομπηίου καὶ
ἐπὶ Πομπηίῳ μυρίων ἄλλων, ψηφίσασθαι.

128. Ὁ δὲ Ἀντώνιος ἐφορῶν αὐτοὺς καὶ

·deed for the sake of reward, but claiming that they
should merely be thanked as public benefactors.
Still others secretly tried to get rid of the vote of
thanks and thought that it would be sufficient to
grant them impunity.

Such were the devices to which they resorted,
trying to discover which of these courses the Senate
would be inclined to accept first, hoping that after a
little that body would be more easily led on by them
to the other measures. The honester portion
revolted at the murder as impious, but out of respect
for the distinguished families of the murderers would
not oppose the granting of impunity, yet they were
indignant at the proposal to honour them as public
benefactors. Others argued that if impunity were
granted it would not be fitting to refuse the most
ample means of safety. When one speaker said
that honouring them would be dishonouring Caesar,
it was answered that it was not permissible to prefer
the interests of the dead to those of the living.
Another vigorously put it in the form of a dilemma:
they must either decree Caesar a tyrant or protect
the murderers as an act of clemency. Caesar's
enemies seized upon this last proposition only, and
asked that an opportunity be given them of express-
ing themselves by vote concerning the character of
Caesar, under oath, stipulating that, if they volun-
tarily should give their unbiassed judgment, no one
should invoke the gods against them for having
previously voted Caesar's decrees under compulsion—
never willingly, and never until they were in fear for
their own lives, after the death of Pompey and of
numberless others besides Pompey.

128. When Antony, who had been looking on

ἐφεδρεύων, ἐπειδὴ λόγων ὕλην οὐκ ἄπορον οὐδὲ
ἀναμφίλογον εἶδεν ἐσφερομένην, ἔγνω τὸ ἐν-
θύμημα αὐτῶν οἰκείῳ φόβῳ καὶ φροντίδι περὶ
σφῶν αὐτῶν διαχέαι. εἰδὼς οὖν τῶν βουλευτῶν
αὐτῶν πολὺ πλῆθος ἔς τε τὰς ἀρχὰς τὰς ἐν ἄστει
καὶ ἐς ἱερωσύνας καὶ ἐθνῶν ἢ στρατοπέδων ἡγε-
μονίας ὑπὸ τοῦ Καίσαρος εἰς τὸ μέλλον ᾑρημένους
(ὡς γὰρ ἐπὶ χρόνιον στρατείαν ἐξιὼν ἐπὶ πεν-
ταετὲς ᾕρητο), σιωπὴν ὡς ὕπατος ἐπικηρύξας ἔφη·
" τοῖς αἰτοῦσι περὶ Καίσαρος ψῆφον ἀνάγκη τάδε
προειδέναι, ὅτι ἄρχοντος μὲν αὐτοῦ καὶ αἱρετοῦ
προστάτου γενομένου τὰ πεπραγμένα καὶ δεδογ-
μένα πάντα κύρια μενεῖ, δόξαντος δ' ἐπὶ βίᾳ
τυραννῆσαι τό τε σῶμ; ἄταφον τῆς πατρίδος
ὑπερορίζεται καὶ τὰ πεπραγμένα πάντα ἀκυροῦ-
ται. ἔστι δέ, ὡς ὅρῳ περιλαβεῖν, ἐπὶ πᾶσαν
ἀφικνούμενα γῆν καὶ θάλασσαν, καὶ τὰ πολλὰ
αὐτῶν οὐδὲ βουλομένοις ἡμῖν ὑπακούσεται· καὶ
δείξω μετ' ὀλίγον. ὃ δέ ἐστι μόνον ἐφ' ἡμῖν, ὅτι
καὶ περὶ μόνων ἐστὶν ἡμῶν, τοῦτο ὑμῖν προθήσω
πρὸ τῶν ἄλλων, ὡς ἂν ἐν τῷ εὐμαρεῖ τὴν εἰκόνα
τῶν δυσχερεστέρων προλάβοιτε. ἡμεῖς γὰρ αὐτοὶ
σχεδὸν ἅπαντες οἱ μὲν ἤρξαμεν ὑπὸ τῷ Καίσαρι,
οἱ δὲ ἔτι ἄρχομεν αἱρετοὶ πρὸς ἐκείνου γενόμενοι,
οἱ δὲ ἐς τὸ μέλλον ἄρχειν κεχειροτονήμεθα· ἐς γὰρ
πενταετές, ὡς ἴστε, καὶ τὰ ἀστικὰ ἡμῖν καὶ τὰ
ἐτήσια τὰς τῶν ἐθνῶν ἢ στρατοπέδων ἡγεμονίας
διετάξατο. εἰ δὴ ταῦτα ὑμεῖς ἑκόντες ἀποθήσεσθε
(ἐστὲ γὰρ ὑμεῖς τοῦδε μάλιστα κύριοι), τόδε πρῶ-
τον ὑμᾶς ἀξιῶ κρῖναι· καὶ τὰ λοιπὰ ἐποίσω."

129. Ὁ μὲν δὴ τοιοῦτον αὐτοῖς οὐ περ

and waiting his turn, saw that a large volume of in- CHAP.
contestable argument was being brought forward, XVIII
he resolved to make chaos of their logic by exciting
personal fear and anxiety for themselves. Knowing
that a great number of these very senators had
been designated by Caesar for city magistracies,
priestly offices, and the command of provinces and
armies (for, as he was going on a long expedition,
he had appointed them for five years), Antony Antony's
proclaimed silence as consul and said : " Those who cunning
proposal
are asking for a vote on the character of Caesar
must first know that if he was a magistrate and if
he was an elected ruler of the State all his acts and
decrees will remain in full force ; but if it is decided
that he usurped the government by violence, his
body should be cast out unburied and all his acts
annulled. These acts, to speak briefly, embrace
the whole earth and sea, and most of them will stand
whether we like them or not, as I shall presently
show. Those things which alone belong to us to
consider, because they concern us alone, I will suggest
to you first, so that you may gain a conception of the
more difficult questions from a consideration of the
easier ones. Almost all of us have held office under
Caesar ; or do so still, having been chosen thereto
by him ; or will do so soon, having been designated
in advance by him ; for, as you know, he had dis-
posed of the city offices, the yearly magistracies, and
the command of provinces and armies for five years.
If you are willing to resign these offices (for this is
entirely in your power), I will put that question to
you first and then I will take up the remaining
ones."

129. Having lighted this kind of firebrand among

CAP.
XVIII

Καίσαρος, ἀλλὰ περὶ σφῶν αὐτῶν δαλὸν ἐξάψας
ἡσύχαζεν· οἱ δ' εὐθὺς ἀνεπήδων ἀθρόοι μετὰ βοῆς,
οὐκ ἀξιοῦντες ἐπὶ χειροτονίαις ἄλλαις οὐδ' ἐπὶ τῷ
δήμῳ γενέσθαι μᾶλλον ἢ βεβαίως ἔχειν, ἃ ἔλαβον.
τοῖς δὲ καὶ ἡλικίας τι νεώτερον ἢ ἄλλη πρὸς χει-
ροτονίαν ἐναντίωσις ὑποῦσα ἀνηρέθιζε. καὶ τῶνδε
αὐτὸς ὁ ὕπατος ἐξῆρχε Δολοβέλλας· οὐ γὰρ αὐτῷ
δυνατὸν ἐφαίνετο κατ' ἔννομον χειροτονίαν ὑπα-
τεῦσαι, πέντε καὶ εἴκοσιν ἐνιαυτῶν ὄντι. ὀξεῖα
δὴ τοῦ χθὲς ὑποκριναμένου μετασχεῖν τῶν γεγονό-
των ἐγίγνετο μεταβολή, λοιδορουμένου τοῖς πολ-
λοῖς, εἰ τοὺς ἀνδροφόνους τιμᾶν ἀξιοῦντες τοὺς
ἄρχοντας σφῶν ἀτιμώσουσιν ἐς εὐπρέπειαν τῆς
ἐκείνων σωτηρίας. οἱ δὲ αὐτόν τε τὸν Δολοβέλλαν
καὶ τοὺς ἄλλους ἐπήλπιζον χάριν ἐκ τοῦ δήμου
λαβόντες ἐς τὰς αὐτὰς ἀρχὰς ἀποφανεῖν αὐτίκα
καὶ οὐκ ἀρχόντων ἀλλαγήν, ἀλλὰ μόνης ἔσεσθαι
χειροτονίας ἐπὶ τὸ νομιμώτερον ἐκ τοῦ μοναρχικοῦ·
ὃ καὶ κόσμον αὐτοῖς οἴσειν ἔν τε μοναρχίᾳ καὶ
δημοκρατίᾳ τὰ ὅμοια προτιμωμένοις. καὶ τούτων
ἔτι λεγομένων ἔνιοι τῶν στρατηγῶν τὰς ἐσθῆτας
ἐπὶ ἐνέδρᾳ τῶν ἀντιλεγόντων ἀπετίθεντο, ὡς καὶ
αὐτοὶ μετὰ τῶν ἄλλων αὐτὰς ἀντιληψόμενοι νομι-
μώτερον. τοῖς δὲ ἥ τε ἐνέδρα κατεφαίνετο, καὶ
οὐδὲ κυρίους ἔτι τῆσδε τῆς χειροτονίας ἐσομένους
ᾔδεσαν.

130. Ὧδε δὲ ἔτι ἐχόντων, ὁ Ἀντώνιος καὶ ὁ
Λέπιδος ἐκ τοῦ βουλευτηρίου προῆλθον· καὶ γάρ
τινες αὐτοὺς ἐκ πολλοῦ συνδραμόντες ἐκάλουν.

them, not in reference to Caesar, but to them- CHAP.
XVIII
selves, Antony relapsed into silence. They rose
immediately *en masse,* and with loud clamour pro- It is
rejected
tested against new elections or submitting their
claims to the people. They preferred to keep a firm
hold on what they possessed. Some were opposed
to new elections because they were not of lawful
age, or from some other unavowed reason, and among
these was the consul Dolabella himself, who could
not legally stand for an election to that office as he
was only twenty-five years old. Although he had
pretended yesterday that he had a share in the con-
spiracy, a sudden change came over him, and now
he reviled the majority for seeking to confer honour
on murderers and dishonouring their own magis-
trates under the pretext of securing the safety of
the former. Some encouraged Dolabella himself
and the other magistrates to believe that they would
obtain for them the same positions from the people's
gratitude without any change of officers, but simply
by the more legal method of election in place of
monarchical appointment, and that it would be an
additional honour to them to hold the same places
under the monarchy and the republic. While these
speakers were still talking some of the praetors, in
order to ensnare the opposing faction, laid aside
their robes of office as if they were about to exchange
them for a more legal title to their places, in common
with the others; but the others did not fall into the
trap. They knew that these men could not control
the future election.

130. While affairs were proceeding thus, Antony
and Lepidus went out of the Senate, having been
called for by a crowd that had been assembling for

ὡς δὲ ὤφθησαν ἐκ μετεώρου καὶ σιγὴ κεκραγότων
μόλις ἐγίγνετο, εἷς μέν τις ἐβόησεν, εἴτε κατὰ
γνώμην ἰδίαν εἴτε παρεσκευασμένος· "φυλάσσεσθε
παθεῖν ὅμοια." καὶ ὁ Ἀντώνιος αὐτῷ παραλύσας
τι τοῦ χιτωνίσκου θώρακα ἐντὸς ἐπεδείκνυεν,
ὑπερεθίζων ἄρα τοὺς ὁρῶντας ὡς οὐκ ἐνὸν σῴζεσθαι
χωρὶς ὅπλων οὐδὲ ὑπάτοις. ἐπιβοώντων δ' ἑτέρων
τὸ πεπραγμένον ἐπεξιέναι καὶ τῶν πλεόνων περὶ
τῆς εἰρήνης παρακαλούντων, τοῖς μὲν περὶ τῆς
εἰρήνης ἔφη· "περὶ τούτου σκοποῦμεν, ὡς ἔσται
τε καὶ γενομένη διαμενεῖ· δυσεύρετον γὰρ ἤδη τὸ
ἀσφαλὲς αὐτῆς, ὅτι μηδὲ Καίσαρα ὤνησαν ὅρκοι
τοσοίδε καὶ ἀραί." ἐς δὲ τοὺς ἐπεξιέναι παρα-
καλοῦντας ἐπιστραφεὶς ἐπῄνει μὲν ὡς εὐορκότερα
καὶ εὐσεβέστερα αἱρουμένους καί "αὐτὸς ἄν," ἔφη,
"συνετασσόμην ὑμῖν καὶ τὰ αὐτὰ πρῶτος ἐβόων,
εἰ μὴ ὕπατος ἦν, ᾧ τοῦ λεγομένου συμφέρειν
μᾶλλον ἢ τοῦ δικαίου μέλει· ὧδε γὰρ ἡμῖν οἱ
ἔνδον παραινοῦσιν. οὕτω δέ που καὶ Καῖσαρ
αὐτός, οὓς εἷλε πολέμῳ τῶν πολιτῶν, διὰ τὸ συμ-
φέρον τῆς πόλεως περισώσας ὑπ' αὐτῶν ἀπέθανε."

131. Τοιαῦτα τοῦ Ἀντωνίου παρὰ μέρος τεχνά-
ζοντος οἱ ἀμύνειν τοῖς γεγονόσιν ἀξιοῦντες Λέπιδον
ἠξίουν ἀμύνειν. Λεπίδου δέ τι μέλλοντος λέγειν,
οἱ πόρρω συνεστῶτες κατελθεῖν αὐτὸν εἰς τὴν
ἀγορὰν ἠξίουν, ἵνα ὁμαλῶς ἅπαντες ἐπακούσειαν.
καὶ ὁ μὲν εὐθὺς ᾔει, νομίζων ἤδη τὸ πλῆθος τρέ-
πεσθαι, καὶ ἐπὶ τὰ ἔμβολα παρελθὼν ἔστενε καὶ
ἔκλαιεν ἐν περιόπτῳ μέχρι πολλοῦ, ἀνενεγκὼν δέ

some time. When they were perceived in an elevated place, and the shouters had been with difficulty silenced, one of the mob, either of his own volition or because he was prompted, called out, "Have a care lest you suffer a like fate." Antony loosened his tunic and showed him a coat-of-mail inside, thus exciting the beholders, as though it were impossible even for consuls to be safe without arms. Some cried out that the deed must be avenged, but a greater number demanded peace. To those who called for peace Antony said, "That is what we are striving for, that it may come and be permanent, but it is hard to get security for it when so many oaths and solemnities were of no avail in the case of Caesar." Then, turning to those who demanded vengeance, he praised them as more observant of the obligations of oaths and religion, and added, "I myself would join you and would be the first to call for vengeance if I were not the consul, who must care for what is said to be for the common good rather than for what is just. So these people who are inside tell us. So Caesar himself perhaps thought when, for the good of the country, he spared those citizens whom he captured in war, and was slain by them."

131. When Antony had in this way worked upon both parties by turns, those who wanted to have vengeance on the murderers asked Lepidus to execute it. As Lepidus was about to speak those who were standing at a distance asked him to come down to the forum where all could hear him equally well. So he went directly there, thinking that the crowd was now changing its mind, and when he had taken his place on the rostra he groaned and wept in plain sight for some time. Then recovering himself, he

CAP.
XVIII

ποτε εἶπεν· "ἐνταῦθα χθὲς μετὰ Καίσαρος ἱστά-
μην, ἔνθα νῦν ἀναγκάζομαι ζητεῖν περὶ Καίσαρος
ἀνῃρημένου, τί βούλεσθε." ἀναβοησάντων δὲ
πολλῶν· "ἀμύνειν σε τῷ Καίσαρι," ἀντανεβόησαν
οἱ μισθωτοί. "τὴν εἰρήνην τῇ πόλει." ὁ δὲ τού-
τοις μὲν ἔφη· "βουλόμεθα. ἀλλὰ ποίαν λέγετε
εἰρήνην; ἢ ποίοις ὅρκοις ἀσφαλὴς ἔσται; τοὺς
μὲν γὰρ πατρίους πάντας ὠμόσαμεν Καίσαρι καὶ
κατεπατήσαμεν, οἱ τῶν ὀμωμοκότων ἄριστοι εἶναι
λεγόμενοι." πρὸς δὲ τοὺς ἀμύνειν ἀξιοῦντας ἐπι-
στραφεὶς "ὁ μὲν Καίσαρ ἡμῶν," ἔφη, "μεθέστηκεν,
ἱερὸς τῷ ὄντι καὶ τίμιος ἀνήρ, τὴν δὲ πόλιν τοὺς
ὑπολοίπους αἰδούμεθα βλάψαι. καὶ τάδε," ἔφη,
"σκοποῦσιν ἡμῶν οἱ πρόβουλοι, καὶ δοκεῖ τοῖς
πλέοσιν." ἀνακραγόντων δὲ αὖθις· "ἐπέξιθι μόνος,"
"βούλομαι," εἶπε, "καὶ εὔορκόν ἐστί μοι καὶ
μόνῳ. ἀλλ' οὐκ ἐμὲ καὶ ὑμᾶς βούλεσθαι δεῖ
μόνους οὐδὲ μόνους ἀντιτιθέναι."

132. Τοιαῦτα καὶ τοῦτον τεχνάζοντα οἱ μισθω-
τοὶ φιλότιμον εἰδότες ἐπῄνουν καὶ ᾑροῦντο ἐπὶ τὴν
Καίσαρος ἱερωσύνην. τοῦ δὲ ἥψατο μὲν ἡ ἡδονή,
"μέμνησθε," δὲ ἔφη, "μοι τοῦδε καὶ ὕστερον, ἂν
ἄξιος εἶναι δοκῶ." μᾶλλον οὖν ἔτι παρρησίᾳ διὰ
τὴν ἱερωσύνην ὑπὲρ τῆς εἰρήνης τῶν μισθωτῶν
ἐνισταμένων, "ἀσεβὲς μέν," ἔφη, "καὶ παράνομον,
ἐργάσομαι δὲ ὅμως, ὃ βούλεσθε." καὶ εἰπὼν ἐς τὸ
βουλευτήριον ἀνέτρεχεν, ἐν ᾧ πάντα τὸν χρόνον
τόνδε ὁ Δολοβέλλας ὑπὲρ τῆς ἀρχῆς ἐνίστατο

said, "Yesterday I stood with Caesar here, where
now I am compelled to ask what you wish me to do
about Caesar's murder." Many cried out, "Avenge
Caesar." The hirelings shouted on the other side,
"Peace for the republic." To the latter he replied,
"Agreed, but what kind of a peace do you mean?
By what sort of oaths shall it be confirmed? We all
swore the national oaths to Caesar and we have
trampled on them—we who are considered the most
distinguished of the oath-takers." Then, turning to
those who called for vengeance, he said, "Caesar,
that truly sacred and revered man, has gone from us,
but we hesitate to deprive the republic of those who
still remain. Our senators," he added, "are con-
sidering these matters, and this is the opinion of the
majority." They shouted again, "Avenge him your-
self." "I should like to," he replied, "and my oath
permits me to do it even alone, but it is not fitting
that you and I alone should wish it, or alone refuse
it."

132. While Lepidus was employing such devices
the hirelings, who knew that he was ambitious,
praised him and offered him Caesar's place as
pontifex maximus. He was delighted. "Mention
this to me later," he said, "if you consider me
worthy of it," whereupon the hirelings, encouraged
by their offer of the priesthood, insisted still more
strongly on peace. "Although it is contrary to
religion and law," he said, "I will do what you
wish." So saying he returned to the Senate, where
Dolabella had consumed all the intervening time in
unseemly talk about his own office. Antony, who

APPIAN'S ROMAN HISTORY

ἀσχημόνως. καὶ ὁ Ἀντώνιος, ἀναμένων ἅμα τὰ
ἐν τῷ δήμῳ γιγνόμενα, σὺν γέλωτι αὐτὸν ἐφεώρα·
καὶ γὰρ ἤστην διαφόρω. ὡς δὲ ἅλις ἔσχε τῆς
ὄψεως καὶ οὐδ' ἐν τῷ δήμῳ τι γεγένητο θερμότερον,
τοὺς μὲν οὖν ἄνδρας ἔγνω περισῴζειν ὑπὸ ἀνάγκης,
ἐπικρύπτων τὴν ἀνάγκην καὶ ὡς ἐν βαρυτάτῃ
χάριτι περισῴζων, τὰ δὲ τῷ Καίσαρι πεπραγμένα
κυροῦν συμβόλῳ καὶ τὰ βεβουλευμένα συντελεῖν.

133. Σιωπήν τε κατακηρύξας αὖθις ἔλεγεν·
"ἐγὼ περὶ μὲν τῶν ἁμαρτόντων πολιτῶν, ὦ
ἄνδρες ὁμότιμοι, σκεπτομένοις ὑμῖν οὐδὲν ἐπεφθεγ-
γόμην· περὶ δὲ Καίσαρος ἀντ' ἐκείνων ψῆφον
αἰτοῦσιν ἓν ἐκ τῶν Καίσαρος ἔργων προὔθηκα
μέχρι νῦν, καὶ τοσούτους ἡμῖν τὸ ἓν ἀγῶνας
ἤγειρεν, οὐκ ἀλόγως· εἰ γὰρ ἀποθησόμεθα τὰς
ἀρχάς, ὁμολογήσομεν ἄνδρες τοσοίδε καὶ τοιοίδε
ἀναξίως αὐτῶν τετυχηκέναι. ὅσα δ' οὖν μηδὲ
ἐπακούσεται ῥᾳδίως, ἐπισκέψασθε νῦν αὐτὰ καὶ
συναριθμεῖτε κατά τε πόλεις καὶ κατὰ ἔθνη καὶ
βασιλέας καὶ δυνάστας. πάντα γὰρ δὴ σχεδὸν
εἰπεῖν, ὅσα ἐξ ἠοῦς ἐπὶ δύσιν ὁ Καῖσαρ ἡμῖν ἐχει-
ρώσατο δυνάμει καὶ κράτει, συνεστήσατο, νόμοις
καὶ χάρισι καὶ φιλανθρωπίαις βεβαιωσάμενος·
ὧν τινας ὑποστήσεσθαι δοκεῖτε ἀφαιρουμένους, ἃ
ἔλαβον, εἰ μὴ πάντα ἐμπλῆσαι πολέμων ἐθέλετε,
οἳ τῇ πατρίδι ὡς ἀσθενεστάτῃ μάλιστα οὔσῃ τοὺς
ἐναγεῖς περισῴζειν ἀξιοῦτε;

"Καὶ τὰ μὲν πορρωτέρω τοῖς τε δεινοῖς ἔτι καὶ
τοῖς φόβοις ἀφεστηκότα ἐάσω· ἃ δὲ οὐκ ἀγχοῦ
μόνον ἐστὶν ἡμῖν, ἀλλὰ σύνοικα ἀνὰ τὴν Ἰταλίαν
αὐτήν, τοὺς τὰ νικητήρια λαβόντας καὶ κατὰ

was waiting to see what the people would do, looked CHAP.
at Dolabella with derision, for the two were at XVIII
variance with each other. After enjoying the
spectacle sufficiently and perceiving that the people
had not done anything rashly, he decided, under
compulsion, to extend protection to the murderers
(concealing the necessity, however, and pretending
to act in this way as a matter of the greatest favour),
and at the same time to have Caesar's acts ratified and
his plans carried into effect by common agreement.

133. Accordingly he commanded silence again and Antony
spoke as follows: "While you, my compeers, have been addresses
considering the case of the offending citizens, I have the Senate
not joined in the debate. When you called for a vote
on Caesar instead of on them, I had brought forward,
until this moment, only one of Caesar's acts. This
one threw you into these many present controversies,
and not without reason, for if we resign our offices
we shall confess that we (so many and of such high
rank as we are) came by them undeservedly. Con-
sider the matters that cannot be easily controlled by
us. Reckon them up by cities and provinces, by
kings and princes. Almost all of these, from the
rising to the setting sun, Caesar either subdued for
us by force and arms, or organised by his laws, or
confirmed in their allegiance by his favours and
kindness. Which of these powers do you think will
consent to be deprived of what they have received,
unless you mean to fill the world with new wars—
you who propose to spare these wretches for the sake
of your exhausted country?

"But, omitting the more distant dangers and appre-
hensions, we have others not only near at hand, but
even of our own household throughout Italy itself—
men who, after receiving the rewards of victory, are

473

πλῆθος ἅμα τοῖς ὅπλοις, ὡς ἐστρατεύοντο, ὑπὸ
τῇ αὐτῇ συντάξει συνῳκισμένους ὑπὸ Καίσαρος,
ὧν ἔτι πολλαὶ μυριάδες εἰσὶν ἐν τῇ πόλει, τί
νομίζετε πράξειν ἀφαιρουμένους, ὧν εἰλήφασιν ἢ
προσδοκῶσι λήψεσθαι πόλεών τε καὶ χωρίων;
καὶ τοῦδε μὲν ὑμῖν καὶ ἡ παρελθοῦσα νὺξ τὴν
εἰκόνα ἔδειξε.

134. "Δεομένοις γὰρ ὑμῖν ὑπὲρ τῶν ἁμαρτόντων
ἀντιπαρέθεον ἐκεῖνοι μετὰ ἀπειλῆς· τὸ δὲ σῶμα
τοῦ Καίσαρος συρόμενον καὶ αἰκιζόμενον καὶ
ἄταφον ῥιπτούμενον (καὶ γὰρ ταῦτα ἐκ τῶν νόμων
τοῖς τυράννοις ἐπιτέτακται) περιόψεσθαι νομίζετε
τοὺς ἐστρατευμένους αὐτῷ; καὶ τὰ Κελτῶν καὶ
Βρεττανῶν νομιεῖν, ἃ εἰλήφασιν, ἕξειν βέβαια
τοῦ δόντος ὑβριζομένου; τί δὲ τὸν δῆμον αὐτὸν
ἐργάσεσθαι; τί δὲ τοὺς Ἰταλιώτας; πόσον δὲ
ὑμῖν ἔσεσθαι φθόνον παρά τε ἀνδρῶν καὶ θεῶν,
ἐνυβρίζουσιν ἐς τὸν ὑμῖν τὴν ἡγεμονίαν μέχρις
ὠκεανοῦ, ἐπὶ τὴν ἄγνωστον προαγαγόντα; καὶ
οὐκ ἐν αἰτίᾳ καὶ καταγνώσει μᾶλλον ἔσεσθαι τὴν
τοσήνδε ἡμῶν ἀνωμαλίαν, εἰ τοὺς μὲν ὕπατον ἐν
βουλευτηρίῳ καὶ ἱερὸν ἄνδρα ἐν ἱερῷ χωρίῳ,
βουλῆς ἀγηγερμένης, ὑπὸ ὄψει θεῶν κατακα-
νόντας τιμᾶν ἀξιώσομεν, ἀτιμοῦν δὲ τὸν καὶ τοῖς
πολεμίοις δι' ἀρετὴν τίμιον; τούτων μὲν οὖν ὡς
οὔτε ὁσίων οὔτε ἐφ' ἡμῖν ὄντων προλέγω πάμπαν
ἀπέχεσθαι· γνώμην δὲ ἐσφέρω τὰ μὲν πεπραγμένα
καὶ βεβουλευμένα τῷ Καίσαρι πάντα κυροῦν,
τοὺς δὲ ἁμαρτόντας ἐπαινεῖν μὲν οὐδενὶ τρόπῳ
(οὐ γὰρ ὅσιον οὐδὲ δίκαιον, οὐδὲ σύμφωνον ἔτι τῷ
κυροῦν τὰ Καίσαρι πεπραγμένα), περισῴζειν δὲ ἐξ
ἐλέου μόνον, εἰ ἐθέλοιτε, διὰ τοὺς οἰκείους αὐτῶν

here in great numbers with arms in their hands just CHAP.
XVIII
as when on service, men assigned to colonies in
their old organisation by Caesar (many thousands of
whom are still in the city), and what think you they
will do if they are deprived of what they have
received, or expect to receive, in town and country?
The past night showed you a sample.

134. " They were coursing the streets with threats
against you who were supplicating in behalf of the
murderers ; and do you think that Caesar's fellow-
soldiers will overlook his body being dragged through
the streets, dishonoured, and cast out unburied ? For
our laws prescribe such treatment for tyrants. Will
they consider the rewards they have received for
their victories in Gaul and Britain secure, when he
who gave them is treated with contumely ? What
will the Roman people themselves do ? What the
Italians ? What ill-will of gods and men will attend
you if you put ignominy upon one who advanced your
dominion to shores of the ocean hitherto unknown ?
Will not such inconsistency on our part be rather
held in reprobation and condemnation if we vote
to confer honour on those who have slain a consul in
the senate-house, an inviolable man in an inviolable
place, in full senate, under the eyes of the gods, and
if we dishonour one whom even our enemies honour
for his bravery ? I warn you to abstain from these
proceedings as sacrilegious and beyond our power. I
move that all the acts and intentions of Caesar be
ratified and that the authors of the crime be by no
means applauded (for that would be neither pious,
nor just, nor consistent with the ratification of
Caesar's acts), but be spared, if you please, as an act
of clemency only, for the sake of their families and

καὶ φίλους, εἰ δὴ καὶ τόδε αὐτὸ οἶδε λαμβάνειν
ὑπὲρ ἐκείνων ὁμολογοῖεν ἐν χάριτος μέρει."

135. Τοιαῦτα εἰπόντος τοῦ Ἀντωνίου σὺν ἀνα-
τάσει τε καὶ ὁρμῇ βαρυτέρᾳ, γίγνεται δόγμα, ἡσυ-
χαζόντων ἤδη καὶ ἀγαπώντων ἁπάντων, φόνου μὲν
οὐκ εἶναι δίκας ἐπὶ τῷ Καίσαρι, κύρια δὲ εἶναι τὰ
πεπραγμένα αὐτῷ πάντα καὶ ἐγνωσμένα, "ἐπεὶ
τῇ πόλει συμφέρει." ἐβιάσαντο γὰρ τόδε ἐς
ἀσφάλειαν οἱ τῶν περισῳζομένων οἰκεῖοι προ-
στεθῆναι μάλιστα, ὡς οὐ δικαίως φυλασσόμενα
μᾶλλον ἢ διὰ χρείαν. καὶ ὁ Ἀντώνιος αὐτοῖς
ἐς τοῦτο ἐνέδωκεν. ἐψηφισμένων δὲ τούτων,
ὅσοι τῶν κληρούχων ἡγεμόνες ἦσαν, ἠξίουν ἴδιον
περὶ σφῶν ἐπὶ τῷ κοινῷ δόγμα ἕτερον γενέσθαι,
βεβαιοῦν αὐτῶν τὰς κληρουχίας. καὶ οὐκ
ἐκώλυεν ὁ Ἀντώνιος, ἐπιδεικνὺς τῇ βουλῇ τὸν
φόβον. γίγνεται μὲν δὴ καὶ τοῦτο καὶ ἕτερον
αὖ περὶ τῶν ἐξιόντων ἐπὶ τὰς ἀποικίας ὅμοιον·
Λεύκιον δὲ Πείσωνα, ὅτῳ τὰς διαθήκας ὁ Καῖσαρ
παρετίθετο, τοῦτον ἤδη τὸν τρόπον τῆς βουλῆς
διαλελυμένης τινὲς περιστάντες παρεκάλουν μήτε
τὰς διαθήκας προφέρειν μήτε θάπτειν τὸ σῶμα
φανερῶς, μή τι νεώτερον ἕτερον ἐκ τούτων γένοιτο.
καὶ οὐ πειθόμενον ἠπείλουν ἐσαγγέλλειν, ὅτι τὸν
δῆμον οὐσίαν τηλικαύτην ἀφαιροῖτο γιγνομένην
κοινήν, αὖθις ἄρα ἐνσημαινόμενοι τὴν τυραννίδα.

friends, if the latter will accept it in this sense in CHAP.
behalf of the murderers and acknowledge it in the XVIII
light of a favour."

135. When Antony had said these things with Decrees of
intense feeling and impetuosity, all the others re- the Senate
maining silent and agreeing, a decree was passed:
that there should be no prosecution for the murder
of Caesar, but all his acts and decrees should be
confirmed, " because this policy is advantageous to
the commonwealth." The friends of the murderers
insisted that those last words should be added for
their security, implying that Caesar's acts were con-
firmed as a measure of utility and not of justice; and
in this matter Antony yielded to them. When this
decree had been voted the leaders of the colonists
who were present asked for another act special to
themselves, in addition to the general one, in order
to secure them in possession of their colonies. Antony
did not oppose this, but rather intimidated the
Senate into passing it. So this was adopted, and
another like it concerning the colonists who had
been already sent out. The Senate was thereupon
dismissed, and a number of senators collected around
Lucius Piso, whom Caesar had made the custodian of
his will, and urged him not to make the will public,
and not to give the body a public funeral, lest some
new disturbance should arise therefrom. As he
would not yield they threatened him with a public
prosecution for defrauding the people of such an
amount of wealth which ought to go into the public
treasury; thus giving new signs that they were
suspicious of a tyranny.

XIX

136. Ἐκβοήσας οὖν ὁ Πείσων ὅτι μέγιστον καὶ
τοὺς ὑπάτους ἔτι παροῦσάν οἱ τὴν βουλὴν ἀξιώσας
συναγαγεῖν, εἶπεν· "οἱ τύραννον λέγοντες ἕνα
ἀνῃρηκέναι τοσοίδε ἡμῶν ἀνθ' ἑνὸς ἤδη τυραν-
νοῦσιν· οἳ θάπτειν με κωλύουσι τὸν ἀρχιερέα καὶ
τὰς διαθήκας ἀπειλοῦσι προφέροντι καὶ τὴν
οὐσίαν δημεύουσιν αὖθις ὡς τυράννου. καὶ τὰ
μὲν ἐπὶ τούτοις αὐτῷ πεπραγμένα κεκύρωται·
ἃ δὲ ἐφ' ἑαυτῷ κατέλιπεν, ἀκυροῦσιν, οὐ Βροῦτος
ἔτι οὐδὲ Κάσσιος, ἀλλ' οἱ κἀκείνους ἐς τόνδε τὸν
ὄλεθρον ἐκριπίσαντες. τῆς μὲν οὖν ταφῆς ὑμεῖς
ἐστε κύριοι, τῶν δὲ διαθηκῶν ἐγώ· καὶ οὔποτε ἃ
ἐπιστεύθην προδώσω, πρὶν κἀμέ τις ἐπανέλῃ."
θορύβου δὲ καὶ ἀγανακτήσεως γενομένης παρὰ
πάντων, καὶ μάλιστα τῶν τι καὶ ἐλπιζόντων ἐκ
τῶν διαθηκῶν αὐτοῖς ἔσεσθαι, τάς τε διαθήκας ἐς
τὸ μέσον ἔδοξε προφέρειν καὶ θάπτειν τὸν ἄνδρα
δημοσίᾳ. καὶ ἐπὶ τοῖσδε ἡ βουλὴ διελύθη.

137. Βροῦτος δὲ καὶ Κάσσιος αἰσθόμενοι τῶν
γεγονότων ἐς τὸ πλῆθος περιέπεμπον καὶ παρε-
κάλουν πρὸς αὑτοὺς ἀνελθεῖν ἐς τὸ Καπιτώλιον.
συνδραμόντων δὲ ὀξέως πολλῶν ὁ Βροῦτος ἔλεγεν·
"ἐνταῦθα ὑμῖν ἐντυγχάνομεν, ὦ πολῖται, οἱ χθὲς
κατ' ἀγορὰν ἐντυχόντες, οὔτε ὡς ἐς ἱερὸν καταφυ-
γόντες (οὐ γὰρ ἡμάρτομεν) οὔτε ὡς ἐπὶ κρημνόν,
οἳ τὰ καθ' ἑαυτοὺς ἐπιτρέπομεν ὑμῖν. ἀλλὰ τὸ

XIX

136. THEN Piso called out with a loud voice and demanded that the consuls should reconvene the senators, who were still present, which was done, and then he said : " These men who talk of having killed a tyrant are already so many tyrants over us in place of one. They forbid me to bury the Pontifex Maximus and they threaten me when I produce his will. Moreover, they intend to confiscate his property as that of a tyrant. They have ratified Caesar's acts as regards themselves, but they annul those which relate to himself. It is no longer Brutus or Cassius who do this, but those who instigated them to the murder. Of his burial you are the masters. Of his will I am, and never will I betray what has been entrusted to me unless somebody kills me also." This speech excited clamour and indignation on all sides, and especially among those who hoped that they should obtain something from the will. It was finally decreed that the will should be read in public and that Caesar should have a public funeral. Thereupon the Senate adjourned.

137. When Brutus and Cassius learned what had been done they sent messengers to the plebeians, whom they invited to come up to them at the Capitol. Presently a large number came together and Brutus addressed them as follows: " Here, citizens, we meet you, we who yesterday met together with you in the forum. We have come hither, not as taking refuge in a sanctuary (for we have done nothing wrong), nor in a citadel (for as regards our own affairs we entrust ourselves to

CHAP.
XIX
Piso calls
for the
reading of
Caesar's
will

Brutus
addresses
the people

CAP.
XIX

Κίννα πάθος, ὀξύτερόν τε καὶ ἀλογώτερον αὐτῷ
γενόμενον, οὕτως ἠνάγκασεν. ἠσθόμην δὲ τῶν
ἐχθρῶν διαβαλλόντων ἡμᾶς ἐς ἐπιορκίαν καὶ ἐς
αἰτίαν ἀπορίας εἰρήνης ἀσφαλοῦς. ἃ δὴ περὶ
τούτων ἔχομεν εἰπεῖν, ἐν ὑμῖν ἐροῦμεν, ὦ πολῖται,
μεθ᾽ ὧν καὶ τἆλλα δημοκρατουμένων πράξομεν.
ἐπειδὴ Γάιος Καῖσαρ ἐκ Γαλατίας ἐπὶ τὴν
πατρίδα ἤλασε σὺν ὅπλοις πολεμίοις καὶ
Πομπήιος μὲν ὁ δημοκρατικώτατος ὑμῶν ἔπαθεν,
οἷα ἔπαθεν, ἐπὶ δ᾽ αὐτῷ πλῆθος ἄλλο πολιτῶν
ἀγαθῶν ἔς τε Λιβύην καὶ Ἰβηρίαν ἐλαυνόμενοι
διωλώλεσαν, εἰκότως αὐτῷ δεδιότι καὶ βέβαιον
ἔχοντι τὴν τυραννίδα ἀμνηστίαν αἰτοῦντι ἔδομεν
καὶ ὠμόσαμεν ὑπὲρ αὐτῆς. εἰ δὲ ἡμῖν ὀμνύναι
προσέταττεν οὐ τὰ παρελθόντα μόνον οἴσειν
ἐγκρατῶς, ἀλλὰ δουλεύσειν ἐς τὸ μέλλον ἑκόντας,
τί ἂν ἔπραξαν οἱ νῦν ἐπιβουλεύοντες ἡμῖν; ἐγὼ
μὲν γὰρ ὄντας γε Ῥωμαίους οἶμαι πολλάκις
ἀποθανεῖν ἂν ἑλέσθαι μᾶλλον ἢ δουλεύειν ἑκόντας
ἐπὶ ὅρκῳ.

138. "Εἰ μὲν δὴ μηδὲν ἔτι εἰς δουλείαν εἰργάζετο
ὁ Καῖσαρ, ἐπιωρκήσαμεν· εἰ δὲ οὔτε τὰς ἀρχὰς
τὰς ἐν ἄστει οὔτε τὰς τῶν ἐθνῶν ἡγεμονίας οὔτε
στρατείας ἢ ἱερωσύνας ἢ κληρουχίας ἢ τιμὰς
ἄλλας ὑμῖν ἀπέδωκεν οὐδὲ προεβούλευεν ἡ βουλὴ
περὶ οὐδενὸς οὐδ᾽ ὁ δῆμος ἐπεκύρου, ἀλλὰ πάνθ᾽ ὁ
Καῖσαρ ἦν ἅπασιν ἐξ ἐπιτάγματος καὶ οὐδὲ κόρος
αὐτῷ τοῦ κακοῦ τις ἐγίγνετο, οἷος ἐγένετο Σύλλα,
ἀλλ᾽ ὁ μὲν τοὺς ἐχθροὺς καθελὼν ἀπέδωκεν ὑμῖν
τὴν πολιτείαν, ὁ δ᾽ ἐπὶ ἄλλην στρατείαν χρόνιον

you), but the sudden and unexpected attack made
upon Cinna compelled us to do so. I know that our
enemies accuse us of perjury and say that we render
a lasting peace difficult. What we have to reply to
these accusations we will say in your presence,
citizens, with whom in this as in all other respects
enjoying democratic government, we shall act.
After Gaius Caesar advanced from Gaul with hostile
arms against his country, and Pompey, the strongest
supporters of democracy among you, suffered as
he did, and after him a great number of other
good citizens, who had been driven into Africa and
Spain, had perished, Caesar was naturally apprehen-
sive, although his power was firmly entrenched, and
we granted him amnesty at his request and confirmed
it by oath. If he had required us to swear not only
to condone the past, but to be willing slaves for the
future, what would our present enemies have done?
For my part I think that, being Romans, they would
have chosen to die many times rather than take an
oath of voluntary servitude.

138. "If Caesar was doing no more against your
liberty then are we perjured. But if he restored to
you neither the magistracies of the city nor those of
the provinces, neither the command of armies, the
priestly offices, the leadership of colonies, nor any
other posts of honour; if he neither consulted the
Senate about anything nor asked the authority of the
people, but if Caesar's command was all in all; if he
was not even ever satiated with our misfortunes as
Sulla was (for Sulla, when he had destroyed his
enemies, restored to you the government of the
commonwealth, but Caesar, as he was going away for
another long military expedition, anticipated by his

CAP.
XIX

ἀπιὼν ἐς πενταετὲς ὑμῶν τὰ ἀρχαιρέσια προελάμβανε, ποία ταῦτα ἦν ἐλευθερία, ἧς οὐδ' ἐλπὶς ὑπεφαίνετο ἔτι; τί δὲ οἱ τοῦ δήμου προστάται Καισήτιος καὶ Μάρυλλος; οὐχ ἱερὰν καὶ ἄσυλον ἄρχοντες ἀρχὴν ἐξηλαύνοντο σὺν ὕβρει; καὶ ὁ μὲν νόμος ὁ τῶν προγόνων καὶ ὁ ὅρκος οὐδ' ἐπάγεσθαι δίκην ἔτι οὖσι δημάρχοις ἐπιτρέπουσιν· ὁ δὲ Καῖσαρ αὐτοὺς ἐξήλασεν, οὐδὲ δίκην ἐπαγαγών.

" Πότεροι οὖν ἐς τοὺς ἀσύλους ἡμάρτανον; ἢ Καῖσαρ μὲν ἱερὸς καὶ ἄσυλος, ὅτῳ ταῦτα οὐχ ἑκόντες, ἀλλ' ὑπ' ἀνάγκης οὐδὲ πρὶν ἐπελθεῖν αὐτὸν ἐς τὴν πατρίδα σὺν ὅπλοις καὶ τοσούσδε καὶ τοιούσδε ἀγαθοὺς πολίτας κατακανεῖν, ἐθέμεθα· τὴν δὲ τῶν δημάρχων ἀρχὴν οὐχ ἱερὰν καὶ ἄσυλον οἱ πατέρες ἡμῶν ἐν δημοκρατίᾳ χωρὶς ἀνάγκης ὤμοσάν τε καὶ ἐπηράσαντο ἐς ἀεὶ ἔσεσθαι; ποῦ δὲ οἱ φόροι τῆς ἡγεμονίας καὶ λογισμοὶ συνεφέροντο; τίς δ' ἡμῶν ἀκόντων ἤνοιγε τὰ ταμεῖα; τίς τῶν ἀψαύστων καὶ ἐπαράτων ἐκίνει χρημάτων καὶ ἑτέρῳ δημάρχῳ κωλύοντι θάνατον ἠπείλει;

" 139. Ἀλλὰ τίς, φασίν, ἔτι ὅρκος ἐς ἀσφάλειαν εἰρήνης ἂν γένοιτο; εἰ μὲν οὐ τυραννήσει τις, οὐδὲ ὅρκων δεῖ· οὐδὲ γὰρ τοῖς πατράσιν ἡμῶν ἐδέησεν οὐδέποτε· εἰ δ' ἐπιθυμήσει τις ἄλλος τυραννίδος, οὐδὲν πιστόν ἐστι Ῥωμαίοις πρὸς τύραννον οὐδ' εὔορκον. καὶ τάδε προλέγομεν ἔτι ὄντες ὑπὸ τῷ κινδύνῳ καὶ προεροῦμεν ὑπὲρ τῆς πατρίδος αἰεί· καὶ γὰρ ὄντες ἐν ἀσφαλεῖ τιμῇ παρὰ Καίσαρι τὴν

appointments your elections for five years), what sort of freedom was this in which not a ray of hope could be any longer discerned? What shall I say of the defenders of the people, Caesetius and Marullus? Were not the holders of a sacred and inviolable office ignominiously banished? Although the law and the oath prescribed by our ancestors forbid calling the tribunes to account during their term of office, Caesar banished them even without a trial.

"Have *we* then, or has *he*, done violence to inviolable persons? Or shall Caesar indeed be sacred and inviolable, upon whom we conferred that distinction not of our own free will, but by compulsion, and not until he had invaded his country with arms and killed a great number of our noblest and best citizens, whereas our fathers in a democracy and without compulsion took an oath that the office of tribune should be sacred and inviolable, and declare with maledictions that it should remain so for ever? What has become of the public tribute during his supremacy? What of the accounts? Who opened the public treasury without our consent? Who laid hands upon part of the consecrated money? Who threatened with death another tribune who opposed him?

139. "'But what kind of oath after this will be a guarantee of peace?' they ask. If there is no tyrant there will be no need of oaths. Our fathers never needed any. If anybody else seeks to establish tyranny, no faith, no oath, will ever bind Romans to the tyrant. This we say, while still in danger; this we will continue to say for ever for our country's sake. We, who held places of honour securely in the suite of Caesar, had a higher regard for our

πατρίδα τῆς ἡμετέρας τιμῆς προετιμήσαμεν.
διαβάλλουσι δ' ἡμᾶς καὶ ἐπὶ ταῖς κληρουχίαις,
ἐρεθίζοντες ὑμᾶς. εἰ δή τινες τῶν ᾠκισμένων ἢ
οἰκισθησομένων πάρεστε, χαρίσασθέ μοι καὶ
ἐπισημήνασθε ἑαυτούς."

140. Ἐπισημηναμένων δὲ πολλῶν "εὖ γε,"
εἶπεν, "ὦ ἄνδρες, τοῖς ἄλλοις ἐποιήσατε συνελ-
θόντες. χρὴ δὲ ὑμᾶς, τὰ εἰκότα τιμωμένους τε
καὶ περιποιουμένους ἐκ τῆς πατρίδος, τὰ ἴσα
τὴν ἐκπέμπουσαν ἀντιγεραίρειν. ὑμᾶς δὲ ὁ
δῆμος ἔδωκεν ἐπὶ Κελτοὺς καὶ Βρεττανοὺς τῷ
Καίσαρι, καὶ ἀριστεύοντας ἔδει τιμῶν καὶ
ἀριστείων τυχεῖν. ὁ δὲ ὑμᾶς τοῖς ὅρκοις προ-
λαβὼν ἐπήγαγε μὲν ἐπὶ τὴν πόλιν μάλ' ἀβου-
λοῦντας, ἐπήγαγε δὲ τοῖς ἀρίστοις τῶν πολι-
τῶν ἐς Λιβύην ὀκνοῦντας ὁμοίως. εἰ μὴν δὲ μόνα
ταῦτα ὑμῖν ἐπέπρακτο, ᾐδεῖσθε ἂν ἴσως ἐπὶ τοιού-
τοις αἰτεῖν ἀριστεῖα· ἐπεὶ δὲ οὐδεὶς φθόνος ἢ
χρόνος ἢ ἀνθρωπίνη λήθη τὰ ἐπὶ Κελτοῖς καὶ
Βρεττανοῖς ὑμῶν ἔργα σβέσει, ὑπὲρ τούτων ὑμῖν
ἐστι τὰ ἀριστεῖα· ἃ καὶ τοῖς πάλαι στρατευομέ-
νοις ὁ δῆμος ἐδίδου, οἰκείων μὲν ἀνδρῶν ἢ ἀναμαρ-
τήτων οὔ ποτε γῆν ἀφαιρούμενος οὐδ' ἑτέροις
ἐπινέμων τὰ ἀλλότρια οὐδ' ἡγούμενος δεῖν ἀμεί-
βεσθαι δι' ἀδικημάτων.

"Τῶν δὲ πολεμίων ὅτε κρατήσειαν, οὐδὲ τούτων
ἅπασαν τὴν γῆν ἀφῃροῦντο, ἀλλὰ ἐμερίζοντο καὶ
ἐς τὸ μέρος ᾤκιζον τοὺς ἐστρατευμένους, φύλακας
εἶναι τῶν πεπολεμηκότων· καὶ οὐκ ἀρκούσης
ἐνίοτε τῆς δορικτήτου γῆς καὶ τὴν δημοσίαν

country than for our offices. They slander us about
the colonies and so excite you against us. If there are any present who have been settled in colonies, or are about to be settled, you will gratify me by making yourselves known."

140. A large number did so, whereupon Brutus continued, "It is a good thing, my men, that you have done to come here with the others. You ought, since you receive due honours and bounties from your country, to give equal honour in return to her who sends you forth. The Roman people gave you to Caesar to fight against the Gauls and Britons, and your valiant deeds call for recognition and recompense. But Caesar, taking advantage of your military oath, led you against your country much against your desire. He led you against our best citizens in Africa, in like manner against your will. If this were all that you had done you would perhaps be ashamed to ask reward for such exploits, but since neither envy, nor time, nor the forgetfulness of men can extinguish the glory of your deeds in Gaul and Britain, you have the rewards due to them, such as the people gave to those who served in the army of old, yet not by taking land from unoffending fellow-citizens, nor by dividing other people's property with new-comers, nor by considering it proper to requite services by means of acts of injustice.

"When our ancestors overcame their enemies they did not take from them all their land. They shared it with them and colonized a portion of it with Roman soldiers, who were to serve as guards over the vanquished. If the conquered territory was not sufficient for the colonies, they added some of the public domain or bought other land with the public

CAP.
XIX
ἐπένεμον ἢ ἐωνοῦντο ἑτέραν. οὕτω μὲν ὑμᾶς ὁ
δῆμος συνῴκιζεν ἀλύπως ἅπασι· Σύλλας δὲ καὶ
Καῖσαρ, οἱ σὺν ὅπλοις ἐς τὴν πατρίδα ὡς πολε-
μίαν ἐμβαλόντες, ἐπὶ αὐτῇ τῇ πατρίδι φρουρῶν
καὶ δορυφόρων δεόμενοι, οὔτε διέλυσαν ὑμᾶς ἐς
τὰς πατρίδας, οὔτε γῆν ὑμῖν ἐωνοῦντο ἢ τὴν τῶν
δεδημευμένων ἀνδρῶν ἐπένεμον, οὔτε τὰς τιμὰς
τοῖς ἀφαιρουμένοις ἐς παρηγορίαν ἐδίδοσαν,
πολλὰ μὲν ἐκ τῶν ταμιείων ἔχοντες, πολλὰ δὲ
ἐκ τῶν δεδημευμένων, ἀλλὰ τὴν Ἰταλίαν οὐδὲν
ἁμαρτοῦσαν οὐδὲ ἀδικοῦσαν πολέμου νόμῳ καὶ
λῃστηρίου νόμῳ τήν τε γῆν ἀφῃροῦντο καὶ
οἰκίας καὶ τάφους καὶ ἱερά, ὧν οὐδὲ τοὺς
ἀλλοφύλους πολεμίους ἀφῃρούμεθα, ἀλλὰ δεκάτην
αὐτοῖς μόνην καρπῶν ἐπετάσσομεν.

141. Οἱ δὲ ὑμῖν τὰ τῶν ὑμετέρων ὁμοεθνῶν
διένεμον, τῶν ἐπὶ Κελτοὺς ὑμᾶς αὐτῷ Καίσαρι
στρατευσάντων καὶ προπεμψάντων καὶ εὐξαμένων
πολλὰ κατὰ τῶν ὑμετέρων νικητηρίων. καὶ
συνῴκιζον ὑμᾶς ἐς ταῦτα ἀθρόους ὑπὸ σημείοις
καὶ συντάξει στρατιωτικῇ, μήτε εἰρηνεύειν δυνα-
μένους μήτε ἀδεεῖς εἶναι τῶν ἐξελαθέντων· ὁ γὰρ
ἀλώμενος καὶ τῶν ὄντων ἀφῃρημένος ἔμελλεν ὑμῖν
περιπολῶν ἐφεδρεύειν καιροφυλακῶν. τοῦτο δ᾽
ἦν, ὅπερ οἱ τύραννοι μάλιστα ἐβούλοντο, οὐ γῆν
ὑμᾶς λαβεῖν, ἣν δὴ καὶ ἑτέρωθεν εἶχον παρασχεῖν,
ἀλλ᾽ ὅπως ἐχθροὺς ἐφεδρεύοντας ἔχοντες ἀεὶ
βέβαιοι φύλακες ἦτε τῆς ἀρχῆς τῆς ταῦτα ὑμῖν
συναδικούσης· εὔνοια γὰρ ἐς τυράννους γίγνεται

money. In this way the people established you in CHAP.
colonies without harm to anybody. But Sulla and XIX
Caesar, who invaded their country like a foreign
land, and needed guards and garrisons against their
own country, did not dismiss you to your homes, nor
buy land for you, nor divide among you the property
of citizens which they confiscated, nor did they
make compensation for the relief of those who were
despoiled, although those who despoiled them had
plenty of money from the treasury and plenty from
confiscated estates. By the law of war,—nay, by the
practice of robbery,—they took from Italians who
had committed no offence, who had done no wrong,
their land and houses, tombs and temples, which
we were not accustomed to take away even from
foreign enemies, but merely to impose on them a
tenth of their produce by way of tax.

141. "They divided among you the property of
your own people, the very men who sent you with
Caesar to the Gallic war, and who offered up their
prayers at your festival of victory. They colonized
you in that way collectively, under your standards
and in your military organization, so that you could
neither enjoy peace nor be free from fear of those
whom you displaced. The man who was driven out
and deprived of his goods was sure to be watching his
opportunity to step into your shoes. This was the
very thing that the tyrants sought to accomplish,—
not to provide you with land, which they could have
obtained for you elsewhere; but that you, because
always beset by lurking enemies, might be the firm
bulwark of a government that was committing
wrongs in common with you. A common interest
between tyrants and their satellites grows out of

δορυφόρων ἐκ τοῦ συναδικεῖν καὶ συνδεδιέναι. καὶ
τοῦτο, ὦ θεοί, συνοικισμὸν ἐκάλουν, ᾧ θρῆνος
ὁμοφύλων ἀνδρῶν ἐπῆν καὶ ἀνάστασις οὐδὲν
ἀδικούντων.

"'Ἀλλ' ἐκεῖνοι μὲν ὑμᾶς ἐξεπίτηδες ἐχθροὺς
ἐποίουν τοῖς ὁμοεθνέσιν ὑπὲρ τοῦ σφετέρου συμ-
φέροντος· ἡμεῖς δέ, οὓς οἱ νῦν τῆς πατρίδος
προστάται φασὶν ἐλέῳ περισῴζειν, τήν τε γῆν
ὑμῖν τήνδε αὐτὴν ἐσαεὶ βεβαιοῦμεν καὶ βεβαιώ-
σομεν καὶ μάρτυρα τὸν θεὸν τῶνδε ποιούμεθα.
καὶ ἔχετε καὶ ἕξετε, ἃ εἰλήφατε· καὶ οὐ μή τις
ὑμᾶς ἀφέληται ταῦτα, οὐ Βροῦτος, οὐ Κάσσιος,
οὐχ οἵδε πάντες, οἳ τῆς ὑμετέρας ἐλευθερίας
προεκινδυνεύσαμεν. ὃ δ' ἐν τῷ ἔργῳ μόνον ἐστὶν
ἐπίμεμπτον, ἰασόμεθα ἡμεῖς, διαλλακτήριον ὑμῖν
ἅμα ἐς τοὺς ὁμοεθνεῖς ἐσόμενον καὶ ἥδιστον ἤδη
πυθομένοις. οἷς τὴν τιμὴν τῆσδε τῆς γῆς τοῖς
ἀφῃρημένοις ἡμεῖς ἐκ τῶν δημοσίων χρημάτων
εὐθὺς ἐκ πρώτης ἀφορμῆς ἀποδώσομεν, ἵνα μὴ
βέβαιον ἔχητε μόνον ὑμεῖς τὴν κληρουχίαν, ἀλλὰ
καὶ ἄφθονον."

142. Τοιαῦτα τοῦ Βρούτου λέγοντος ἀκροώμενοί
τε ἔτι πάντες καὶ διαλυόμενοι κατὰ σφᾶς ἐπῄνουν
ὡς δικαιότατα, καὶ τοὺς ἄνδρας ὡς ἀκαταπλήκ-
τους δὴ καὶ μάλιστα φιλοδήμους ἐν θαύματι
ἐποιοῦντο, καὶ ἐς εὔνοιαν πρὸς αὐτοὺς μετετίθεντο
καὶ ἐς τὴν ἐπιοῦσαν αὐτοῖς συμπράξειν ἔμελλον.
ἅμα δὲ ἡμέρᾳ οἱ μὲν ὕπατοι τὸ πλῆθος ἐς ἐκκλη-
σίαν συνεκάλουν, καὶ ἀνεγινώσκετο αὐτοῖς τὰ
δόξαντα, καὶ Κικέρων πολὺ τῆς ἀμνηστίας ἐγκώ-
μιον ἐπέλεγεν· οἱ δὲ ἡδόμενοι κατεκάλουν ἐκ τοῦ

common crimes and common fears. And this, ye CHAP.
XIX gods, they called colonization, which was crowned by the lamentations of a kindred people and the expulsion of innocent men from their homes.

"They purposely made you enemies to your countrymen for their own advantage. We, the defenders of the republic, to whom our opponents say they grant safety out of pity, confirm this very same land to you and will confirm it for ever; and to this promise we call to witness the god of this temple. You have and shall keep what you have received. No man assuredly shall take it from you, neither Brutus, nor Cassius, nor any of us who have incurred danger for your freedom. The one thing which is faulty in this business we will remedy, and that remedy will at once reconcile you with your fellow-countrymen and prove most agreeable to them as soon as they hear of it. We shall at once pay them out of the public money the price of this land of which they have been deprived; so that not only shall your colony be secure, but it shall not even be exposed to hatred."

142. While Brutus was still speaking in this sort, His speech
applauded and as the assembly dissolved, his discourse was approved by all as being entirely just. He and his associates were admired as men of intrepidity, and as peculiarly the friends of the people. The latter were once more favourably inclined toward them, and promised to co-operate with them on the following day. At daybreak the consuls called the people to an assembly and communicated to them the decisions of the Senate, and Cicero pronounced a long encomium on the decree of amnesty. The people were delighted with it and invited Cassius and his friends to

CAP.
XIX
ἱεροῦ τοὺς ἀμφὶ τὸν Κάσσιον. καὶ οἵδε ἀναπέμπειν αὐτοῖς ἐν τοσῷδε ὅμηρα ἐκέλευον, καὶ ἀνεπέμποντο οἱ παῖδες Ἀντωνίου τε καὶ Λεπίδου. ὀφθέντων δὲ τῶν ἀμφὶ τὸν Βροῦτον κρότος ἦν καὶ βοή, καὶ τῶν ὑπάτων εἰπεῖν τι βουλομένων οὐκ ἀνασχόμενοι δεξιώσασθαι αὐτοὺς καὶ συναλλαγῆναι πρότερον ἐκέλευον. καὶ γίγνεται μὲν οὕτω, καὶ διεσείετο μάλιστα τοῖς ὑπάτοις ἡ γνώμη ὑπὸ δέους ἢ φθόνου, ὡς τῶν ἀνδρῶν καὶ τὰ ἄλλα αὐτοὺς ὑπεροισόντων ἐν τῇ πολιτείᾳ.

XX

CAP.
XX
143. Διαθῆκαι δὲ τοῦ Καίσαρος ὤφθησαν φερόμεναι, καὶ εὐθὺς αὐτὰς τὸ πλῆθος ἐκέλευον ἀναγινώσκειν. θετὸς μὲν δὴ τῷ Καίσαρι παῖς ἐγίγνετο ἐν αὐταῖς ὁ τῆς ἀδελφῆς θυγατριδοῦς Ὀκτάουιος, τῷ δήμῳ δὲ ἦσαν ἐνδιαίτημα οἱ κῆποι δεδομένοι καὶ κατ' ἄνδρα Ῥωμαίων τῶν ὄντων ἔτι ἐν ἄστει πέντε καὶ ἑβδομήκοντα Ἀττικαὶ δραχμαί. καὶ ὑπεσαλεύετο αὖθις ἐς ὀργὴν ὁ δῆμος, τυράννου μὲν κατηγορίας προπεπυσμένοι, διαθήκας δὲ φιλοπόλιδος ἀνδρὸς ὁρῶντες. οἴκτιστον δὲ ἐφάνη μάλιστα αὐτοῖς, ὅτι τῶν ἀνδροφόνων Δέκμος ὁ Βροῦτος ἐν τοῖς δευτέροις κληρονόμοις ἐγέγραπτο παῖς· ἔθος γάρ τι Ῥωμαίοις παραγράφειν τοῖς κληρονόμοις ἑτέρους, εἰ μὴ κληρονομῖεν οἱ πρότεροι. ἐφ' ᾧ δὴ καὶ μᾶλλον συνεταράσσοντο καὶ δεινὸν καὶ ἀθέμιστον ἡγοῦντο καὶ Δέκμον ἐπιβουλεῦσαι Καίσαρι, παῖδα

come down from the Capitol. The latter asked that CHAP.
XIX hostages be sent to them in the meantime, and, accordingly, the sons of Antony and Lepidus were sent. When Brutus and his associates made their appearance they were received with shouts and applause, and when the consuls desired to say something the people would not allow them to do so, but demanded that they should first shake hands with these men and make peace with them, and this was done. The minds of the consuls were much disturbed by fear or envy, for they thought that the conspirators might get the upper hand of them in other political matters.

XX

143. CAESAR's will was now produced and the people CHAP.
XX ordered that it be read at once. In it Octavian, the grandson of his sister, was adopted by Caesar. His Reading
of Caesar's
will gardens were given to the people as a place of recreation, and to every Roman still living in the city he gave seventy-five Attic drachmas. The people were again somewhat stirred to anger when they saw the will of this lover of his country, whom they had before heard accused of tyranny. Most of all did it seem pitiful to them that Decimus Brutus, one of the murderers, should have been named by him for adoption in the second degree; for it was customary for the Romans to name alternate heirs in case of the failure of the first. Whereupon there was still greater disturbance among the people, who considered it shocking and sacrilegious that Decimus should have conspired against Caesar when he had

αὐτῷ γεγραμμένον εἶναι. ἐπεὶ δὲ καὶ Πείσωνος τὸ
σῶμα φέροντος ἐς τὴν ἀγορὰν πλῆθός τε ἄπειρον
ἐς φρουρὰν συνέδραμον σὺν ὅπλοις, καὶ μετὰ βοῆς
καὶ πομπῆς δαψιλοῦς ἐπὶ τὰ ἔμβολα προυτέθη,
οἰμωγή τε καὶ θρῆνος ἦν αὖθις ἐπὶ πλεῖστον, καὶ
τὰ ὅπλα ἐπατάγουν οἱ ὡπλισμένοι καὶ κατὰ
μικρὸν ἐν μετανοίᾳ τῆς ἀμνηστίας ἐγίγνοντο. καὶ
ὁ Ἀντώνιος ὧδε ἔχοντας ἰδὼν οὐ μεθῆκεν, ἀλλὰ
ᾑρημένος εἰπεῖν τὸν ἐπιτάφιον οἷα ὕπατος ὑπάτου
καὶ φίλος φίλου καὶ συγγενὴς συγγενοῦς (ἦν γὰρ
δὴ Καίσαρι κατὰ μητέρα συγγενής) ἐτέχναζεν
αὖθις καὶ ἔλεγεν ὧδε.

144. "Οὐκ ἄξιον, ὦ πολῖται, τοσοῦδε ἀνδρὸς
ἐπιτάφιον ἔπαινον παρ' ἐμοῦ μᾶλλον, ἑνὸς ὄντος, ἢ
παρὰ τῆς πατρίδος ὅλης αὐτῷ γενέσθαι. ὅσα
δὴ τῆς ἀρετῆς αὐτὸν ὑμεῖς ἀγάμενοι πάντες
ὁμαλῶς, ἥ τε βουλὴ καὶ μετὰ αὐτῆς ὁ δῆμος, ἔτι
περιόντι ἐψηφίσασθε, ὑμετέραν καὶ οὐκ Ἀντωνίου
τάδε φωνὴν εἶναι τιθέμενος ἀναγνώσομαι." καὶ
ἀνεγίνωσκε τῷ μὲν προσώπῳ σοβαρῷ καὶ σκυ-
θρωπῷ, τῇ φωνῇ δ' ἐνσημαινόμενος ἕκαστα καὶ
ἐφιστάμενος, οἷς μάλιστα αὐτὸν ἐν τῷ ψηφίσματι
ἐξεθείαζον, ἱερὸν καὶ ἄσυλον ἢ πατέρα πατρίδος
ἢ εὐεργέτην ἢ προστάτην οἷον οὐχ ἕτερον ὀνομά-
ζοντες. ἐφ' ἑκάστῳ δὲ τούτων ὁ Ἀντώνιος τὴν
ὄψιν καὶ τὴν χεῖρα ἐς τὸ σῶμα τοῦ Καίσαρος
ἐπιστρέφων ἐν παραβολῇ τοῦ λόγου τὸ ἔργον
ἐπεδείκνυ. ἐπεφθέγγετο δέ πού τι καὶ βραχὺ
ἑκάστῳ, μεμιγμένον οἴκτῳ καὶ ἀγανακτήσει, ἔνθα
μὲν τὸ ψήφισμα εἴποι 'πατέρα πατρίδος,' ἐπι-
λέγων· "τοῦτο ἐπιεικείας ἐστὶ μαρτυρία," ἔνθα

been adopted as his son. When Piso brought Caesar's CHAP. body into the forum a countless multitude ran XX together with arms to guard it, and with acclamations and magnificent pageantry placed it on the rostra. Wailing and lamentation were renewed for a long time, the armed men clashed their shields, and gradually they began to repent themselves of the amnesty. Antony, seeing how things were going, did not abandon his purpose, but, having been chosen to deliver the funeral oration, as a consul for a consul, a friend for a friend, a relative for a relative (for he was related to Caesar on his mother's side), resumed his artful design, and spoke as follows :—

144. "It is not fitting, citizens, that the funeral Antony's oration of so great a man should be pronounced by funeral me alone, but rather by his whole country. The oration decrees which all of us, in equal admiration of his merit, voted to him while he was alive—the Senate and the people acting together—I will read, so that I may voice your sentiments rather than my own." Then he began to read with a severe and gloomy countenance, pronouncing each sentence distinctly and dwelling especially on those decrees which declared Caesar to be superhuman, sacred, and, inviolable, and which named him the father, or the benefactor, or the peerless protector of his country. With each decree Antony turned his face and his hand toward Caesar's corpse, illustrating his discourse by his action, and at each appellation he added some brief remark full of grief and indignation ; as, for example, where the decree spoke of Caesar as 'the father of his country' he added "this was a testimonial of his clemency"; and again, where he was made 'sacred and inviolable' and 'everybody else

δ' ἦν 'ἱερὸς καὶ ἄσυλος' καὶ 'ἀπαθὴς καὶ ὅστις
αὐτῷ καὶ ἕτερος προσφύγοι,' "οὐχ ἕτερος," ἔφη,
"τῷδε προσφεύγων, ἀλλ' αὐτὸς ὑμῖν ὁ ἄσυλος
καὶ ἱερὸς ἀνῄρηται, οὐ βιασάμενος οἷα τύραννος
λαβεῖν τάσδε τὰς τιμάς, ἃς οὐδὲ ᾔτησεν. ἀνε-
λευθερώτατοι δὲ ἄρα ἡμεῖς, οἳ τοιάδε τοῖς ἀναξίοις
οὐδὲ αἰτοῦσι δίδομεν. ἀλλ' ὑμεῖς ἡμῶν ὑπεραπο-
λογεῖσθε ὡς οὐκ ἀνελευθέρων, ὦ πιστοὶ πολῖται,
τοιαύτῃ καὶ νῦν πρὸς τεθνεῶτα χρώμενοι τιμῇ."

145. Καὶ αὖθις ἀνεγίνωσκε τοὺς ὅρκους, ἦ μὴν
φυλάξειν Καίσαρα καὶ τὸ Καίσαρος σῶμα παντὶ
σθένει πάντας ἤ, εἴ τις ἐπιβουλεύσειεν, ἐξώλεις
εἶναι τοὺς οὐκ ἀμύναντας αὐτῷ. ἐφ' ὅτῳ δὴ
μάλιστα τὴν φωνὴν ἐπιτείνας καὶ τὴν χεῖρα ἐς
τὸ Καπιτώλιον ἀνασχών, "ἐγὼ μέν," εἶπεν, "ὦ
Ζεῦ πάτριε καὶ θεοί, ἕτοιμος ἀμύνειν ὡς ὤμοσα
καὶ ἠρασάμην· ἐπεὶ δὲ τοῖς ὁμοτίμοις δοκεῖ
συνοίσειν τὰ ἐγνωσμένα, συνενεγκεῖν εὔχομαι."
θορύβου δ' ἐκ τῆς βουλῆς ἐπὶ τῷδε μάλιστα
προφανῶς ἐς αὐτὴν εἰρημένῳ γενομένου, ἐπικατα-
ψύχων αὐτὴν ὁ Ἀντώνιος καὶ παλινῳδῶν ἔφη·
"ἔοικεν, ὦ πολῖται, τὰ γεγενημένα ἀνδρῶν μὲν
οὐδενός, ἀλλά του δαιμόνων ἔργα εἶναι. καὶ
χρὴ τὸ παρὸν σκοπεῖν μᾶλλον ἢ τὸ γεγενημένον,
ὡς ἐν ἀκμῇ μεγάλων ἐστὶ κινδύνων ἡμῖν τὰ
μέλλοντα ἢ τὰ ὄντα μὴ ἐς τὰς προτέρας στάσεις
ὑπαχθῶμεν καὶ ἐκτριφθῇ πᾶν, ὅ τι λοιπόν ἐστιν
εὐγενὲς τῇ πόλει. προπέμπωμεν οὖν τὸν ἱερὸν
τόνδε ἐπὶ τοὺς εὐδαίμονας, τὸν νενομισμένον ὕμνον
αὐτῷ καὶ θρῆνον ἐπᾴδοντες."

was to be held unharmed who should find refuge with him'—"Nobody," said Antony, "who found refuge with him was harmed, but he, whom you declared sacred and inviolable, was killed, although he did not extort these honours from you as a tyrant, and did not even ask for them. Most lacking the spirit of free men are we if we give such honours to the unworthy who do not ask for them. But you, faithful citizens, vindicate us from this charge of lacking the spirit of free men by paying such honours as you now pay to the dead."

145. Antony resumed his reading and recited the oaths by which all were pledged to guard Caesar and Caesar's body with all their strength, and all were devoted to perdition who should not avenge him against any conspiracy. Here, lifting up his voice and extending his hand toward the Capitol, he exclaimed, "Jupiter, guardian of this city, and ye other gods, I stand ready to avenge him as I have sworn and vowed, but since those who are of equal rank with me have considered the decree of amnesty beneficial, I pray that it may prove so." A commotion arose among the senators in consequence of this exclamation, which seemed to have special reference to them. So Antony soothed them again and recanted, saying, "It seems to me, fellow-citizens, that this deed is not the work of human beings, but of some evil spirit. It becomes us to consider the present rather than the past, since the greatest danger approaches, if it is not already here, lest we be drawn into our former civil commotions and lose whatever remains of noble birth in the city. Let us then conduct this sacred one to the abode of the blest, chanting over him our accustomed hymn and lamentation."

146. Τοιάδε εἰπὼν τὴν ἐσθῆτα οἷά τις ἔνθους
ἀνεσύρατο, καὶ περιζωσάμενος ἐς τὸ τῶν χειρῶν
εὔκολον, τὸ λέχος ὡς ἐπὶ σκηνῆς περιέστη
κατακύπτων τε ἐς αὐτὸ καὶ ἀνίσχων, πρῶτα μὲν
ὡς θεὸν οὐράνιον ὕμνει καὶ ἐς πίστιν θεοῦ γενέ-
σεως τὰς χεῖρας ἀνέτεινεν, ἐπιλέγων ὁμοῦ σὺν
δρόμῳ φωνῆς πολέμους αὐτοῦ καὶ μάχας καὶ
νίκας καὶ ἔθνη, ὅσα προσποιήσειε τῇ πατρίδι, καὶ
λάφυρα, ὅσα πέμψειεν, ἐν θαύματι αὐτῶν ἕκαστα
ποιούμενος καὶ συνεχῶς ἐπιβοῶν· "μόνος ὅδε
ἀήττητος ἐκ πάντων τῶν ἐς χεῖρας αὐτῷ συνελ-
θόντων. σὺ δ'," ἔφη, "καὶ μόνος ἐκ τριακοσίων
ἐτῶν ὑβρισμένῃ τῇ πατρίδι ἐπήμυνας, ἄγρια ἔθνη
τὰ μόνα ἐς Ῥώμην ἐμβαλόντα καὶ μόνα ἐμπρή-
σαντα αὐτὴν ἐς γόνυ βαλών." πολλά τε ἄλλα
ἐπιθειάσας τὴν φωνὴν ἐς τὸ θρηνῶδες ἐκ τοῦ λαμ-
προτέρου μετεποίει καὶ ὡς φίλον ἄδικα παθόντα
ὠδύρετο καὶ ἔκλαιε καὶ ἠρᾶτο τὴν ἑαυτοῦ ψυχὴν
ἐθέλειν ἀντιδοῦναι τῆς Καίσαρος.

Εὐφορώτατα δὲ ἐς τὸ πάθος ἐκφερόμενος τὸ
σῶμα τοῦ Καίσαρος ἐγύμνου καὶ τὴν ἐσθῆτα ἐπὶ
κοντοῦ φερομένην ἀνέσειε, λελακισμένην ὑπὸ τῶν
πληγῶν καὶ πεφυρμένην αἵματι αὐτοκράτορος.
ἐφ' οἷς ὁ δῆμος οἷα χορὸς αὐτῷ πενθιμώτατα
συνωδύρετο καὶ ἐκ τοῦ πάθους αὖθις ὀργῆς ἐνε-
πίμπλατο. ὡς δ' ἐπὶ τοῖς λόγοις ἕτεροι θρῆνοι
μετὰ ᾠδῆς κατὰ πάτριον ἔθος ὑπὸ χορῶν ἐς αὐτὸν
ᾔδοντο καὶ τὰ ἔργα αὖθις αὐτοῦ καὶ τὸ πάθος
κατέλεγον καί που τῶν θρήνων αὐτὸς ὁ Καῖσαρ

146. Having spoken thus, he gathered up his
garments like one inspired, girded himself so that he might have the free use of his hands, took his position in front of the bier as in a play, bending down to it and rising again, and first hymned him as a celestial deity, raising his hands to heaven in order to testify to Caesar's divine birth. At the same time with rapid speech he recited his wars, his battles, his victories, the nations he had brought under his country's sway, and the spoils he had sent home, extolling each exploit as miraculous, and all the time exclaiming, "Thou alone hast come forth unvanquished from all the battles thou hast fought. Thou alone hast avenged thy country of the outrage put upon it 300 years ago, bringing to their knees those savage tribes, the only ones that ever broke into and burned the city of Rome." Many other things Antony said in a kind of divine frenzy, and then lowered his voice from its high pitch to a sorrowful tone, and mourned and wept as for a friend who had suffered unjustly, and solemnly vowed that he was willing to give his own life in exchange for Caesar's.

Carried away by an easy transition to extreme passion he uncovered the body of Caesar, lifted his robe on the point of a spear and shook it aloft, pierced with dagger-thrusts and red with the dictator's blood. Whereupon the people, like a chorus in a play, mourned with him in the most sorrowful manner, and from sorrow became filled again with anger. After the discourse other lamentations were chanted with funeral music according to the national custom, by the people in chorus, to the dead; and his deeds and his sad fate were again recited. Somewhere from the midst of these lamentations Caesar

CAP.
XX
ἐδόκει λέγειν, ὅσους εὖ ποιήσειε τῶν ἐχθρῶν
ἐξ ὀνόματος, καὶ περὶ τῶν σφαγέων αὐτῶν ἐπέλεγεν
ὥσπερ ἐν θαύματι· "ἐμὲ δὲ καὶ τούσδε περισῶσαι
τοὺς κτενοῦντάς με," οὐκ ἔφερεν ἔτι ὁ δῆμος, ἐν
παραλόγῳ ποιούμενος τὸ πάντας αὐτοῦ τοὺς
σφαγέας χωρὶς μόνου Δέκμου, αἰχμαλώτους ἐκ
τῆς Πομπηίου στάσεως γενομένους, ἀντὶ κολάσεων
ἐπὶ ἀρχὰς καὶ ἡγεμονίας ἐθνῶν καὶ στρατοπέδων
προαχθέντας ἐπιβουλεῦσαι, Δέκμον δὲ καὶ παῖδα
αὐτῷ θετὸν ἀξιωθῆναι γενέσθαι.

147. Ὧδε δὲ αὐτοῖς ἔχουσιν ἤδη καὶ χειρῶν
ἐγγὺς οὖσιν ἀνέσχε τις ὑπὲρ τὸ λέχος ἀνδρείκελον
αὐτοῦ Καίσαρος ἐκ κηροῦ πεποιημένον· τὸ μὲν γὰρ
σῶμα, ὡς ὕπτιον ἐπὶ λέχους, οὐχ ἑωρᾶτο. τὸ δὲ
ἀνδρείκελον ἐκ μηχανῆς ἐπεστρέφετο πάντη, καὶ
σφαγαὶ τρεῖς καὶ εἴκοσιν ὤφθησαν ἀνά τε τὸ
σῶμα πᾶν καὶ ἀνὰ τὸ πρόσωπον θηριωδῶς ἐς
αὐτὸν γενόμεναι. τήνδε οὖν τὴν ὄψιν ὁ δῆμος
οἰκτίστην σφίσι φανεῖσαν οὐκέτι ἐνεγκὼν ἀνώ-
μωξάν τε καὶ διαζωσάμενοι τὸ βουλευτήριον, ἔνθα
ὁ Καῖσαρ ἀνῄρητο, κατέφλεξαν καὶ τοὺς ἀνδρο-
φόνους ἐκφυγόντας πρὸ πολλοῦ περιθέοντες ἐζή-
τουν, οὕτω δὴ μανιωδῶς ὑπὸ ὀργῆς τε καὶ λύπης,
ὥστε τὸν δημαρχοῦντα Κίνναν ἐξ ὁμωνυμίας τοῦ
στρατηγοῦ Κίννα, τοῦ δημηγορήσαντος ἐπὶ τῷ
Καίσαρι, οὐκ ἀνασχόμενοί τε περὶ τῆς ὁμωνυμίας
οὐδ' ἀκοῦσαι, διέσπασαν θηριωδῶς, καὶ οὐδὲν

himself was supposed to speak, recounting by name his enemies on whom he had conferred benefits, and of the murderers themselves exclaiming, as it were in amazement, " Oh that I should have spared these men to slay me ! " [1] The people could endure it no longer. It seemed to them monstrous that all the murderers who, with the single exception of Decimus Brutus, had been made prisoners while belonging to the faction of Pompey, and who, instead of being punished, had been advanced by Caesar to the magistracies of Rome and to the command of provinces and armies, should have conspired against him ; and that Decimus should have been deemed by him worthy of adoption as his son.

147. While they were in this temper and were already near to violence, somebody raised above the bier an image of Caesar himself made of wax. The body itself, as it lay on its back on the couch, could not be seen. The image was turned round and round by a mechanical device, showing the twenty-three wounds in all parts of the body and on the face, that had been dealt to him so brutally. The people could no longer bear the pitiful sight presented to them. They groaned, and, girding up their loins, they burned the senate-chamber where Caesar was slain, and ran hither and thither searching for the murderers, who had fled some time previously. They were so mad with rage and grief that meeting the tribune Cinna, on account of his similarity of name to the praetor Cinna who had made a speech against Caesar, not waiting to hear any explanation about the similarity of name, they tore him in pieces

[1] A quotation from the Latin poet Pacuvius. Suetonius gives the original ;
" Men' servasse, ut essent qui me perderent."

CAP.
XX
αὐτοῦ μέρος ἐς ταφὴν εὑρέθη. πῦρ δ' ἐπὶ τὰς τῶν ἄλλων οἰκίας ἔφερον, καὶ καρτερῶς αὐτοὺς ἐκείνων τε ἀμυνομένων καὶ τῶν γειτόνων δεομένων τοῦ μὲν πυρὸς ἀπέσχοντο, ὅπλα δ' ἠπείλησαν ἐς τὴν ἐπιοῦσαν οἴσειν.

148. Καὶ οἱ μὲν σφαγεῖς ἐξέφυγον ἐκ τῆς πόλεως διαλαθόντες, ὁ δὲ δῆμος ἐπὶ τὸ λέχος τοῦ Καίσαρος ἐπανελθὼν ἔφερον αὐτὸ ἐς τὸ Καπιτώλιον ὡς εὐαγὲς θάψαι τε ἐν ἱερῷ καὶ μετὰ θεῶν θέσθαι. κωλυόμενοι δὲ ὑπὸ τῶν ἱερέων ἐς τὴν ἀγορὰν αὖθις ἔθεσαν, ἔνθα τὸ πάλαι Ῥωμαίοις ἔστι βασίλειον, καὶ ξύλα αὐτῷ καὶ βάθρα, ὅσα πολλὰ ἦν ἐν ἀγορᾷ, καὶ εἴ τι τοιουτότροπον ἄλλο συνενεγκόντες, καὶ τὴν πομπὴν δαψιλεστάτην οὖσαν ἐπιβαλόντες, στεφάνους τε ἔνιοι παρ' ἑαυτῶν καὶ ἀριστεῖα πολλὰ ἐπιθέντες, ἐξῆψαν καὶ τὴν νύκτα πανδημεὶ τῇ πυρᾷ παρέμενον, ἔνθα βωμὸς πρῶτος ἐτέθη, νῦν δ' ἐστὶ νεὼς αὐτοῦ Καίσαρος, θείων τιμῶν ἀξιουμένου· ὁ γάρ τοι θετὸς αὐτῷ παῖς Ὀκτάουιος, τό τε ὄνομα ἐς τὸν Καίσαρα μεταβαλὼν καὶ κατ' ἴχνος ἐκείνου τῇ πολιτείᾳ προσιών, τήν τε ἀρχὴν τὴν ἐπικρατοῦσαν ἔτι νῦν, ἐρριζωμένην ὑπ' ἐκείνου, μειζόνως ἐκρατύνατο καὶ τὸν πατέρα τιμῶν ἰσοθέων ἠξίωσεν· ὧν δὴ καὶ νῦν, ἐξ ἐκείνου πρῶτου, Ῥωμαῖοι τὸν ἑκάστοτε τὴν ἀρχὴν τήνδε ἄρχοντα, ἢν μὴ τύχῃ τυραννικὸς ὢν ἢ ἐπίμεμπτος, ἀποθανόντα ἀξιοῦσιν, οἱ πρότερον οὐδὲ περιόντας αὐτοὺς ἔφερον καλεῖν βασιλέας.

like wild beasts so that no part of him was ever found
for burial. They carried fire to the houses of the
other murderers, but the domestics valiantly fought
them off and the neighbours besought them to desist.
So the people abstained from the use of fire, but they
threatened to come back with arms on the following
day.

148. The murderers fled from the city secretly.
The people returned to Caesar's bier and bore it as a
consecrated thing to the Capitol in order to bury it
in the temple and place it among the gods. Being
prevented from doing so by the priests, they placed
it again in the forum where stands the ancient
palace of the kings of Rome. There they collected
together pieces of wood and benches, of which there
were many in the forum, and anything else they
could find of that sort, for a funeral pile, throwing
on it the adornments of the procession, some of
which were very costly. Some of them cast their
own crowns upon it and many military gifts. Then
they set fire to it, and the entire people remained by
the funeral pile throughout the night. There an
altar was first erected, but now there stands the
temple of Caesar himself, as he was deemed worthy
of divine honours; for Octavian, his son by adoption,
who took the name of Caesar, and, following
in his footsteps in political matters, greatly
strengthened the government which was founded by
Caesar, and remains to this day, decreed divine
honours to his father. From this example the
Romans now pay like honours to each emperor at his
death if he has not reigned in a tyrannical manner
or made himself odious, although at first they could
not bear to call them kings even while alive.

XXI

149. Οὕτω μὲν δὴ Γάιος Καῖσαρ ἐτελεύτησεν
ἐν ἡμέραις αἷς καλοῦσιν εἰδοῖς Μαρτίαις, Ἀνθε-
στηριῶνος μάλιστα μέσου, ἥν τινα ἡμέραν αὐτὸν
ὁ μάντις οὐ περιοίσειν προύλεγεν· ὁ δ' ἐπι-
σκώπτων αὐτὸν ἔφη περὶ τὴν ἕω· "πάρεισιν αἱ
εἰδοί." καὶ ὁ μὲν οὐδὲν καταπλαγεὶς ἀπεκρίνατο·
"ἀλλὰ οὐ παρεληλύθασιν," ὁ δὲ καὶ τοιῶνδε
προαγορεύσεων αὐτῷ σὺν τοσῷδε τοῦ μάντεως
θάρσει γενομένων καὶ σημείων ὧν προεῖπον ἑτέρων
ὑπεριδὼν προῆλθε καὶ ἐτελεύτησεν, ἔτος ἄγων
ἕκτον ἐπὶ πεντήκοντα, ἀνὴρ ἐπιτυχέστατος ἐς
πάντα καὶ δαιμόνιος καὶ μεγαλοπράγμων καὶ
εἰκότως ἐξομοιούμενος Ἀλεξάνδρῳ. ἄμφω γὰρ
ἐγενέσθην φιλοτιμοτάτω τε πάντων καὶ πολεμι-
κωτάτω καὶ τὰ δόξαντα ἐπελθεῖν ταχυτάτω πρός
τε κινδύνους παραβολωτάτω καὶ τοῦ σώματος
ἀφειδεστάτω καὶ οὐ στρατηγίᾳ πεποιθότε μᾶλλον
ἢ τόλμῃ καὶ τύχῃ. ὧν ὁ μὲν ἄνυδρόν τε πολλὴν
ἐς Ἄμμωνος ὥδευεν ὥρᾳ καύματος, καὶ τὸν Παμ-
φύλιον κόλπον τῆς θαλάσσης ἀνακοπείσης διέ-
τρεχε δαιμονίως, καὶ τὸ πέλαγος αὐτῷ τοῦ δαί-
μονος κατέχοντος, ἔστε παρέλθοι, καὶ καθ' ὁδὸν
ὁδεύοντι ὕοντος. ἁπλώτου τε θαλάσσης ἐν
Ἰνδοῖς ἀπεπείρασε, καὶ ἐπὶ κλίμακα πρῶτος
ἀνέβη καὶ ἐς πολεμίων τεῖχος ἐσήλατο μόνος
καὶ τρισκαίδεκα τραύματα ὑπέστη. καὶ ἀήτ-
τητος αἰεὶ γενόμενος ἑνὶ σχεδὸν ἢ δύο ἔργοις

XXI

149. So died Gaius Caesar on the Ides of March,

which correspond nearly with the middle of the
Greek month Anthesterion, which day the soothsayer
predicted that he should not survive. Caesar jokingly
said to him early in the morning, "Well, the Ides
have come," and the latter, nothing daunted,
answered, "But not gone." Despising such prophecies,
uttered with so much confidence by the soothsayer,
and other prodigies that I have previously mentioned,
Caesar went on his way and met his death, being
fifty-six years of age,[1] a man most fortunate in
all things, superhuman, of grand designs, and fit to
be compared with Alexander. Both were men of
the greatest ambition, both were most skilled in the
art of war, most rapid in executing their decisions,
most reckless of danger, least sparing of themselves,
and relying as much on audacity and luck as on
military skill. Alexander made a long journey
through the desert in the hot season to visit the
oracle of Ammon and crossed the Gulf of Pamphylia
beating back a head sea most fortunately, for his good
fortune restrained the waves for him until he had
passed over, and sent him rain on his journey by land.
On his way to India he ventured upon an unknown sea.
Once he was the first to ascend the scaling ladders
and leaped over the wall among his enemies alone,
and in this condition received thirteen wounds.
Yet he was never defeated, and he finished almost
every war in one or two battles. He conquered

[1] Mommsen maintains, contrary to the testimony of Sue-
tonius, Plutarch, and Appian, that Caesar was fifty-eight
instead of fifty-six years old at the time of his death.

ἕκαστον πόλεμον ἐξήνυσε, τῆς μὲν Εὐρώπης
πολλὰ βάρβαρα ἑλὼν καὶ τὴν Ἑλλάδα χειρωσά-
μενος, δῦσαρκτότατον ἔθνος καὶ φιλελεύθερον καὶ
οὐδενὶ πρὸ αὐτοῦ πλὴν Φιλίππῳ κατ᾽ εὐπρέπειαν
ἐς ἡγεμονίαν πολέμου δόξασαν ὑπακούειν ἐπ᾽
ὀλίγον· τὴν δὲ Ἀσίαν σχεδὸν εἰπεῖν ὅλην ἐπέ
δραμε. καὶ ὡς λόγῳ τὴν Ἀλεξάνδρου τύχην καὶ
δύναμιν εἰπεῖν, ὅσην εἶδε γῆν, ἐκτήσατο καὶ περὶ
τῆς λοιπῆς ἐνθυμούμενός τε καὶ διανοούμενος
ἀπέθανε.

150. Καίσαρι δὲ ἥ τε Ἰόνιος θάλασσα εἶξε,
χειμῶνος μέσου πλωτὴ καὶ εὔδιος γενομένη, καὶ
τὸν ἑσπέριον ὠκεανὸν ἐπὶ Βρεττανοὺς διέπλευσεν
οὔπω γενόμενον ἐν πείρᾳ, κρημνοῖς τε τῶν Βρετ-
τανῶν τοὺς κυβερνήτας ἐποκέλλοντας ἐκέλευε τὰς
ναῦς περιαγνύναι. καὶ πρὸς ἄλλον κλύδωνα
μόνος ἐν σκάφει σμικρῷ νυκτὸς ἐβιάζετο καὶ τὸν
κυβερνήτην ἐκέλευε προχέαι τὰ ἱστία καὶ θαρρεῖν
τῇ Καίσαρος τύχῃ μᾶλλον ἢ τῇ θαλάσσῃ. ἔς τε
πολεμίους προεπήδησε μόνος ἐκ πάντων δεδιότων
πολλάκις, καὶ τριακοντάκις αὐτὸς ἐν Κελτοῖς
μόνοις παρετάξατο, μέχρι τετρακόσια αὐτῶν
ἐχειρώσατο ἔθνη, οὕτω δή τι Ῥωμαίοις ἐπίφοβα,
ὡς νόμῳ τῷ περὶ ἀστρατείας ἱερέων καὶ γερόντων
ἐγγραφῆναι ᾽πλὴν εἰ μὴ Κελτικὸς πόλεμος ἐπίοι᾽·
τότε δὲ καὶ γέροντας καὶ ἱερέας στρατεύεσθαι.
περί τε τὴν Ἀλεξάνδρειαν πολεμῶν καὶ ἀποληφ-
θεὶς ἐπὶ γεφύρας μόνος καὶ κακοπαθῶν τὴν
πορφύραν ἀπέρριψε καὶ ἐς τὴν θάλασσαν ἐξήλατο
καὶ ζητούμενος ὑπὸ τῶν πολεμίων ἐν τῷ μυχῷ
διενήχετο λανθάνων ἐπὶ πολύ, μόνην ἐκ διαστή-
ματος ἀνίσχων τὴν ἀναπνοήν, μέχρι φιλίᾳ νηὶ

many foreign nations in Europe and made himself master of Greece, a people hard to control, fond of freedom, who boasted that they had never obeyed anybody before him, except Philip for a little while under the guise of his leadership in war; and he also overran almost the whole of Asia. To sum up Alexander's fortune and power in a word, he acquired as much of the earth as he had seen, and died while he was considering and devising means to capture the rest.

150. So too the Adriatic Sea yielded to Caesar, becoming navigable and quiet in mid-winter. He also crossed the western ocean to Britain, which had never been attempted before, and he ordered his pilots to break their ships in pieces by running them on the rocks of the British coast. He was exposed to the violence of another tempest when alone in a small boat by night, and he ordered the pilot to spread his sails and to keep in mind Caesar's fortune rather than the waves of the sea. He often dashed against the enemy single-handed when all others were afraid. He fought thirty pitched battles in Gaul alone, where he conquered forty nations so formidable to the Romans previously that in the law which exempted priests and old men from military enrolment a formal exception was made 'in case of a Gallic inroad'; for then both priests and old men were required to serve. Once in the course of the Alexandrian war, when he was left alone on a bridge in extreme peril, he threw off his purple garment, leaped into the sea, and, being sought by the enemy, swam under water a long distance, coming to the surface only at intervals to take breath, until he

CAP.
XXI
προσπελάσας ὤρεξε τὰς χεῖρας καὶ ἑαυτὸν ἔδειξε καὶ περιεσώθη.

Ἐς δὲ τὰ ἐμφύλια τάδε ἢ διὰ δέος, καθάπερ αὐτὸς ἔλεγεν, ἢ ἀρχῆς ἐπιθυμίᾳ συμπεσών, στρατηγοῖς τοῖς καθ' αὑτὸν ἀρίστοις συνηνέχθη καὶ στρατοῖς πολλοῖς τε καὶ μεγάλοις, οὐ βαρβάρων ἔτι, ἀλλὰ Ῥωμαίων ἀκμαζόντων μάλιστα εὐπραξίαις καὶ τύχαις· καὶ ἁπάντων ἐκράτησε, διὰ μιᾶς καὶ ὅδε πείρας ἑκάστων ἢ διὰ δύο, οὐ μὴν ἀηττήτου καθάπερ Ἀλεξάνδρῳ τοῦ στρατοῦ γενομένου, ἐπεὶ καὶ ὑπὸ Κελτῶν ἡττῶντο λαμπρῶς, ὅθ' ἡ μεγάλη σφᾶς συμφορὰ κατέλαβε Κόττα καὶ Τιτυρίου στρατηγούντων, καὶ ἐν Ἰβηρίᾳ Πετρήιος αὐτοὺς καὶ Ἀφράνιος συνέκλεισαν οἷα πολιορκουμένους, ἔν τε Δυρραχίῳ καὶ Λιβύῃ λαμπρῶς ἔφευγον καὶ ἐν Ἰβηρίᾳ Πομπήιον τὸν νέον κατεπλάγησαν. ὁ δὲ Καῖσαρ αὐτὸς ἦν ἀκατάπληκτος καὶ ἐς παντὸς πολέμου τέλος ἀήττητος· τήν τε Ῥωμαίων ἰσχύν, γῆς ἤδη καὶ θαλάσσης ἐκ δύσεων ἐπὶ τὸν ποταμὸν Εὐφράτην κρατοῦσαν, ἐχειρώσατο βίᾳ καὶ φιλανθρωπίᾳ πολὺ βεβαιότερον καὶ πολὺ ἐγκρατέστερον Σύλλα βασιλέα τε αὐτὸν ἀπέφηνεν ἀκόντων, εἰ καὶ τὴν προσηγορίαν οὐκ ἐδέχετο. καὶ πολέμους ἄλλους καὶ ὅδε διανοούμενος ἀνῃρέθη.

151. Συνέβη δ' αὐτοῖς καὶ τὰ στρατόπεδα ὁμοίως πρόθυμα μὲν ἐς ἄμφω καὶ μετὰ εὐνοίας γενέσθαι καὶ ἐς μάχας θηριώδεσιν ἐοικότα, δυσπειθῆ δὲ πολλάκις ἑκατέρῳ καὶ πολυστασίαστα διὰ τοὺς πόνους. ἀποθανόντας γε μὴν ὁμοίως ὠδύραντο καὶ ἐπεπόθησαν καὶ θείων τιμῶν ἠξίωσαν. ἐγένοντο δὲ καὶ τὰ σώματα εὐφυεῖς

came **near** a friendly ship, when he stretched out
his hands and made himself known, and was saved.

In these civil wars, in which he engaged either
through apprehension, as he says, or ambition, he
was brought in conflict with the first generals of the
age and with many large armies, not now of barbar-
ians, but of Romans in the highest state of efficiency
and good fortune, and, like Alexander, he overcame
them all by one or two engagements with each.
His forces, however, were not, like Alexander's,
always victorious, for they were defeated by the Gauls
most disastrously under the command of his lieu-
tenants, Cotta and Titurius; and in Spain Petreius
and Afranius shut them up like an army besieged.
At Dyrrachium and in Africa they were put to
flight, and in Spain they were terrified by the
younger Pompeius. But Caesar himself was always
undaunted and was victorious at the end of every
war. He grasped, partly by force, partly by good-
will, the Roman power which ruled the earth and
sea from the setting sun to the river Euphrates, and
held it much more firmly and strongly than Sulla
had done, and he showed himself to be a king in
spite of opposition, even though he did not accept
the title. And, like Alexander, he expired while
planning new wars.

151. Their armies were equally zealous and
devoted to both, and in battles they fought with the
greatest ferocity, but were often disobedient and
mutinous on account of the severity of their tasks.
Yet they equally mourned and longed for their com-
manders when they were dead, and paid them divine
honours. Both were well-formed and handsome in

ἄμφω καὶ καλοί. καὶ τὸ γένος ἐκ Διὸς ἤστην ἑκάτερος, ὁ μὲν Αἰακίδης τε καὶ Ἡρακλείδης, ὁ δὲ ἀπ᾽ Ἀγχίσου τε καὶ Ἀφροδίτης. φιλονικότεροι δὲ τοῖς ἐξερίζουσιν ὄντες ταχύτατοι πρὸς διαλύσεις ἦσαν καὶ συγγνώμονες τοῖς ἁλοῦσιν, ἐπὶ δὲ τῇ συγγνώμῃ καὶ εὐεργέται καὶ οὐδὲν ἢ κρατῆσαι μόνον ἐνθυμούμενοι.

Καὶ τάδε μὲν ἐς τοσοῦτον συγκεκρίσθω, καίπερ οὐκ ἐξ ἴσης δυνάμεως ἐπὶ τὴν ἀρχὴν ὁρμήσαντος αὐτῶν ἑκατέρου, ἀλλὰ τοῦ μὲν ἐκ βασιλείας ἠσκημένης ὑπὸ Φιλίππῳ, τοῦ δ᾽ ἐξ ἰδιωτείας, εὐγενοῦς μὲν καὶ περιφανοῦς, χρημάτων δὲ πάνυ ἐνδεοῦς.

152. Ἐγένοντο δὲ καὶ σημείων τῶν ἐπὶ σφίσιν ἑκάτερος ὑπερόπτης καὶ τοῖς μάντεσι τὴν τελευτὴν προειποῦσιν οὐκ ἐχαλέπηναν, καὶ τὰ σημεῖα αὐτὰ ὅμοιά τε πολλάκις καὶ ἐς τὸ ὅμοιον ἀμφοῖν συνηνέχθη· ἐγένετο γὰρ ἑκατέρῳ δὶς ἄλοβα, καὶ τὰ μὲν πρῶτα κίνδυνον σφαλερὸν ὑπέδειξεν, Ἀλεξάνδρῳ μὲν ἐν Ὀξυδράκαις, ἐπὶ τὸ τῶν ἐχθρῶν τεῖχος ἀναβάντι πρὸ τῶν Μακεδόνων, καὶ τῆς κλίμακος συντριβείσης ἀποληφθέντι τε ἄνω, καὶ ὑπὸ τόλμης ἐς τὸ ἐντὸς ἐπὶ τοὺς πολεμίους ἐξαλομένῳ καὶ πληγέντι τὰ στέρνα χαλεπῶς καὶ ἐς τὸν τράχηλον ὑπέρῳ βαρυτάτῳ, καὶ πίπτοντι ἤδη καὶ περισωθέντι μόλις ὑπὸ τῶν Μακεδόνων ἀναρρηξάντων τὰς πύλας ὑπὸ δέους, Καίσαρι δὲ ἐν Ἰβηρίᾳ, τοῦ στρατοῦ περιφόβου τε ὄντος ἐπὶ Πομπηίῳ τῷ νέῳ καὶ ὀκνοῦντος ἐς μάχην ἰέναι, προδραμόντι πάντων ἐς τὸ μεταίχμιον καὶ διακόσια ἀναδεξαμένῳ δόρατα ἐς τὴν ἀσπίδα, μέχρι

person, and both were descended from Jupiter, Alex-
ander through Aeacus and Hercules, Caesar through
Anchises and Venus. Both were as prompt to fight
their adversaries as they were ready to make peace
and grant pardon to the vanquished, and after
pardon to confer benefits; for they desired only to
conquer.

Thus far let the parallel hold good, although they
did not both start toward empire from the same
footing; Alexander from the monarchy founded
by Philip, Caesar from a private station, being
indeed well born and illustrious but wholly without
wealth.

152. Both of them despised the prodigies relating
to themselves, but they did not deal harshly with
the soothsayers who predicted their death; for
more than once the very same prodigies confronted
both, pointing to the same end. Twice in the case
of each the victims were without a lobe to the liver,
and the first time it indicated a dangerous risk. It
happened to Alexander when he was among the
Oxydracae and while he was leading his Macedonians
in scaling the enemy's wall. The ladder broke,
leaving him alone on the top. Taking counsel of
his courage, he leaped inside the town against his
enemies, and was struck severely in the breast and
on the neck by a very heavy club, so that he fell
down, and was rescued with difficulty by the
Macedonians, who broke down the gates in their
alarm for him. It happened to Caesar in Spain
while his army was in great fear of the younger
Pompeius, and hesitated to join battle. Caesar
dashed in advance of all into the space between the
armies, and received 200 darts on his shield until

καὶ τόνδε ὁ στρατὸς ἐπιδραμὼν ὑπὸ αἰδοῦς καὶ
φόβου περιέσωσεν. οὕτω μὲν αὐτοῖς τὰ πρῶτα
ἄλοβα ἐς κίνδυνον ἦλθε θανάτου, τὰ δεύτερα δὲ ἐς
τὸν θάνατον αὐτόν. Πειθαγόρας τε γὰρ ὁ μάντις
Ἀπολλοδώρῳ δεδοικότι Ἀλέξανδρόν τε καὶ
Ἡφαιστίωνα θυόμενος εἶπε μὴ δεδιέναι, ἐκποδὼν
γὰρ ἀμφοτέρους αὐτίκα ἔσεσθαι· καὶ τελευτή-
σαντος εὐθὺς Ἡφαιστίωνος ὁ Ἀπολλόδωρος
ἔδεισε, μή τις ἐπιβουλὴ γένοιτο κατὰ τοῦ
βασιλέως, καὶ ἐξήνεγκεν αὐτῷ τὰ μαντεύματα.
ὁ δὲ ἐπεμειδίασε καὶ Πειθαγόραν αὐτὸν ἤρετο,
ὅ τι λέγοι τὸ σημεῖον· τοῦ δὲ εἰπόντος, ὅτι τὰ
ὕστατα λέγει, αὖθις ἐπεμειδίασε καὶ ἐπῄνεσεν
ὅμως Ἀπολλόδωρόν τε τῆς εὐνοίας καὶ τὸν μάντιν
τῆς παρρησίας.

153. Καίσαρι δ' ἐς τὸ ἔσχατον βουλευτήριον
ἐσιόντι, καθά μοι πρὸ βραχέος εἴρηται, τὰ αὐτὰ
σημεῖα γίγνεται· καὶ χλευάσας ἔφη τοιαῦτά
οἱ καὶ περὶ Ἰβηρίαν γεγονέναι. τοῦ δὲ μάντεως
εἰπόντος καὶ τότε αὐτὸν κινδυνεῦσαι καὶ νῦν
ἐπιθανατώτερον ἔχειν τὸ σημεῖον, ἐνδούς τι πρὸς
τὴν παρρησίαν ἐθύετο ὅμως αὖθις, μέχρι
βραδυνόντων αὐτῷ τῶν ἱερῶν δυσχεράνας ἐσῆλθε
καὶ ἀνῃρέθη. τὸ δ' αὐτὸ καὶ Ἀλεξάνδρῳ συνέ-
πεσεν. ἐπανιόντα γὰρ ἐξ Ἰνδῶν ἐς Βαβυλῶνα
μετὰ τοῦ στρατοῦ καὶ πλησιάζοντα ἤδη παρε-
κάλουν οἱ Χαλδαῖοι τὴν εἴσοδον ἐπισχεῖν ἐν τῷ
παρόντι. τοῦ δὲ τὸ ἰαμβεῖον εἰπόντος, ὅτι "μάν-
τις ἄριστος, ὅστις εἰκάζει καλῶς," δεύτερα γοῦν
οἱ Χαλδαῖοι παρεκάλουν μὴ ἐς δύσιν ὁρῶντα μετὰ

his army, moved by shame and fear for his safety, CHAP.
rushed forward and rescued him. Thus in the case XXI
of each the first inauspicious victims presaged danger
of death; the second presaged death itself. As
Peithagoras, the soothsayer, was inspecting the
entrails, he told Apollodorus, who was in fear of
Alexander and Hephestion, not to be afraid of them,
because they would both be out of the way very
soon. Hephestion died immediately, and Apollo-
dorus, being apprehensive lest some conspiracy
might exist against Alexander, communicated the
prophecy to him. Alexander smiled, and asked
Peithagoras himself what the prodigy meant. When
the latter replied that it meant fatality, he smiled
again. Nevertheless, he commended Apollodorus
for his good-will and the soothsayer for his freedom
of speech.

153. As Caesar was entering the Senate for the
last time, as I have shortly before related, the same
omens were observed, but he said, jestingly, that
the same thing had happened to him in Spain.
When the soothsayer replied that he was in danger
then too, and that the omen was now more deadly,
he yielded somewhat to the warning and sacrificed
again, and continued to do so until he became vexed
with the priests for delaying him, and went in and
was murdered. The same kind of thing happened
to Alexander. As he was returning from India to
Babylon with his army, and was nearing the latter
place, the Chaldeans urged him to postpone his
entrance for the present. He replied with the
iambic verse, " He is the best prophet who can guess
right." [1] Again, the Chaldeans urged him not to

[1] A fragment of Euripides.

τῆς στρατιᾶς ἐσελθεῖν, ἀλλὰ περιοδεῦσαι καὶ τὴν
πόλιν λαβεῖν πρὸς ἥλιον ἀνίσχοντα. ὁ δ' ἐς
τοῦτο μὲν ἐνδοῦναι λέγεται καὶ ἐπιχειρῆσαι
περιοδεῦσαι, λίμνῃ δὲ καὶ ἕλει δυσχεραίνων
καταφρονῆσαι καὶ τοῦ δευτέρου μαντεύματος καὶ
ἐσελθεῖν ἐς δύσιν ὁρῶν. ἐσελθών γε μὴν καὶ
πλέων κατὰ τὸν Εὐφράτην ἐπὶ ποταμὸν
Παλλακότταν, ὃς τὸν Εὐφράτην ὑπολαμβάνων
ἐς ἕλη καὶ λίμνας ἐκφέρει καὶ κωλύει
τὴν Ἀσσυρίδα γῆν ἄρδειν,—ἐπινοοῦντα δὴ
τοῦτον διατειχίσαι τὸν ποταμὸν καὶ ἐπὶ τοῦτο
ἐκπλέοντά φασιν ἐπιτωθάσαι τοῖς Χαλδαίοις, ὅτι
σῶος ἐς Βαβυλῶνα ἐσέλθοι τε καὶ ἐκπλέοι.
ἔμελλε δ' ἐπανελθὼν αὐτίκα ἐν αὐτῇ τεθνήξεσθαι.
ἐπετώθασε δὲ καὶ ὁ Καῖσαρ ὅμοια. τοῦ γὰρ
μάντεως αὐτῷ τὴν ἡμέραν τῆς τελευτῆς προει-
πόντος, ὅτι μὴ περιοίσει τὰς Μαρτίας εἰδούς,
ἐλθούσης τῆς ἡμέρας ἔφη, τὸν μάντιν χλευάζων,
ὅτι πάρεισιν αἱ εἰδοί· καὶ ἐν αὐταῖς ὅμως ἀπέ-
θανεν. οὕτω μὲν δὴ καὶ σημεῖα τὰ περὶ σφῶν
ἐχλεύασαν ὁμοίως, καὶ τοῖς προειποῦσιν αὐτὰ
μάντεσιν οὐκ ἐχαλέπηναν, καὶ ἑάλωσαν ὅμως ὑπὸ
τῷ λόγῳ τῶν μαντευμάτων.

154. Ἐγένοντο δὲ καὶ ἐς ἐπιστήμην τῆς ἀρετῆς,
τῆς τε πατρίου καὶ Ἑλληνικῆς καὶ ξένης, φιλό-
καλοι, τὰ μὲν Ἰνδῶν Ἀλέξανδρος ἐξετάζων τοὺς
Βραχμᾶνας, οἳ δοκοῦσιν Ἰνδῶν εἶναι μετεωρο-
λόγοι τε καὶ σοφοὶ καθὰ Περσῶν οἱ Μάγοι,

march his army into the city while looking toward
the setting sun, but to go around and enter facing the east. It is said that he yielded to this suggestion and started to go around, but being impeded by a lake and marshy ground, he disregarded this second prophecy also, and entered the city looking toward the west. Not long after entering he went down the Euphrates in a boat to the river Pallacotta, which takes its water from the Euphrates and carries it away in marshes and ponds and thus hinders the irrigation of the Assyrian country. While he was considering how he should dam this stream, and while he was sailing out to it for this purpose, it is said that he jeered at the Chaldeans because he had gone into Babylon and sailed out of it safely. But yet the moment he returned back to it he was to die. Caesar jeered at the prophecies in like manner, for the soothsayer predicted the day of his death, saying that he should not survive the Ides of March, and when the day came Caesar mocked him, saying, "The Ides have come"; and yet the same day he died. Thus both alike made light of the prophecies concerning themselves, and were not angry at the soothsayers who uttered them, and yet they became the victims of the prophecies.[1]

154. Both were students of the science and arts [2] of their own country, of Greece, and of foreign nations. As to those of India, Alexander interrogated the Brahmins who seem to be the astronomers and learned men of that country, like the Magi among the

[1] Apparently a metaphor from the law-courts; "the sentence of the prophecies was duly carried out."

[2] ἐπιστήμην τῆς ἀρετῆς: literally, "the science of excellence," which is by no means clear. [Should we not read ἀστρικῆς "astronomy"?]

^{CAP.} τὰ δὲ Αἰγυπτίων ὁ Καῖσαρ, ὅτε ἐν Αἰγύπτῳ
^{XXI} γενόμενος καθίστατο Κλεοπάτραν. ὅθεν ἄρα καὶ
τῶν εἰρηνικῶν πολλὰ Ῥωμαίοις διωρθώσατο καὶ
τὸν ἐνιαυτὸν ἀνώμαλον ἔτι ὄντα διὰ τοὺς ἔσθ᾽
ὅτε μῆνας ἐμβολίμους (κατὰ γὰρ σελήνην αὐτοῖς
ἠριθμεῖτο) ἐς τὸν τοῦ ἡλίου δρόμον μετέβαλεν,
ὡς ἦγον Αἰγύπτιοι. συνέβη δὲ αὐτῷ καὶ τῶν ἐς
τὸ σῶμα ἐπιβουλευσάντων μηδένα διαφυγεῖν,
ἀλλὰ τῷ παιδὶ δοῦναι δίκην ἀξίαν, καθάπερ
Ἀλεξάνδρῳ τοὺς Φιλιππον ἀνελόντας. ὅπως δὲ
ἔδοσαν, αἱ ἑξῆς βίβλοι δεικνύουσιν.

Persians. Caesar likewise interrogated the Egyptians while he was there restoring Cleopatra to the throne, by which means he made many improvements among the peaceful arts for the Romans. He changed the calendar, which was still in disorder by reason of the intercalary months till then in use, for the Romans reckoned the year by the moon. Caesar changed it to the sun's course, as the Egyptians reckoned it.[1] It happened in his case that not one of the conspirators against him escaped, but all were brought to condign punishment by his adopted son, just as the murderers of Philip were by Alexander. How they were punished the succeeding books will show.

[1] Caesar also, at this time, changed the beginning of the year from the first of March to the first of January, because the latter was the date for changing the supreme magistrates.

BOOK III

Γ

I

Οὕτω μὲν δὴ Γάιος Καῖσαρ πλείστου Ῥωμαίοις ἄξιος ἐς τὴν ἡγεμονίαν γενόμενος ὑπὸ τῶν ἐχθρῶν ἀνῄρητο καὶ ὑπὸ τοῦ δήμου τέθαπτο· ἁπάντων δὲ αὐτοῦ τῶν σφαγέων δίκην δόντων, ὅπως οἱ περιφανέστατοι μάλιστα ἔδοσαν, ἥδε ἡ βίβλος καὶ ἡ μετὰ τήνδε ἐπιδείξουσιν, ἐπιλαμβάνουσαι καὶ ὅσα ἄλλα Ῥωμαίοις ἐμφύλια ἐς ἀλλήλους ἐγίγνετο ὁμοῦ.

2. Ἀντώνιον μὲν ἡ βουλὴ δι' αἰτίας εἶχεν ἐπὶ τοῖς ἐπιταφίοις τοῦ Καίσαρος, ὑφ' ὧν δὴ μάλιστα ὁ δῆμος ἐρεθισθεὶς ὑπερεῖδε τῆς ἄρτι ἐπεψηφισμένης ἀμνηστίας καὶ ἐπὶ τὰς οἰκίας τῶν σφαγέων σὺν πυρὶ ἔδραμον· ὁ δὲ αὐτὴν χαλεπαίνουσαν ἐνὶ τοιῷδε πολιτεύματι ἐς εὔνοιαν ἑαυτοῦ μετέβαλεν. Ἀμάτιος ἦν ὁ Ψευδομάριος· Μαρίου γὰρ ὑπεκρίνετο υἱωνὸς εἶναι καὶ διὰ Μάριον ὑπερήρεσκε τῷ δήμῳ. γιγνόμενος οὖν κατὰ τήνδε τὴν ὑπόκρισιν συγγενὴς τῷ Καίσαρι, ὑπερήλγει μάλιστα αὐτοῦ τεθνεῶτος καὶ βωμὸν ἐπῳκοδόμει τῇ πυρᾷ καὶ χεῖρα θρασυτέρων ἀνδρῶν εἶχε καὶ φοβερὸς ἦν ἀεὶ τοῖς σφαγεῦσιν· ὧν οἱ μὲν ἄλλοι διεπεφεύγεσαν ἐκ τῆς πόλεως καὶ ὅσοι παρ' αὐτοῦ

BOOK III

1

1. **Thus** was Gaius Caesar, who had been foremost

in extending the Roman sway, slain by his enemies and buried by the people. All of his murderers were brought to punishment. How the most distinguished of them were punished this book and the next one will show, and the other civil wars waged by the Romans will likewise be included in them.

2. The Senate blamed Antony for his funeral oration over Caesar, by which, chiefly, the people were incited to disregard the decree of amnesty lately passed, and to scour the city in order to fire the houses of the murderers. But he changed it from bad to good feeling toward himself by one capital stroke of policy. There was a certain pseudo-Marius in Rome named Amatius. He pretended to be a grandson of Marius, and for this reason was very popular with the masses. Being, according to this pretence, a relative of Caesar, he was pained beyond measure by the latter's death, and erected an altar on the site of his funeral pyre. He collected a band of reckless men and make himself a perpetual terror to the murderers. Some of these had fled from the city, and those who had accepted the command of

CAP. Καίσαρος εἰλήφεσαν ἡγεμονίας ἐθνῶν, ἀπεληλύ-
I θεσαν ἐπὶ τὰς ἡγεμονίας, Βροῦτος μὲν ὁ Δέκμος
ἐς τὴν ὅμορον τῆς Ἰταλίας Κελτικήν, Τρεβώνιος
δὲ ἐς τὴν Ἀσίαν τὴν περὶ Ἰωνίαν, Τίλλιος δὲ
Κίμβερ ἐς Βιθυνίαν· Κάσσιος δὲ καὶ Βροῦτος ὁ
Μᾶρκος, ὧν δὴ καὶ μάλιστα τῇ βουλῇ διέφερεν,
ᾕρηντο μὲν καὶ οἵδε ὑπὸ τοῦ Καίσαρος ἐς τὸ
μέλλον ἔτος ἡγεμονεύειν, Συρίας μὲν ὁ Κάσσιος
καὶ Μακεδονίας ὁ Βροῦτος, ἔτι δὲ ὄντες ἀστικοὶ
στρατηγοὶ . . . ὑπ' ἀνάγκης καὶ διατάγμασιν οἷα
στρατηγοὶ τοὺς κληρούχους ἐθεράπευον, ὅσοις τε
ἄλλοις ἐπενόουν, καὶ τὰ κληρουχήματα συγχω-
ροῦντες αὐτοῖς πιπράσκειν, τοῦ νόμου κωλύοντος
ἐντὸς εἴκοσιν ἐτῶν ἀποδίδοσθαι.

3. Τούτοις δὲ αὐτοῖς ὁ Ἀμάτιος, ὅτε συντύχοι,
καὶ ἐνεδρεύσειν ἐλέγετο. τῷδε οὖν τῷ λόγῳ τῆς
ἐνέδρας ὁ Ἀντώνιος ἐπιβαίνων οἷα ὕπατος
συλλαμβάνει καὶ κτείνει τὸν Ἀμάτιον χωρὶς
δίκης, μάλα θρασέως· καὶ ἡ βουλὴ τὸ μὲν ἔργον
ἐθαύμαζεν ὡς μέγα καὶ παράνομον, τὴν δὲ χρείαν
αὐτοῦ προσεποιοῦντο ἥδιστα· οὐ γὰρ αὐτοῖς
ἐδόκει ποτὲ χωρὶς τοιᾶσδε τόλμης ἀσφαλῆ τὰ
κατὰ Βροῦτον καὶ Κάσσιον ἔσεσθαι. οἱ δὲ τοῦ
Ἀματίου στασιῶται καὶ ὁ ἄλλος δῆμος ἐπ'
ἐκείνοις πόθῳ τε τοῦ Ἀματίου καὶ ἀγανακτήσει
τοῦ γεγονότος, ὅτι μάλιστα αὐτὸ ὁ Ἀντώνιος
ἐπεπράχει ὑπὸ τοῦ δήμου τιμώμενος, οὐκ ἠξίουν
σφῶν καταφρονεῖν· τὴν ἀγορὰν οὖν καταλαβόντες
ἐβόων καὶ τὸν Ἀντώνιον ἐβλασφήμουν καὶ τὰς
ἀρχὰς ἐκέλευον ἀντὶ Ἀματίου τὸν βωμὸν ἐκθεοῦν
καὶ θύειν ἐπ' αὐτοῦ Καίσαρι πρώτους. ἐξελαυνό-

provinces from Caesar himself had gone away to take CHAP. charge of the same, Decimus Brutus to Cisalpine 1 Gaul, Trebonius to Western Asia Minor, and Tillius Cimber to Bithynia. Cassius and Marcus Brutus, who were the special favourites of the Senate, had also been chosen by Caesar as governors for the following year, the former of Syria, and the latter of Macedonia. But being still city praetors, they [remained at Rome][1] necessarily, and in their official capacity they conciliated the colonists by various decrees, and among others by one enabling them to sell their allotments, the law hitherto forbidding the alienation of the land till the end of twenty years.

3. It was said that Amatius was only waiting an Antony opportunity to entrap Brutus and Cassius. On this puts Amatius rumour, Antony, making capital out of the plot, and to death using his consular authority, arrested Amatius and boldly put him to death without a trial. The senators were astonished at this deed as an act of violence and contrary to law, but they readily condoned its expediency, because they thought that the situation of Brutus and Cassius would never be safe without such boldness. The followers of Amatius, and the plebeians generally, missing Amatius and feeling indignation at the deed, and especially because it had been done by Antony, whom the people had honoured, determined that they would not be scorned in that way. With shouts they took possession of the forum, exclaiming violently against Antony, and called on the magistrates to dedicate the altar in place of Amatius, and to offer the first sacrifices on it to Caesar. Having

---

[1] The verb is missing.

μενοι δ' ἐκ τῆς ἀγορᾶς ὑπὸ στρατιωτῶν ἐπιπεμφ-
θέντων ὑπὸ Ἀντωνίου μᾶλλόν τε ἠγανάκτουν καὶ
ἐκεκράγεσαν καὶ ἕδρας ἔνιοι τῶν Καίσαρος
ἀνδριάντων ἐπεδείκνυον ἀνῃρημένων. ὡς δέ τις
αὐτοῖς ἔφη καὶ τὸ ἐργαστήριον, ἔνθα οἱ ἀνδριάντες
ἀνεσκευάζοντο, δείξειν, εὐθὺς εἵποντο καὶ ἰδόντες
ἐνεπίμπρασαν, ἕως ἑτέρων ἐπιπεμφθέντων ἐξ
Ἀντωνίου ἀμυνόμενοί τε ἀνῃρέθησαν ἔνιοι καὶ
συλληφθέντες ἕτεροι ἐκρεμάσθησαν, ὅσοι θερά-
ποντες ἦσαν, οἱ δὲ ἐλεύθεροι κατὰ τοῦ κρημνοῦ
κατερρίφησαν.

4. Καὶ ὁ μὲν τάραχος ἐπέπαυτο, μῖσος δὲ
ἄρρητον ἐξ ἀρρήτου εὐνοίας τοῦ δήμου πρὸς τὸν
Ἀντώνιον ἐγήγερτο. ἡ βουλὴ δ' ἔχαιρον ὡς οὐκ ἂν
ἑτέρως ἐν ἀδεεῖ περὶ τῶν ἀμφὶ τὸν Βροῦτον
γενόμενοι. ὡς δὲ καὶ Σέξτον Πομπήιον ὁ
Ἀντώνιος, τὸν Πομπηίου Μάγνου περιποθήτου
πᾶσιν ἔτι ὄντος, εἰσηγήσατο καλεῖν ἐξ Ἰβηρίας,
πολεμούμενον ἔτι πρὸς τῶν Καίσαρος στρατη-
γῶν, ἀντί τε τῆς πατρῴας οὐσίας δεδημευμένης
ἐκ τῶν κοινῶν αὐτῷ δοθῆναι μυριάδας Ἀττικῶν
δραχμῶν πεντακισχιλίας, εἶναι δὲ καὶ στρατηγὸν
ἤδη τῆς θαλάσσης, καθὼς ἦν καὶ ὁ πατὴρ αὐτοῦ,
καὶ ταῖς Ῥωμαίων ναυσὶν αὐτίκα ταῖς πανταχοῦ
χρῆσθαι εἰς τὰ ἐπείγοντα, θαυμάζουσα ἕκαστα ἡ
βουλὴ μετὰ προθυμίας ἐξεδέχετο καὶ τὸν
Ἀντώνιον ἐπὶ ὅλην εὐφήμουν ἡμέραν· οὐ γάρ τις
αὐτοῖς ἐδόκει Μάγνου γενέσθαι δημοκρατικώτερος,
ὅθεν οὐδὲ περιποθητότερος ἦν. ὅ τε Κάσσιος καὶ
ὁ Βροῦτος, ἐκ τῆς στάσεως ὄντε τῆς Μάγνου καὶ
πᾶσι τότε τιμιωτάτω, τὴν σωτηρίαν ἐδόκουν ἕξειν
ἀσφαλῆ καὶ τὴν γνώμην ὧν ἐπεπράχεσαν ἐγκρατῆ,

been driven out of the forum by soldiers sent by
Antony, they became still more indignant, and
vociferated more loudly, and some of them showed
places where Caesar's statues had been torn from
their pedestals. One man told them that he could
show the shop where the statues were being broken up.
The others followed, and having witnessed the fact,
they set fire to the place. Finally, Antony sent
more soldiers and some of those who resisted were
killed, others were captured, and of these the slaves
were crucified and the freemen thrown over the
Tarpeian rock.

4. So this tumult was quieted; but the extreme
fondness of the plebeians for Antony was turned into
extreme hatred. The Senate was delighted, because
it believed that it could not rest secure otherwise
about Brutus and his associates. Antony also moved
that Sextus Pompeius (the son of Pompey the Great,
who was still much beloved by all) should be recalled
from Spain, where he was still attacked by Caesar's
lieutenants, and that he should be paid 50 millions
of Attic drachmas out of the public treasury for his
father's confiscated property and be appointed com-
mander of the sea, as his father had been, with
charge of all the Roman ships, wherever situated,
which were needed for immediate service. The
astonished Senate accepted each of these decrees
with alacrity and applauded Antony the whole day;
for nobody, in their estimation, was more devoted
to the republic than the elder Pompey, and
hence nobody was more regretted. Cassius and
Brutus, who were of Pompey's faction, and most
honoured by all at that time, thought that they
would be entirely safe. They thought that what

καὶ τὴν δημοκρατίαν ἐς τέλος ἐπάξεσθαι, τῆς
μοίρας σφῶν ἀνισχούσης. ἃ καὶ Κικέρων συνεχῶς
ἐπῄνει τὸν Ἀντώνιον· καὶ ἡ βουλὴ συγγινώσκουσα
αὐτῷ διὰ σφᾶς ἐπιβουλεύοντα τὸν δῆμον ἔδωκε
φρουρὰν περιστήσασθαι περὶ τὸ σῶμα, ἐκ τῶν
ἐστρατευμένων καὶ ἐπιδημούντων ἑαυτῷ κατα-
λέγοντα.

5. Ὁ δέ, εἴτε εἰς τοῦτο αὐτὸ πάντα πεπραχὼς
εἴτε τὴν συντυχίαν ὡς εὔχρηστον ἀσπασάμενος
τὴν φρουρὰν κατέλεγεν, αἰεὶ προστιθεὶς μέχρι ἐς
ἑξακισχιλίους, οὐκ ἐκ τῶν γινομένων ὁπλιτῶν,
οὓς εὐμαρῶς ἂν ἐν ταῖς χρείαις ᾤετο ἕξειν καὶ
ἑτέρωθεν, ἀλλὰ πάντας λοχαγοὺς ὡς ἡγεμονικούς
τε καὶ ἐμπειροπολέμους καί οἱ γνωρίμους ἐκ τῆς
στρατείας τῆς ὑπὸ Καίσαρι· ταξιάρχους δ' αὐτοῖς
ἐς τὸν πρέποντα κόσμον ἐξ αὐτῶν ἐκείνων
ἐπιστήσας, ἦγεν ἐν τιμῇ καὶ κοινωνοὺς ἐποιεῖτο
τῶν φανερῶν βουλευμάτων. ἡ δὲ βουλὴ τό τε
πλῆθος αὐτῶν καὶ τὴν ἐπίλεξιν ἐν ὑπονοίᾳ
τιθέμενοι συνεβούλευον τὴν φρουρὰν ὡς ἐπίφθονον
ἐς τὸ ἀρκοῦν ἐπαναγαγεῖν. ὁ δὲ ὑπισχνεῖτο
ποιήσειν, ὅταν σβέσῃ τοῦ δήμου τὸ ταραχῶδες.
ἐψηφισμένον δ' εἶναι κύρια, ὅσα Καίσαρι πέπρα-
κτό τε καὶ γενέσθαι βεβούλευτο, τὰ ὑπομνήματα
τῶν βεβουλευμένων ὁ Ἀντώνιος ἔχων καὶ τὸν
γραμματέα τοῦ Καίσαρος Φαβέριον ἐς πάντα οἱ
πειθόμενον, διότι καὶ ὁ Καῖσαρ τὰ τοιάδε αἰτή-
ματα ἐς τὸν Ἀντώνιον ἐξιὼν ἀνετίθετο, πολλὰ ἐς
πολλῶν χάριν προσετίθει καὶ ἐδωρεῖτο πόλεσι

they had done would be confirmed, and the republic CHAP.
be at last restored, and their party successful. I
Wherefore Cicero praised Antony continually, and
the Senate, perceiving that the plebeians were making
plots against him on its account, allowed him a
guard for his personal safety, chosen by himself from
the veterans who were sojourning in the city.

5. Antony, either because he had done everything
for this very purpose, or seizing the happy chance as
very useful to him, enlisted his guard and kept
adding to it till it amounted to 6000 men. They were
not common soldiers. He thought that he should
easily get the latter when he needed them otherwise.
These were composed wholly of centurions, as being
fit for command, and of long experience in war,
and his own acquaintances through his service under
Caesar. He appointed tribunes over them, chosen
from their own number and adorned with military
decoration, and these he held in honour and made
sharers of such of his plans as he made known. The
Senate began to be suspicious of the number of his
guards, and of his care in choosing them, and advised
him to reduce them to a moderate number so as to
avoid invidious remarks. He promised to do so as
soon as the disorder among the plebeians should be
quieted. It had been decreed that all the things
done by Caesar, and all that he intended to do,
should be ratified. The memoranda of Caesar's
intentions were in Antony's possession, and Caesar's
secretary, Faberius, was obedient to him in every
way since Caesar himself, on the point of his
departure, had placed all petitions of this kind in
Antony's discretion. Antony made many additions in
order to secure the favour of many persons. He

CAP.
I

καὶ δυνάσταις καὶ τοῖσδε τοῖς ἑαυτοῦ φρουροῖς·
καὶ ἐπεγράφετο μὲν πᾶσι τὰ Καίσαρος ὑπομνή-
ματα, τὴν δὲ χάριν οἱ λαβόντες ᾔδεσαν Ἀντωνίῳ.
τῷ δὲ αὐτῷ τρόπῳ καὶ ἐς τὸ βουλευτήριον
πολλοὺς κατέλεγε καὶ ἄλλα τῇ βουλῇ δι᾽ ἀρεσ-
κείας ἔπρασσεν, ἵνα μὴ φθονοῖεν ἔτι τῆς φρουρᾶς.

6. Καὶ Ἀντώνιος μὲν ἀμφὶ ταῦτα ἦν, ὁ δὲ
Βροῦτος καὶ ὁ Κάσσιος, οὔτε τινὸς παρὰ τοῦ
δήμου σφίσιν ἢ παρὰ τῶν ἐξεστρατευμένων εἰρη-
ναίου φανέντος, οὔτε τὴν ἐνέδραν Ἀματίου καὶ
παρ᾽ ἑτέρου ἂν αὐτοῖς ἀδύνατον ἡγούμενοι γε-
νέσθαι, οὔτε τὸ ποικίλον Ἀντωνίου φέροντες
ἀφόβως, ἤδη καὶ στρατιὰν ἔχοντος, οὔτε τὴν
δημοκρατίαν βεβαιουμένην ἔργοις ὁρῶντες, ἀλλὰ
καὶ ἐς τοῦτο ὑφορώμενοι τὸν Ἀντώνιον, Δέκμῳ
μάλιστα ἐπεπείθεσαν, ἔχοντι ἐν πλευραῖς τρία
τέλη στρατοῦ, καὶ πρὸς Τρεβώνιον ἐς τὴν Ἀσίαν
καὶ πρὸς Τίλλιον ἐς Βιθυνίαν κρύφα ἔπεμπον
χρήματα ἀγείρειν ἀφανῶς καὶ στρατὸν περιβλέ-
πεσθαι. αὐτοί τε ἠπείγοντο τῶν δεδομένων σφίσιν
ὑπὸ τοῦ Καίσαρος ἐθνῶν λαβέσθαι. τοῦ χρόνου
δὲ οὔπω συγχωροῦντος αὐτοῖς, ἀπρεπὲς ἡγούμενοι,
τὴν ἐν ἄστει στρατηγίαν προλιπόντες ἀτελῆ,
δόξαν ὕποπτον φιλαρχίας ἐθνῶν ἐνέγκασθαι,
ᾑροῦντο ὅμως ὑπὸ ἀνάγκης τὸ ἐν μέσῳ διάστημα
διατρῖψαί ποι μᾶλλον ἰδιωτεύοντες ἢ ἐν ἄστει
στρατηγεῖν, οὔτε ἀφόβως ἔχοντες οὔτε τὰ εἰκότα
ἐφ᾽ οἷς ὑπὲρ τῆς πατρίδος ἐπεπράχεσαν τιμώ-
μενοι. οὕτω δ᾽ αὐτοῖς ἔχουσιν ἡ βουλὴ συνειδυῖα

made gifts to cities, to princes, and to his own CHAP.
guards, and although all were advised that these I
were Caesar's memoranda, yet the recipients knew He falsifies
that the favour was due to Antony. In the same Caesar's
way he enrolled many new names in the list of decrees
senators and did many other things to please the
Senate, in order that it might not bear him ill-will
in reference to his guards.

6. While Antony was busy with these matters, Brutus and
Brutus and Cassius, seeing nobody among either the Cassius
plebeians or the veterans inclined to be at peace with uneasy
them, and considering that any other person might
lay plots against them like that of Amatius, became
distrustful of the fickleness of Antony, who now had
an army under his command, and seeing that the re-
public, too, was not confirmed by deeds, they suspected
Antony for that reason also; and so they reposed most
confidence in Decimus Brutus, who had three legions
near by, and also sent secretly to Trebonius in Asia
and to Tillius in Bithynia, asking them to collect
money quietly and to prepare an army. They were
anxious, too, themselves to enter upon the government
of the provinces assigned to them by Caesar, but as the
time for doing so had not yet come, they thought
that it would be indecorous for them to leave their
service as city praetors unfinished, and that they
would incur the suspicions of an undue longing for
power over the provinces. They preferred, neverthe-
less, to spend the remainder of their year as private
citizens somewhere, as a matter of necessity, rather
than serve as praetors in the city where they were
not safe, and were not held in honour corresponding to
the benefits they had conferred upon their country.
While they were in this state of mind, the Senate,

CAP.
I

τὴν γνώμην ἔδωκε σίτου τῇ πόλει φροντίσαι, ἐξ
ὅσης δύναιντο γῆς, μέχρις αὐτοὺς ὁ χρόνος τῶν
ἐθνῶν τῆς στρατηγίας καταλάβοι.

Καὶ ἡ μὲν οὕτως ἔπραξεν, ἵνα μή ποτε Βροῦτος
ἢ Κάσσιος φεύγειν δοκοῖεν· τοσήδε αὐτῶν φροντὶς
ἦν ἅμα καὶ αἰδώς, ἐπεὶ καὶ τοῖς ἄλλοις σφαγεῦσι
διὰ τούσδε μάλιστα συνελάμβανον· 7. ἐξελθόντων
δὲ τῆς πόλεως τῶν ἀμφὶ τὸν Βροῦτον, ἐπὶ
δυναστείας ὢν ὁ Ἀντώνιος ἤδη μοναρχικῆς ἀρχὴν
ἔθνους καὶ στρατιᾶς αὐτῷ περιέβλεπε· καὶ
Συρίας μὲν ἐπεθύμει μάλιστα, οὐκ ἠγνόει δὲ
ὢν δι᾽ ὑπονοίας καὶ μᾶλλον ἐσόμενος, εἴ τι
αἰτοίη· καὶ γὰρ αὐτῷ κρύφα Δολοβέλλαν τὸν
ἕτερον ὕπατον ἐπήλειφεν εἰς ἐναντίωσιν ἡ βουλή,
διάφορον ἀεὶ τῷ Ἀντωνίῳ γενόμενον. αὐτὸν
οὖν τὸν Δολοβέλλαν ὁ Ἀντώνιος, νέον τε καὶ
φιλότιμον εἰδώς, ἔπεισεν αἰτεῖν Συρίαν ἀντὶ
Κασσίου καὶ τὸν ἐς Παρθυαίους κατειλεγμένον
στρατὸν ἐπὶ τοὺς Παρθυαίους, αἰτεῖν δὲ οὐ παρὰ
τῆς βουλῆς (οὐ γὰρ ἐξῆν), ἀλλὰ παρὰ τοῦ δήμου
νόμῳ. καὶ ὁ μὲν ἡσθεὶς αὐτίκα προυτίθει τὸν
νόμον, καὶ τῆς βουλῆς αἰτιωμένης αὐτὸν παρα-
λύειν τὰ δόξαντα τῷ Καίσαρι τὸν μὲν ἐπὶ Παρ-
θυαίους πόλεμον οὐδενὶ ἔφη ὑπὸ Καίσαρος ἐπι-
τετράφθαι, Κάσσιον δὲ τὸν Συρίας ἀξιωθέντα
αὐτόν τι τῶν Καίσαρος πρότερον ἀλλάξαι, δόντα
πωλεῖν τὰ κληρουχήματα τοῖς λαβοῦσι πρὸ τῶν
νενομισμένων εἴκοσιν ἐτῶν· καὶ αὐτὸς δὲ αἰδεῖ-
σθαι Συρίας οὐκ ἀξιούμενος, Δολοβέλλας ὤν,

holding the same opinion as themselves, gave them
charge of the supply of corn for the city from all
parts of the world, until the time should arrive for
them to take command of their provinces.

This was done in order that Brutus and Cassius
might not at any time seem to have run away. So
great was the anxiety and regard for them that the
Senate cared for the other murderers chiefly on their
account. 7. After Brutus and Cassius had left the
city, Antony, being in possession of something like
monarchical power, cast about for the government of
a province and an army for himself. He desired
that of Syria most of all, but he was not ignorant of
the fact that he was under suspicion and that he
would be more so if he should ask for it; for the
Senate had secretly encouraged Dolabella, the other
consul, to oppose Antony, as he had always been at
variance with him. Antony, knowing that this young
Dolabella was himself ambitious, persuaded him to
solicit the province of Syria and the army enlisted
against the Parthians, to be used against the Par-
thians, in place of Cassius, and to ask it, not from
the Senate, which had not the power to grant it,
but from the people by a law. Dolabella was
delighted, and immediately brought forward the
law. The Senate accused him of nullifying the de-
crees of Caesar. He replied that Caesar had not
assigned the war against the Parthians to anybody,
and that Cassius, who had been assigned to the com-
mand of Syria, had himself been the first to alter the
decrees of Caesar by authorizing colonists to sell their
allotments before the expiration of the legal period of
twenty years. He said also it would be an indignity
to himself if he, being Dolabella, were not chosen for

CAP. πρὸ Κασσίου. οἱ μὲν δὴ τῶν δημάρχων τινὰ
1 Ἀσπρήναν ἔπεισαν ἐν τῇ χειροτονίᾳ ψεύσασθαι
περὶ διοσημείας, ἐλπίσαντές τι καὶ Ἀντώνιον
συμπράξειν, ὕπατόν τε ὄντα καὶ τῶν σημείων
ἱερέα καὶ διάφορον ἔτι νομιζόμενον εἶναι τῷ
Δολοβέλλᾳ· ὁ δ' Ἀντώνιος, ἐπεὶ τῆς χειροτονίας
οὔσης ὁ Ἀσπρήνας ἔφη διοσημείαν ἀπαίσιον
γεγονέναι, ἔθους ὄντος ἑτέρους ἐπὶ τοῦτο πέμ-
πεσθαι, πάνυ χαλεψάμενος τῷ Ἀσπρήνᾳ τοῦ
ψεύσματος τὰς φυλὰς ἐκέλευε χειροτονεῖν περὶ
τοῦ Δολοβέλλα.

8. Καὶ γίνεται μὲν οὕτω Συρίας ἡγεμὼν Δολο-
βέλλας καὶ στρατηγὸς τοῦ πολέμου τοῦ πρὸς
Παρθυαίους καὶ στρατιᾶς τῆς ἐς αὐτὸν ὑπὸ
Καίσαρος κατειλεγμένης, ὅση τε περὶ Μακεδονίαν
προεληλύθει, καὶ ὁ Ἀντώνιος τότε πρῶτον ἔγ-
νωστο συμπράσσων τῷ Δολοβέλλᾳ. γεγενημένων
δὲ τῶνδε ἐν τῷ δήμῳ τὴν βουλὴν ὁ Ἀντώνιος
ᾔτει Μακεδονίαν, εὖ εἰδώς, ὅτι αἰδέσονται, μετὰ
Συρίαν δοθεῖσαν Δολοβέλλᾳ, ἀντειπεῖν περὶ
Μακεδονίας Ἀντωνίῳ, καὶ ταῦτα γυμνῆς στρατοῦ
γενομένης. καὶ ἔδοσαν μὲν ἄκοντες καὶ ἐν θαύματι
ἔχοντες, ὅπως τὸν ἐν αὐτῇ στρατὸν προμεθῆκεν
ὁ Ἀντώνιος τῷ Δολοβέλλᾳ, ἠγάπων δὲ ὅμως
Δολοβέλλαν ἔχειν τὸν στρατὸν Ἀντωνίου μᾶλλον.
ἐν καιρῷ δὲ αὐτοὶ τὸν Ἀντώνιον τοῖς ἀμφὶ τὸν
Κάσσιον ἀντῄτουν ἕτερα ἔθνη, καὶ ἐδόθη Κυρήνη
τε καὶ Κρήτη, ὡς δ' ἑτέροις δοκεῖ, τάδε μὲν
ἀμφότερα Κασσίῳ, Βιθυνία δὲ Βρούτῳ.

Syria instead of Cassius. The Senate then persuaded
one of the tribunes, named Asprenas, to give a false
report of the signs in the sky during the comitia, having
some hope that Antony, too, who was both consul and
augur, and was supposed to be still at variance with
Dolabella, would co-operate with him. But when
the voting came on, and Asprenas said that the signs
in the sky were unfavourable, as it was not his
business to attend to this, Antony, angry at his lying,
ordered that the tribes should go on with the voting
on the subject of Dolabella.

8. Thus Dolabella became governor of Syria and
general of the war against the Parthians and of the
forces enlisted for that purpose by Caesar, together
with those that had gone in advance to Macedonia.
Then it became known for the first time that Antony
was co-operating with Dolabella. After this business
had been transacted by the people, Antony solicited
the province of Macedonia from the Senate, well
knowing that after Syria had been given to Dolabella,
they would be ashamed to deny Macedonia to
himself, especially as it was a province without an
army. They gave it to him unwillingly, at the
same time wondering why Antony should let
Dolabella have the army, but glad nevertheless that
the latter had it rather than the former. They
themselves took the opportunity to ask of Antony
other provinces for Brutus and Cassius, and there
were assigned to them Cyrenaica and Crete ; or, as
some say, both of these to Cassius and Bithynia to
Brutus.

II

CAP. **9.** Τὰ μὲν δὴ γινόμενα ἐν Ῥώμῃ τοιάδε ἦν·
II Ὀκτάουιος δὲ ὁ τῆς ἀδελφῆς τοῦ Καίσαρος
θυγατριδοῦς ἵππαρχος μὲν αὐτοῦ Καίσαρος γε-
γένητο πρὸς ἓν ἔτος, ἐξ οὗ τήνδε τὴν τιμὴν
ὁ Καῖσαρ ἐς τοὺς φίλους περιφέρων ἐτήσιον
ἔσθ' ὅτε ἐποιεῖτο εἶναι, μειράκιον δὲ ἔτι ὢν ἐς
Ἀπολλωνίαν τὴν ἐπὶ τοῦ Ἰονίου παιδεύεσθαί
τε καὶ ἀσκεῖσθαι τὰ πολέμια ἐπέμπετο ὑπὸ
τοῦ Καίσαρος ὡς ἐς τοὺς πολεμίους ἑψόμενος
αὐτῷ. καὶ αὐτὸν ἐν τῇ Ἀπολλωνίᾳ ἱππέων
ἶλαι παραλλὰξ ἐκ Μακεδονίας ἐπιοῦσαι **συνεγύ-**
μναζον καὶ τῶν ἡγεμόνων τοῦ στρατοῦ τινες
ὡς συγγενεῖ Καίσαρος θαμινὰ ἐπεφοίτων. γνῶσίς
τε ἐκ τούτων αὐτῷ καὶ εὔνοια παρὰ τοῦ στρατοῦ
τις ἐνεγίγνετο, σὺν χάριτι δεξιουμένῳ πάντας.
ἕκτον δ' ἔχοντι μῆνα ἐν τῇ Ἀπολλωνίᾳ ἀγγέλ-
λεται περὶ ἑσπέραν ὁ Καῖσαρ ἀνῃρημένος ἐν
τῷ βουλευτηρίῳ πρὸς τῶν φιλτάτων καὶ παρ'
αὐτῷ δυνατωτάτων τότε μάλιστα. τῶν δὲ λοιπῶν
οὐδενὸς ἀπαγγελθέντος πω δέος αὐτὸν ἐπεῖχε
καὶ ἄγνοια, εἴτε κοινὸν εἴη τῆς βουλῆς τὸ ἔργον
εἴτε καὶ τῶν ἐργασαμένων ἴδιον, καὶ εἰ δίκην ἤδη
τοῖς πλείοσι δεδώκοιεν ἢ καὶ τοῦδε εἶεν, ἢ καὶ
τὸ πλῆθος αὐτοῖς συνήδοιτο.

10. Ἐφ' οἷς οἱ φίλοι ἐκ Ῥώμης ὑπετίθεντο
ταῦτα, ὥστε οἱ μὲν ἐς φυλακὴν **τοῦ σώματος**

II

9. SUCH was the state of affairs at Rome. We turn now to Octavian,[1] the son of the daughter of Caesar's sister, who had been appointed master of Caesar's horse for one year, for Caesar at times made this a yearly office, passing it round among his friends. Being still a young man, he had been sent by Caesar to Apollonia on the Adriatic to be educated and trained in the art of war, so that he might accompany Caesar on his expeditions. Troops of horse from Macedonia were sent to him by turns for the purpose of drill, and certain army officers visited him frequently as a relative of Caesar. As he received all with kindness, an acquaintance and good feeling grew up by means of them between himself and the army. At the end of a six months' sojourn in Apollonia, it was announced to him one evening that Caesar had been killed in the senate-house by those who were dearest to him, and were then his most powerful subordinates. As the rest of the story was untold he was overcome by fear, not knowing whether the deed had been committed by the Senate as a whole or was confined to the immediate actors; nor whether the majority of the Senate had already punished them, or were actually accomplices, or whether the people were pleased with what had been done.

10. Thereupon [his friends in Rome advised as follows:][2] some urged him to take refuge with the

---

[1] His name was originally C. Octavius. When taking the names C. Julius Caesar he added *Octavianus*, as shewing his original *gens*. For clearness the name *Octavian* is employed in translation. [2] These words are perhaps an insertion.

αὐτὸν ἠξίουν ἐπὶ τὸν ἐν Μακεδονίᾳ στρατὸν
καταφυγεῖν καί, ὅτε μάθοι μὴ κοινὸν εἶναι τὸ
ἔργον, ἐπιθαρρήσαντα τοῖς ἐχθροῖς ἀμύνειν τῷ
Καίσαρι· καὶ ἦσαν οἳ καὶ τῶν ἡγεμόνων αὐτὸν
ἐλθόντα φυλάξειν ὑπεδέχοντο· ἡ δὲ μήτηρ
καὶ Φίλιππος, ὃς εἶχεν αὐτήν, ἀπὸ Ῥώμης
ἔγραφον μήτε ἐπαίρεσθαι μήτε θαρρεῖν πω
μεμνημένον, οἷα Καῖσαρ ὁ παντὸς ἐχθροῦ κρα-
τήσας ὑπὸ τῶν φιλτάτων μάλιστα πάθοι, τὰ
δὲ ἰδιωτικώτερα ὡς ἐν τοῖς παροῦσιν ἀκινδυνό-
τερα αἱρεῖσθαι μᾶλλον καὶ πρὸς σφᾶς ἐς Ῥώμην
ἐπείγεσθαι φυλασσόμενον. οἷς Ὀκτάουιος ἐνδοὺς
διὰ τὴν ἔτι ἄγνοιαν τῶν ἐπὶ τῷ θανάτῳ γενομένων,
τοὺς ἡγεμόνας τοῦ στρατοῦ δεξιωσάμενος διέπλει
τὸν Ἰόνιον, οὐκ ἐς τὸ Βρεντέσιον (οὔπω γάρ τινα
τοῦ ἐκεῖθι στρατοῦ πεῖραν εἰληφὼς πάντα ἐφυ-
λάσσετο), ἀλλ᾽ ἐς ἑτέραν οὐ μακρὰν ἀπὸ τοῦ
Βρεντεσίου πόλιν, ἐκτὸς οὖσαν ὁδοῦ, ᾗ ὄνομα
Λουπίαι. ἐνταῦθα οὖν ἐνηυλίσατο διατρίβων.

11. Ὡς δέ οἱ τά τε ἀκριβέστερα περὶ τοῦ φόνου
καὶ τοῦ δημοσίου πάθους τῶν τε διαθηκῶν καὶ
τῶν ἐψηφισμένων ἦλθε τὰ ἀντίγραφα, οἱ μὲν ἔτι
μᾶλλον αὐτὸν ἠξίουν τοὺς ἐχθροὺς Καίσαρος
δεδιέναι, υἱόν τε αὐτοῦ καὶ κληρονόμον ὄντα, καὶ
παρῄνουν ἅμα τῷ κλήρῳ τὴν θέσιν ἀπείπασθαι·
ὁ δὲ καὶ ταῦτά οἱ καὶ τὸ μὴ τιμωρεῖν αὐτὸν
Καίσαρι αἰσχρὸν ἡγούμενος ἐς τὸ Βρεντέσιον ᾔει,
προπέμψας καὶ διερευνησάμενος, μή τις ἐκ τῶν
φονέων ἐγκαθέζοιτο ἐνέδρα. ὡς δὲ αὐτῷ καὶ ὁ
ἐνθάδε στρατὸς οἷα Καίσαρος υἱὸν δεξιούμενος
ἀπῆντα, θαρρήσας ἔθυε καὶ εὐθὺς ὠνομάζετο

army in Macedonia to ensure his personal safety, and CHAP.
when he should learn that the murder was only a II
private transaction to take courage against his enemies
and avenge Caesar ; and there were high officers who
promised to protect him if he would come. But his
mother and his stepfather, Philippus, wrote to him
from Rome not to be too confident and not to
attempt anything rash, but to bear in mind what
Caesar, after conquering every enemy, had suffered
at the hands of his closest friends ; that it would be
safer under present circumstances to choose a
private life and hasten to them at Rome, but with
caution. Octavian yielded to them because he did
not know what had happened after Caesar's death.
He took leave of the army officers and crossed the He comes
Adriatic, not to Brundusium (for as he had made no to Italy
test of the army at that place he avoided all risk),
but to another town not far from it and out of the
direct route, named Lupiae. There he took lodgings
and remained for a while.

11. When more accurate information about the
murder and the public grief had reached him,
together with copies of Caesar's will and the decrees
of the Senate, his relatives still more cautioned him to
beware of the enemies of Caesar, as he was the
latter's adopted son and heir. They even advised
him to renounce the adoption, together with the
inheritance. But he thought that to do so, and not
to avenge Caesar, would be disgraceful. So he went
to Brundusium, first sending in advance to see that
none of the murderers had laid any trap for him.
When the army there advanced to meet him, and
received him as Caesar's son, he took courage, offered
sacrifice, and immediately assumed the name of

CAP.
II

Καῖσαρ. ἔθος γάρ τι Ῥωμαίοις τοὺς θετοὺς τὰ
τῶν θεμένων ὀνόματα ἐπιλαμβάνειν. ὁ δὲ οὐκ
ἐπέλαβεν, ἀλλὰ καὶ τὸ αὑτοῦ καὶ τὸ πατρῷον
ὅλως ἐνήλλαξεν, ἀντὶ Ὀκταουίου παιδὸς Ὀκ-
ταουίου Καῖσαρ εἶναι καὶ Καίσαρος υἱός, καὶ
διετέλεσεν οὕτω χρώμενος. εὐθύς τε ἐς αὑτὸν
ἄθρουν καὶ πανταχόθεν ὡς ἐς Καίσαρος υἱὸν
πλῆθος ἀνθρώπων συνέθεον, οἱ μὲν ἐκ φιλίας
Καίσαρος, οἱ δὲ ἐξελεύθεροι καὶ θεράποντες
αὐτοῦ, καὶ ἕτεροι στρατιῶται σὺν αὐτοῖς, οἱ
μὲν ἀποσκευὰς ἢ χρήματα φέροντες ἐς τὴν
Μακεδονίαν, οἱ δὲ ἕτερα χρήματα καὶ φόρους
ἐξ ἐθνῶν ἄλλων ἐς τὸ Βρεντέσιον.

12. Ὁ δὲ καὶ τῷ πλήθει τῶν εἰς αὐτὸν ἀφικνου-
μένων καὶ τῇ Καίσαρος αὐτοῦ δόξῃ τε καὶ τῇ
πάντων εἰς ἐκεῖνον εὐνοίᾳ θαρρῶν ὥδευεν ἐς
Ῥώμην σὺν ἀξιολόγῳ πλήθει, αὐξομένῳ μᾶλλον
ἑκάστης ἡμέρας οἷα χειμάρρῳ, φανερᾶς μὲν ἐπι-
βουλῆς ὢν ἀμείνων διὰ τὸ πλῆθος, ἐνέδρας δὲ δι'
αὐτὸ καὶ μάλιστα ὑφορώμενος, ἀρτιγνώστων οἱ
τῶν συνόντων σχεδὸν ὄντων ἁπάντων. τὰ δὲ
τῶν πόλεων τῶν μὲν ἄλλων οὐ πάντῃ πρὸς αὐτὸν
ἦν ὁμαλά· οἱ δὲ τῷ Καίσαρι στρατευσάμενοί τε
καὶ ἐς κληρουχίας διῃρημένοι συνέτρεχον ἐκ τῶν
ἀποικιῶν ἐπὶ χάριτι τοῦ μειρακίου καὶ τὸν Καί-
σαρα ὠλοφύροντο καὶ τὸν Ἀντώνιον ἐβλασφή-
μουν οὐκ ἐπεξιόντα τηλικούτῳ μύσει καὶ σφᾶς
ἔλεγον, εἴ τις ἡγοῖτο, ἀμυνεῖν. οὓς ὁ Καῖσαρ
ἐπαινῶν καὶ ἀνατιθέμενος ἐν τῷ παρόντι ἀπέπεμ-
πεν. ὄντι δ' αὐτῷ περὶ Ταρρακίνας, ἀπὸ τετρα-
κοσίων που Ῥώμης σταδίων, ἀγγέλλεται Κάσσιός
τε καὶ Βροῦτος ἀφῃρημένοι πρὸς τῶν ὑπάτων

Caesar ; for it is customary among the Romans for
the adopted son to take the name of the adoptive
father. He not only assumed it, but he changed
his own name and his patronymic completely,
calling himself Caesar the son of Caesar, instead of
Octavian the son of Octavius, and he continued to
do so ever after. Directly multitudes of men from
all sides flocked to him as Caesar's son, some from
friendship to Caesar, others his freedmen and slaves,
and with them soldiers besides, who were either
engaged in conveying supplies and money to the
army in Macedonia, or bringing other money and
tribute from other countries to Brundusium.

12. Encouraged by the numbers who were joining
him, and by the glory of Caesar, and by the good-
will of all toward himself, he journeyed to Rome
with a notable crowd which, like a torrent, grew
larger and larger each day. Although he was safe
from any open attacks by reason of the multitude
surrounding him, he was all the more on his guard
against secret ones, because almost all of those
accompanying him were new acquaintances. Some Caesar's
of the towns were not altogether favourable to him, soldiers
receive him
but Caesar's veterans, who had been distributed in gladly
colonies, flocked from their settlements to greet the
young man. They bewailed Caesar, and cursed
Antony for not proceeding against the monstrous
crime, and said that they would avenge it if anybody
would lead them. Octavian praised them, but post-
poned the matter for the present and sent them
away. When he had arrived at Tarracina, about He moves
400 stades from Rome, he received news that towards
Rome
Cassius and Brutus had been deprived of Syria and

CAP. Συρίαν καὶ Μακεδονίαν καὶ ἐς παρηγορίαν βρα-
II
χύτερα ἕτερα Κυρήνην καὶ Κρήτην ἀντειληφότες,
φυγάδων τέ τινων κάθοδοι καὶ Πομπηίου μετά-
κλησις καὶ ἀπὸ τῶν Καίσαρος ὑπομνημάτων ἔς τε
τὴν βουλὴν ἐγγραφαί τινων καὶ ἕτερα πολλὰ
γιγνόμενα.

13. Ὡς δ' ἐς τὴν πόλιν ἀφίκετο, ἡ μὲν μήτηρ
αὖθις καὶ Φίλιππος ὅσοι τε ἄλλοι κηδεμόνες ἦσαν
αὐτοῦ, ἐδεδοίκεσαν τήν τε τῆς βουλῆς ἐς τὸν
Καίσαρα ἀλλοτρίωσιν καὶ τὸ δόγμα, μὴ εἶναι
δίκας ἐπὶ Καίσαρι φόνου, καὶ τὴν Ἀντωνίου τότε
δυναστεύοντος ἐς αὐτὸν ὑπεροψίαν, οὔτε ἀφικο-
μένου πρὸς τὸν Καίσαρος υἱὸν ἐλθόντα οὔτε
προσπέμψαντος αὐτῷ· ὁ δὲ καὶ ταῦτ' ἐπράυνεν,
αὐτὸς ἀπαντήσειν ἐς τὸν Ἀντώνιον εἰπὼν οἷα
νεώτερος ἐς πρεσβύτερον καὶ ἰδιώτης ἐς ὕπατον
καὶ τὴν βουλὴν θεραπεύσειν τὰ εἰκότα. καὶ τὸ
δόγμα ἔφη γενέσθαι μηδενός πω τοὺς ἀνδροφόνους
διώκοντος· ἀλλ' ὁπότε θαρρήσας τις διώκοι, καὶ
τὸν δῆμον ἐπικουρήσειν καὶ τὴν βουλὴν ὡς
ἐννόμῳ καὶ τοὺς θεοὺς ὡς δικαίῳ καὶ τὸν Ἀντώ-
νιον ἴσως. εἰ δὲ καὶ τοῦ κλήρου καὶ τῆς θέσεως
ὑπερίδοι, ἔς τε τὸν Καίσαρα ἁμαρτήσεσθαι καὶ
τὸν δῆμον ἀδικήσειν εἰς τὴν διανομήν.

Ἀπερρήγνυ τε λήγων τοῦ λόγου, ὅτι μὴ κινδυ-
νεύειν οἱ καλὸν εἴη μόνον, ἀλλὰ καὶ θνήσκειν, εἰ
προκριθεὶς ἐκ πάντων ἐς τοσαῦτα ὑπὸ τοῦ Καί-
σαρος ἀντάξιος αὐτοῦ φαίνοιτο φιλοκινδυνοτάτου
γεγονότος. τά τε τοῦ Ἀχιλλέως, ὑπόγυά οἱ τότε

Macedonia by the consuls, and had received the CHAP.
smaller provinces of Cyrenaica and Crete by way of II
compensation; that certain exiles had returned;
that Sextus Pompeius had been recalled; that some
new members had been added to the Senate in
accordance with Caesar's memoranda, and that many
other things were happening.

13. When he arrived at the city his mother and He resolves
Philippus and the others who were interested in him to avenge
were anxious about the estrangement of the Senate Caesar
from Caesar, and the decree that his murderers
should not be punished, and the contempt shown
him by Antony, who was then all-powerful, and had
neither gone to meet Caesar's son when he was
coming nor sent anybody to him. Octavian quieted
their fears, saying that he would call on Antony, as
the younger man on the older and the private citizen
on the consul, and that he would show proper
respect for the Senate. As for the decree, he said
that it had been passed because nobody had prose-
cuted the murderers; whenever anybody should
have courage to prosecute, the people and the Senate
would lend their aid to him as enforcing the law,
and the gods would do so for the justice of his
cause, and Antony himself equally. If he (Octavian)
should reject the inheritance and the adoption, he
would be false to Caesar and would wrong the
people who had a share in the will.

As he was finishing his remarks he burst out that
honour demanded that he should not only incur
danger, but even death, if, after he had been preferred
before all others in this way by Caesar, he would show
himself worthy of one who had himself braved every
danger. Then he repeated the words of Achilles,

ὄντα μάλιστα, ἐς τὴν μητέρα ὥσπερ ἐς τὴν Θέτιν
ἐπιστρεφόμενος ἔλεγεν·

"Αὐτίκα τεθναίην, ἐπεὶ οὐκ ἄρ' ἔμελλον ἑταίρῳ
κτεινομένῳ ἐπαμύνειν."

καὶ τόδε εἰπὼν Ἀχιλλεῖ μὲν ἔφη κόσμον ἀθάνα-
τον ἐκ πάντων εἶναι τοῦτο τὸ ἔπος, καὶ τὸ ἔργον
αὐτοῦ μάλιστα· αὐτὸς δ' ἀνεκάλει τὸν Καίσαρα
οὐχ ἑταῖρον, ἀλλὰ πατέρα, οὐδὲ συστρατιώτην,
ἀλλ' αὐτοκράτορα, οὐδὲ πολέμου νόμῳ πεσόντα,
ἀλλ' ἀθεμίστως ἐν βουλευτηρίῳ κατικοπέντα.

14. Ἐφ' οἷς αὐτὸν ἡ μήτηρ, ἐς ἡδονὴν ἐκ τοῦ
δέους ὑπαχθεῖσα, ἠσπάζετο ὡς μόνον ἄξιον Καί-
σαρος καὶ λέγειν ἔτι ἐπισχοῦσα ἐπέσπερχεν ἐς τὰ
ἐγνωσμένα σὺν τῇ τύχῃ. παρῄνει γε μὴν ἔτι
τέχνῃ καὶ ἀνεξικακίᾳ μᾶλλον ἢ φανερᾷ θρασύτητί
πω χρῆσθαι. καὶ ὁ Καῖσαρ ἐπαινέσας καὶ πρά-
ξειν ὑποσχόμενος οὕτως, αὐτίκα τῆς ἑσπέρας ἐς
τοὺς φίλους περιέπεμπεν, ἐς ἕω συγκαλῶν ἕκασ-
τον ἐς τὴν ἀγορὰν μετὰ πλήθους. ἔνθα Γάιον
Ἀντώνιον τὸν ἀδελφὸν Ἀντωνίου, στρατηγοῦντα
τῆς πόλεως, ὑπαντιάσας ἔφη δέχεσθαι τὴν θέσιν
τοῦ Καίσαρος· ἔθος γάρ τι Ῥωμαίοις τοὺς θετοὺς
ἐπὶ μάρτυσι γίγνεσθαι τοῖς στρατηγοῖς. ἀπογρα-
ψαμένων δὲ τῶν δημοσίων τὸ ῥῆμα, εὐθὺς ἐκ τὴν
ἀγορᾶς ἐς τὸν Ἀντώνιον ἐχώρει. ὁ δὲ ἦν ἐς
κήποις, οὓς ὁ Καῖσαρ αὐτῷ δεδώρητο Πομπηίου
γενομένους. διατριβῆς δὲ ἀμφὶ τὰς θύρας πλεί-
ονος γενομένης ὁ μὲν Καῖσαρ καὶ τάδε ἐς ὑποψίαν

which were then fresh in his mind, turning to his
mother as if she were Thetis ;—

> " Would I might die this hour, who failed to save
> My comrade slain ! " [1]

After saying this he added that these words of
Achilles, and especially the deed that followed,
had of all things given him immortal renown ; and
he invoked Caesar not as a friend, but a father ;
not as a fellow-soldier, but a commander-in-chief ;
not as one who had fallen by the law of war, but
as the victim of sacrilegious murder in the senate-
house.

14. Thereupon his mother's anxiety was changed
to joy, and she embraced him as alone worthy of
Caesar. She checked his speaking and urged him
to prosecute his designs with the favour of fortune.
She advised him, however, to use art and patience
rather than open boldness. Octavian approved of
this policy and promised to adopt it in action, and
forthwith sent around to his friends the same
evening, asking them to come to the forum early
in the morning and bring a crowd with them.
There presenting himself to Gaius Antonius, the
brother of Antony, who was the city praetor, he
said that he accepted the adoption of Caesar ; for
it is a Roman custom that adoptions are confirmed
by witnesses before the praetors. When the public
scribes had taken down his declaration, Octavian
went from the forum straightway to Antony. The *He visits*
latter was in the gardens that Caesar had given *Antony*
to him, which had formerly been Pompey's. As
Octavian was kept waiting at the vestibule for

---

[1] Iliad xviii. 98 (Lord Derby's translation).

CAP.
II
'Αντωνίου τῆς ἀλλοτριώσεως ἐτίθετο, εἰσκλη-
θέντος δέ ποτε ἦσαν προσαγορεύσεις τε καὶ περὶ
ἀλλήλων πύσματα εἰκότα.

Ὡς δὲ ἤδη λέγειν ἔδει περὶ ὧν ἦσαν ἐν χρείᾳ,
ὁ Καῖσαρ εἶπεν· 15. "ἐγὼ δέ, πάτερ 'Αντώνιε
(πατέρα γὰρ εἶναι σέ μοι δικαιοῦσιν αἵ τε
Καίσαρος ἐς σὲ εὐεργεσίαι καὶ ἡ σὴ πρὸς ἐκεῖνον
χάρις), τῶν σοι πεπραγμένων ἐπ' ἐκείνῳ τὰ μὲν
ἐπαινῶ καὶ χάριν αὐτῶν ὀφλήσω, τὰ δ' ἐπιμέμ-
φομαι, καὶ λελέξεται μετὰ παρρησίας, ἐς ἣν ἡ
λύπη με προάγει. κτεινομένῳ μὲν οὐ παρῆς,
τῶν φονέων σε περισπασάντων περὶ θύρας, ἐπεὶ
περιέσῳζες ἂν αὐτὸν ἢ συνεκινδύνευες ὅμοια
παθεῖν· ὧν εἰ θάτερον ἔμελλεν ἔσεσθαι, καλῶς, ὅτι
μὴ παρῆς. ψηφιζομένων δέ τινων αὐτοῖς ὡς ἐπὶ τυ-
ράννῳ γέρα ἀντεῖπας ἐγκρατῶς· καὶ τοῦδέ σοι χάριν
οἶδα λαμπράν, εἰ καὶ τοὺς ἄνδρας ἔγνως συνανε-
λεῖν σε βεβουλευμένους, οὐχ, ὡς ἡμεῖς ἡγούμεθα,
τιμωρὸν ἐσόμενον Καίσαρι, ἀλλ', ὡς αὐτοὶ λέ-
γουσι, τῆς τυραννίδος διάδοχον. ἅμα δ' οὐκ
ἦσαν ἐκεῖνοι τυραννοκτόνοι, εἰ μὴ καὶ φονεῖς
ἦσαν· διὸ καὶ ἐς τὸ Καπιτώλιον συνέφυγον ὡς ἐς
ἱερὸν ἁμαρτόντες ἱκέται ἢ ὡς ἐς ἀκρόπολιν ἐχθροί.
πόθεν οὖν αὐτοῖς ἀμνηστία καὶ τὸ ἀνεύθυνον τοῦ

some time, he interpreted the fact as a sign of Antony's displeasure, but when he was admitted there were greetings and mutual inquiries proper to the occasion.

When the time came to speak of the business in hand, Octavian said: 15. "Father Antony (for the benefits that Caesar conferred upon you and your gratitude toward him warrant me in giving you that title), for some of the things that you have done since his death I praise you and owe you thanks; for others I blame you. I shall speak freely of what my sorrow prompts me to speak. When Caesar was killed you were not present, as the murderers detained you at the door; otherwise you would have saved him or incurred the danger of sharing the same fate with him. If the latter would have befallen you, then it is well that you were not present. When certain senators proposed rewards to the murderers as tyrannicides you strongly opposed them. For this I give you hearty thanks, although you knew that they intended to kill you also;[1] not as I think, because you were likely to avenge Caesar, but, as they themselves say, lest you should be his successor in the tyranny. Slayers of a ' tyrant' they may or may not have been; murderers they certainly were;[2] and that is why they took refuge in the Capitol, either as guilty suppliants in a temple or as enemies in a fortress. How then could they have obtained amnesty and

[1] The interpretation of this passage is doubtful. Schweighäuser thinks that Octavian means to say that he thanks Antony for opposing the proposition to reward the murderers, although he may have had a selfish interest in doing so.

[2] Literally "they were not 'tyrant-killers' [as they claimed] without also being [by that confession] murderers."

φόνου, ἢ τῆς βουλῆς καὶ τοῦ δήμου εἰ τινες ἐφθάρατο ὑπ' ἐκείνων; καὶ σὲ τὸ τῶν πλεόνων ὁρᾶν ἐχρῆν, ὕπατον ὄντα. ἀλλὰ καὶ θάτερα βουλομένῳ σοι ἡ ἀρχὴ συνελάμβανε, τιμωρουμένῳ τηλικοῦτον ἄγος καὶ τοὺς πλανωμένους μεταδιδάσκοντι. σὺ δὲ καὶ ὅμηρα τῆς ἀδείας, οἰκεῖα αὐτοῦ σοῦ, τοῖς ἀνδροφόνοις ἔπεμψας ἐς τὸ Καπιτώλιον.

" Ἀλλ' ἔστω καὶ ταῦτα τοὺς διεφθαρμένους σε βιάσασθαι.[1] ὅτε μέντοι τῶν διαθηκῶν ἀναγνωσθεισῶν καὶ αὐτοῦ σοῦ δίκαιον ἐπιτάφιον εἰπόντος ὁ δῆμος ἐν ἀκριβεῖ Καίσαρος μνήμῃ γενόμενοι πῦρ ἐπ' αὐτοὺς ἔφερον, καὶ φεισάμενοι χάριν τῶν γειτόνων ἐς τὴν ἐπιοῦσαν ἥξειν ἐπὶ ὅπλα συνέθεντο, πῶς οὐχὶ τῷ δήμῳ συνέπραξας καὶ ἐστρατήγησας τοῦ πυρὸς ἢ τῶν ὅπλων ἢ δίκην γε τοῖς ἀνδροφόνοις ἐπέγραψας, εἰ δίκης ἔδει κατὰ αὐτοφώρων, καὶ φίλος ὢν Καίσαρι καὶ ὕπατος καὶ Ἀντώνιος;

16. " Ἀλλὰ Μάριος μὲν ἐξ ἐπιτάγματος ἀνῃρέθη κατὰ τὸ τῆς ἀρχῆς μέγεθος, ἀνδροφόνους δὲ ἐκφυγεῖν ὑπερεῖδες καὶ ἐς ἡγεμονίας ἐνίους διαδραμεῖν, ἃς ἀθεμίστως ἔχουσι τὸν δόντα ἀνελόντες. Συρίαν μὲν δὴ καὶ Μακεδονίαν εὖ ποιοῦντες οἱ ὕπατοι, σὺ καὶ Δολοβέλλας, καθισταμένων ἄρτι τῶν πραγμάτων περιεσπάσατε ἐς ἑαυτούς. καὶ τοῦδέ σοι χάριν ᾔδειν ἄν, εἰ μὴ αὐτίκα Κυρήνην καὶ Κρήτην αὐτοῖς ἐψηφίσασθε καὶ φυγάδας ἠξιώσατε ἡγεμονίαις αἰεὶ κατ' ἐμοῦ

[1] Viereck reads ἔστων . . . οἱ διεφθαρμένοι, but approves the reading given above.

impunity for their crime unless some portion of the Senate and people had been corrupted by them? Yet you, as consul, ought to have seen what would be for the interest of the majority, and if you had wished to avenge such a monstrous crime, or to reclaim the erring, your office would have enabled you to do either. But you sent hostages from your own family to the murderers at the Capitol for their security.

" Let us suppose that those who had been corrupted forced you to do this also, yet when Caesar's will had been read, and you had yourself delivered your righteous funeral oration, and the people, being thus brought to a lively remembrance of Caesar, had carried firebrands to the houses of the murderers, but spared them for the sake of their neighbours, agreeing to come back armed the next day, why did you not co-operate with them and lead them with fire or arms? Or why did you not bring them to trial, if trial was necessary for men seen in the act of murder—you, Caesar's friend ; you, the consul : you, Antony ?

16. " The pseudo-Marius was put to death by your order in the plenitude of your authority, but you connived at the escape of the murderers, some of whom have passed on to the provinces which they nefariously hold as gifts at the hands of him whom they slew. These things were no sooner done than you and Dolabella, the consuls, proceeded, very properly, to strip them and possess yourselves of Syria and Macedonia. I should have owed you thanks for this also, had you not immediately voted them Cyrenaica and Crete ; had you not preferred these fugitives for governorships, where they can

δορυφορεῖσθαι· Δέκμον τε τὴν ἐγγὺς Κελτικὴν
ὑπερορᾶτε ἔχοντα, καὶ τόνδε τοῖς ἄλλοις ὁμοίως
αὐθέντην τοὐμοῦ πατρὸς γενόμενον. ἀλλὰ καὶ
τάδε τὴν βουλὴν ἐρεῖ τις ἐγνωκέναι. σὺ δ᾽
ἐπεψήφιζες καὶ προυκάθησο τῆς βουλῆς, ᾧ
μάλιστα πάντων ἥρμοζε διὰ σαυτὸν ἀντειπεῖν· τὸ
γὰρ ἀμνηστίαν δοῦναι τὴν σωτηρίαν ἣν ἐκείνοις
χαριζομένων μόνον, τὸ δὲ ἡγεμονίας αὖθις
ψηφίζεσθαι καὶ γέρα ὑβριζόντων Καίσαρα καὶ
τὴν σὴν γνώμην ἀκυρούντων.

"'Επὶ τάδε με δὴ τὸ πάθος ἐξήνεγκε παρὰ τὸ
ἁρμόζον ἴσως ἐμοὶ τῆς τε ἡλικίας καὶ τῆς πρὸς σὲ
αἰδοῦς. εἴρηται δ᾽ ὅμως ὡς ἐς ἀκριβέστερον φίλον
Καίσαρι καὶ πλείστης ὑπ᾽ ἐκείνου τιμῆς καὶ δυνά-
μεως ἠξιωμένον καὶ τάχα ἂν αὐτῷ καὶ θετὸν
γενόμενον, εἰ ᾔδει σε δεξόμενον Αἰνεάδην ἀντὶ
Ἡρακλείδου γενέσθαι· τοῦτο γὰρ αὐτὸν ... ἐνδοιά-
σαι, πολὺν τῆς διαδοχῆς λόγον ποιούμενον.

17. "'Ες δὲ τὸ μέλλον, ὦ ᾽Αντώνιε, πρὸς θεῶν τε
φιλίων καὶ πρὸς αὐτοῦ σοι Καίσαρος, εἰ μέν τι καὶ
τῶν γεγονότων μεταθέσθαι θέλεις (δύνασαι γάρ,
εἰ θέλεις)· εἰ δὲ μή, τά γε λοιπὰ τοὺς φονέας
ἀμυνομένῳ μοι μετὰ τοῦ δήμου καὶ τῶνδε τῶν ἔτι
μοι πατρικῶν φίλων συνίστασθαι καὶ συνεργεῖν·
εἰ δέ σε τῶν ἀνδρῶν τις ἢ τῆς βουλῆς αἰδὼς ἔχει,
μὴ ἐπιβαρεῖν. καὶ τάδε μὲν ἀμφὶ τούτων· οἶσθα
δ᾽, ὅπως ἔχει μοι καὶ τὰ οἴκοι, δαπάνης τε ἐς τὴν

always defend themselves against me, and had you not tolerated Decimus Brutus in the command of Hither Gaul, although he, like the rest, was one of my father's slayers. It may be said that these were decrees of the Senate. But you put the vote and you presided over the Senate—you who ought most of all to have opposed them on your own account. To grant amnesty to the murderers was merely to insure their personal safety as a matter of favour, but to vote them provinces and rewards forthwith was to insult Caesar and annul your own judgment.

"Grief has compelled me to speak these words, against the rules of decorum perhaps, considering my youth and the respect I owe you. They have been spoken, however, as to a more fully declared friend of Caesar, to one who was invested by him with the greatest honour and power, and who would have been adopted by him no doubt if he had known that you would accept kinship with the family of Aeneas in exchange for that of Hercules; for this created [1] doubt in his mind when he was thinking strongly of designating you as his successor.

17. "For the future, Antony, I conjure you by the gods who preside over friendship, and by Caesar himself, to change somewhat the measures that have been adopted, for you can change them if you wish to; if not, that you will in any case hereafter aid and co-operate with me in punishing the murderers, with the help of the people and of those who are still my father's faithful friends, and if you still have regard for the conspirators and the Senate, do not be hard on us. Enough of this topic. You know about my private affairs and the expense I must

[1] The main verb is missing.

CAP. διανομήν, ἣν ὁ πατὴρ ἐκέλευσε τῷ δήμῳ δοθῆναι,
II καὶ ἐπείξεως ἐς αὐτήν, ἵνα μὴ βραδύνων ἀχάριστος
εἶναι δοκοίην μηδ' ὅσοι καταλεχθέντες εἰς τὰς
ἀποικίας ἐπιμένουσι τῇ πόλει, δι' ἐμὲ τρίβοιντο.
ὅσα δὴ τῶν Καίσαρος εὐθέως ἐπὶ τῷ φόνῳ πρὸς σὲ
μετενήνεκται ὡς ἐπ' ἀσφαλὲς ἐξ ἐπικινδύνου τότε
οἰκίας, τὰ μὲν κειμήλια αὐτῶν καὶ τὸν ἄλλον
ἅπαντα κόσμον ἔχειν ἀξιῶ σε καὶ ὅσα ἂν ἐθέλῃς
ἄλλα παρ' ἡμῶν ἐπιλαβεῖν, ἐς δὲ τὴν διανομὴν
ἀποδοῦναί μοι τὸ χρυσίον τὸ ἐπίσημον, ὃ
συνηθροίκει μὲν ἐς τοὺς πολέμους ἐκεῖνος, οὓς
ἐπενόει, ἀρκέσει δ' ἐμοὶ νῦν ἐς τριάκοντα μυριάδας
ἀνδρῶν μεριζόμενον. τὰ δὲ λοιπὰ τῆς δαπάνης, εἰ
μὲν θαρρήσαιμί σοι, παρὰ σοῦ ἂν ἴσως ἢ διὰ σοῦ
δανεισαίμην ἐκ τῶν δημοσίων χρημάτων, ἂν διδῷς·
διαπεπράσεται δὲ αὐτίκα καὶ ἡ οὐσία."

18. Τοιαῦτα τοῦ Καίσαρος εἰπόντος ὁ Ἀντώνιος
κατεπλάγη, τῆς τε παρρησίας καὶ τῆς εὐτολμίας
παρὰ δόξαν οἱ πολλῆς καὶ παρ' ἡλικίαν φανείσης·
χαλεψάμενος δὲ τοῖς τε λόγοις οὐχ ὅσον ἔδει τὸ
πρέπον ἐς αὐτὸν ἐσχηκόσι καὶ μάλιστα τῶν
χρημάτων τῇ ἀπαιτήσει, αὐστηρότερον αὐτὸν ὧδε
ἠμείψατο· "εἰ μὲν ὁ Καῖσάρ σοι μετὰ κλήρου καὶ
τῆς ἐπωνυμίας, ὦ παῖ, καὶ τὴν ἡγεμονίαν κατέλι-
πεν, εἰκὸς σὲ τῶν κοινῶν τοὺς λογισμοὺς αἰτεῖν
κἀμὲ ὑπέχειν. εἰ δὲ οὐδενί πω τὴν Ῥωμαῖοι τὴν
ἡγεμονίαν ἔδοσαν ἐκ διαδοχῆς, οὐδὲ τῶν βασιλέων,
οὓς ἐκβαλόντες ἐπώμοσαν μηδ' ἄλλων ἔτι
ἀνέξεσθαι, (ὃ καὶ τῷ πατρί σου μάλιστα οἱ φονεῖς
ἐπιλέγοντες φασὶν ἀνελεῖν αὐτὸν βασιλιζόμενον,

incur for the legacy which my father directed to be CHAP.
given to the people, and the haste involved in it II
lest I may seem churlish by reason of delay, and lest
those who have been assigned to colonies be com-
pelled to remain in the city and waste their time on
my account. Of Caesar's movables, that were brought
immediately after the murder from his house to
yours as a safer place, I beg you to take keepsakes
and anything else by way of ornament and whatever
you like to retain from us.   But in order that I may
pay the legacy to the people, please give me the
gold coin that Caesar had collected for his intended
wars. That will suffice for the distribution to 300,000
men now. For the rest of my expenses I may perhaps
borrow from you, if I may be so bold, or from the
public treasury on your security, if you will give it,
and I will offer my own property for sale at once."

18. While Octavian was speaking in this fashion Antony's
Antony was astonished at his freedom of speech and reply
his boldness, which seemed much beyond the bounds
of propriety and of his years.   He was offended by
the words because they were wanting in the respect
due to him, and still more by the demand for money,
and, accordingly, he replied in these somewhat
severe terms: " Young man, if Caesar left you the
government, together with the inheritance and his
name, it is proper for you to ask and for me to give
the reasons for my public acts.   But if the Roman
people never surrendered the government to any-
body to dispose of in succession, not even when they
had kings, whom they expelled and swore never to
have any more (this was the very charge that the
murderers brought against your father, saying that
they killed him because he was no longer a leader

CAP.
II οὐχ ἡγούμενον ἔτι), ἐμοὶ μὲν οὐδ' ἀποκρίσεως δεῖ
πρὸς σὲ περὶ τῶν κοινῶν, τῷ δ' αὐτῷ λόγῳ καὶ σὲ
κουφίζω, μὴ χάριν ὀφείλειν ἡμῖν ἐπ' αὐτοῖς. ἐπράσ-
σετο γὰρ οὐ σοῦ χάριν, ἀλλὰ τοῦ δήμου, πλὴν ἑνὸς
τοῦ μεγίστου δὴ μάλιστα πάντων ἔς τε Καίσαρα
καὶ σὲ ἔργου. εἰ γὰρ τοῦ κατ' ἐμαυτὸν ἕνεκα
ἀδεοῦς καὶ ἀνεπιφθόνου περιεῖδον ἐγὼ τιμὰς
ψηφιζομένας τοῖς φονεῦσιν ὡς τυραννοκτόνοις, τύ-
ραννος ὁ Καῖσαρ ἐγίγνετο, ᾧ μήτε δόξης μήτε τιμῆς
τινος ἢ τῶν ἐγνωσμένων βεβαιώσεως ἔτι μετῆν.
οὐ διαθήκας εἶχεν ἄν, οὐ παῖδα, οὐκ οὐσίαν, οὐκ
αὐτὸ τὸ σῶμα ταφῆς ἀξιούμενον, οὐδὲ ἰδιώτου·
ἄταφα γὰρ οἱ νόμοι τὰ σώματα τῶν τυράννων
ὑπερορίζουσι καὶ τὴν μνήμην ἀτιμοῦσι καὶ
δημεύουσι τὴν περιουσίαν.

19. "Ὧν ἐγὼ δεδιὼς ἕκαστον ὑπερηγωνιζόμην
Καίσαρος, ἀθανάτου τε δόξης καὶ δημοσίας ταφῆς,
οὐκ ἀκινδύνως οὐδ' ἀνεπιφθόνως ἐμαυτῷ, τυχεῖν,
πρός τε ἄνδρας ταχυεργεῖς καὶ φόνου πλήρεις καί,
ὡς ἔμαθες, ἤδη καὶ ἐπ' ἐμὲ συνομωμοσμένους πρός
τε τὴν βουλὴν ἀχθομένην σου τῷ πατρὶ τῆς
ἀρχῆς. ἀλλὰ καὶ ταῦτα κινδυνεύειν καὶ παθεῖν
ὁτιοῦν ᾑρούμην ἑκὼν μᾶλλον ἢ ἄταφον καὶ ἄτιμον
γιγνόμενον περιιδεῖν Καίσαρα, ἀρίστων ἀνδρῶν
τῶν ἐφ' ἑαυτοῦ καὶ εὐτυχέστατον ἐς τὰ πλεῖστα
καὶ ἀξιοτιμότατον ἐκ πάντων ἐμοὶ γενόμενον.
τοῖς δ' αὐτοῖς μου τοῖσδε κινδύνοις καὶ σὺ τὰ νῦν
σοι παρόντα πάντα λαμπρὰ τῶν Καίσαρος ἔχεις,
γένος, ὄνομα, ἀξίωμα, περιουσίαν. ὧν σε δικαιό-
τερον ἦν ἐμοὶ χάριν εἰδέναι μᾶλλον ἢ τὰ

but a king), then there is no need of my answering
you as to my public acts. For the same reason I
release you from any indebtedness to me in the way
of gratitude for those acts. They were performed
not for your sake, but for the people's, except in
one particular, which was of the greatest importance
to Caesar and to yourself. For if, to secure my own
safety and to shield myself from enmity, I had
allowed honours to be voted to the murderers as
tyrannicides, Caesar would have been declared a
tyrant, to whom neither glory, nor any kind of
honour, nor confirmation of his acts would have been
possible ; who could make no valid will, have no
son, no property, nor any burial of his body, even as
a private citizen. The laws provide that the bodies
of tyrants shall be cast out unburied, their memory
stigmatized, and their property confiscated.

19. " Apprehending all of these consequences, I
entered the lists for Caesar, for his immortal honour,
and his public funeral, not without danger, not
without incurring hatred to myself, contending
against hot-headed, blood-thirsty men, who, as you
know, had already conspired to kill me ; and against
the Senate, which was displeased with your father
on account of his usurped authority. But I willingly
chose to incur these dangers and to suffer anything
rather than allow Caesar to remain unburied and
dishonoured—the most valiant man of his time, the
most fortunate in every respect, and the one to
whom the highest honours were due from me. It is
by reason of the dangers I incurred that you enjoy
your present distinction as the successor of Caesar,
his family, his name, his dignity, his wealth. It
would have been more becoming in you to testify your

ϹΑΡ. ἐκλειφθέντα εἰς τὴν τῆς βουλῆς παρηγορίαν ἢ ἐς
II ἀντίδοσιν τῶνδε, ὧν ἔχρηζον, ἢ κατ' ἄλλας χρείας
ἢ λογισμοὺς ἐπιμέμφεσθαι πρεσβυτέρῳ νεώτερον
ὄντα.

"Καὶ τάδε μὲν ἀρκέσει σοι περὶ τῶνδε εἰρῆσθαι·
ἐνσημαίνῃ δὲ καὶ τῆς ἡγεμονίας με ἐπιθυμεῖν, οὐκ
ἐπιθυμοῦντα μέν, οὐκ ἀπάξιον δὲ ἡγούμενον εἶναι,
καὶ ἄχθεσθαι μὴ τυχόντα τῶν διαθηκῶν τῶν
Καίσαρος, ὁμολογῶν μοι καὶ τὸ τῶν Ἡρακλειδῶν
γένος ἀρκεῖν.

20. "Περὶ δὲ τῶν σῶν χρειῶν, ἐθέλοντα μέν σε
ἐκ τῶν δημοσίων δανείσασθαι ἡγούμην ἂν εἰρωνείαν
λέγειν, εἰ μὴ πιθανὸν ἦν ἔτι ἀγνοεῖν σε κενὰ πρὸς
τοῦ πατρὸς ἀπολελεῖφθαι τὰ κοινὰ ταμιεῖα, τῶν
προσόδων, ἐξ οὗ παρῆλθεν ἐπὶ τὴν ἀρχήν, ἐς
αὐτὸν ἀντὶ τοῦ ταμιείου συμφερομένων καὶ εὑρε-
θησομένων αὐτίκα ἐν τῇ Καίσαρος περιουσίᾳ,
ὅταν αὐτὰ ζητεῖν ψηφισώμεθα. ἄδικον γὰρ οὐδὲν
τοῦτο ἐς τὸν Καίσαρα ἔσται, τεθνεῶτά τε ἤδη καὶ
οὐκ ἂν εἰπόντα ἄδικον εἶναι, εἰ καὶ ζῶν ᾐτεῖτο
τοὺς λογισμούς, ἐπεὶ καὶ τῶν ἰδιωτῶν πολλοῖς
ἀμφισβητοῦσί σοι καθ' ἕνα τῆς οὐσίας οὐκ ἀδήρι-
τον αὐτὴν ἔχων γνώσῃ. τῶν δὲ μετενεχθέντων
πρός με χρημάτων οὔτε τὸ πλῆθός ἐστιν, ὅσον
εἰκάζεις, οὔτε τι νῦν ἔστι παρ' ἐμοί, πάντα τῶν ἐν
ἀρχαῖς καὶ δυνάμει, πλὴν Δολοβέλλα καὶ τῶν
ἐμῶν ἀδελφῶν νειμαμένων μὲν εὐθὺς ὡς τυράννου,
δι' ἐμὲ δὲ μετατεθέντων ἐς χάριν τῶν ὑπὲρ Καίσα-
ρος ἐψηφισμένων, ἐπεὶ καὶ σὺ τὰ λοιπὰ φέρων

gratitude to me for these things than to reproach me for concessions made to soothe the Senate, or in compensation for what I needed from it, or in pursuance of other needs or reasons—you a younger man addressing an older one.

"But enough of that. You hint that I am ambitious of the leadership. I am not ambitious of it, although I do not consider myself unworthy of it. You think that I am distressed because I was not mentioned in Caesar's will, though you agree with me that the family of the Heraclidae is enough to content one.

20. "As to your pecuniary needs and your wishing to borrow from the public funds, I might have thought you must be jesting, had it not been possible to think that you are still ignorant of the fact that the public treasury was left empty by your father; because after he assumed the government the public revenues were brought to him instead of to the treasury, and they will presently be found among Caesar's assets when we vote an investigation into these matters. For such investigation will not be unjust to Caesar now that he is dead, nor would he say that it was unjust if he were living and were asked for the accounts. And as there will be many private persons to dispute with you concerning single pieces of property, you may assume that this portion will not be uncontested. The money transferred to my house was not so large a sum as you conjecture, nor is any part of it in my custody now. The men in power and authority, except Dolabella and my brothers, divided up the whole of it straightway as the property of a tyrant, but were brought round by me to support the decrees in favour of Caesar, and you, if you are wise, when you get possession of the remainder,

CAP.
II

οἴσεις ἀντὶ τοῦ δήμου τοῖς δυσχεραίνουσιν, ἂν
σωφρονῇς. οἱ μὲν γὰρ ἐκπέμψουσιν, ἂν συμφρο-
νῶσι, τὸν δῆμον ἐπὶ τὰς ἀποικίας· ὁ δὲ δῆμός
ἐστιν, ὥσπερ καὶ σὺ τῶν Ἑλληνικῶν ἀρτιδίδακτος
ὧν ἔμαθες, ἀστάθμητον ὥσπερ ἐν θαλάσσῃ κῦμα
κινούμενον· ὁ μὲν ἦλθεν, ὁ δ' ἀπῆλθεν. ᾧ λόγῳ
καὶ τῶν ἡμετέρων αἰεὶ τοὺς δημοκόπους ὁ δῆμος
ἐπὶ πλεῖστον ἐξάρας ἐς γόνυ ἔρριψε."

III

CAP.
III

21. Τούτων τοῖς πολλοῖς δυσχεράνας ὁ Καῖσαρ
ἐς ὕβριν εἰρημένοις ἀπεχώρει, τὸν πατέρα ἀνακα-
λῶν θαμινὰ ἐξ ὀνόματος, καὶ τὴν οὐσίαν ἐς πρᾶσιν
αὐτίκα προυτίθει πᾶσαν, ὅση κατὰ τὸν κλῆρον
ἐγίγνετο αὐτοῦ, προτρέπων ἐπικουρεῖν οἱ τὸν
δῆμον ἐκ τῆσδε τῆς σπουδῆς· φανερᾶς δὲ τῆς
Ἀντωνίου πρὸς αὐτὸν ἔχθρας γενομένης καὶ τῆς
βουλῆς ζήτησιν εὐθὺς εἶναι τῶν δημοσίων χρημά-
των ψηφισαμένης, οἱ πολλοὶ ἔδεισαν ἐπὶ τῷ νέῳ
Καίσαρι τῆς πατρῴας ἐς τοὺς στρατιώτας καὶ τὸν
δῆμον εὐνοίας οὕνεκα καὶ τῆς νῦν ἐπὶ τῇ χορηγίᾳ
δημοκοπίας καὶ περιουσίας, ἣ δὴ πάνυ αὐτῷ
πολλὴ προσελθοῦσα οὐκ ἐδόκει τοῖς πλείοσιν
αὐτὸν ἐν ἰδιώτου μέτρῳ καθέξειν, ἐπὶ δὲ Ἀντωνίῳ
μάλιστα, μὴ τὸν Καίσαρα, νέον ἄνδρα καὶ ἔνδοξον
καὶ πλούσιον, ἑταιρισάμενος ὑφ' ἑαυτὸν εἶναι
πρότερος ἅψαιτο τῆς Καίσαρος δυναστείας. οἱ

554

will distribute it among those who are disaffected CHAP.
toward you rather than among the people. The II
former, if they are wise, will send the people, who
are to be colonized, away to their settlements. The
people, however, as you ought to have learned
from the Greek studies you have been lately
pursuing, are as unstable as the waves of the sea,
now advancing, now retreating. In like manner,
among us also, the people are for ever exalting their
favourites, and casting them down again."

III

21. Feeling outraged by the many insulting things CHAP.
said by Antony, Octavian went away invoking his III
father repeatedly by name, and offered for sale all the Disagree-
property which had come to him by the inheritance, ment
at the same time endeavouring by this zeal to induce between
the people to stand by him. While this hasty action Antony and
Octavian
made manifest Antony's enmity toward him, and
the Senate voted an immediate investigation of the
public accounts, most people grew apprehensive of
the young Caesar on account of the favour in which
his father was held by the soldiers and the plebeians,
and on account of his own present popularity based
on the expected distribution of the money, and by
reason of the wealth which had fallen to him in
such vast measure that in the opinion of many he
would not restrict himself to the rank of a private
citizen. But they were most apprehensive of
Antony, lest he should bring the young Caesar,
distinguished and rich as he was, under his own
control, and grasp the sovereignty held by the elder

CAP.
III

δὲ καὶ τοῖς τότε γιγνομένοις ἐφήδοντο, ὡς καὶ
τῶν ἀνδρῶν ἀλλήλοις ἐμποδὼν ἐσομένων καὶ τοῦ
Καίσαρος πλούτου τῇ ζητήσει τῶν χρημάτων
αὐτίκα διαλυθησομένου καὶ σφίσι τοῦ ταμιείου
περιουσίας πλήρους ἐξ αὐτῆς ἐσομένου· τὰ γὰρ
πολλὰ τῶν κοινῶν εὑρήσειν παρὰ Καίσαρι.

22. Πολλοί τε αὐτῶν ἐς δίκας τὸν Καίσαρα ὑπῆ-
γον περὶ χωρίων, ἕτερος ἑτέρῳ ἐπιλέγοντες ἄλλα
τε ἕκαστοι καὶ τὸ κοινὸν ἐπὶ τοῖς πλείστοις, ἐκ
προγραφῆς εἶναι τῶν δημευθέντων ἢ φυγόντων ἢ
ἀναιρεθέντων. ἦγόν τε τὰς δίκας ἐπὶ τὸν Ἀντώ-
νιον αὐτὸν ἢ τὸν ἕτερον ὕπατον Δολοβέλλαν. εἰ δέ
τις καὶ ἐφ᾽ ἑτέρας ἀρχῆς ἐδικάζετο, πανταχοῦ τὰ
πολλὰ ὁμοίως ὁ Καῖσαρ εἰς χάριν Ἀντωνίου
ἡττᾶτο, τά τε ὠνήματα τῷ πατρὶ ἐκ τοῦ δημοσίου
γενόμενα ἐπιδεικνὺς καὶ τὸ τελευταῖον ψήφισμα τὸ
βεβαιοῦν τὰ Καίσαρι πεπραγμένα πάντα. ὕβρεις
τε πολλαὶ παρὰ τὰς δίκας ἦσαν αὐτῷ, καὶ τὸ τῆς
ζημίας προύκοπτεν ἐς ἄπειρον, ἔστε Πέδιον καὶ
Πινάριον (οὗτοι γὰρ τὴν ἐκ τῶν Καίσαρος διαθη-
κῶν τοῦ κλήρου μοῖραν εἶχον) μέμψασθαι τῷ
Ἀντωνίῳ περί τε σφῶν αὐτῶν καὶ περὶ τοῦ
Καίσαρος ὡς ἄδικα πασχόντων παρὰ τὸ ψήφισμα
τῆς βουλῆς. ᾠοντό τε αὐτὸν τὰ ἐς ὕβριν ἐκλύειν
δεῖν μόνον, τὰ ἄλλα δὲ πάντα κυροῦν, ὅσα τῷ
Καίσαρι πέπρακται.

Caesar. Others were delighted with the present state of affairs, believing that the two men would come into conflict with each other; and that the investigation concerning the public money would presently put an end to the wealth of Octavian, and that the treasury would be filled thereby, because the greater part of the public property would be found in Caesar's estate.

22. In the meantime many persons brought law- suits against Octavian for the recovery of landed property, some making one claim and some another, differing in other respects, but for the most part having this in common, that it had been confiscated from persons who had been banished or put to death owing to the proscription. These suits were brought before Antonius himself or the other consul, Dolabella. If any were brought before other magistrates, Octavian was everywhere worsted for the most part through Antony's influence, although he showed by the public records that the purchases[1] had been made by his father, and that the last decree of the Senate had confirmed all of Caesar's acts. Great wrongs were done him in these judgments, and the losses in consequence thereof were going on without end, until Pedius and Pinarius, who had a certain portion of the inheritance under Caesar's will, complained to Antony, both for themselves and for Octavian, that they were suffering injustice in violation of the Senate's decree. They thought that he ought to annul only the things done to insult Caesar, and to ratify all that had been done by him.

---

[1] The words may perhaps mean " he shewed the *deeds of sale* executed by the *public scribe*; " the words bearing some such sense in newly discovered papyri.

557

'Ο δὲ ὡμολόγει μὲν τὰ πρασσόμενα ἴσως ἐναντίον ἔχειν τι τοῖς συνεψηφισμένοις, καὶ τὰ ἐψηφισμένα δ' ἔφη τοῖς τότε δόξασιν ἐναντίως γεγράφθαι. μόνης γὰρ τῆς ἀμνηστίας ἐπειγούσης, τὸ ' μηδὲν ἀνατρέπειν τῶν προδιῳκημένων,' οὐ τοῦδ'[1] αὐτοῦ γε χάριν οὐδὲ ἐφ' ἅπασιν ἁπλῶς μᾶλλον ἢ ἐς εὐπρέπειαν καὶ παρηγορίαν τοῦ δήμου θορυβουμένου τούτοις, ἐπιγραφῆναι. εἶναι δὲ δικαιότερον τῇ γνώμῃ τοῦ ψηφίσματος μᾶλλον ἢ τῷ ῥήματι χρωμένους μὴ παρὰ τὸ εἰκὸς ἀντιπράττειν ἀνδράσι τοσοῖσδε ἰδίων ἢ προγονικῶν κτήσεων κατὰ στάσιν ἐκπεσοῦσιν ὑπὲρ νεανίσκου τοσόνδε πλοῦτον ἀλλότριόν τε καὶ οὐκ ἰδιωτικὸν παρ' ἐλπίδα λαβόντος καὶ οὐκ ἐπιδεξίως, ἀλλ' ἐς θρασύτητα τῇ τύχῃ χρωμένου. σφῶν μέντοι φείσεσθαι τὸ μέρος νειμαμένων πρὸς Καίσαρα. ὧδε μὲν ὁ Ἀντώνιος τοῖς ἀμφὶ τὸν Πινάριον ἀπεκρίνατο. καὶ εὐθὺς ἐνέμοντο, ἵνα μὴ καὶ τὸ μέρος ἐν ταῖς δίκαις προσαπόλοιτο, οὐ σφῶν ἕνεκα αὐτῶν, ἀλλὰ καὶ τόδε τοῦ Καίσαρος· ἔμελλον γὰρ αὐτῷ μετ' οὐ πολὺ πάντα χαριεῖσθαι.

23. Θέας δὲ πλησιαζούσης, ἣν ἔμελλεν ὑπὲρ Βρούτου στρατηγοῦντος ἐπιδώσειν Γάιος Ἀντώνιος ὁ ἀδελφὸς Ἀντωνίου, καὶ τἆλλα τοῦ Βρούτου τῆς στρατηγίας ἐπιτροπεύων ἀπόντος, παρασκευῇ

[1] τοῦδ' Viereck, τοῦ MSS.

Antony acknowledged that his course was perhaps CHAP. somewhat contrary to the agreements voted. The III decrees also, he said, had been recorded in a sense different from the original understanding. While it was the amnesty alone which was urgent, the clause "that nothing previously resolved be repealed" was added not for the sake of this provision in itself, nor because it was entirely satisfactory in all matters of detail, but rather to promote good order and to quiet the people, who had been thrown into tumult by these events. It would be more just, he added, to observe the spirit than the letter of the decree, and not to make an unseemly opposition to so many men who had lost their own and their ancestors' property in the civil convulsions, and to do this in favour of a young man who had received an amount of other people's wealth disproportionate to a private station and beyond his hopes, and who was not making good use of his fortune, but employing it in the rashest adventures. He would take care of them (Pedius and Pinarius) after their portion should have been separated from that of Octavian. This was the answer made by Antony to Pedius and Pinarius. So they took their portion immediately, in order not to lose their own share by the lawsuits, and they did this not so much on their own account as on that of Octavian, for they were going to bestow the whole of it upon him soon afterward.

23. The games were now approaching, which Gaius Growing Antonius, the brother of Antony, was about to give popularity in behalf of Brutus, the praetor, as he attended also of Octavian to the other duties of the praetorship which devolved on him in the latter's absence. Lavish expense was

CAP.
III

τε ἦν ἐς αὐτὴν δαψιλὴς καὶ ἐλπὶς ἐν τῇ θέᾳ τὸν δῆμον ἐπικλασθέντα καλέσειν τοὺς ἀμφὶ τὸν Βροῦτον. ὁ δὲ Καῖσαρ ἀντιθεραπεύων τὸ πλῆθος, ὅσον ἀργύριον ἐκ τῆς πράσεως ἐγίγνετο, αἰεὶ κατὰ μέρος τοῖς φυλάρχοις ἀνεδίδου νέμειν τοῖς φθάνουσι λαβεῖν· καὶ ἐς τὰ πωλητήρια περιιὼν ἀποκηρύσσειν ἔλεγεν ὅσου δύναιντο πάντα τοὺς πιπράσκοντας ὀλιγίστου, διά τε δίκας ἀμφίβολα ἢ ἐπίφοβα ἔτι ὄντα καὶ διὰ τὴν Καίσαρος σπουδήν. ἅπερ αὐτῷ πάντα τὸν δῆμον εἰς εὔνοιαν ἤγειρεν καὶ ἐς ἔλεον, ὡς ἀναξίῳ τοιάδε πάσχειν. ὡς δ' ἐπὶ τῇ κληρονομίᾳ καὶ τὴν ἴδιον αὐτοῦ περιουσίαν ὅση τε παρὰ Ὀκταουίου τοῦ πατρὸς ἢ ἑτέρωθεν ἦν αὐτῷ, καὶ τὰ τῆς μητρὸς πάντα καὶ τὰ Φιλίππου, καὶ τὸ μέρος τοῦ κλήρου Πινάριον καὶ Πέδιον αἰτήσας, προύθηκεν ἐς τὴν διανέμησιν πιπράσκεσθαι, ὡς τῆς Καίσαρος περιουσίας οὐδ' ἐς τοῦτο μόνον ἀρκούσης διὰ τὰς ἐπηρείας, ὁ δῆμος οὐκέτι παρὰ τοῦ πρώτου Καίσαρος, ἀλλὰ παρὰ τοῦδε αὐτοῦ τὴν ἐπίδοσιν λογιζόμενος εἶναι ἐκπαθῶς αὐτὸν ἠλέει καὶ ἐπήνουν ὧδε πάσχοντα καὶ ὧδε φιλοτιμούμενον δῆλοί τε ἦσαν οὐκ ἐς πολὺ τὴν ἐς αὐτὸν Ἀντωνίου ὕβριν ὑπεροψόμενοι.

24. Διέδειξαν δὲ παρὰ τὰς Βρούτου θέας, πολυτελεστάτας δὴ γενομένας· ἐμμίσθων γάρ τινων ἀνακραγόντων κατακαλεῖν Βροῦτόν τε καὶ Κάσσιον, ἐπεὶ τὸ λοιπὸν αὐτοῖς θέατρον συνεδημαγω-

incurred in the preparations for them, in the hope
that the people, gratified by the spectacle, would recall Brutus and Cassius. Octavian, on the other hand, trying to win the mob over to his own side, distributed the money derived from the sale of his property among the head men of the tribes by turns, to be divided by them among the first comers, and went round to the places where his property was on sale and ordered the auctioneers to announce the lowest possible price for everything, both on account of the uncertainty and danger of the lawsuits still pending, and on account of his own haste; all of which acts brought him both popularity and sympathy as one undeserving of such treatment. When in addition to what he had received as Caesar's heir, he offered for sale his own property derived from his father Octavius, and whatever he had from other sources, and all that belonged to his mother and to Philippus, and the shares of Pedius and Pinarius which he begged from them, in order to make the distribution to the people (because in consequence of the litigation Caesar's property was not sufficient even for this purpose), then the people considered it no longer the gift of the elder Caesar, but of the younger one, and they commiserated him deeply and praised him both for what he endured and for what he aspired to be. It was evident that they would not long tolerate the insult that Antony was doing him.

24. They showed their feelings clearly while Brutus' games were in progress, lavish as these were. Although a certain number, who had been hired for the purpose, shouted that Brutus and Cassius should be recalled, and the rest of the spectators were thus

CAP. γεῖτο ἐς τὸν ἔλεον, ἐσέδραμον ἀθρόοι καὶ τὰς θέας
III ἐπέσχον, μέχρι τὴν ἀξίωσιν αὐτῶν σβέσαι.

Βροῦτος δὲ καὶ Κάσσιος, ἐπεὶ σφῶν τὰς
ἐλπίδας τὰς ἐν ταῖς θέαις ὁ Καῖσαρ διέχεεν,
ἔγνωσαν εἰς Συρίαν καὶ Μακεδονίαν, ὡς πρὸ
'Αντωνίου καὶ Δολοβέλλα σφίσιν ἐψηφισμένας,
χωρεῖν καὶ βιάζεσθαι. καὶ τῶνδε φανερῶν γενο-
μένων ἠπείγετο καὶ Δολοβέλλας εἰς τὴν Συρίαν,
καὶ πρὸ Συρίας ἐς τὴν 'Ασίαν, ὡς χρηματιούμενος
ἀπ' αὐτῆς. ὁ δ' 'Αντώνιος ἡγούμενος ἐς τὰ
μέλλοντά οἱ δεήσειν δυνάμεως, τὴν ἐν Μακεδονίᾳ
στρατιάν, ἀρετῇ τε οὖσαν ἀρίστην καὶ πλήθει
μεγίστην, — ἐξ γὰρ ἦν τέλη (καὶ ὅσον ἄλλο
πλῆθος αὐτοῖς τοξοτῶν καὶ ψιλῶν ἢ γυμνητῶν
συνεζεύγνυτο, ἵππος τε πολλὴ καὶ παρασκευὴ
κατὰ λόγον ἐντελής) δοκοῦντα προσήκειν Δολο-
βέλλᾳ, Συρίαν καὶ τὰ ἐς Παρθυαίους ἐπιτετραμ-
μένῳ, διότι καὶ ὁ Καῖσαρ αὐτοῖς ἐς Παρθυαίους
ἔμελλε χρῆσθαι — πρὸς ἑαυτὸν ἐπενόει μετενεγ-
κεῖν, ὅτι καὶ μάλιστα ἦν ἀγχοῦ, ὡς τὸν 'Ιόνιον
περάσαντα εὐθὺς ἐν τῇ 'Ιταλίᾳ εἶναι.

25. Ἄφνω δὴ φήμη κατέσκηψε, Γέτας τὸν
θάνατον τὸν Καίσαρος πυθομένους Μακεδονίαν
πορθεῖν ἐπιτρέχοντας, καὶ ὁ 'Αντώνιος τὴν
βουλὴν ᾔτει τὸν στρατὸν ὡς Γέταις ἐπιθήσων
δίκην· ἔς τε γὰρ Γέτας αὐτὸν πρὸ Παρθυαίων
Καίσαρι παρεσκευάσθαι καὶ τὰ Παρθυαίων
ἠρεμεῖν ἐν τῷ παρόντι. ἡ μὲν οὖν βουλὴ τὴν

wrought up to a feeling of pity for them, crowds ran in and stopped the games until they checked the demand for their recall.

When Brutus and Cassius learned that Octavian had frustrated what they had hoped to obtain from the games, they decided to go to Syria and Macedonia, which had been theirs before these provinces were voted to Dolabella and Antony, and to seize them by force. When their intentions became known, Dolabella hastened to Syria, taking the province of Asia in his way in order to collect money there. Antony, thinking that he should soon need troops for his own purposes, conceived the idea of transferring to himself the army in Macedonia, which was composed of the very best material and was of large size (it consisted of six legions, besides a great number of archers and light-armed troops, much cavalry, and a corresponding amount of apparatus of all kinds), although it properly belonged to Dolabella, who had been entrusted with Syria and the war against the Parthians, because Caesar was about to use these forces against the Parthians. Antony wanted it especially because it was close at hand, and, by crossing the Adriatic, could be thrown at once into Italy.

25. Suddenly a rumour burst upon them that the Getae, learning of Caesar's death, had made an incursion into Macedonia and were ravaging it. Antony asked the Senate to give him an army in order to punish them, saying that this army had been prepared by Caesar to be used against the Getae before marching against the Parthians, and that everything was now quiet on the Parthian frontier. The Senate distrusted the rumour, and

CAP.
III

φήμην ὑπενόει καὶ τοὺς ἐπισκεψομένους ἔπεμψεν·
ὁ δὲ Ἀντώνιος τὸν φόβον αὐτῶν καὶ τὴν ὑπόνοιαν
ἐκλύων ἐψηφίσατο μὴ ἐξεῖναί πω κατὰ μηδεμίαν
αἰτίαν περὶ δικτάτορος ἀρχῆς μήτε εἰπεῖν μήτ'
ἐπιψηφίζειν μήτε λαβεῖν διδομένην, ἢ τὸν ἐκ
τῶνδέ τινος ὑπεριδόντα νηποινεὶ πρὸς τῶν ἐντυ-
χόντων ἀναιρεῖσθαι. καὶ τῷδε μάλιστα ἑλὼν
τοὺς ἀκούοντας καὶ τοῖς ὑπὲρ Δολοβέλλα πράτ-
τουσι συνθέμενος ἐν τέλος δώσειν, ᾑρέθη τῆς ἐν
Μακεδονίᾳ δυνάμεως εἶναι στρατηγὸς αὐτοκράτωρ.
καὶ ὁ μὲν ἔχων, ἃ ἐβούλετο, Γάιον τὸν ἀδελφὸν
αὐτίκα σὺν ἐπείξει τὸ δόγμα φέροντα τῷ στρατῷ
διεπέμπετο· οἱ δὲ ἐπισκέπται τῆς φήμης ἐπανελ-
θόντες Γέτας ἔλεγον οὐκ ἰδεῖν ἐν Μακεδονίᾳ,
προσέθεσαν δέ, εἴτε ἀληθὲς εἴτε ὑπ' Ἀντωνίου
διδαχθέντες, ὅτι δέος ἦν, μὴ τῆς στρατιᾶς ποι
μετελθούσης οἱ Γέται τὴν Μακεδονίαν ἐπιδρά-
μοιεν.

26. Ὧδε μὲν εἶχε τὰ ἐν Ῥώμῃ, Κάσσιος δὲ καὶ
Βροῦτος χρήματα καὶ στρατιὰν συνέλεγον, καὶ
Τρεβώνιος ὁ τῆς Ἀσίας ἡγούμενος τὰς πόλεις
αὐτοῖς ἐτείχιζε καὶ Δολοβέλλαν ἐλθόντα οὐκ
ἐδέχετο οὔτε Περγάμῳ οὔτε Σμύρνῃ, ἀλλὰ μόνην
ἀγορὰν ἔξω τείχους ὡς ὑπάτῳ προυτίθει. ἐπι-
χειροῦντος δ' ἐκείνου σὺν ὀργῇ τοῖς τείχεσι καὶ
οὐδὲν ἀνύοντος, ὁ Τρεβώνιος αὐτὸν ἔφη δέξεσθαι
Ἐφέσῳ καὶ ἐς τὴν Ἔφεσον εὐθὺς ἀπιόντι τοὺς
ἐφεψομένους ἐκ διαστήματος ἔπεμπεν, οἳ νυκτὸς
ἐπιγενομένης ἀπιόντα τὸν Δολοβέλλαν ὁρῶντες

sent messengers to make inquiry. Antony, in order to dissipate their fear and suspicion, proposed a decree that it should not be lawful for anybody, for any cause whatever, to vote for a dictatorship, or to accept it if offered. If anybody should disregard any of these provisions, he might be killed with impunity by anybody who should meet him. Having deceived the Senate[1] chiefly by this means, and having agreed with the friends of Dolabella to give him one legion, he was chosen absolute commander of the forces in Macedonia ; and then when he had obtained what he desired, he sent his brother Gaius with haste to communicate the decree of the Senate to the army. Those who had been sent to inquire into the rumour came back and reported that they had seen no Getae in Macedonia, but they added, either truthfully, or because they were instructed to do so by Antony, that it was feared that they would make an incursion into Macedonia if the army were withdrawn.

26. While these things were taking place at Rome, Cassius and Brutus were collecting troops and money, and Trebonius, governor of the province of Asia, was fortifying his towns for them. When Dolabella arrived, Trebonius would not admit him to Pergamus or Smyrna, but allowed him, as consul, an opportunity of buying provisions outside the walls. However, when he attacked the walls with fury, but accomplished nothing, Trebonius said that he would be admitted to Ephesus. Dolabella started for Ephesus forthwith, and Trebonius sent a force to follow him at a certain distance. While these were observing Dolabella's march, they were overtaken by night, and,

---

[1] Literally, "having captured his hearers."

APPIAN'S ROMAN HISTORY

καὶ οὐδὲν ἔτι ὑπονοοῦντες, ὀλίγους σφῶν ὑπο-
λιπόντες ἔπεσθαι αὐτῷ, ἐς τὴν Σμύρναν ἐπανῆλ-
θον. καὶ τοὺς ὀλίγους ὁ Δολοβέλλας ἐνεδρεύσας
τε καὶ περιλαβὼν ἔκτεινε καὶ ἦλθε τῆς αὐτῆς ἔτι
νυκτὸς ἐς Σμύρναν καὶ αὐτὴν ἀφύλακτον εὑρὼν
εἷλε διὰ κλιμάκων.

Τρεβώνιος δὲ τοῖς συλλαμβάνουσιν αὐτὸν ἔτι
εὐναζόμενον ἡγεῖσθαι πρὸς Δολοβέλλαν ἐκέλευεν·
ἕψεσθαι γὰρ αὐτοῖς ἑκών. καί τις τῶν λοχαγῶν
αὐτὸν ἐπισκώπτων ἠμείψατο· "ἴθι σύ, δεῦρο τὴν
κεφαλὴν καταλιπών· ἡμῖν γὰρ οὐ σέ, ἀλλὰ τὴν
κεφαλὴν ἄγειν προστέτακται." καὶ τόδε εἰπὼν
εὐθὺς ἀπέτεμε τὴν κεφαλήν. ἅμα δὲ ἡμέρα
Δολοβέλλας μὲν αὐτὴν προσέταξεν ἐπὶ τοῦ
στρατηγικοῦ βήματος, ἔνθα ὁ Τρεβώνιος ἐχρη-
μάτιζε, προτεθῆναι· ἡ στρατιὰ δὲ σὺν ὀργῇ καὶ ὁ
οἰκετικὸς ἄλλος ὅμιλος αὐτῆς, ἐπεὶ τοῦ φόνου
Καίσαρος ὁ Τρεβώνιος μετεσχήκει καὶ κτεινο-
μένου τὸν Ἀντώνιον ἐν ὁμιλίᾳ περὶ θύρας τοῦ
βουλευτηρίου περιεσπάκει, εἴς τε τὸ ἄλλο σῶμα
αὐτοῦ ποικίλως ἐνύβριζον καὶ τὴν κεφαλὴν οἷα
σφαῖραν ἐν λιθοστρώτῳ πόλει διαβάλλοντες ἐς
ἀλλήλους ἐπὶ γέλωτι συνέχεάν τε καὶ συνέτριψαν.
καὶ πρῶτος ὅδε τῶν φονέων δίκην τήνδε ἐδεδώκει.

having no farther suspicions, returned to Smyrna, CHAP.
leaving a few of their number to follow him. III
Dolabella laid an ambush for this small number,
captured and killed them, and went back the same
night to Smyrna. Finding it unguarded, he took it
by escalade.

Trebonius, who was captured in bed, told his Dolabella
captors to lead the way to Dolabella, saying that he puts
was willing to follow them. One of the centurions Trebonius
to death
answered him facetiously, " Go where you please,
but you must leave your head behind here, for we are
ordered to bring your head, not yourself." With
these words the centurion immediately cut off his
head, and early in the morning Dolabella ordered it
to be displayed on the praetor's chair where Trebo-
nius was accustomed to transact public business.
Since Trebonius had participated in the murder of
Caesar by detaining Antony in conversation at the
door of the Senate-house while the others killed him,
the soldiers and camp-followers fell upon the rest of
his body with fury and treated it with every kind of
indignity. They rolled his head from one to another
in sport along the city pavements like a ball till it
was completely crushed. This was the first of the
murderers who received the meed of his crime, and
thus vengeance overtook him.

END OF VOL. III.

Printed in Great Britain by
Fletcher & Son Ltd, Norwich

THE LOEB CLASSICAL LIBRARY

VOLUMES ALREADY PUBLISHED

Latin Authors

AMMIANUS MARCELLINUS. Translated by J. C. Rolfe. 3 Vols.

APULEIUS: THE GOLDEN ASS (METAMORPHOSES). W. Adlington (1566). Revised by S. Gaselee.

ST. AUGUSTINE: CITY OF GOD. 7 Vols. Vol. I. G. E. McCracken. Vol. II. and VII. W. M. Green. Vol. III. D. Wiesen. Vol. IV. P. Levine. Vol. V. E. M. Sanford and W. M. Green. Vol. VI. W. C. Greene.

ST. AUGUSTINE, CONFESSIONS OF. W. Watts (1631). 2 Vols.

ST. AUGUSTINE, SELECT LETTERS. J. H. Baxter.

AUSONIUS. H. G. Evelyn White. 2 Vols.

BEDE. J. E. King. 2 Vols.

BOETHIUS: TRACTS and DE CONSOLATIONE PHILOSOPHIAE. Rev. H. F. Stewart and E. K. Rand. Revised by S. J. Tester.

CAESER: ALEXANDRIAN, AFRICAN and SPANISH WARS. A. G. Way.

CAESER: CIVIL WARS. A. G. Peskett.

CAESER: GALLIC WAR. H. J. Edwards.

CATO: DE RE RUSTICA; VARRO: DE RE RUSTICA. H. B. Ash and W. D. Hooper.

CATULLUS. F. W. Cornish; TIBULLUS. J. B. Postgate; PERVIGILIUM VENERIS. J. W. Mackail.

CELSUS: DE MEDICINA. W. G. Spencer. 3 Vols.

CICERO: BRUTUS, and ORATOR. G. L. Hendrickson and H. M. Hubbell.

[CICERO]: AD HERENNIUM. H. Caplan.

CICERO: DE ORATORE, etc. 2 Vols. Vol. I. DE ORATORE, Books I. and II. E. W. Sutton and H. Rackham. Vol. II. DE ORATORE, Book III. De Fato; Paradoxa Stoicorum; De Partitione Oratoria. H. Rackham.

CICERO: DE FINIBUS. H. Rackham.

CICERO: DE INVENTIONE, etc. H. M. Hubbell.

CICERO: DE NATURA DEORUM and ACADEMICA. H. Rackham.

CICERO: DE OFFICIIS. Walter Miller.

CICERO: DE REPUBLICA and DE LEGIBUS: SOMNIUM SCIPIONIS. Clinton W. Keyes.

CICERO: DE SENECTUTE, DE AMICITIA, DE DIVINATIONE. W. A. Falconer.
CICERO: IN CATILINAM, PRO FLACCO, PRO MURENA, PRO SULLA. New version by C. Macdonald.
CICERO: LETTERS TO ATTICUS. E. O. Winstedt. 3 Vols.
CICERO: LETTERS TO HIS FRIENDS. W. Glynn Williams, M. Cary, M. Henderson. 4 Vols.
CICERO: PHILIPPICS. W. C. A. Ker.
CICERO: PRO ARCHIA POST REDITUM, DE DOMO, DE HARUSPICUM RESPONSIS, PRO PLANCIO. N. H. Watts.
CICERO: PRO CAECINA, PRO LEGE MANILIA, PRO CLUENTIO, PRO RABIRIO. H. Grose Hodge.
CICERO: PRO CAELIO, DE PROVINCIIS CONSULARIBUS, PRO BALBO. R. Gardner.
CICERO: PRO MILONE, IN PISONEM, PRO SCAURO, PRO FONTEIO, PRO RABIRIO POSTUMO, PRO MARCELLO, PRO LIGARIO, PRO REGE DEIOTARO. N. H. Watts.
CICERO: PRO QUINCTIO, PRO ROSCIO AMERINO, PRO ROSCIO COMOEDO, CONTRA RULLUM. J. H. Freese.
CICERO: PRO SESTIO, IN VATINIUM. R. Gardner.
CICERO: TUSCULAN DISPUTATIONS. J. E. King.
CICERO: VERRINE ORATIONS. L. H. G. Greenwood. 2 Vols.
CLAUDIAN. M. Platnauer. 2 Vols.
COLUMELLA: DE RE RUSTICA. DE ARBORIBUS. H. B. Ash, E. S. Forster and E. Heffner. 3 Vols.
CURTIUS, Q.: HISTORY OF ALEXANDER. J. C. Rolfe. 2 Vols.
FLORUS. E. S. Forster; and CORNELIUS NEPOS. J. C. Rolfe.
FRONTINUS: STRATAGEMS and AQUEDUCTS. C. E. Bennett and M. B. McElwain.
FRONTO: CORRESPONDENCE. C. R. Haines. 2 Vols.
GELLIUS, J. C. Rolfe. 3 Vols.
HORACE: ODES AND EPODES. C. E. Bennett.
HORACE: SATIRES, EPISTLES, ARS POETICA. H. R. Fairclough.
JEROME: SELECTED LETTERS. F. A. Wright.
JUVENAL and PERSIUS. G. G. Ramsay.
LIVY. B. O. Foster, F. G. Moore, Evan T. Sage, and A. C. Schlesinger and R. M. Geer (General Index). 14 Vols.
LUCAN. J. D. Duff.
LUCRETIUS. W. H. D. Rouse. Revised by M. F. Smith.
MANILIUS. G. P. Goold.
MARTIAL. W. C. A. Ker. 2 Vols.
MINOR LATIN POETS: from PUBLILIUS SYRUS to RUTILIUS NAMATIANUS, including GRATTIUS, CALPURNIUS SICULUS, NEMESIANUS, AVIANUS, and others with "Aetna" and the "Phoenix." J. Wight Duff and Arnold M. Duff.
OVID: THE ART OF LOVE and OTHER POEMS. J. H. Mosley. Revised by G. P. Goold.
OVID: FASTI. Sir James G. Frazer.

OVID: HEROIDES and AMORES. Grant Showerman. Revised by G. P. Goold

OVID: METAMORPHOSES. F. J. Miller. 2 Vols. Vol. 1 revised by G. P. Goold.

OVID: TRISTIA and EX PONTO. A. L. Wheeler.

PERSIUS. Cf. JUVENAL.

PETRONIUS. M. Heseltine; SENECA; APOCOLOCYNTOSIS. W. H. D. Rouse.

PHAEDRUS AND BABRIUS (Greek). B. E. Perry.

PLAUTUS. Paul Nixon. 5 Vols.

PLINY: LETTERS, PANEGYRICUS. Betty Radice. 2 Vols.

PLINY: NATURAL HISTORY. Vols. I.–V. and IX. H. Rackham. VI.–VIII. W. H. S. Jones. X. D. E. Eichholz. 10 Vols.

PROPERTIUS. H. E. Butler.

PRUDENTIUS. H. J. Thomson. 2 Vols.

QUINTILIAN. H. E. Butler. 4 Vols.

REMAINS OF OLD LATIN. E. H. Warmington. 4 Vols. Vol. I. (ENNIUS AND CAECILIUS.) Vol. II. (LIVIUS, NAEVIUS, PACUVIUS, ACCIUS.) Vol. III. (LUCILIUS and LAWS OF XII TABLES.) Vol. IV. (ARCHAIC INSCRIPTIONS.)

SALLUST. J. C. Rolfe.

SCRIPTORES HISTORIAE AUGUSTAE. D. Magie. 3 Vols.

SENECA, THE ELDER: CONTROVERSIAE, SUASORIAE. M. Winterbottom. 2 Vols.

SENECA: APOCOLOCYNTOSIS. Cf. PETRONIUS.

SENECA: EPISTULAE MORALES. R. M. Gummere. 3 Vols.

SENECA: MORAL ESSAYS. J. W. Basore. 3 Vols.

SENECA: TRAGEDIES. F. J. Miller. 2 Vols.

SENECA: NATURALES QUAESTIONES. T. H. Corcoran. 2 Vols.

SIDONIUS: POEMS and LETTERS. W. B. Anderson. 2 Vols.

SILIUS ITALICUS. J. D. Duff. 2 Vols.

STATIUS. J. H. Mozley. 2 Vols.

SUETONIUS. J. C. Rolfe. 2 Vols.

TACITUS: DIALOGUS. Sir Wm. Peterson. AGRICOLA and GERMANIA. Maurice Hutton. Revised by M. Winterbottom, R. M. Ogilvie, E. H. Warmington.

TACITUS: HISTORIES AND ANNALS. C. H. Moore and J. Jackson. 4 Vols.

TERENCE. John Sargeaunt. 2 Vols.

TERTULLIAN: APOLOGIA and DE SPECTACULIS. T. R. Glover. MINUCIUS FELIX. G. H. Rendall.

VALERIUS FLACCUS. J. H. Mozley.

VARRO: DE LINGUA LATINA. R. G. Kent. 2 Vols.

VELLEIUS PATERCULUS and RES GESTAE DIVI AUGUSTI. F. W. Shipley.

VIRGIL. H. R. Fairclough. 2 Vols.

VITRUVIUS: DE ARCHITECTURA. F. Granger. 2 Vols.

Greek Authors

ACHILLES TATIUS. S. Gaselee.

AELIAN: ON THE NATURE OF ANIMALS. A. F. Scholfield. 3 Vols.

AENEAS TACTICUS, ASCLEPIODOTUS and ONASANDER. The Illinois Greek Club.

AESCHINES. C. D. Adams.

AESCHYLUS. H. Weir Smyth. 2 Vols.

ALCIPHRON, AELIAN, PHILOSTRATUS: LETTERS. A. R. Benner and F. H. Fobes.

ANDOCIDES, ANTIPHON, Cf. MINOR ATTIC ORATORS.

APOLLODORUS. Sir James G. Frazer. 2 Vols.

APOLLONIUS RHODIUS. R. C. Seaton.

THE APOSTOLIC FATHERS. Kirsopp Lake. 2 Vols.

APPIAN: ROMAN HISTORY. Horace White. 4 Vols.

ARATUS. Cf. CALLIMACHUS.

ARISTIDES: ORATIONS. C. A. Behr. Vol. I.

ARISTOPHANES. Benjamin Bickley Rogers. 3 Vols. Verse trans.

ARISTOTLE: ART OF RHETORIC. J. H. Freese.

ARISTOTLE: ATHENIAN CONSTITUTION, EUDEMIAN ETHICS, VICES AND VIRTUES. H. Rackham.

ARISTOTLE: GENERATION OF ANIMALS. A. L. Peck.

ARISTOTLE: HISTORIA ANIMALIUM. A. L. Peck. Vols I.--II.

ARISTOTLE: METAPHYSICS. H. Tredennick. 2 Vols.

ARISTOTLE: METEOROLOGICA. H. D. P. Lee.

ARISTOTLE: MINOR WORKS. W. S. Hett. On Colours, On Things Heard, On Physiognomies, On Plants, On Marvellous Things Heard, Mechanical Problems, On Indivisible Lines, On Situations and Names of Winds, On Melissus, Xenophanes, and Gorgias.

ARISTOTLE: NICOMACHEAN ETHICS. H. Rackham.

ARISTOTLE: OECONOMICA and MAGNA MORALIA. G. C. Armstrong; (with METAPHYSICS, Vol. II.).

ARISTOTLE: ON THE HEAVENS. W. K. C. Guthrie.

ARISTOTLE: ON THE SOUL. PARVA NATURALIA. ON BREATH. W. S. Hett.

ARISTOTLE: CATEGORIES, ON INTERPRETATION, PRIOR ANALYTICS. H. P. Cooke and H. Tredennick.

ARISTOTLE: POSTERIOR ANALYTICS, TOPICS. H. Tredennick and E. S. Forster.

ARISTOTLE: ON SOPHISTICAL REFUTATIONS.
On Coming to be and Passing Away, On the Cosmos. E. S. Forster and D. J. Furley.

ARISTOTLE: PARTS OF ANIMALS. A. L. Peck; MOTION AND PROGRESSION OF ANIMALS. E. S. Forster.

ARISTOTLE: PHYSICS. Rev. P. Wicksteed and F. M. Cornford. 2 Vols.
ARISTOTLE: POETICS and LONGINUS. W. Hamilton Fyfe; DEMETRIUS ON STYLE. W. Rhys Roberts.
ARISTOTLE: POLITICS. H. Rackham.
ARISTOTLE: PROBLEMS. W. S. Hett. 2 Vols.
ARISTOTLE: RHETORICA AD ALEXANDRUM (with PROBLEMS. Vol. II). H. Rackham.
ARRIAN: HISTORY OF ALEXANDER and INDICA. 2 Vols. Vol. I. P. Brunt. Vol. II. Rev. E. Iliffe Robson.
ATHENAEUS: DEIPNOSOPHISTAE. C. B. Gulick. 7 Vols.
BABRIUS AND PHAEDRUS (Latin). B. E. Perry.
ST. BASIL: LETTERS. R. J. Deferrair. 4 Vols.
CALLIMACHUS: FRAGMENTS. C. A. Trypanis. MUSAEUS: HERO AND LEANDER. T. Gelzer and C. Whitman.
CALLIMACHUS, Hymns and Epigrams, and LYCOPHRON. A. W. Mair; ARATUS. G. R. Mair.
CLEMENT OF ALEXANDRIA. Rev. G. W. Butterworth.
COLLUTHUS. Cf. OPPIAN.
DAPHNIS AND CHLOE. Thornley's Translation revised by J. M. Edmonds: and PARTHENIUS. S. Gaselee.
DEMOSTHENES I.: OLYNTHIACS, PHILIPPICS and MINOR ORA-TIONS. I.–XVII. AND XX. J. H. Vince.
DEMOSTHENES II.: DE CORONA and DE FALSA LEGATIONE. C. A. Vince and J. H. Vince.
DEMOSTHENES III.: MEIDIAS, ANDROTION, ARISTOCRATES, TIMOCRATES and ARISTOGEITON, I. and II. J. H. Vince.
DEMOSTHENES IV.–VI.: PRIVATE ORATIONS and IN NEAERAM. A. T. Murray.
DEMOSTHENES VII: FUNERAL SPEECH, EROTIC ESSAY, EXORDIA and LETTERS. N. W. and N. J. DeWitt.
DIO CASSIUS: ROMAN HISTORY. E. Cary. 9 Vols.
DIO CHRYSOSTOM. J. W. Cohoon and H. Lamar Crosby. 5 Vols.
DIODORUS SICULUS. 12 Vols. Vols. I.–VI. C. H. Oldfather. Vol. VII. C. L. Sherman. Vol. VIII. C. B. Welles. Vols. IX. and X. R. M. Geer. Vol. XI. F. Walton. Vol. XII. F. Walton. General Index. R. M. Geer.
DIOGENES LAERTIUS. R. D. Hicks. 2 Vols. New Introduc-tion by H. S. Long.
DIONYSIUS OF HALICARNASSUS: ROMAN ANTIQUITIES. Spel-man's translation revised by E. Cary. 7 Vols.
DIONYSIUS OF HALICARNASSUS: CRITICAL ESSAYS. S. Usher. 2 Vols.
EPICTETUS. W. A. Oldfather. 2 Vols.
EURIPIDES. A. S. Way. 4 Vols. Verse trans.
EUSEBIUS: ECCLESIASTICAL HISTORY. Kirsopp Lake and J. E. L. Oulton. 2 Vols.

GALEN: ON THE NATURAL FACULTIES. A. J. Brock.

THE GREEK ANTHOLOGY. W. R. Paton. 5 Vols.

GREEK ELEGY AND IAMBUS with the ANACREONTEA. J. M. Edmonds. 2 Vols.

THE GREEK BUCOLIC POETS (THEOCRITUS, BION, MOSCHUS). J. M. Edmonds.

GREEK MATHEMATICAL WORKS. Ivor Thomas. 2 Vols.

HERODES. Cf. THEOPHRASTUS: CHARACTERS.

HERODIAN. C. R. Whittaker. 2 Vols.

HERODOTUS. A. D. Godley. 4 Vols.

HESIOD AND THE HOMERIC HYMNS. H. G. Evelyn White.

HIPPOCRATES and the FRAGMENTS OF HERACLEITUS. W. H. S. Jones and E. T. Withington. 4 Vols.

HOMER: ILIAD. A. T. Murray. 2 Vols.

HOMER: ODYSSEY. A. T. Murray. 2 Vols.

ISAEUS. E. W. Forster.

ISOCRATES. George Norlin and LaRue Van Hook. 3 Vols.

[ST. JOHN DAMASCENE]: BARLAAM AND IOASAPH. Rev. G. R. Woodward, Harold Mattingly and D. M. Lang.

JOSEPHUS. 9 Vols. Vols. I.–IV. H. Thackeray. Vol. V. H. Thackeray and R. Marcus. Vols. VI.–VII. R. Marcus. Vol. VIII. R. Marcus and Allen Wikgren. Vol. IX. L. H. Feldman.

JULIAN. Wilmer Cave Wright. 3 Vols.

LIBANIUS. A. F. Norman. Vols. I.–II.

LUCIAN. 8 Vols. Vols. I.–V. A. M. Harmon. Vol. VI. K. Kilburn. Vols. VII.–VIII. M. D. Macleod.

LYCOPHRON. Cf. CALLIMACHUS.

LYRA GRAECA. J. M. Edmonds. 3 Vols.

LYSIAS. W. R. M. Lamb.

MANETHO. W. G. Waddell: PTOLEMY: TETRABIBLOS. F. E. Robbins.

MARCUS AURELIUS. C. R. Haines.

MENANDER. I New edition by W. G. Arnott.

MINOR ATTIC ORATORS (ANTIPHON, ANDOCIDES, LYCURGUS, DEMADES, DINARCHUS, HYPERIDES). K. J. Maidment and J. O. Burtt. 2 Vols.

MUSAEUS: HEOR AND LEANDER. Cf. CALLIMACHUS.

NONNOS: DIONYSIACA. W. H. D. Rouse. 3 Vols.

OPPIAN, COLLUTHUS, TRYPHIODORUS. A. W. Mair.

PAPYRI. NON-LITERARY SELECTIONS. A. S. Hunt and C. C. Edgar. 2 Vols. LITERARY SELECTIONS (Poetry). D. L. Page.

PARTHENIUS. Cf. DAPHNIS and CHLOE.

PAUSANIAS: DESCRIPTION OF GREECE. W. H. S. Jones. 4 Vols. and Companion Vol. arranged by R. E. Wycherley.

Philo. 10 Vols. Vols. I.–V. F. H. Colson and Rev. G. H. Whitaker. Vols. VI.–IX. F. H. Colson. Vol. X. F. H. Colson and the Rev. J. W. Earp.

Philo: two supplementary Vols. (*Translation only.*) Ralph Marcus.

Philostratus: The Life of Apollonius of Tyana. F. C. Conybeare. 2 Vols.

Philostratus: Imagines; Callistratus: Descriptions. A. Fairbanks.

Philostratus and Eunapius: Lives of the Sophists. Wilmer Cave Wright.

Pindar. Sir J. E. Sandys.

Plato: Charmides, Alcibiades, Hipparchus, The Lovers, Theages, Minos and Epinomis. W. R. M. Lamb.

Plato: Cratylus, Parmenides, Greater Hippias, Lesser Hippias. H. N. Fowler.

Plato: Euthyphro, Apology, Crito, Phaedo, Phaedrus. H. N. Fowler.

Plato: Laches, Protagoras, Meno, Euthydemus. W. R. M. Lamb.

Plato: Laws. Rev. R. G. Bury. 2 Vols.

Plato: Lysis, Symposium, Gorgias. W. R. M. Lamb.

Plato: Republic. Paul Shorey. 2 Vols.

Plato: Statesman, Philebus. H. N. Fowler; Ion. W. R. M. Lamb.

Plato: Theaetetus and Sophist. H. N. Fowler.

Plato: Timaeus, Critias, Clitopho, Menexenus, Epistulae. Rev. R. G. Bury.

Plotinus: A. H. Armstrong. Vols. I.–III.

Plutarch: Moralia. 17 Vols. Vols. I.–V. F. C. Babbitt. Vol. VI. W. C. Helmbold. Vols. VII. and XIV. P. H. De Lacy and B. Einarson. Vol. VIII. P. A. Clement and H. B. Hoffleit. Vol. IX. E. L. Minar, Jr., F. H. Sandbach, W. C. Helmbold. Vol. X. H. N. Fowler. Vol. XI. L. Pearson and F. H. Sandbach. Vol. XII. H. Cherniss and W. C. Helmbold. Vol. XIII 1–2. H. Cherniss. Vol. XV. F. H. Sandbach.

Plutarch: The Parallel Lives. B. Perrin. 11 Vols.

Polybius. W. R. Paton. 6 Vols.

Procopius: History of the Wars. H. B. Dewing. 7 Vols.

Ptolemy: Tetrabiblos. Cf. Manetho.

Quintus Smyrnaeus. A. S. Way. Verse trans.

Sextus Empiricus. Rev. R. G. Bury. 4 Vols.

Sophocles. F. Storr. 2 Vols. Verse trans.

Strabo: Geography. Horace L. Jones. 8 Vols.

Theophrastus: Characters. J. M. Edmonds. Herodes, etc. A. D. Knox.

7

THEOPHRASTUS: ENQUIRY INTO PLANTS. Sir Arthur Hort, Bart. 2 Vols.

THEOPHRASTUS: DE CAUSIS PLANTARUM. G. K. K. Link and B. Einarson. 3 Vols. Vol. I.

THUCYDIDES. C. F. Smith. 4 Vols.

TRYPHIODORUS. Cf. OPPIAN.

XENOPHON: CYROPAEDIA. Walter Miller. 2 Vols.

XENOPHON: HELLENCIA. C. L. Brownson. 2 Vols.

XENOPHON: ANABASIS. C. L. Brownson.

XENOPHON: MEMORABILIA AND OECONOMICUS. E. C. Marchant. SYMPOSIUM AND APOLOGY. O. J. Todd.

XENOPHON: SCRIPTA MINORA. E. C. Marchant. CONSTITUTION OF THE ATHENIANS (Athenians.) G. W. Bowersock

DATE DUE
